Amour et patriotisme
Tome 1

Du même auteur

Dans la série Les Filles du Roi

Tome 1 *Eugénie, Fille du Roy*
Tome 2 *Eugénie de Bourg-Royal*
Tome 3 *Cassandre, fille d'Eugénie*
Tome 4 *Cassandre, de Versailles à Charlesbourg*
Tome 5 *Étiennette, la femme du forgeron*
Tome 6 *Étiennette de la rivière Bayonne*
Tome 7 *Émeline, la filleule de la diva*
Tome 8 *Émeline, la rencontre du destin*

René Forget

Amour et patriotisme

Les patriotes

Ils étaient peu vers 1640,
Une poignée de braves venus en Nouvelle-France.
Pourquoi partaient-ils de si loin naguère ?
Pourquoi traverser une si grande mer ?

C'était pour emporter une vie nouvelle,
En ces lieux superbes de ce grand pays,
Âme de géant, courage immortel,
Vous nous avez permis de survivre ici.

Claude LÉVEILLÉE

Avant-propos

Il est très difficile de réduire à l'obéissance celui qui ne cherche point à commander, et le politique le plus adroit ne viendroit pas à bout d'assujettir des hommes qui ne voudroient qu'être libres.

Jean-Jacques Rousseau (1764), dans *Discours sur l'origine et les fondements de l'inégalité parmi les hommes.*

En 1763, le traité de Paris remettait officiellement le Canada à l'Angleterre. L'avenir des Canadiens paraissait des plus sombres depuis la capitulation de Québec en 1759 et de Montréal en 1760, et le serment du Test de loyauté au roi Georges III. Guidés par la résistance du clergé catholique, qui s'activait à préserver leur religion, leur langue et leurs droits, les Canadiens avaient réussi à s'accommoder de la conquête britannique, en s'enracinant sur leurs lopins de terre et en s'accrochant désespérément à leurs symboles identitaires.

Cependant, les colons persistaient à maintenir leur profonde affection pour la France, et pensaient avec conviction qu'ils resteraient toujours des Canadiens français, même s'ils étaient forcés de se plier devant le conquérant britannique. Il leur était permis de croire que leur patriotisme leur permettrait un jour de se débarrasser du joug de l'envahisseur.

Le premier gouverneur de la province de Québec, James Murray, comprit vite qu'il serait impossible de faire des Canadiens français catholiques de loyaux et dociles sujets britanniques protestants, même s'il donnait un certain nombre d'avantages et de garanties à la population canadienne et de privilèges à son élite, et ce, malgré l'objection de la classe commerçante britannique.

Le 23 septembre 1766, Guy Carleton succéda à James Murray. À son tour, Carleton défendit une politique de conciliation envers les Canadiens français catholiques, en promulguant en 1774 l'Acte de Québec, qui reconnaissait officiellement les droits et les acquis des Canadiens français, notamment la pratique de la religion catholique, afin d'assurer leur loyauté à l'Angleterre.

Le gouverneur Carleton espérait ainsi que les Canadiens irrités par le régime anglais n'écouteraient pas l'appel des Treize Colonies américaines récalcitrantes appuyées par la France, qui s'apprêtaient à leur demander de soutenir leur volonté d'indépendance. Depuis 1763, les Treize Colonies de la Nouvelle-Angleterre voulaient se soustraire à la tutelle du roi George III et annexer le Canada. Estimant qu'il avait trop à perdre, le clergé canadien appuya la volonté politique britannique en demandant à sa population de fidèles la plus entière obéissance au gouvernement colonial anglais.

La guerre de l'Indépendance américaine en territoire canadien sera déclenchée en septembre 1775, et durera jusqu'en juin 1776, quand les troupes britanniques refouleront les Américains au lac Champlain. Ce fut pourtant la défaite britannique à Saratoga, dans l'État de New York, en octobre 1777, qui mit fin au conflit. Les prisonniers de guerre britanniques et canadiens reviendront alors de leur captivité. L'Indépendance des États-Unis d'Amérique sera reconnue officiellement par l'Angleterre en 1783.

Pendant le conflit armé des années 1775 et 1776, la société canadienne aura été divisée entre les pro-rebelles et les probritanniques, alors qu'il devint fréquent de voir naître des querelles dans les familles. L'ensemble du peuple préféra cependant se réfugier dans une attitude de neutralité et d'attentisme, alors que le clergé catholique prêcha la réconciliation et la soumission à la Couronne britannique.

Les habitants canadiens, meurtris par les visées impérialistes des deux belligérants qui ont secoué la cohésion de leurs familles, et déçus du gouvernement anglais qui a abrogé leurs droits inscrits dans l'Acte de Québec, continueront à labourer leurs terres avec acharnement et à élever leurs enfants dans les traditions de leurs ancêtres, en espérant des jours meilleurs.

Dès lors, ce n'était qu'une question de temps avant d'assister à la montée du patriotisme des Canadiens français, puisque la semence d'une telle idée germait déjà en leurs terres. Les patriotes américains avaient bien gagné leur indépendance !

CHAPITRE I

L'ASSEMBLÉE SECRÈTE

La petite porte de la cabane qui se trouvait face au fleuve, non loin de sa maison, grinçait de ses pentures rouillées à chaque fois que Théophile Lépine pressait chaque nouvel arrivant de se dépêcher d'entrer. Trois petits coups secs de manche de canif sur le clou qui faisait office de ferrure pour refermer la porte d'entrée : c'était le signal de la venue des conjurés de la révolution qui s'annonçait dans le pays.

— Six, sept, huit… Il ne nous manque plus que Jacques et Charles-Édouard. Ils ne devraient pas tarder, annonça Lépine en comptant à mi-voix le nombre des conspirateurs.

Les habitants de l'île Saint-Ignace et de l'île Dupas, les plus favorables à l'invasion de l'armée américaine en sol canadien, s'étaient rassemblés secrètement à la cabane de Théophile Lépine, qui lui servait d'abattoir au moment des boucheries, de remise pour ses quelques instruments aratoires et de rangement pour son bois d'hiver. La cabane avait déjà servi de refuge aux voyageurs pris en pleine tempête sur le chenal, de même qu'à quelques naufragés qui avaient chaviré.

En ce début de journée chaude et ensoleillée du mois de septembre, la cabane servait de repaire aux insurgés des îles de Berthier. Étaient rassemblés des voisins et des amis de longue date de Théophile Lépine, Nicodème Désorcy, Charles Denis, Ambroise Champagne, Mathurin Plante, Pamphile Fauteux, Sauvageon Dutremble et Antoine Lamy.

— J'espère que personne ne les suivra ! s'inquiéta Ambroise Champagne.

— Ils connaissent les sentiers de l'île à travers les bois comme le fond de leurs poches. Pas besoin de guide.

— Arrête tes idioties, Sauvageon ! Ce n'est pas ce qu'Ambroise voulait dire, aboya Fauteux.

— Alors quoi ? Quoi ? s'insulta Sauvageon, frustré de s'être fait rabrouer.

— Messieurs, messieurs, du calme. Écoutez-moi bien. Jacques et Charles-Édouard doivent ramener un gros coffre sur la charrette tirée par le bœuf de Jacques. Même s'il fait beau depuis plusieurs jours, il a beaucoup plu, cet été. C'est possible que la charrette se soit enlisée, tempéra Lépine.

— Qu'y a-t-il dans ce coffre pour qu'il soit si lourd ? demanda Sauvageon Dutremble.

— Vous le saurez tous en temps et lieu. En attendant, une bonne pipée ne nous fera pas de tort.

Pendant que les insurgés s'activaient à se passer la blague à tabac et à bourrer leur pipe, Théophile Lépine fit ses recommandations.

— Je vous ai rassemblés aujourd'hui dans ma cabane parce qu'il y a de bonnes chances que les Américains débarquent sur notre île. Nous devons nous préparer à les accueillir bientôt… Je vous y ai invités parce que je vous connais assez, vous sachant de vrais patriotes… S'il y en a parmi vous qui ne sont pas favorables à la venue des Américains, qu'ils partent dès maintenant. Je ne leur en tiendrai pas rigueur, pourvu qu'ils ne dénoncent pas les autres. C'est le moment de le dire.

Théophile Lépine fit le tour de ses invités en les fixant dans les yeux à tour de rôle, malgré le peu de lumière que la petite fenêtre de papier huilé laissait passer.

— Nicodème, Charles, Ambroise, Mathurin, Pamphile, Sauvageon, Antoine ?

Comme réponse à son écho, Théophile Lépine n'entendit que le bruit des mouches.

— C'est parfait. Nous attendons Jacques Cotnoir et Charles-Édouard Douville, qui devraient se joindre à nous bientôt. Vous comprendrez pourquoi lorsqu'ils se présenteront. Avez-vous des objections ?

Théophile Lépine allait commencer quand Nicodème Désorcy demanda :

— Jacques Cotnoir est bien le beau-frère de Louis-Daniel Guilbault, le capitaine de milice de Berthier. Es-tu certain de sa loyauté, Théophile ?

Hors de lui, Lépine rétorqua :

— Autant que je puis l'être de toi, Nicodème ! Lorsque j'ai mentionné ton nom à Jacques Cotnoir, savais-tu que ce dernier m'a posé la même question à ton sujet ? Que penses-tu que je lui ai répondu ? « Autant que je puis l'être de toi ! »

Un grand éclat de rire se répandit en cascade dans la petite cabane. Nicodème ne se désarçonna pas.

— Pourquoi prendrait-il les armes contre son beau-frère ?

— Il ne tirera jamais sur son beau-frère. Ce sera plutôt le contraire : on le connaît, Louis-Daniel Guilbault, ironisa Sauvageon Dutremble.

Celui que l'on prénommait Sauvageon avait été en fait baptisé Alexis. Il était le métis de Josuah Dutremble, un habitant trappeur de l'île Saint-Ignace, et d'une Algonquine Tête de Boule de la tribu du lac Maskinongé.

Autre éclat de rire.

— Pour l'instant, il n'est pas question de tirer sur qui que ce soit, à moins d'être obligé de se défendre… Quant aux chicanes de famille, nous serons tous dans la même situation que Jacques Cotnoir et Louis-Daniel Guilbault bientôt… Les opinions politiques divisent toujours le peuple, les fusils encore plus. Nous sommes tous apparentés dans les îles, comme à Berthier et à Sorel. Nous ne nous rangerons pas tous du même bord, étant donné que les curés prêchent pour les Anglais. J'ai su que du côté de Saint-Cuthbert et du rang Saint-Pierre, ils se disaient tous du bord des patriotes. Ça prend du cran pour défier James Cuthbert comme ça. Ce sera de notre devoir de diriger les soldats américains là-bas, car nous ne pourrons pas les loger dans les îles, n'est-ce pas ? Ils seront bien trop nombreux…

— Est-ce que Jacques Cotnoir est capable de confronter sa femme, si jamais elle apprend qu'il défiera l'autorité de James Cuthbert ? C'est une Rémillard de Saint-Cuthbert : ils ont du sang écossais dans les veines.

— Tu le lui demanderas toi-même tout à l'heure, Sauvageon ! Il y a bien pire que deux beaux-frères en désaccord, même si l'un est capitaine de milice… Il n'y a pas plus patriotes à la cause des Canadiens que ceux-là. Pourtant, Jacques souhaite la victoire des Américains et Louis-Daniel, celle des Anglais. Que va-t-il arriver, le soir du réveillon de Noël ? Les deux beaux-frères vont faire la paix en famille, même s'ils continuent à se disputer en parlant politique ou après. Personne n'en viendra aux coups et ne se tuera. Pourquoi ? Parce que les deux veulent le meilleur avenir pour leur famille, leur race, la nôtre. Ça prend du courage et de la ténacité, même de la témérité, pour agir selon ses convictions. Quand la paix reviendra, nous en sortirons meilleurs.

— La paix militaire, oui. Mais pas la paix dans nos familles, pas aussi vite. Je ne crois pas que le prix en vaille la chandelle. Je me vois mal expliquer à ma femme que j'ai tué son frère pour la rendre plus heureuse et pour assurer un meilleur sort à nos enfants. Et si mon beau-frère survit à mon coup de fusil, vais-je lui demander de me pardonner en disant : « Je t'ai rendu infirme, mais c'était pour le mieux-être de la patrie… » ? Il doit bien y avoir un moyen de faire valoir notre mécontentement à James Cuthbert, qui nous rit au nez, sans mitrailler nos parents et nos voisins pour autant.

Il régnait un lourd silence dans la pièce embuée de la fumée des révolutionnaires. Théophile Lépine brisa ce silence en fracturant le tuyau de sa pipe de ses mains gercées. Personne ne fut dupe de sa mauvaise humeur. Il avait sous-estimé le raisonnement de Sauvageon Dutremble.

— Fais ce qui te semble le mieux chez vous, Sauvageon. Tout le monde est libre de choisir son camp. Seulement, que je ne vois pas un délateur parmi nous, car je ne donne pas cher de sa peau. Compris ?… Bon. Les gens peuvent rester neutres. Mais moi, j'aime mieux les gens qui s'impliquent que les tièdes, les peureux, les mous.

Sauvageon Dutremble se leva prestement et sortit de la cabane en vitesse.

— C'est ça, déguerpis au plus vite, avant de pisser dans ta culotte !

Puis se tournant vers les autres, il les dévisagea à la ronde. Satisfait de l'effet produit, il rajouta :

— Une femmelette de moins !

Sur les entrefaites, le bruit du tombereau transportant le lourd coffre attira l'attention de Théodule.

— Ce sont eux qui arrivent. J'ai besoin de trois d'entre vous pour aider les autres à porter le coffre : Charles, Maturin, Antoine, vous avez des bras vigoureux.

Quand le coffre fut déposé par terre, Jacques Cotnoir demanda :

— Est-ce bien Sauvageon que nous avons vu s'en aller à l'épouvante ? On aurait cru qu'il était poursuivi par un taureau enragé.

Théodule Lépine eut un ricanement diabolique.

— Sauvageon préfère la prière en famille, plutôt que de se battre pour la liberté du pays...

Nicodème Désorcy en profita pour demander :

— À propos, Jacques, comment te débrouilles-tu avec le fait que ton beau-frère, Louis-Daniel Guilbault soit le capitaine de milice de Berthier ?

Toutes les têtes se tournèrent en direction de Jacques Cotnoir, qui se rendit compte de l'importance qu'aurait sa réponse.

— Nous sommes mariés aux deux sœurs Rémillard, pas entre nous. S'il gagne sa vie de cette façon, pour ma part, j'ai le droit à mes convictions. Je suis libre de mes gestes sur ma terre, même si James Cuthbert, l'ancien militaire anglais, est encore mon seigneur. Je lui paie à temps mes redevances et mon cens.

— En as-tu fait mention à ta femme, Cotnoir ?

— Il sera toujours temps de le faire. Nous connaissons bien nos femmes ; moins elles en savent, mieux c'est.

Fou rire général. Emporté par ce délire, Jacques Cotnoir continua :

— Des plans qu'elle le dise à sa sœur, qui le dira à Louis-Daniel. Que feriez-vous à ma place ?

— Et le soir du réveillon de Noël ?

— Louis-Daniel et moi dégusterons côte à côte soit du poulet rôti anglais, soit du dindon farci américain. De toute manière, ce sera un festin en famille. Nous verrons bien après.

— Qu'est-ce que je vous disais, les gars ? ajouta Lépine, admiratif.

Lépine saisit un manche de pelle et força le couvercle du coffre. Apparut aussitôt un arsenal de fusils grenadiers dits « de Tulle », du modèle de 1729 fabriqué pour les troupes de la marine, et de fusils de chasse et de traite, ces derniers fournis aux Indiens lors de la traite des fourrures. Il y avait de plus des pistolets d'arçon dans leur étui de cuir, utilisés comme arme de poing de dernier recours, lorsqu'un Iroquois fonçait sur un coureur des bois avec son tomahawk. Quelques épées à lame à double tranchant pour les gentilshommes, des poires à poudre et des boîtes de cartouches de plomb complétaient le petit arsenal.

Les sympathisants de la Société des Fils de la Liberté se rapprochèrent du coffre maintenant dépouillé de son précieux contenu.

— Notre ami, le marchand voyageur Antaya-Pelletier, l'a ramené de Sorel. Il a signifié au douanier anglais que c'était de la marchandise de traite. C'est pour cette raison que les fusils de traite étaient au-dessus, précisa Jacques Cotnoir.

Comme Nicodème Désorcy allait vérifier le mécanisme d'un fusil, Lépine l'arrêta tout net.

— Pas maintenant. C'est à moi de les vérifier, en tant que chef de guerre… À ce titre, quand viendra le moment de vous battre, je vous le ferai savoir. Vos responsabilités, en tant que miliciens pro-américains, seront d'obéir à mes ordres. Le jour où un commandant américain sera installé à Berthier, nous verrons. D'ici là, restez chez vous et tenez-vous aux aguets… Maintenant, si Jacques veut vous dire un mot… Cependant, tout ce qui se dit ici reste ici. Compris ? ajouta Lépine.

Cotnoir prit son air solennel.

— Mes amis des îles, l'heure du jugement du joug anglais est venue. Nous allons pouvoir enfin être libres. J'attends d'être contacté par un des nôtres, responsable en haut lieu du recrutement des miliciens pro-rebelles. Quand il s'annoncera, cela voudra dire que les Bostonnais seront dans une situation de force, prêts à installer leur garnison à Berthier… Et comme l'île Saint-Ignace est en face de Sorel et de la Grande-Côte de Berthier, il y aura sans doute une batterie de canons. Mes amis, nous jouerons un rôle stratégique dans cette victoire…

— Ouais, ouais !

Jacques Cotnoir prit une profonde inspiration. Il tripotait son bonnet pointu en feutre. Il n'avait pas l'habitude de prendre la parole devant les autres, encore moins de haranguer un groupe de partisans, comme un politicien, ou de jurés, comme un plaideur.

— Nos autres amis de la seigneurie de Berthier — je pense à ceux de Saint-Cuthbert et du fief Chicot — se tiennent prêts à en faire autant. C'est donc dire que nous nous serrerons tous les coudes, que nous soyons des îles Dupas, aux Castors, de Grâce ou du long des rivières aux limites de la seigneurie. Nous devons tous être unis dans un seul et même combat, celui de la liberté des Canadiens…

— Ouais !

Jacques Cotnoir venait de prendre goût à entendre le son de sa voix. L'opaque clarté de la cabane avait caché aux autres les rougeurs de son teint provoquées par sa nervosité. À le voir se lisser la moustache et se gratter les favoris, ils constataient que Cotnoir voulait leur signifier l'importance historique du moment.

— Nous allons bientôt passer à l'action. Tenons-nous prêts… Théophile se mettra en contact avec vous. Ça ne devrait pas tarder… Je recommanderais à Théophile de remettre à chacun ses armes, au cas où le lieu de notre cache viendrait à la connaissance de James Cuthbert. À condition de bien les dissimuler…

Ému, Cotnoir s'arrêta et s'épongea le visage, tenant l'épaisse fumée dans la pièce responsable de sa sueur. Lépine comprit que Cotnoir ne voulait pas risquer de se faire arrêter par son beau-frère et son neveu, Louis Daniel et Corbin Guilbault, les capitaines de milice de Berthier.

— Vous essaierez vos armes chez vous, en prétextant vous débarrasser de l'ours qui rôde, conclut Théophile Lépine, en grommelant « Vive la liberté ! »

— Vive la liberté ! Reprirent les autres, en se levant et en se souhaitant la victoire.

Les rebelles sortirent de la cabane, brandissant leur fusil avec fierté, après que l'agitateur eut distribué les armes avec autorité.

Chapitre II
Septembre 1775

Elizabeth se tenait droite comme une statue devant la fenêtre de la cuisine de sa petite maison de la rue du Rivage, près du fort, à la croisée du fleuve et de la rivière Richelieu. La maison faisait aussi office de cabinet d'avocats. Elle fulminait contre son mari. De temps en temps, elle jetait un coup d'œil sur la couchette où dormait son plus jeune fils, de crainte de le voir réveillé par le ton de la discussion, qui devenait aussi orageuse que le ciel de Sorel, tandis qu'elle caressait la tête d'Edward, son plus vieux, apeuré par le profond désaccord entre ses parents.

En cet instant, plutôt que d'admirer le paysage qui commençait à se colorer avec la venue de l'automne, Elizabeth voyait rôder dans le ciel de septembre de gros nuages noirs annonciateurs de malheur.

Par beau temps, Elizabeth pouvait apercevoir en angle, au-delà du fleuve, une partie de cette immense seigneurie de Berthier-en-Haut qui regroupait les territoires de Lanoraie et d'Autray, jusqu'aux îles de Berthier, à gauche, ainsi que la lisière de montagnes bleutées à l'horizon. En s'étirant le cou, les jours de ciel clair où le soleil pouvait scruter les profondeurs de l'abîme de l'onde fluviale, son regard pouvait entr'apercevoir le littoral de la seigneurie de Lavaltrie. Ces lieux inconnus, pourtant pas si éloignés de Montréal, représentaient maintenant pour elle les terres de ses ennemis jurés. Elle comprenait maintenant pourquoi, d'instinct, elle avait refusé de visiter cette région étrangère auparavant.

En d'autres moments, l'Irlandaise n'y aurait vu que l'annonce d'un prochain orage poussé par le vent (appelé un « gros grain » par les navigateurs, phénomène atmosphérique si fréquent sur le fleuve avec la venue de l'automne). Or, ce que venait de lui annoncer son mari lui paraissait bien pire encore que la difficile et éprouvante traversée de l'Atlantique, avec ses vagues houleuses sur un bateau précaire. Une véritable tornade s'apprêtait à déraciner ce qu'elle avait solidement bâti depuis son mariage avec James Livingston, trois ans auparavant. En caressant la chevelure rousse flamboyante d'Edward, qu'il avait héritée d'elle, Elizabeth associa ce coloris à celui de la nature, qui se donnait un dernier coup de gaieté avant l'hiver. Serait-ce le sursaut du dernier espoir qu'attendait Elizabeth ?

Son mari, l'avocat James Livingston, se tenait un peu en retrait, l'air soucieux. Elizabeth contenait sa rage et son désarroi avec difficulté. Son sang irlandais lui commandait de régler l'imbroglio par un ultimatum. Cependant, elle connaissait mieux que quiconque la passion de son mari pour la vie politique et son idéal révolutionnaire. Trop le brusquer ne ferait que l'éloigner d'un compromis harmonieux.

Tous les idéalistes ont un caractère tranchant, lorsqu'ils sont acculés au pied du mur. Malgré ses qualités humaines reconnues et sa générosité, surtout à l'endroit des démunis, James Livingston ne faisait pas exception à la règle. En vivant à ses côtés, Elizabeth voulait le voir gravir les échelons menant à la magistrature, car l'avocat James Livingston avait un sens aigu de la justice.

— Je t'en supplie, n'y va pas, James. J'ai si peur pour nos chers petits Edward et Richard… S'il fallait qu'ils perdent leur père à un âge si tendre. S'il t'arrivait malheur, jamais tu ne verrais tes enfants grandir et Edward prendre un jour ta relève comme avocat… Et pense aussi à moi qui t'aime tant !

James tripotait nerveusement la missive où le général Richard Montgomery lui demandait de recruter un premier régiment dans la vallée du Richelieu. Elizabeth pouvait reconnaître le sceau du gouvernement des Treize Colonies de la Nouvelle-Angleterre. Elle en tremblait de peur.

— Ne trouves-tu pas que tu exagères ? Edward n'a pas encore trois ans, et Richard rampe toujours et babille de plus belle à dix-huit mois. Comment peux-tu leur prédire de telles carrières à leur âge !

James Livingston se mit à rire en cascades, pour faire bonne contenance.

— Il y a des moments dans l'histoire où l'avenir de la nation exige de prendre des risques pour elle.

— Est-il plus important que le sort de ta propre famille ? Que l'avenir de nos enfants ? demanda Elizabeth en hoquetant, la gorge nouée par le chagrin.

Tentant de l'amadouer, James se rapprocha d'Elizabeth. Il tendit la main pour lui caresser la nuque. Celle-ci recula d'un pas, contrariée par l'entêtement de son mari. James ne voulut pas tenir compte du tourment de la jeune mère. Il donna une réponse rationnelle qui creva le cœur de sa jeune épouse.

— Il y a déjà longtemps que nous en discutons... Nous nous étions pourtant mis d'accord... Si nous avions fait notre voyage aux États-Unis, tu comprendrais mieux.

— Mais c'était au début de notre mariage, avant la naissance de nos fils. Maintenant que le danger est imminent, la situation a changé. Tu devrais tenir compte de tes responsabilités comme père de famille.

Au même moment, le petit Richard s'époumonait à en fendre l'âme, alors qu'Edward s'agrippait aux jupes d'Elizabeth en pleurnichant, ressentant l'angoisse de sa mère en ce moment critique.

— Tu ne vois donc pas que même notre Richard te supplie à sa manière de rester à la maison pour nous protéger !

— Ils sont trop petits pour comprendre... J'aurais souhaité que tu sois plus raisonnable qu'eux... À bien y penser, je crois qu'il serait plus sensé d'aller te réfugier avec les enfants à Montréal, chez tes parents. Tu y seras plus en sécurité qu'à Sorel.

La réponse maladroite de James dans les circonstances fit perler des larmes aux coins des yeux bleus d'Elizabeth. Elle aurait tellement voulu entendre le contraire, se faire dire que l'amour que James vouait à sa famille prévalait sur l'idéal des Fils de la Liberté. Elizabeth tenta du mieux qu'elle put de refouler ses larmes, afin de conserver sa dignité devant la folie de son mari.

Affolée, Elizabeth lâcha son cri du cœur.

— Je regrette d'avoir fait baptiser notre bébé sous les prénoms de Richard Montgomery. Celui de Richard aurait suffi, parce que le grand roi avait un cœur de lion, tandis que ton cousin n'a que le désir de faire la guerre en tête, qu'il camoufle par un soi-disant idéal patriotique. Je ne pourrais pas lui faire confiance, même s'il garantissait notre protection à Sorel ou à Montréal.

Ébranlé par ce propos, James pinça les lèvres. Il se sentait coupable, puisqu'il avait déjà fait la promesse à son cousin qu'il se rangerait du côté des Bostonnais.

James crut d'abord que sa femme put être chavirée par la perspective de se retrouver veuve avec deux jeunes enfants à charge. Rapidement, la plaidoirie touchante de sa femme Elizabeth, les larmes aux yeux, lui vrilla le cœur. James ressentit tout l'amour que sa jeune femme adorable, âgée de vingt-deux ans à peine, pouvait lui témoigner. Il savait que la pudeur d'Elizabeth lui interdisait d'afficher son sentiment amoureux.

Chère Elizabeth… Elle est si douce et si ingénue. Sont-ce les tourments de la vie ou bien mon intransigeance qui ont modifié son caractère si joyeux? se demandait James.

— Ma décision est irrévocable, Lizbeth. Je servirai la cause des Fils de la Liberté, sous le drapeau des Treize Colonies américaines. Pour l'instant, ma mission consiste à recruter des miliciens volontaires rebelles au gouvernement anglais et sympathiques à notre cause en vue de former un régiment composé de Canadiens qui se battront à nos côtés. Sait-on jamais: plus tard, mon cousin pourrait me confier un poste de commandement dans la hiérarchie militaire… Je te demande de m'appuyer dans ma mission, comme tu l'as toujours fait pour mes activités professionnelles.

Le sang irlandais d'Elizabeth rougit son visage. Les yeux veinés de colère, elle fixa James tout en le défiant.

— Ce que tu me dis m'apparaît insensé! Ce ne sont que les officiers gradés de West Point qui obtiennent les postes de commandement. Ce qui n'est pas ton cas apparemment! Si tu me demandes de choisir entre la folie et la raison, différemment de toi, je choisis sans hésiter la voie de la raison… Va, fais ce que ton sens du devoir patriotique te commande. Quant à moi, je retournerai à Montréal chez mes parents et j'y resterai le temps que tu viennes me rejoindre.

James comprit qu'il serait séparé de sa famille pour une période indéterminée.

— Mais Lizbeth chérie, je n'ai pas vraiment le choix. L'état-major américain compte sur moi, alors que je suis citoyen américain.

Alors que James s'était avancé vers elle, Elizabeth avait reculé avec son petit dernier dans les bras, alors qu'Edward était agrippé à ses jupes.

— Ils n'ont qu'à demander à un militaire de carrière plus qualifié que toi de faire ce boulot... Comme Moses Hazen.

Né en 1733 au Massachusetts, le militaire démobilisé Moses Hazen, tout comme James Livingston, était Américain. Il avait marié une Canadienne française de la noblesse et s'était établi, il y a trente ans, près du fort Saint-Jean, le long de la rivière Richelieu. Il avait pris part au siège de Louisbourg comme ranger américain, et avait combattu sous les drapeaux anglais lors des batailles des plaines d'Abraham et de Sainte-Foy où il fut grièvement blessé.

L'argument de Lizbeth eut l'effet d'une gifle. Elle le savait et elle voulait se venger du peu de compassion de son mari pour le chambardement qu'il causait à leur vie de famille. L'estoc atteignit sa cible.

— Moses Hazen m'a contredit auprès du général Schuyler ! Il ne croit pas à l'allégeance des Canadiens pour notre cause... Lizbeth, je réalise que ma nomination peut compromettre notre mariage... Sache que je ne veux pas te perdre, car je t'aime tellement.

Elizabeth connaissait bien les talents de plaideur de son mari qui avait sauvé un Abénaquis de la potence pour de menus larcins. Décidée, elle ne s'en laisserait pas imposer.

— Ce n'est pas notre mariage qui est mis en cause, mais c'est notre vie familiale que tu vas compromettre.

— Si je devais prendre les armes pour vous défendre, me le reprocherais-tu ?

— Tu oublies que c'est toi qui pars en guerre... Laisse donc un autre faire ce travail... Tu peux du moins encore y réfléchir.

— Et nous resterions unis, Lizbeth ?

James fit une œillade complice à sa femme, afin de l'amadouer. Celle-ci ne fut pas dupe du subterfuge de son mari. Comme elle voulait se donner toutes les chances de le faire changer d'idée, elle répondit sur un ton suave, en douceur :

— Tu viendras nous voir à Montréal, aussi souvent que tu le désires, puisque la guerre m'apparaît imminente et que Sorel est un emplacement stratégique tout désigné pour être la cible d'attaques. Il vaut mieux pour nos petits qu'ils soient en sécurité, comme tu le suggérais.

L'avocat comprit qu'il venait de perdre sa plaidoirie, et qu'en jouant le tout pour le tout, il risquait de perdre sa femme, du moins pour un certain temps. James Livingston connaissait assez la fierté et la détermination de Lizbeth pour savoir que mise au pied du mur et humiliée, elle ne céderait jamais devant l'adversité. Il l'avait vu tenir tête à son père. James se demandait maintenant où était son devoir et s'inquiétait d'infliger une blessure à l'âme et à la sensibilité de sa femme.

— Tu ne peux tout de même pas me laisser comme ça, Lizbeth. Comment ferais-je pour vivre sans toi et les enfants ?

James se risqua à s'avancer vers sa femme pour l'embrasser. Il voyait bien qu'ils n'avaient jamais été aussi près d'un différend irréconciliable, et qu'il se devait de faire une dernière tentative pour sauver leur mariage.

Si Lizbeth resta de marbre au début, James ressentit tout de même un léger tressaillement. Il se dit que tout n'était peut-être pas perdu. Il s'enhardit à lui caresser la joue. Elle le laissa faire. Il se rendit compte qu'elle prenait de grandes inspirations. Il crut qu'elle tentait de dominer sa colère. Puis, de grosses larmes vinrent humecter sa main. Lizbeth pleurait à chaudes larmes.

Le fait-elle de rage, de peine ou pour me faire changer d'idée ? se demanda James.

James appuya la tête de Lizbeth sur son épaule et commença à embrasser son front, puis son cou. Il n'y avait plus de cris ni de pleurs d'enfants, il n'y avait que des parents aux prises avec la tristesse de différends qui risquaient de faire basculer leur bonheur familial. Dans un bref instant, le rêve d'amour de deux êtres idéalistes et entêtés pourrait être à tout jamais brisé.

Elizabeth et James restèrent un long moment appuyés l'un contre l'autre.

Les yeux fermés, Lizbeth aurait tant aimé se retourner vers James, se lover contre son torse et lui déclarer tout son amour, comme les amoureux le font au moment des réconciliations, mais cette fois, elle jugeait qu'il devait faire le premier geste. James, pour sa part, avait le goût de la prendre dans ses bras, de la déposer sur le lit conjugal et de lui révéler que sa vie sans elle créerait un vide insupportable.

Cependant, ni l'un ni l'autre n'osait faire le premier pas. Lizbeth avait recommencé à pleurer.

Ce sont ses idées révolutionnaires qui m'ont charmée, quand nous avons commencé à nous fréquenter. Qu'il était convaincant et passionné ! Je ne peux tout de même pas exiger que James change, alors qu'il est bien vu de l'état-major américain. Puisque sa décision est prise, autant m'en faire l'idée. Si je m'obstine à m'opposer, nous nous séparerons en mauvais termes. Et si James meurt en accomplissant sa mission, je m'en voudrai pour le restant de mes jours, car je l'aime. Sinon, ce malaise persistera. Les enfants ne méritent pas ça. Puisqu'il le faut, je céderai. Je n'ai rien à gagner à m'entêter, se dit Elizabeth.

De son côté, James avait décidé de fuir à Montréal avec sa famille, de crainte de ne plus la revoir. Alors qu'il était sur le point d'avouer à sa femme son amour éternel et de lui demander de le pardonner de lui avoir causé un tel tourment, celle-ci, n'en pouvant plus, se retourna soudainement vers lui et se jeta à son cou, lui réclamant un baiser.

— Reviens aussi vite que tu le pourras, mon amour. Chaque jour passé sans toi sera une épreuve insupportable. Les enfants et moi t'aimons plus que tout. Accomplis ton destin… Je serai toujours là à attendre ton retour.

James ne savait quoi répondre, tant il était heureux et ému. Lizbeth le vit pleurer pour la première fois. Elle comprit que James avait réellement besoin de son approbation dans l'accomplissement de sa mission.

— Tu me rends si heureux, *my love*. J'irai te rejoindre très bientôt à Montréal.

Lizbeth réclama un autre baiser passionné. Elle libéra ensuite James d'un geste délicat et l'invita à l'accompagner pour aller coucher les petits qui dormaient profondément sur la grande peau d'ours devant le feu réconfortant de l'âtre.

James s'apprêtait à retourner à son bureau quand Lizbeth l'arrêta, lui prit la main et l'attira près de l'âtre. Elle dégrafa ensuite sa robe qu'elle laissa tomber à ses pieds : son corps dénudé et sa poitrine sculpturale apparurent à James dans toute leur sensualité. Elle s'approcha de lui, l'aida à se déshabiller et l'incita à se coucher sur la pelisse. Les amants se retrouvèrent enlacés, le désir de l'un provoquant le plaisir de l'autre, jusqu'à ce qu'ils trouvent mutuellement l'extase.

La lueur des étincelles et le crépitement de la braise accompagnèrent leurs ébats plusieurs fois renouvelés.

Avant de se lover contre le torse de son mari, Lizbeth, satisfaite, murmura :

— Espérons ne pas avoir réveillé les enfants… Nous ne pourrons pas en faire autant lorsque nous serons chez mes parents. Que je suis heureuse avec toi, mon chéri !

James sourit à Lizbeth. Il n'avait qu'une idée en tête : assurer le bonheur de sa famille. Pour l'instant, l'indépendance américaine et l'annexion du Canada n'étaient plus ses priorités. Il s'endormit alors. Au réveil, James annonça à Lizbeth qu'il irait les reconduire, elle et les enfants, chez ses parents, à Montréal. Comme la guerre semblait imminente, il en profiterait pour visiter sa mère, afin qu'elle fasse la connaissance des petits Edward et Richard Montgomery. James voulait aussi se faire oublier momentanément des autorités militaires anglaises de Sorel, qui commençaient à trouver louches ses va-et-vient continuels sur le Richelieu. Le sachant Américain, ils auraient vite fait de le soupçonner d'espionnage.

La famille arriva à la place d'Armes où l'accueil fut fait sous le signe de la réconciliation. Comme Finbar s'était rangé du côté des Américains, son attachement pour le petit Richard Montgomery fut immédiat. Celui-ci s'amusa aussitôt, juché sur les épaules de son grand-père, qui avait beaucoup souffert de l'absence de sa fille Elizabeth. Finbar vit le retour de Lizbeth comme un signe de la Providence de la victoire prochaine des Bostonnais, sous l'œil attendri de Carolyn, et sous le regard amusé du curé Lynch, qui était heureux de lever son verre, même s'il se refusait d'associer la politique et la religion.

James Livingston aida Finbar et sa famille à la taverne comme barman, en prenant soin de jauger les mouvements des troupes anglaises de la place d'Armes, et d'évaluer les fortifications et les préparatifs de défense de la ville de Montréal.

James écrivit aux généraux Schuyler et Montgomery :

Mes hommes s'emploient au sabotage du fort Chambly, afin de miner le moral des troupes du général anglais Ethan Allen. Les Anglais semblent se préparer ouvertement à la guerre. Quant à Montréal, la ville tombera facilement sous le poids du nombre. Ses fortifications sont vétustes. Les Montréalais sont isolés et se rendront vite.

Rapidement, James Livingston commença à correspondre avec son cousin, le général américain Richard Montgomery, afin de l'informer de la situation politique canadienne. James l'avisa que les Canadiens français préféreraient rester fidèles à leurs occupations terriennes plutôt que d'aller se battre pour le roi d'Angleterre, même s'ils étaient obligés de faire partie de leur milice locale. Même si un sentiment patriotique et nostalgique resurgissait dans la population canadienne de la vallée du Richelieu, en faveur avec le mouvement d'indépendance des Treize Colonies. Une invasion américaine en territoire canadien était envisageable, si elle était appuyée par des sympathisants canadiens et des Amérindiens.

Le général américain répondit à James de garder l'œil ouvert. De grands événements se préparaient au sud de la frontière canado-américaine et James pourrait faire sa marque dans l'histoire de son pays d'origine. Richard Montgomery ne parlait pas encore de carrière militaire.

James intensifia sa correspondance avec Richard Montgomery.

Le général demanda d'abord à son cousin de recruter intensivement des sympathisants à leur cause, dans la vallée du Richelieu, jusqu'à Saint-Jean, pour créer une milice qui formerait un premier régiment canadien.

Préparez votre régiment canadien à assiéger le fort Chambly, écrivit Montgomery.

À l'insu d'Elizabeth, James se lança corps et âme dans ses activités révolutionnaires, tout en prenant bien soin de ne pas éveiller de soupçons quant à sa collaboration avec l'état-major bostonnais.

L'avocat sorelois recruta trois cents miliciens prêts à risquer leur vie pour l'idéal révolutionnaire américain. Parmi ceux-là, des Américains d'origine comme lui, établis dans la province de Québec, ainsi que d'anciens soldats du général Montcalm, décédé lors de la défaite des plaines d'Abraham, qui s'étaient portés volontaires à s'intégrer dans son régiment et qui souhaitaient toujours en découdre avec les Anglais. La rumeur de l'imminence d'une attaque américaine en sol canadien lui avait facilité la tâche.

Après avoir constaté le mécontentement des Canadiens français à l'égard de l'armée britannique dans la seigneurie de Sorel,

James Livingston avait suggéré de recruter mille autres miliciens canadiens.

Son cousin Montgomery le prit au mot en lui demandant de recruter un deuxième régiment de réservistes qui attaqueraient éventuellement le fort de Trois-Rivières et de s'exécuter dans les meilleurs délais.

— Une fois Chambly vaincu, je vous réserve Berthier comme commandement. Entre-temps, un de nos collaborateurs canadiens fera du recrutement de sympathisants.

En cas d'invasion américaine, le général Montgomery estimait que Berthier ne serait défendu que par la milice de James Cuthbert. Les soldats anglais se cantonneraient plutôt à Sorel et à Trois-Rivières.

James Livingston savait que la partie ne serait pas facile, car en loyal monarchiste de la Couronne d'Angleterre, Cuthbert se défendrait bec et ongles contre la menace de l'invasion américaine en délogeant les intrus — soldats ou recruteurs des miliciens sympathisants à la cause des Bostonnais — de son immense domaine. De plus, James Cuthbert accepterait difficilement qu'un autre Écossais le supplante dans le gouvernement de ses seigneuries, qui s'échelonnaient de Lanoraie jusqu'à Maskinongé.

Cette fois-ci, James avait cru bon informer Elizabeth de ses activités. Celle-ci n'avait pas été dupe de ses mensonges à l'égard de ses activités révolutionnaires, et avait bien vu que les Sorelois tremblaient de peur de voir des mouvements de troupes sur le Saint-Laurent et le Richelieu. Elle craignait dorénavant que la nationalité américaine de son mari mette toute la famille en danger.

Chapitre III
Les origines

Elizabeth était la fille de Finbar Simpson, un travailleur irlandais des distilleries de whisky et des brasseries de la ville de Cork, en Irlande de l'Ouest, venu à Montréal quelques années après la guerre de la Conquête. La seule fille de la famille, Elizabeth, fut élevée dans la religion catholique et éduquée chez les religieuses à Dublin.

Les parents d'Elizabeth avaient voulu assurer un meilleur avenir à leurs quatre enfants en fuyant l'oppression incessante des lords anglais protestants, grands propriétaires terriens, envers les Irlandais catholiques.

Elizabeth se souvenait toujours avec nostalgie du jour où sa famille avait pris la route vers le port d'embarquement des émigrants irlandais, près de Cork, en vue de traverser l'Atlantique. Elle avait alors treize ans et était coiffée de tresses impeccablement nouées, comme l'exigeait la discipline du couvent. Son baluchon en main, Elizabeth semblait attristée : elle venait de faire ses adieux à Mary, son amie préférée du même âge avec qui elle avait partagé tant de souvenirs d'enfance. Elle regardait constamment en arrière pour l'apercevoir une dernière fois. Elle n'était pas la seule à être nostalgique, car le brouillard épais et le rideau de pluie du matin enveloppaient le convoi de charrettes des pauvres gens aux yeux rougis, comme si l'Irlande leur pardonnait de la quitter en leur permettant de cacher leur peine.

Finbar croyait que sa fille avait déjà le mal du pays. Il la prit à part et lui dit:

— Console-toi: l'amour de notre Irlande restera toujours le plus fort.

— Même si je deviens Canadienne?

Finbar sourit.

— Écoute, Lizbeth... Mary est ta meilleure amie, n'est-ce pas?

— Je penserai toujours à elle, répondit la fillette en sanglotant.

— C'est exact, tu ne l'oublieras jamais. Il en est ainsi de notre patrie. Un Irlandais restera toujours fier de l'être, même s'il devient Canadien. D'ailleurs, là-bas, on fête la Saint-Patrick le 17 mars, comme à Cork.

Elizabeth comprit plus tard l'attachement des Irlandais pour leur pays d'origine en les voyant annuellement se rassembler dans leur quartier de Montréal et de Québec, lors de la fête du saint patron d'Irlande, pour commémorer la tradition.

Il avait fallu attendre que les sombres nuages se dissipent pour que le commandant de l'escadre décide de lever l'ancre et que ses passagers inquiets se lancent à l'aventure en Amérique. Alors que Lizbeth n'arrêtait pas d'envoyer la main à Mary, sa mère Carolyn intervint à son tour:

— Regarde, le soleil est revenu. *Après la pluie, le beau temps.* Tu lui écriras à Mary, dès que tu le pourras.

Arrivés à Montréal, après une traversée difficile de cent jours, les Simpson s'étaient installés au faubourg Saint-Joseph, à la sortie de la pointe des fortifications attenantes au domaine des Récollets, comme tant d'autres familles irlandaises. Finbar Simpson se trouva d'abord un travail de jour dans une tannerie, rue de la Commune et, de soir, comme serveur dans une taverne du coin. Carolyn Boyd Simpson, la mère d'Elizabeth, inscrivit aussitôt sa seule fille comme pensionnaire au couvent de la congrégation Notre-Dame, rue Bonsecours, dans le but avoué qu'elle apprenne le français.

Elizabeth s'empressa de raconter sa nouvelle vie — surtout ses souvenirs de la traversée — à son amie Mary.

Bonjour Mary,

Comment vas-tu? Aussi bien qu'on puisse l'être, j'espère. Et Paddy, ton chien terrier?

Quand tu recevras cette lettre, ça fera plus de six mois que nous serons arrivés à Montréal. La traversée en bateau fut longue et pénible. Il y avait plein de monde malade et sale. Comme je souffrais du mal de mer, la plupart du temps, maman m'obligeait à rester couchée dans mon hamac. Elle m'apportait du bouillon gras et des biscuits humides. J'avais tellement maigri que j'avais peine à me reconnaître dans le petit miroir que tu m'as donné avant de partir. Quand je me sentais mieux et qu'il faisait beau, je me promenais sur le pont pour humer l'air marin. Beaucoup de gens sont morts, mais heureusement, personne de ma famille. Notre première escale fut à Tadoussac, où j'ai pu voir de vrais Indiens d'Amérique venus nous saluer en canot. Le capitaine n'a pas voulu que nous allions sur la rive. Les passagers préféraient rester sur le bateau, même si nous avions une envie folle de nous dégourdir les jambes. Ce que nous avons fait à Québec, une semaine plus tard.

À Montréal, nous demeurons sur une rue où il y a plein de familles irlandaises. On entend parler davantage anglais que français. Tellement que ma mère m'a obligé à étudier comme pensionnaire chez les sœurs françaises, pour que j'apprenne vite la langue. C'est à quelques rues de chez nous, mais je ne peux voir les gens de la ville qu'à travers le grillage des fenêtres. On dirait une prison. Je ne parle anglais que le dimanche, quand mes parents et mes frères viennent me rendre visite. Ce n'est pas tout à fait vrai, car je parle anglais en cachette avec une Américaine de Boston, dont les parents, des protestants français, se sont installés en Nouvelle-Angleterre. Ils tiennent à ce qu'Emma soit bilingue.

L'hiver canadien est terrible. Il fait toujours froid et la neige tombe sans cesse. Je m'ennuie de l'Irlande et de toi, mon amie Mary. Je t'écrirai plus longuement la prochaine fois, car je dois remettre cette lettre à ma mère cet après-midi. Avant, je dois la montrer à la sœur préfète. Je devine déjà sa réaction lorsqu'elle n'y comprendra pas un mot.

Bye,
Lizbeth

Elizabeth avait eu bonne intuition, car les religieuses l'empêchèrent d'écrire à Mary en langue gaélique; ils la rassurèrent toutefois qu'elle pourrait le faire sitôt qu'elle maîtriserait sa nouvelle langue. Sachant que Mary ne comprenait pas le français, Lizbeth abandonna l'idée de lui écrire.

Après avoir économisé un petit pécule, Finbar Simpson emprunta la somme nécessaire pour ouvrir un pub sur la rue Notre-Dame. Il y avait installé sa famille au second étage. Sans le dire à son mari, Carolyn se félicitait d'avoir pu tenir sa fille loin des rencontres et des conversations grivoises des tavernes, dont était friande la soldatesque des casernes militaires environnantes de la place d'Armes.

Durant les étés, Elizabeth eut la possibilité de travailler à la métairie de la ferme Saint-Gabriel, située au sud-ouest de Montréal, à Pointe-Saint-Charles, qui appartenait aux religieuses de la congrégation Notre-Dame. Elle retrouvait l'aspect des vieux manoirs de la campagne irlandaise en pierre des champs, avec leurs jardins et leurs dépendances. La végétation cependant différait, car les peupliers régnaient en maître le long de l'île de Montréal.

Elizabeth se plaisait aussi à travailler au potager de l'île Saint-Paul, qui appartenait aux sœurs, situé en face du manoir de la métairie, se répétant qu'un jour, elle et son mari s'établiraient sur une terre où ils élèveraient leur famille.

J'aurai un jardin où je ferai pousser des légumes, comme celui-ci, se répétait-elle avec plaisir.

Elizabeth retrouvait dans la brume matinale de l'île Saint-Paul le parfum marécageux aux fragrances de tourbe et de foin mouillé d'Irlande. En fermant les yeux, elle pouvait voir les collines verdoyantes de son pays natal se mirant dans la profondeur de ses lacs enveloppés de mystère.

Si le vert était moins envoûtant que celui de la verdure du comté de Cork, Elizabeth se réconfortait toutefois à la pensée qu'il pleuvait beaucoup moins à Montréal. Son père ne manquait pas de lui rappeler que le mont Royal était plus accessible pour la promenade que le mont Gabriel perdu dans les vapeurs brumeuses du ciel gris d'Irlande.

À sa mère Carolyn, à qui elle confiait qu'elle se surprenait parfois à scruter le fleuve à la recherche des voiliers amarrés dans la baie de Queenstone, en attente de leur départ vers le Nouveau Monde, elle reçut cette réponse :

— C'est un signe de Dieu. Ça renforce l'idée que nous avons pris la bonne décision en venant nous installer ici.

— Ne serait-ce pas plutôt que j'ai besoin de la mer et de ses odeurs, comme à Cork ?

— Nous avons jeté l'ancre à Montréal. C'est désormais notre destin.

Au couvent, Elizabeth s'était fait remarquer par son esprit charitable, son ardeur au travail et sa piété. La supérieure de la congrégation Notre-Dame souhaitait intérieurement qu'elle puisse devenir sa première religieuse irlandaise. Les dimanches, ses parents pouvaient la voir à la messe, à la chapelle Bonsecours, fréquentée entre autres par la communauté irlandaise.

Dès qu'elle eut dix-huit ans, Elizabeth, qui avait hérité du tempérament tenace, rebelle et volontaire des Irlandais du comté de Cork, décida abruptement de quitter le couvent afin d'aider ses parents à la maison. C'est le prétexte qu'employa Elizabeth pour les convaincre. Ceux-ci comprirent plus tard qu'elle avait un autre motif en tête. Patrick, le frère aîné d'Elizabeth, qui travaillait comme commis pour une maison de change, venait de lui présenter un jeune avocat américain d'origine écossaise, James Livingston, qui fréquentait à ses risques et périls le pub irlandais de la rue Notre-Dame et qui avait la réputation d'être favorable aux idées révolutionnaires des rebelles Américains de la Nouvelle-Angleterre.

Âgé de vingt-deux ans, beau brun à l'allure athlétique, James faisait tourner les têtes féminines sur son passage. Il était le fils unique d'Andrew et de Margaret Ten Broeck. Andrew était un commerçant américain de grains qui avait décidé d'installer sa famille à Montréal, alors que James venait d'avoir dix ans. Il avait été armateur d'une flottille de petits bateaux transporteurs de blé et d'autres céréales sur le lac Champlain et sur la rivière Richelieu. Décédé depuis peu, Andrew Livingston venait de laisser en héritage à son fils James son bureau de commerce à Chambly.

James venait de terminer ses études en droit à New York et était de retour chez sa mère à Montréal afin de discuter de l'option de carrière qui lui conviendrait, car il ne manquait pas de propositions d'emploi. Citoyen américain né à Albany, James Livingston était le neveu du général Abraham Ten Broeck, un politicien hollandais new-yorkais qui lui avait proposé de se joindre à un cabinet d'avocats réputé de la ville, et dont le général était un administrateur.

James Livingston était aussi le cousin par alliance du général américain Richard Montgomery. Bien entendu, il fut question de carrière d'officier militaire dans l'armée américaine pour James. En lui faisant rencontrer les généraux américains Benedict Arnold et Philip Schuyler, le général Richard Montgomery permit à son cousin de comparer les avantages de la carrière militaire à ceux de la pratique du droit.

Arrière-petit-fils du gouverneur colonial du Rhode Island dont il portait le nom, Benedict Arnold avait combattu lors de la victoire française du général Montcalm aux dépens des troupes anglaises au fort William Henry en août 1757. Cette bataille fut tristement célèbre parce que les alliés indiens des Français, à qui l'on avait promis scalps et butin, furent outrés par les conditions humaines réservées aux vaincus. Ils massacrèrent cent quatre-vingts prisonniers, sans que les troupes régulières françaises puissent les en empêcher. L'adolescent de quinze ans, qui participait à sa première bataille, voua depuis ce temps une haine durable aux Français.

Pour sa part, Benedict Arnold suggérait à James d'attendre de s'inscrire à l'académie pour officiers de West Point avant de commencer à envisager une carrière militaire. Bien que dite imminente par le Congrès américain, l'ouverture de West Point n'était pour l'instant associée à aucune date.

Patrick Simpson eut l'audace de présenter sa sœur Elizabeth à son ami James, venu par bravade au goûter suivant le défilé irlandais, le jour de la fête de Saint-Patrick. James eut aussitôt le coup de foudre pour la belle rousse au teint de pêche, tandis qu'Elizabeth tomba éperdument amoureuse du séduisant avocat américain — nonobstant le fait qu'il fut aussi d'origine écossaise —, dès la première danse. James demanda à Elizabeth de la revoir. Elle s'empressa de souhaiter elle aussi une seconde rencontre, sans trop se soucier d'obtenir le consentement de ses parents.

Le rendez-vous fixé au parc de la place d'Armes confirma l'attrait réciproque des jeunes gens. James fut chaviré par les yeux bleu saphir d'Elizabeth, qui laissaient deviner la détermination de la jeune fille à lutter pour ses idéaux. Autant d'ardeur amoureuse ne pouvait qu'exciter ses sens. De son côté, Elizabeth fut conquise par le charme de James et se mit à penser à lui en tout temps, au point d'en être distraite dans ses tâches quotidiennes. Lorsque

James vint visiter son ami Patrick, Carolyn Simpson comprit vite à son comportement que sa fille s'était éprise du jeune avocat. Les subséquentes visites que fit James à la maison, pour un tout et pour un rien, confirmèrent à Carolyn cette conjecture. Il était devenu évident que James s'empressait de revoir Elizabeth ; il le faisait maintenant au vu et au su de la famille Simpson.

Carolyn surveillait à la loupe les agissements de sa fille, dont elle déplorait les sentiments pour un Américain révolutionnaire, Écossais protestant de surcroît, même s'il était issu d'une famille américaine renommée et Montréalais d'adoption. À la rigueur, Carolyn aurait pu accepter de voir sa fille épouser un Montréalais francophone et catholique. Elle doutait toutefois que son mari accepte de donner la main de sa fille à quiconque n'est Irlandais.

Voyant bien que sa fille se mourait d'amour, Carolyn persuada son mari de s'entretenir avec James Livingston afin de connaître ses intentions. Finbar Simpson, un colosse aux cheveux roux et à la grosse moustache, ne s'en laissait pas imposer par des clients fêtards et éméchés. Il était respecté dans sa communauté irlandaise comme un homme juste et tolérant des différentes allégeances politiques présentes à Montréal. Ayant jadis été sympathique aux idées révolutionnaires des catholiques irlandais à Cork, il se montrait favorable aux rebelles américains qui s'engageaient formellement auprès des Canadiens — peu importe qu'ils soient d'origine irlandaise, écossaise ou française — à respecter leur langue et leur religion, et à les considérer comme des partenaires, à l'instar des Anglais, qui agissaient toujours en conquérant.

Finbar Simpson aimait bien la compagnie du jeune James Livingston. Toutefois, il voyait d'un autre œil l'amour aveugle de sa fille Elizabeth pour cet Américain écossais, de peur de la voir s'installer un jour à New York ou Albany et de se convertir au protestantisme, ou pire, de la voir pleurer comme veuve de guerre. Finbar ne doutait pas un instant que l'armée des Treize Colonies envahirait sous peu le Canada.

Un jour, le colosse surprit les tourtereaux à s'embrasser de manière qu'il jugeait inconvenante, dans la petite salle à l'arrière de son pub. Hors de lui, il ordonna illico à Elizabeth de monter au logis (prêt à la convaincre avec une gifle, s'il le fallait), puis exigea de James des explications.

— J'aime votre fille de tout mon cœur, monsieur Simpson.

Finbar n'était pas bavard. S'il aimait assister à des débats politiques et encourageait même ces événements dans son pub, il n'émettait toutefois jamais son opinion publiquement. « Un tavernier respectable, disait-il, est un homme prudent. » Finbar craignait les délateurs, dans un Montréal où la tension était vive entre les sympathisants des différents camps. De plus, un soldat anglais invité à quitter la taverne pouvait faire un mauvais rapport à ses supérieurs et faire retirer à Finbar son permis d'alcool, ou tout simplement l'accuser de vendre de l'alcool fait avec un alambic maison. De fait, car le tenancier en utilisait un dans son entrepôt arrière, où il fabriquait de la bière Stout que les Irlandais des alentours aimaient déguster les dimanches après-midi dans la petite salle — en particulier le curé Lynch, lui aussi natif de Cork.

— À quand le mariage ? N'oublie pas que tu devras te convertir avant. Si marier Elizabeth ne t'intéresse pas à cette condition, alors arrête de lui tourner autour et de lui conter fleurette.

Surpris, James répondit au tavernier :

— Bien sûr que je veux Elizabeth comme épouse et comme mère de mes enfants !

— Alors, dès que nous aurons rencontré tes parents, nous aviserons le curé Lynch.

— J'attendais de commencer mon premier emploi avant de me marier.

— Ça se comprend, mon jeune, ça se comprend. D'ici là, Elizabeth est en droit de connaître d'autres bons partis. Comme elle a le cœur chaud et qu'elle est mignonne, je ne doute pas qu'elle attire les regards et les demandes en mariage de bons Irlandais.

Piqué dans son orgueil, James répondit du tac au tac :

— Ce soir, après la fermeture de la taverne, je viendrai faire ma demande en mariage.

Si le jeune avocat semblait vouloir prendre son temps pour mieux connaître celle qu'il aimait, l'insistance du tavernier avait précipité ses intentions. James se dit qu'il pourrait s'appuyer entièrement sur une telle compagne de vie, car il lui tardait d'affirmer ouvertement ses convictions politiques dans un contexte propice à la révolution. D'abjurer la religion protestante pour épouser la belle catholique ne serait pour James qu'une preuve éclatante de son immense amour pour la jeune fille.

Le soir même, la demande en mariage en règle de James surprit tout le monde, notamment sa mère, qui acceptait difficilement que son fils abjure sa foi pour épouser une catholique, mais non Finbar, qui avait invité le curé Lynch pour mettre en marche la conversion de James et planifier le mariage des fiancés.

L'ecclésiastique insista sur le fait que James devait recevoir les sacrements du baptême, de la confirmation et de l'eucharistie avant de se marier catholiquement, en plus de participer à la vie liturgique de la paroisse.

Alors que James venait de se faire baptiser devant la communauté irlandaise, Elizabeth découvrit qu'elle était enceinte. La nouvelle créa tout un émoi dans la famille Simpson. Finbar exigea de son ami Lynch de marier les fautifs dans les plus brefs délais, au risque de lui interdire de déguster sa pinte de bière préférée à tout jamais dans son établissement. La cérémonie se déroula en catimini, très tôt le matin, pour que personne puisse soupçonner quoi que ce soit de l'état d'Elizabeth. James communia pour la première fois le jour de son mariage. Il ne fut jamais confirmé. La précipitation de la cérémonie de mariage à la chapelle Bonsecours, amputée de l'homélie pour aller au plus vite, brisa l'esprit de la fête liturgique. Comme Margaret Ten Broeck, en bonne Écossaise, avait refusé de se prêter à une telle mascarade, Patrick Simpson servit de témoin à James.

Elizabeth et James s'attendaient à ce que Finbar Simpson ferme son pub au public afin de servir un repas de noces aux nouveaux mariés, en compagnie des membres de la communauté qui connaissait l'état d'Elizabeth, mais il n'en fut pas question. Le tavernier, reconnu pour sa tolérance et pour son ouverture d'esprit, ne dérougissait pas de colère. Il invita seulement le curé Lynch au repas de noces en famille, pour le remercier de son passe-droit canonique.

Elizabeth prit ombrage de ce qui venait de se passer et en voulut à son père d'avoir délibérément gâché le jour de ses noces.

— Pourquoi avoir fait ça? Vous avez été plus intéressé par votre image de tavernier en vue que par notre bonheur.

— Elizabeth, excuse-toi pour ton manque de respect envers ton père!

Elizabeth resta sur sa position. James venait d'assister à la démonstration du tempérament volontaire de sa jeune femme éprise de justice.

Entre-temps, James avait pris la décision d'ouvrir son cabinet d'avocats à Sorel, à la croisée de la rivière Richelieu et du fleuve Saint-Laurent ; c'était là un emplacement stratégique pour surveiller le trafic des bateaux provenant du lac Champlain, ainsi que ceux naviguant en direction de Québec ou de Montréal. James étudiait le moyen de favoriser la prise par les troupes américaines des forts Chambly et Saint-Jean, construits le long du Richelieu, qui garantissaient pour le moment la sécurité de ses convois de blé jusqu'au lac Champlain.

Un événement marquant amena James à croire que les Canadiens français seraient favorables à la cause des patriotes américains. Il présuma que c'était des fanatiques francophones qui, en mai 1773, à la place d'Armes, avaient profané le buste de Sa Majesté Georges III, roi de Grande-Bretagne et d'Irlande, électeur de Hanovre, en l'ornant d'un collier de patates, et en le traitant de *pape du Canada* et de *sot Anglais* sur un écriteau.

James tenait à informer ses correspondants américains de cette injure diplomatique, après en avoir vérifié l'information sur place et pris le pouls de la population. Il voulut aussi se servir de ce prétexte pour se rendre à Montréal afin de réconcilier Elizabeth avec sa famille en leur présentant le petit Edward. Elizabeth avait refusé. Elle n'avait pas voulu mettre sa santé et celle de l'enfant à naître en danger.

Le bord du fleuve à Sorel demeurait l'univers d'Elizabeth, un univers de grands vents, d'un voyage de noces manqué, l'univers qu'elle avait choisi pour suivre son mari, mais aussi pour fuir la honte et l'opprobre de sa famille de l'avoir vu se marier enceinte.

La seule excursion que Elizabeth fit avec ses enfants, fut d'aller visiter le bureau de commerce de son mari, installé au fort Chambly, avec sa muraille de pierre inaccessible, dressée au pied des rapides tumultueux de la rivière Richelieu.

Chapitre IV
La flotte ennemie

Octobre 1775

L'automne offrait ses derniers moments de chaleur. Christine Comtois et sa cousine Angélique Houle, vêtues de leur long tablier et d'un chapeau de paille, ramassaient la maigre récolte de courges et de citrouilles du potager. Elles s'arrêtèrent pour éponger leur front ruisselant de la sueur du dur labeur. Le fond d'air frais du fleuve réussissait à peine à les rafraîchir; le chapeau qu'elles portaient leur permettait tout juste de se protéger des rayons du soleil pour profiter de cette belle journée.

Alors qu'Angélique s'occupait à faire le décompte des légumes amassés, Christine regarda l'horizon vers Sorel, la main en visière. Elle aperçut soudain une constellation de petits diamants qui miroitaient à la surface du fleuve. Elle crut que l'eau fraîche qu'elle venait de boire trop goulûment lui avait causé des hallucinations.

— Je me sens mal et ma vue me joue de vilains tours. Je crains de m'évanouir. Je vais m'asseoir et me reposer, le temps que ça passe. Est-ce que j'ai le teint blafard?

Angélique regarda attentivement sa cousine.

— Tu n'as pas l'air malade. Qu'as-tu aperçu?

— Des points lumineux qui miroitaient sur l'eau. Comme si c'était le reflet du soleil sur un banc de bélugas ou une flotte de bateaux devant Sorel. Il y en avait tellement qu'ils bloquaient la vue du fort.

— Des bélugas, par ici ? Tu as la berlue, ma cousine ! Tu devrais faire la sieste, ça te remettra. Ton imagination te joue encore des tours, dit Angélique en riant.

Si certains étaient convaincus des dons divinatoires de Christine depuis son enfance, Angélique était plutôt d'avis que l'imagination fertile de sa cousine motivait ses étranges visions.

Christine s'assoupit. Elle se mit aussitôt à rêver.

***

Le canot résistant glissait majestueusement sur les eaux froides du fleuve en évitant de fendre la vague, pour ne pas chavirer. À mesure que l'embarcation se rapprochait des îles, le passager constatait combien les pagayeurs connaissaient bien les courants.

Transi de froid, malgré la belle journée d'automne, le passager jeta un coup d'œil aux pagayeurs abénaquis ; vêtus de leurs simples chemises en tissus à manches relevées, montrant leurs biceps en saillie, ils ne semblaient pas grelotter. Nerveux, il tourna la tête pour voir si le canot n'avait pas été suivi par une patrouille anglaise sur le qui-vive. La flotte américaine avait déjà envahi la rade de Sorel. Ce qu'il vit le rassura.

Aucun bateau de guerre anglais n'était encore là pour défendre le fort sorelois, comme si les Anglais s'étaient doutés de l'invasion américaine en sol canadien. Le passager crut que l'état-major anglais avait décidé de regrouper ses forces navales dans la rade de Trois-Rivières afin de couper la route fluviale en direction de Québec. Or, si c'était le cas, les Anglais avaient été mal informés, puisque les Américains avaient décidé d'attaquer sur deux fronts.

Le canot accosta silencieusement sur les berges de l'île Saint-Ignace, près de l'île au Massacre, où jadis des Mohawks avaient surpris quelques Algonquins à faire le commerce de la fourrure avec des Français. Un carnage s'en était suivi. L'attaque-surprise avait atteint son objectif. Les Iroquois, seuls survivants de ce combat inégal, avaient voulu continuer d'assouvir leur soif de vengeance en s'orientant vers le lac Saint-Pierre, dans l'espérance d'ajouter d'autres scalps à leur ceinture de guerre.

En ce début du mois d'octobre 1775, deux Abénaquis de la rivière Saint-François venaient de faire traverser le fleuve à un ami dans leur grand canot d'écorce. Ils retournèrent aussitôt d'où ils venaient. Le passager mystérieux venait de mettre le pied sur le territoire de la seigneurie de James Cuthbert, l'Écossais qui avait demandé à ses chefs de la milice, Louis-Daniel et Corbin Guilbault, de commencer au plus vite l'entraînement des habitants, hommes et femmes en âge de tenir un fusil.

À cause de l'autoritarisme — à la limite de l'intimidation — de Cuthbert, le passager comptait sur le mouvement de contestation et même de révolte des censitaires de Berthier pour les enrôler dans sa milice.

Le militaire s'avança vers la terre ferme, la main sur la crosse du revolver qu'il cachait sous sa veste, et fit un tour d'horizon du bout de l'île. Personne en vue, sinon des oiseaux aquatiques qui virevoltaient dans le ciel, effrayés par la canonnade lointaine. Il regarda machinalement de l'autre côté du fleuve, la main en visière, pour évaluer l'allure qu'allait prendre le combat naval d'avance inégal.

L'homme relut pour la énième fois le message secret de son état-major et essaya de le mémoriser. *Christine Comtois... Cœur de Lion... Christine Comtois... Cœur de Lion... La première chaumière de l'endroit où vous accosterez. Les volets de la maison sont rouges. Vous la reconnaîtrez facilement avec son gros sapin tout près, et son puits à margelle près du quai.*

Quand l'espion se retourna pour remercier ses compagnons de traverse du fleuve et leur remettre quelques écus, les Abénaquis étaient déjà repartis pour le lac Saint-Pierre en empruntant les chenaux des îles qui les camouflaient de tout navire inquiétant. Il lui fallait trouver un canot léger ou une chaloupe remisée dans les herbes hautes d'un chasseur braconnier. Il savait que les insulaires étaient réfractaires aux lois en vigueur lorsqu'il s'agissait de chasse à la sauvagine ou au rat musqué, de pêche à la seine ou au verveux.

Tout en fouillant du regard les hautes herbes folles, l'inconnu scruta le ciel à la recherche d'un filet de fumée annonciateur de la chaumière des Cotnoir. Rien. Comme le soleil éclaboussait toujours de son éclat lumineux le ciel des îles, il espérait maintenant trouver une embarcation. Déjà, la canonnade s'intensifiait au loin.

L'espion aperçut un petit bac en assez mauvais état, avec un vieil aviron. Une cabane en bois abandonnée semblait servir de refuge aux chasseurs. Comme l'embarcation était sa planche de salut, il décida de longer le littoral de l'île jusqu'au prochain quai de bois sur pilotis, en espérant que ce soit celui de Jacques Cotnoir. Il ne lui fallut pas beaucoup de temps pour entendre au loin des voix. Naviguant à travers les joncs et le foin, tapi dans son embarcation de fortune, il s'approcha silencieusement sur l'eau stagnante, comme un échassier à la recherche de mollusques. On n'entendait que le bruit des vagues échouées sur les galets et le tintamarre des mouettes qui se disputaient un morceau de poisson. Il aperçut soudain une jeune fille. Il s'approcha du mieux qu'il le put afin de l'observer, puis il se présenta. Devant l'apparition subite de l'inconnu, Christine resta stupéfiée. Elle fixa son regard sur l'homme à l'allure athlétique qui mettait le pied sur la passerelle. Il s'adressa à elle de sa voix chaude, dans un excellent français :

— Je cherche une certaine Christine Comtois, de l'île Saint-Ignace. Est-ce bien ici ?

— C'est moi… Que me voulez-vous ? Qui êtes-vous, d'abord ? répondit Christine, intimidée.

— Je suis colonel de l'armée des États-Unis. C'est le général Montgomery qui m'envoie. Je ne porte pas mon uniforme pour des raisons de camouflage, vous le comprenez ?

Après quelques banalités concernant la navigation sur le fleuve, le colonel prit un air sérieux.

— Voici la raison de ma venue… On m'a dit que vous feriez une excellente espionne, au profit des Fils de la Liberté. Qu'en pensez-vous ?

— Espionne, moi ? Ce serait mon plus grand rêve. Mais je ne pourrai pas le faire pour les Américains ; je ne suis pas une traîtresse à ma patrie, à ma famille. Mon oncle et mon cousin sont capitaines de milice à Berthier pour le seigneur Cuthbert.

— Si vous êtes une vraie patriote, mademoiselle, vous pourriez espionner James Cuthbert pour nous. Allez, dites oui, vous ne le regretterez pas.

— Non, non, colonel. Je ne peux pas faire ça à mes tantes.

— Si je vous embrassais, sans doute que ça faciliterait votre consentement.

L'étranger s'approcha de Christine.

— Non, restez-en là, sinon j'appelle ma cousine Angélique. Vous en avez de curieuses manières, vous, les Américains, d'aborder les filles comme ça ! Vous vous croyez tout permis ?

— Ça ne vous servirait à rien d'appeler votre cousine : elle n'entendrait pas. Allez, détendez-vous.

L'Américain allait attraper Christine lorsqu'elle hurla :

— Jamais je ne céderai à vos avances. Partez ! An-gé-li-que, viens m'aider !

***

Christine se réveilla soudainement, tout en sueur, paniquée !

En entendant les cris de Christine, Angélique se dépêcha de se rendre à son chevet. Christine tremblait de convulsions, au point où sa cousine prit peur.

— Réveille-toi ! Tu viens de faire un cauchemar. C'est le soleil qui t'a mise dans cet état. À moins que cette eau puisée à la crique ne vienne directement du fleuve et soit viciée.

Plutôt que de boire dans son seau pour vérifier, Angélique préféra renifler l'eau. Elle lui semblait pure.

— C'est le soleil, à coup sûr. Tiens, bois un peu, ça te remettra les idées en place.

Sceptique, Christine but quand même l'eau rafraîchissante du bout des lèvres.

— Oublie cet affreux cauchemar.

Puis, d'un ton moqueur, elle ajouta :

— Dans ton cauchemar, tu disais : « Jamais je ne céderai à vos avances ». Qui voulait t'agresser ? Était-il beau, au moins ?

Comprenant qu'Angélique s'amusait de la situation, Christine se vexa.

— Il n'y a pas matière à la moquerie, Angélique. Tu ne mérites pas que je te raconte.

Contrite, Angélique fit amende honorable.

— Tu sais bien que jamais je ne me moquerai de toi. Si je t'ai vexée, pardonne-moi.

Christine fit la moue.

— Allez ! Ce n'était qu'une boutade de ma part et non pas une moquerie, reprit Angélique.

— Bon, mais ne recommence plus. J'ai vraiment eu peur.

Christine raconta son cauchemar.

— Un si beau colonel ! Un beau grand brun aux yeux bleus, en plus ! Plutôt couleur eau de mer. Moitié bleu, moitié vert.

Angélique haussa les sourcils d'admiration.

— A-t-il vraiment voulu t'engager comme espionne?

— Puisque je te le dis… Évidemment, je lui ai répondu non. Je ne pouvais pas faire ça à la seigneuresse et au seigneur Cuthbert… Quoique je t'avoue que ça m'ait passé par la tête.

La boutade de Christine fit en sorte que les deux complices se mirent à rire de bon cœur.

— De quoi rendre Gillette Lépine jalouse!

Christine ramassa un caillou et le projeta doucement vers Angélique.

— Ne me parle plus de cette grande efflanquée seulement capable de voler les amoureux des autres!

Christine Comtois venait de rompre avec François Fafard, un garçon de l'île Saint-Ignace. Ce dernier s'était rabattu sur Gillette Lépine, une voisine. Angélique ne voulut pas renchérir sur les circonstances de cette rupture.

— En tout cas, ce n'est pas à moi que ça arriverait, un cauchemar comme ça! À bien y penser, Christine, c'est un beau rêve que tu as fait, plutôt qu'un cauchemar. Il n'y avait pas de quoi trembler. Être séduite par un colonel de l'armée des Bostonnais ne doit pas être un gros péché!

Tout étonnée, Christine observa sa cousine.

— À te voir, Angélique Houle, personne ne supposerait que tu puisses avoir de telles pensées impures. Monsieur le curé Papin, encore moins.

Christine s'approcha d'Angélique.

— Il y a quelque chose qui me chicote. En y repensant bien, c'est une flottille de bateaux que j'ai vue tout à l'heure, et non des bélugas.

— À moins que ce colonel ait été un béluga qui se soit transformé en bel homme. Christine veut un officier américain comme amoureux… chantonna Angélique pour faire réagir sa cousine.

— Ne ris pas de moi! Et si j'avais eu une prémonition?

— Alors le meilleur moyen de s'en assurer, c'est d'aller vérifier au bout du quai. Nous verrons bien.

Christine retint le bras de sa cousine.

Bang, bang, bang!

— Entends-tu les coups de canon?

— Des coups de canon? Non, rien… Tu entends des bruits, en plus? Tu commences à me faire peur. Ce n'est pas normal tout ça. Tu crois trop ce que disent les gars de Sorel qui traversent ici. Ils cherchent à se rendre intéressants, car ils n'ont pas autre chose sous le bonnet.

— Non, ces coups de canon sont bien réels, je te dis !

Les cousines se dépêchèrent de regarder de l'autre côté du fleuve. La rade de Sorel était obstruée par une immense flotte. Elles se regardèrent, impressionnées, et s'écrièrent :

— Les Américains ! Wow !

— Il paraît qu'ils sont beaux, ces Bostonnais, ajouta Angélique, à voix basse.

Puis, elle s'apitoya sur son sort.

— Moi, ma mère ne permettrait jamais que je me fasse courtiser par un colonel américain, tandis que toi, tu peux tout te permettre, car ta mère est morte, s'exclama Angélique, regrettant la discipline sévère de sa mère Renée Rémillard Cotnoir.

Christine jeta un regard de défi à Angélique. De tempérament bravache, Christine répondit brusquement à sa cousine :

— La France appuiera les Bostonnais, et comme mon père était Français, moi aussi je les appuierai.

— Tu viens de dire que tu te rangeais du côté des Anglais. Tu continues à tout confondre avec tes dons divinatoires, Christine Comtois. C'est toi-même qui disais que le colonel était le fruit de ton imagination !

Les hauts cris des jeunes filles eurent tôt fait d'ameuter Jacques Cotnoir, le beau-père d'Angélique, et sa femme Renée.

Christine s'apprêtait à quitter les lieux. Angélique demanda :

— Où vas-tu comme ça ?

— Chercher mon drapeau de la France chez marraine Marie-Ange, pour mieux accueillir les soldats américains. Il faut bien qu'ils sachent qu'ils ont des alliés. En même temps, il faut que j'aille avertir mon oncle Louis-Daniel de leur arrivée. Je le lui ai promis, expliqua Christine.

— Malheur à la famille si le seigneur Cuthbert venait à apprendre ça. Il ferait jeter ton oncle et ton cousin Corbin en prison, dit Renée, désespérée.

Angélique regarda sa mère, qui comprit l'intention de sa fille.

— Tu n'iras nulle part. Tu restes ici, m'as-tu bien comprise ? Personne ne partira ! intima Renée à sa nièce, en la dévisageant.

Contrariée, Christine fit une moue. Jacques Cotnoir s'avança vers sa femme et lui glissa à l'oreille, pour que Christine et Angélique n'entendent pas:

— Je vais récupérer mon fusil et attendre l'arrivée des Américains sur le quai.

— Surtout pas. Ça ne ferait qu'empirer notre sort.

Renée eut un serrement au cœur. Elle ne voulait surtout pas risquer de perdre son second mari à la guerre. Son premier, Donat-Louis Houle, le père d'Angélique, mourut aux côtés de Pierre-Yves Ferréol Gilbert, dit Comtois, le père de Christine, lors de la fameuse bataille des plaines d'Abraham à Québec, le 13 septembre 1759.

— Il faut bien que j'aide les Bostonnais!

— Nous leur donnerons à manger et nous les hébergerons, s'il le faut. Ils se dirigeront bientôt vers Montréal ou Québec. Du moins, je l'espère. Rien de plus.

— Qu'est-ce qui pourrait leur prouver que nous sommes des leurs? Tout le monde se dira de leur côté, car personne ne souhaite mourir en martyr…

— Ce n'est pas en te voyant tenir en main ton fusil qu'ils te croiront sympathique à leur cause! Au contraire, ils te tireront dessus, s'énerva Renée.

Jacques Cotnoir se renfrogna.

— Le temps est venu de se débarrasser des Anglais. L'heure de la revanche est arrivée. Je vais quand même faire le guet, au cas où nous aurions de la visite.

— Ah oui, en leur disant que nous attendons un dénommé *Cœur de lion*? Que ça fait romanesque, Jacques Cotnoir! Que t'arrive-t-il, à vouloir bouter les Anglais dehors? demanda Renée, impatiente, en élevant le ton.

Jacques Cotnoir grimaça. Il ne voulait pas attirer davantage l'attention des deux jeunes filles, qui cherchaient à se joindre à la discussion à mi-voix.

— Rentrons. J'ai quelque chose d'importance à te dire.

Renée figea sur place: elle craignait ce que son mari allait lui dire. Elle l'accompagna, tandis que les jeunes filles fixaient toujours Sorel, de l'autre côté du fleuve.

— Ne me dis pas que tu es des leurs!

Jacques opina.

— Doux Jésus. La famille vient de se diviser… Ça fait longtemps ? demanda Renée, les traits durcis.

— Quelques mois… Nous sommes un petit groupe des îles à appuyer les insurgés américains. Nous croyons à leur cause. Nous sommes des patriotes.

— Et tu as caché ça à ta femme ?

— Je voulais vous protéger. Comme Louis-Daniel et Corbin sont capitaines de milice à Berthier, je savais que tu ne serais pas d'accord de faire ça à ta sœur Marie-Ange.

— Dis plutôt que la guerre n'est pas l'affaire des femmes ! Qui sont ces gens avec toi ?

Jacques Cotnoir resta muet. Renée insista avec vigueur.

— Qui sont ces gars des îles ?

— Chut ! Pas si fort. Angélique et Christine pourraient nous entendre ! Francœur et Latour, de l'île Dupas, Fauteux et Désorcy, de l'île Saint-Ignace. Nous nous sommes réunis à quelques reprises déjà.

Renée parut désarçonnée.

— Des pères de famille ! Lequel est votre chef dans la seigneurie ? Pas toi, j'espère ?

— Non, sois sans crainte… Un certain Joseph Merlet, du fief Chicot.

— Le braque à Merlet ? Ça n'a pas de sens. J'ai marché au catéchisme avec lui.

— Pourquoi dis-tu ça ?

— C'est un fanatique, ce gars-là. Il pouvait se lancer dans les eaux glacées de la rivière Chicot au printemps, uniquement par défi… Distance-toi de lui au plus vite. C'est de la graine de potence, Joseph Merlet.

Jacques renâcla.

— En fait, il faut que tu saches que j'attends la visite du vrai chef de la résistance aux Anglais. Désorcy est censé me l'envoyer pour une mission. Je ne le connais pas encore. Il l'accompagnera peut-être.

— Une mission ? Si tu veux protéger ta famille, comme tu dis, ta première mission est de ne pas t'aventurer dans ce petit jeu-là. Nous avons trop souffert de la guerre, il y a quinze ans.

Renée avait jadis convaincu Jacques Cotnoir de quitter Québec pour venir s'installer aux îles de Berthier. Depuis, il n'avait cessé de la remercier pour cette initiative.

— Justement, il est temps que les Anglais paient ; James Cuthbert, le premier. Il a été de ceux qui ont mis la ville de Québec à feu et à sang.

— Il s'est repris depuis dans sa seigneurie. Nous n'avons plus rien à dire contre lui.

— Un Anglais reste un Anglais, trancha Jacques.

— Il ne sera pas le bienvenu ici, ton chef patriote, Jacques Cotnoir, s'il n'amène que le malheur ! répliqua Renée sur un ton sans équivoque.

— Chut, voici nos filles !

Angélique et Christine entrèrent.

— Le fort de Sorel a dû tomber aux mains des Américains, car la canonnade a cessé. Qu'est-ce qu'on fait ? Attendre qu'un officier américain se présente et commence à nous courtiser ? s'amusa à dire Christine.

— Ce n'est pas le moment de faire de l'humour noir. Notre avenir est plus sombre que jamais, répondit Renée en jetant un regard mortel à son mari.

Lorsqu'on frappa à la porte, la famille tout entière resta stupéfiée.

— C'est ton invité-mystère ! Va répondre, ragea Renée à l'endroit de son mari.

Jacques Cotnoir voulut prendre son fusil.

— Non, pas de fusil ! Ils sont peut-être tout un régiment.

Jacques préféra crier à travers la porte.

— Qui va là ?

— Je viens rencontrer Jacques Cotnoir. Est-ce bien ici ?

— Demande-lui qui il est, chuchota Renée.

— Quoi ? répondit Cotnoir, nerveux, à sa femme.

Aussi apeurée que son mari, Renée préféra reprendre sa phrase en l'articulant muettement. Jacques comprit et acquiesça.

— Qui êtes-vous ?

— Colonel James Livingston.

Jacques et Renée se regardèrent.

— Demande-lui pour quelle armée il est officier. Il ne porte pas d'uniforme, remarqua Renée à mi-voix, après avoir observé l'inconnu par la fenêtre.

Jacques toisa sa femme. Comme il lui semblait évident que c'était un officier de l'armée américaine, il jugea bon de ne pas le questionner à cet effet.

Entre-temps, Angélique avait regardé par la fenêtre.

— Ce qu'il est beau !

— Hein ! Laisse-moi le regarder, reprit Christine.

— Plus personne ne bouge, compris ? exigea Renée.

Les jeunes filles obtempérèrent. Jacques Cotnoir continua :

— Qui vous envoie ?

— Prime Désorcy.

Jacques Cotnoir regarda sa femme Renée en guise d'approbation. Elle cligna des yeux.

— C'est moi, Jacques Cotnoir. Entrez.

James Livingston apparut sur le seuil de la porte ; la famille se mit à l'observer. Assez grand, fin vingtaine, il était vêtu de souliers de marche et d'une vareuse, comme un habitant : rien de l'uniforme militaire américain.

Sans avoir refermé la porte, Livingston s'adressa à Jacques de sa voix chaude.

— Belle journée tranquille, n'est-ce pas ? Je ne pensais pas que le fleuve pouvait être si large entre les deux rives. On m'a dit que l'île au Massacre était près d'ici…

L'archipel du lac Saint-Pierre comprenait les îles de Sorel et de Berthier, seigneuries qui se faisaient face le long du fleuve. La plus importante, l'île Saint-Ignace, nommée en l'honneur du fondateur de la Compagnie de Jésus, Ignace de Loyola, faisait directement face à Sorel. Elle avait été visitée par Jacques Cartier en 1535, par Samuel de Champlain en 1609, et par le gouverneur Jacques Huault de Montmagny et le père Le Jeune, supérieur des jésuites, en 1637. L'île Saint-Ignace servait de halte et de refuge aux voyageurs qui naviguaient sur le fleuve ou qui traversaient d'une rive à l'autre, ainsi que de poste de traite du commerce de la fourrure. Les premiers cultivateurs de l'île s'y établirent à partir de 1724.

Personne n'osait répondre, muet d'étonnement. Comme les coups de canon avaient cessé, il n'y avait d'audible que le bruit des vagues échouées sur les galets et le tintamarre des mouettes qui se disputaient un morceau de poisson.

— J'aimerais d'abord m'assurer que c'est vrai, au cas où Désorcy m'aurait tendu un guet-apens. À moins que vous me donniez une fausse identité !

Stupéfait, Jacques ne savait quoi répondre. Renée prit le relais, vexée par l'impertinence de l'inconnu. Elle répondit du tac au tac, comme sa mère Gertrude Clermont Rémillard l'aurait fait dans ses bonnes années.

— Mon mari, comme les gens d'ici, ne ment jamais, Monsieur-qui-n'a-même-pas-eu-la-politesse-de–refermer-la-porte-derrière-lui. Les gens des îles de Berthier n'ont pas l'instruction de ceux des grandes villes, mais ils ont du savoir-vivre.

Renée avait insisté sur le mot *savoir-vivre.*

James Livingston ravala sa salive. Cette femme saurait seconder son mari dans sa collaboration. Satisfait, l'homme tendit la main et se présenta à nouveau, à la satisfaction de Cotnoir. Celui-ci sourit à sa femme de manière entendue, à la grande surprise de Christine et d'Angélique. Il alla refermer la porte.

— Nous vous attendions. Il ne faut pas que l'on vous voie. Les coups de canon ont dû attirer les voisins dehors, à moins qu'ils ne soient terrorisés et qu'ils se terrent dans leur maison.

Les deux jeunes filles détaillaient le visiteur. Elles se firent des mimiques admiratives et des sourires de connivence. Angélique se pencha à l'oreille de Christine et lui chuchota :

— Un peu plus vieux que nous, ce beau gars-là, mais je ne cracherais pas dessus.

Christine n'avait jamais vu un si bel homme. Elle sortit subitement de son nuage et serra la main au colonel. Soudainement, la clé de l'énigme apparut avec lucidité à Christine. Elle revit le colonel de son rêve et le compara avec James Livingston. Tout excitée, elle réagit.

— C'est le même, je te dis ! C'est lui que j'ai vu dans mon rêve ! Wow ! Angélique, il me demandait de travailler comme espionne pour les insurgés. Que ferais-je s'il me le demandait ?

Angélique était aussi transportée que Christine.

— Ma mère m'a toujours dit que tu avais ce don de divination depuis la tendre enfance. Tu écouteras ton intuition si le colonel te le demande. Je te connais, Christine. Tu es née pour avoir un destin hors du commun. Je t'envie. Quoi qu'il arrive, ce sera notre secret. Tu pourras toujours compter sur mon appui.

Les cousines se donnèrent la main pour sceller leur pacte. Renée leur lança une réprimande des yeux.

Chapitre V
L'étranger

Jacques avait invité Livingston à prendre place sur le banc des visiteurs et lui avait présenté du tabac à chiquer ; l'Américain venait de sortir une petite boîte de sa veste afin de priser. Puis il se ravisa.

— Une habitude prise à New York. Je sais que les gens de Sorel chiquent plus qu'ils ne prisent. Ça fait un bail que je n'ai pas chiqué, mais il n'est jamais trop tard pour recommencer, n'est-ce pas ?

En guise d'approbation, Jacques Cotnoir regarda sa femme. Celle-ci alla chercher le crachoir et le déposa aux pieds des deux hommes.

— Je suis le colonel James Livingston, commandant du premier régiment canadien de miliciens de l'armée des États-Unis. L'état-major m'a demandé de marauder dans Berthier.

Le colonel regarda intensément Jacques Cotnoir, le pressant de faire les présentations de sa famille. L'homme s'exécuta.

— Voici ma femme Renée Rémillard. Sa famille est originaire de Saint-Cuthbert, de l'autre côté du chenal du Nord, le long de la rivière Chicot. Et voici Angélique, notre fille. En fait, c'est la fille de ma femme. L'autre, Christine, est la cousine d'Angélique.

Le colonel s'avança et tendit la main.

— Mes hommages, madame, dit-il à Renée, méfiante.

Puis, s'adressant aux jeunes filles, il ajouta :

— Vous me voyez ravi de faire la connaissance d'aussi jolies personnes. C'est malheureux que ce soit en temps de guerre.

Angélique rougit du compliment, tandis que Christine détaillait le bel officier aux yeux pairs, à la mâchoire volontaire et au regard décidé. Elle esquissa un sourire à son tour. Christine avait l'impression les regardant, de voir passer ses yeux du marron au vert. Elle n'aurait jamais cru rencontrer un officier militaire américain avec une aussi fière allure ailleurs que dans ses rêves. Elle n'arrêtait pas de le regarder, envoûtée par sa prestance, même s'il ne portait pas l'uniforme.

— Vous prendriez bien de la limonade pour vous désaltérer, colonel Livingston ?

Jacques Cotnoir sourit à sa femme. Il savait qu'il pouvait compter sur sa courtoisie, en dépit de la sévère mise au point qu'elle avait servie au colonel.

Se rendant compte de l'ébahissement de sa nièce, Renée choisit ce moment pour entraîner ses filles au fournil afin de faire une mise au point, même si elle brûlait d'envie d'assister à la conversation des deux hommes. Renée invita Christine à la suivre près de la glacière et lui demanda de préparer les verres de limonade. Elle soupçonnait que Christine avait eu un coup de cœur pour l'Américain.

— Écoute-moi bien, Christine. Ce qui se passe ici reste ici. Tu viens de réaliser que ton oncle Jacques collabore avec les patriotes américains. Si le seigneur Cuthbert l'apprend, il sera accusé de traîtrise, et probablement pendu. Quant à nous, nous serons exilées, Dieu sait où, ou pire, torturées, car James Cuthbert cherchera à nous faire parler. Il s'acharnera sur Angélique qui parlera à coup sûr, et ce sera de ta faute. Quant à toi, il t'épargnera peut-être, car tu es aussi la nièce de son capitaine de milice Guilbault, et qu'il t'aime bien, mais rien n'est garanti… Si tu nous aimes le moindrement, ne parle jamais à Marie-Ange et à Louis-Daniel de ce qui vient d'arriver ; ils n'auraient pas le choix de nous dénoncer. Me le promets-tu ? Je sais que tu dois retourner à Berthier. Pour ne pas inquiéter Marie-Ange, je te ferai signe quand partir. As-tu bien compris ?

— Oui, ma tante, répondit Christine, évasive.

Christine avait l'habitude de faire à sa tête et de désobéir.

Insatisfaite, Renée renchérit.

— Nous ne savons rien d'autre du colonel Livingston, sinon qu'il est l'émissaire des patriotes, et qu'il est… bel homme. Ces deux caractéristiques paraissent plus explosives pour des jeunes filles en mal d'amour comme Angélique et toi qu'un baril de poudre, alors que les Bostonnais viennent probablement de faire capituler Sorel. Je t'aime comme ma fille, et je veux te protéger du pire des maux. Si tu tombes amoureuse d'un officier ennemi, ce sont des accusations de traîtrise à ton pays qui te guettent. Tu seras dénoncée et prise, les soldats anglais vont te tondre comme un mouton, te violer et te brûler vive comme une sorcière. Il y a d'autres beaux gars dans les îles et à Berthier qui ne demandent qu'à te courtiser et qui sont moins dangereux à fréquenter qu'un collaborateur des Bostonnais…

Renée allait lui donner quelques noms de garçons de l'île — Nicodème Désorcy, le fils de Prime, Thomas Dutremble ou Séraphin Fauteux — qui l'avaient questionnée à propos de la disponibilité de Christine, quand elle se rendit compte que cette dernière ne l'écoutait déjà plus, le regard rêveur. Puis elle pensa que son mari était aussi un collaborateur des Bostonnais.

Par dépit, elle se dit intérieurement :

Pourvu qu'elle ne nous dénonce pas celle-là ! Tant mieux si elle est tombée sous le charme du colonel Livingston, ça l'empêchera de le faire… Angélique n'osera pas lui ravir son coup de cœur, car elle aura avantage à écouter ma recommandation.

— Va donc chercher du bois ; Angélique servira la limonade, intima Renée, qui commençait à trouver gênant d'accueillir un espion ennemi sous son toit. Puis elle murmura pour elle-même :

Pourvu que la guerre n'aille pas plus loin que Sorel !

***

Pendant ce temps, Jacques Cotnoir s'entretenait avec James Livingston.

— J'ai su que vous vouliez vous libérer des Anglais. Le but de ma mission est de recruter à Berthier-en-Haut un second régiment de miliciens canadiens dans l'armée américaine. Je compte sur vous pour que vous me présentiez à des sympathisants fiables, des notables d'influence, favorables à notre cause…

Jacques Cotnoir comprit que le colonel le mettait au défi de lui mentionner quelques noms pour s'assurer qu'il s'adressait bien à la bonne personne et qu'il n'était pas tombé dans un guet-apens.

— Le plus connu de nos irréductibles sympathisants de la région est Joseph Merlet du fief Chicot, de Saint-Cuthbert. Comme la police de James Cuthbert le pourchasse et le suit pas à pas, il lui est très difficile de recruter à l'ouest. Par contre, il réussit bien son maraudage à Maskinongé, à Rivière-du-Loup et même jusqu'à Yamachiche. Ah oui, aussi à Carufel. C'est là-bas que la police de Cuthbert tentera de le coincer.

Le colonel Livingston opina froidement de la tête. Cotnoir continua avec plus d'enthousiasme, afin de convaincre le capitaine de la qualité de son réseau de résistants.

— À Saint-Cuthbert, la population écoutera son curé, Jean-Baptiste-Noël Pouget, qui hésite à se prononcer, parce qu'il doit obéissance à son évêque, quoiqu'il soit surveillé de près par le seigneur Cuthbert. Nous sommes informés de ce qui se passe, car ma femme a encore de la famille là-bas.

— Des Rémillard, n'est-ce pas ? supposa James Livingston pour se rendre sympathique aux yeux de Renée.

Celle-ci sourit pour la première fois au colonel.

— Y en a-t-il d'autres ? J'ai su qu'à Saint-Cuthbert, il y avait des familles enclines au patriotisme, interrogea le capitaine de milice.

— Les Chorel de Saint-Romain. Ils disent qu'ils ont du sang bleu dans les veines, du sang de noblesse française... De Versailles ! Nous les appelons Morel, c'est plus facile. Il y en a d'autres, comme Jean-Baptiste Robert et sa femme, Angélique Vigneau. Et à Berthier même, en face du manoir, se trouve l'étude du notaire Faribault. C'est lui votre personne-clé, en raison de son influence sur les censitaires. Il est le seul notaire, donc tout le monde fait affaire avec lui.

— James Cuthbert aussi, j'imagine ?

— Nul doute qu'il est son meilleur client. Toutefois, le notaire sait faire la part des choses entre ce gros client anglais et ses petits clients canadiens-français. Le notaire, c'est un vrai patriote.

Depuis la Proclamation royale, on observait la montée d'un courant patriotique chez les Canadiens français. Depuis la venue de visiteurs américains, la possibilité de se débarrasser des Anglais avait renforcé ce courant.

James Livingston acquiesça.

— J'ai rencontré un commerçant de fourrure du fief d'Orvilliers qui m'en a parlé élogieusement.

— Vous parlez sans doute d'Antaya-Pelletier. Il a encore son poste de traite sur le bout de l'île Saint-Ignace. Il est des nôtres.

Le colonel opina. Cotnoir poursuivit.

— Le notaire Faribault n'est pas un politicien, mais c'est un bon orateur, et il a le respect de tous. Si vous le décidiez à encourager notre recrutement, vous lèveriez votre régiment en moins de deux, s'enthousiasma Cotnoir.

L'assurance de Cotnoir prenait du tonus. Il visa de nouveau le crachoir avec force, mais rata encore sa cible, sous le regard courroucé de sa femme, qui voulait montrer sa famille sous son meilleur jour.

— Je commencerai à rencontrer le notaire Faribault. Avez-vous d'autres partisans ?

— Quelques-uns à l'île Dupas, mais ce sont les habitants de Saint-Cuthbert, des rangs Saint-Esprit et Saint-Pierre, qui seraient de votre côté en grand nombre. Pigeon et le grand Jean-Marius Chrétien sont leurs chefs de file. Mais ils hésitent à prendre les armes contre Cuthbert. Difficile de concilier la guerre avec le travail aux champs ! D'autres habitants des rivières Bayonne et La Chaloupe, assurément. Mais c'est loin en amont. Pas sûr qu'ils sont forts au fusil. C'est tout pour l'instant.

Jacques Cotnoir raconta la misère que les soldats anglais avaient fait subir aux habitants de Québec et des environs, appuyé par l'approbation tacite de sa femme Renée, qui commençait à trouver le colonel plus sympathique. Celui-ci leur parla à son tour de l'avancée des troupes américaines ; il leur indiqua qu'elles venaient de s'emparer de Sorel, et qu'après avoir soumis Montréal, elles attaqueraient Trois-Rivières par voie de mer et de terre peu après. Les fantassins recrutés à Berthier auraient la mission d'appuyer l'attaque navale et d'arraisonner le fort, en marchant sur le continent. Il devait se mettre au travail rapidement, car le temps pressait.

Le colonel Livingston avait écouté avec intérêt le récit de Jacques Cotnoir en sirotant sa limonade, tandis que Renée et

Angélique préparaient le souper pour leur invité-surprise. Jacques Cotnoir avait offert le gîte pour la nuit au colonel, et lui avait proposé de le mener à Berthier le lendemain.

Surprise, Renée s'inquiéta alors du sort de Christine, qui n'était pas encore revenue avec le bois de chauffage. Après en avoir avisé son mari, celui-ci rassura son hôte.

— Elle est retournée à Berthier chez mon beau-frère, le capitaine de milice Guilbault, j'imagine. Ne vous inquiétez pas, Christine ne nous dénoncera pas. Je parierais même qu'elle sera favorable aux patriotes américains. Elle a du sang de rebelle dans les veines.

Jacques Cotnoir blêmit. Il réalisa qu'il n'avait pas parlé au colonel de ses liens parentaux avec les capitaines de la milice de Berthier. James Livingston mit la main sous sa veste. Jacques savait que sa survie dépendait de ce qui allait suivre. Des sueurs froides coulèrent aussitôt dans son dos. La peur le saisit à la gorge. Renée s'en rendit compte. Elle s'approcha de son mari et lui mit la main sur l'épaule, prête à le défendre.

— Ma sœur Marie-Ange Rémillard est l'épouse de Louis-Daniel Guilbault, capitaine de milice à Berthier depuis de nombreuses années. Leur fils Corbin travaille aussi comme policier avec son père, intervint-elle, alors que son regard oscillait entre les yeux et la main du colonel.

— Nous ne parlons jamais de politique lors de nos rencontres. Louis-Daniel et Marie-Ange Guilbault ne se doutent même pas que Renée et moi sommes des patriotes. Si cela devait un jour se savoir, j'afficherai mes couleurs. J'aime mieux me battre du côté des Américains que de vivre sous le joug d'un tyran.

Même si Renée voulait fusiller le visiteur, elle en profita pour arborer son beau sourire, faisant foi de son allégeance à la cause américaine. Le charme opéra.

— Du sang Rémillard ? interrogea le capitaine, radouci.

— Oui, du gros sang rouge bouillonnant de justice et de patriotisme, conclut Jacques Cotnoir pour faire plaisir à sa femme Renée.

En observant le colonel par un interstice entre deux planches, Christine avait tout entendu de la conversation. Ainsi, il fallait qu'elle se rende chez le notaire Faribault si elle voulait revoir le bel officier américain.

Avant de s'endormir, Renée demanda à son mari, à mi-voix :

— Pour un Américain, il maîtrise bien notre langue, tu ne trouves pas ? James Livingston, ça te dit quelque chose ?

— Je me suis rappelé qu'il y avait un jeune avocat du même nom à Sorel. C'est étrange ; notre invité connaît le marchand Antaya-Pelletier d'Orvilliers, et pourtant, il ne semblait pas connaître le notaire Faribault ! Les hommes de loi devraient tous se connaître dans le coin.

— Tu verras la réaction du notaire. En entendant, dormons.

Chapitre VI
Christine

Christine Comtois avait appris de son oncle Louis-Daniel Guilbault, un milicien de réserve, l'imminence de l'invasion américaine. Croyant que les soldats prendraient Montréal avant de se diriger vers Trois-Rivières et puis vers Québec, il avait demandé à sa nièce de surveiller l'horizon vers Sorel, en face de l'île Saint-Ignace.

Lorsque Christine arriva chez les Guilbault, le vieux milicien et son fils avaient déjà été convoqués au manoir du seigneur de Berthier. La nouvelle de l'arrivée de la flotte américaine s'était répandue comme une traînée de poudre.

Christine raconta à sa tante et marraine Marie-Ange qu'elle avait aperçu, comme un mirage, l'arrivée de l'imposante flotte américaine. Elle n'aurait pour rien au monde dénoncé la famille de Jacques Cotnoir en évoquant leur invité spécial et leur collaboration clandestine. Elle préféra faire trembler sa tante de peur en lui parlant de son intention d'aller au-devant des Américains en signalant sa présence avec son drapeau fleurdelisé.

— Le seigneur Cuthbert est déjà probablement sur un pied de guerre. S'il apprenait que nous sommes du côté des ennemis, il nous punirait tous. Et je ne veux surtout pas que tu entraînes ta cousine Angélique dans cette folle aventure ; me suis-je bien fait comprendre ? Tu ferais mourir sa mère, elle qui a vu son premier mari mortellement blessé au combat par une balle anglaise.

D'habitude si douce, tante Marie-Ange avait émis ses réserves sur un ton péremptoire. Sans se laisser impressionner, la jeune fille rétorqua :

— Je ne veux pas la guerre, je veux seulement signaler aux Américains que nous sommes pacifiques, en les accueillant chaleureusement.

— Tu n'écouteras donc jamais rien ! Ça revient au même. La guerre est une affaire d'hommes. Mange donc un bol de bonne soupe chaude ; c'est ce que tu as de mieux à faire pour le moment. Ça ne veut pas dire que nous aurons toujours de quoi manger, si les Américains font une razzia. Nous en saurons davantage quand ton oncle reviendra.

Exaspérée, Marie-Ange avait conclu avec de l'irritation dans la voix. Elle avait depuis longtemps abandonné l'idée de faire entendre raison à sa nièce et filleule, dont le tempérament rebelle défiait toute forme d'autorité. De plus, le talent de Christine à la joute verbale dépassait de loin ses propres capacités. Personne de son entourage familial ne pouvait avoir le dessus sur Christine.

***

Âgée de dix-huit ans, soit l'âge auquel une jeune fille se prépare habituellement à élever une famille, Christine rêvait d'héroïsme épique et de contes de fées. Marie-Ange craignait que la jeune femme profite de l'invasion américaine pour s'amouracher d'un soldat insurgé et faire de sa vie... Dieu sait quoi !

Marie-Ange connaissait l'hérédité d'indépendance, d'esprit farouche, d'entêtement — d'intransigeance même — transmise par l'ascendance matrilinéaire de Christine, et cela ne présageait rien de bon.

Il y avait d'abord eu Antoinette, la mère de Christine, qui s'était amourachée de Pierre-Yves Ferréol Gilbert, dit Comtois, un officier qui avait combattu les Anglais sous les ordres du chevalier de Lévis, lors de la bataille de Sainte-Foy, à la grande désapprobation de sa mère Gertrude et de son père Edgar Rémillard. Si Gertrude était solide comme un chêne, en exerçant un plein contrôle dans la maisonnée, Edgar était le roseau. Femme dominatrice et autoritaire, Gertrude Rémillard née Clermont gérait son monde comme un général d'armée. Cependant, Gertrude n'avait jamais pu mettre à sa main sa fille Antoinette, qu'elle considérait avec dépit comme revêche et indisciplinée.

Différente de Marie-Ange, dont le caractère ressemblait à celui de son père, Antoinette avait hérité de l'esprit frondeur et entêté de sa mère. Adolescente délurée, Antoinette Rémillard avait eu la hardiesse de fuguer avec un bel officier de cavalerie rencontré à Maskinongé, alors qu'elle s'y était rendue pour voir défiler la chevauchée française vers Québec. Elle avait dit à son amoureux inopiné qu'elle l'aimerait pour la vie. Le capitaine de cavalerie Gilbert, dit Comtois, et Antoinette Rémillard s'étaient aussitôt mariés incognito à Québec.

Antoinette a donné naissance à une fille. Elle fit baptiser l'enfant sous les prénoms Christine Éloïse Rose Gertrude, en l'honneur de la rose des vents, symbole de toutes les libertés. La grand-mère Gertrude, dont les rosiers faisaient l'admiration de ses voisines, y vit la façon qu'avait trouvée Antoinette de se faire pardonner tous les tourments qu'elle avait fait endurer à ses parents. La fillette n'en fut que plus adorable à leurs yeux.

Cinq ans plus tard, après la conquête par les Anglais, Antoinette était revenue accompagnée seulement de sa fillette au fief Chicot, le cœur brisé et enceinte. Elle remit sa fille Christine aux grands-parents Gertrude et Edgar en leur demandant en pleurs d'en prendre bien soin puisqu'elle devait partir en France témoigner pour son mari, accusé de bigamie. Antoinette était restée avare de commentaires. Elle dit seulement à ses parents que l'officier Ferréol Gilbert, dit Comtois, se croyait veuf, à la suite de la disparition inexpliquée de sa femme française à Paris. Ses recherches étalées sur plusieurs années pour la retrouver furent vaines. Par la suite, il avait suivi son régiment de cavalerie parti combattre en Nouvelle-France.

En 1761, Ferréol Gilbert, dit Comtois et sa femme Antoinette s'embarquèrent sur l'*Auguste*, comme bien d'autres officiers français exilés avec leur famille. Le navire fit naufrage au large du Cap-Breton et la plupart des passagers, dont Antoinette et Ferréol, périrent noyés.

Gertrude et Edgar avaient eu une peine immense de perdre Antoinette, leur fille cadette, dans ces circonstances terribles. Ils n'avaient rencontré le mari de celle-ci qu'une seule fois, alors qu'enceinte de Christine, Antoinette était venue présenter Ferréol à sa famille. Le retour de la fille prodigue avait causé tout un émoi dans la région.

Ferréol avait donné comme cadeau à son beau-père un bel étalon bai appelé Émilion, en l'honneur de Saint-Émilion, le coin de pays d'origine du capitaine Gilbert, dit Comtois. Ce fut du moins ce qu'Edgar raconta aux gens venus admirer le cheval, après son retour de Québec, alors qu'il était allé reconduire sa fille et son gendre.

Lorsque le gouvernement apprit la nouvelle du naufrage de l'*Auguste* et du décès de leur fille Antoinette, la peine de Gertrude et d'Edgar fut telle que seule la présence de Christine put les consoler.

Quelques semaines plus tard, la rumeur de l'accusation de bigamie de Ferréol Gilbert, dit Comtois était parvenue aux oreilles des gens de Berthier et de Saint-Cuthbert. En raison de ce scandale qui entachait sa famille, Edgar Rémillard se mit à dépérir et à se refermer sur lui-même.

Gertrude, pour sa part, réagit différemment. Elle fit comprendre à son mari que dans les circonstances, il valait mieux un gendre mort en héros qui avait eu le courage de reconnaître leur fille Antoinette enceinte comme sa véritable épouse que d'avoir vu celle-ci vivre dans la honte comme mère célibataire. Gertrude décida de passer outre aux sarcasmes en clamant haut et fort qu'Antoinette avait rencontré l'amour et qu'elle avait vécu heureuse auprès de son mari.

Quant aux commères de Saint-Cuthbert qui mirent en doute cette explication, Gertrude évoqua le seul roman connu de la famille Clermont pour leur raconter l'histoire médiévale de Tristan, un chevalier de la Table ronde de la cour du roi Arthur qui participa à la Quête du Graal et qui tomba éperdument amoureux d'Iseut, la fille d'un roi d'Écosse. Comme le prénom *Edgar* paraissait bien singulier aux gens de Saint-Cuthbert, les paroissiens donnèrent à la famille Rémillard une origine écossaise, comme celle du saint patron de leur paroisse (le seigneur James Cuthbert leur avait dit qu'un roi d'Écosse portait ce prénom, il y a très longtemps.)

Gertrude et Edgar élevèrent la fillette en la gâtant. Plus tard, Christine prit sa grand-mère Gertrude comme modèle et tenta d'exercer son ascendance bien intentionnée sur son grand-père, habitué à plier l'échine.

Lorsque Christine eut douze ans, Gertrude tomba gravement malade. Sur son lit de mort, elle confia Christine à sa marraine Marie-Ange Guilbault. Depuis, Christine partageait son temps entre Berthier et l'île Saint-Ignace : elle passait l'hiver et le printemps à la rivière Bayonne, chez Louis-Daniel Guilbault, pour éviter les crues et les débâcles du fleuve, et l'été et l'automne à l'île Saint-Ignace, chez son autre tante, Renée, mariée à Jacques Cotnoir.

***

Comme elle le faisait si souvent, Marie-Ange servit machinalement la soupe au chou à sa nièce en dodelinant la tête par dépit, pour ne pas dire par désespoir.

La jeune fille pesta contre la chaleur excessive du liquide épais qui lui brûla les lèvres. Marie-Ange n'en fit pas de cas, car Christine était naturellement réfractaire à toute forme d'autorité, au grand dam de son mari soucieux d'exercices militaires rigoureux.

— D'abord, si vous ne voulez pas, j'irai avec Geneviève Faribault. Son père n'y verra pas d'objection, lui !

Aux yeux de sa tante, l'effronterie de la jeune fille dépassait les bornes. Désemparée, pire, découragée de l'entêtement de Christine, Marie-Ange l'implora.

— Tu sais bien que le notaire Barthélemy Faribault empêchera sa fille de tomber dans ce piège-là. Il fait tellement de bonnes affaires avec le seigneur Cuthbert, avec les contrats d'acquisition de ses nouvelles seigneuries. En outre, jamais le notaire ne se mettrait à dos un membre du conseil législatif.

La jeune fille attendit que la soupe refroidisse quelque peu. Elle en prit une grande cuillerée, avant de répondre, moqueuse :

— Le notaire est surtout de mèche avec le curé Pouget, en étant contre le service militaire obligatoire des habitants de Berthier.

Marie-Ange resta ébahie.

— Qu'est-ce que tu en sais, toi ? Est-ce Geneviève qui t'a instruite de tout ça ? Si ça continue, je devrai demander à la dame du notaire ce qu'elle en pense, menaça Marie-Ange.

— Elle devrait le savoir, puisque j'ai assisté à la conversation du curé et du notaire chez eux, un dimanche midi à la table, cet été. Le curé Pouget a dit qu'en cas de guerre avec les Américains, il inciterait les gens d'ici à rester neutres.

Marie-Ange resta bouche bée. Elle se rendait bien compte de l'importance de cette information. Avec James Cuthbert, le curé Jean-Baptiste-Noël Pouget et le notaire Barthélemy Faribault étaient les autres notables de la seigneurie de Berthier, sans diminuer l'importance de l'intendant de la seigneurie, Alexander Cairns, le beau-frère du seigneur Cuthbert, son bras droit opérationnel. Les deux Canadiens français étaient considérés comme des chefs de file parmi leurs compatriotes. Maintenant, l'armée américaine était en vue, cette information prenait tout son sens.

Le curé Pouget, âgé de trente ans et Montréalais d'origine, avait été ordonné prêtre trois ans plus tôt par monseigneur Briand. Il détenait depuis deux ans la cure de la paroisse de Saint-Cuthbert, où il avait déjà eu maille à partir avec le seigneur James Cuthbert parce qu'il avait oublié de prononcer, bien involontairement, les prières pour le roi d'Angleterre. Depuis la maladie du curé Papin, il desservait aussi l'intérim à Berthier. Cette omission jugée délibérée par les paroissiens de Saint-Cuthbert lui valut leur grande estime, ainsi que la réputation surfaite de patriote.

Si le curé Pouget penchait en privé vers la cause canadienne-française, publiquement il obéissait aux directives émanant du diocèse, qui prônait la fidélité à la Couronne britannique. Le seigneur Cuthbert et monseigneur Briand comptaient sur sa personnalité convaincante pour harmoniser les rapports des paroissiens de Berthier avec l'autorité, comme il l'avait si bien fait à Saint-Cuthbert.

Pour sa part, le notaire Barthélemy Faribault, âgé de quarante-sept ans, issu d'une famille de juristes en France, avait commencé sa carrière à Paris. Il avait ouvert son étude comme premier notaire de Berthier-en-Haut en 1763, et demeurait avec sa femme et ses enfants sur la place principale, près de l'église, en face du manoir seigneurial.

Le notaire Faribault comptait parmi sa clientèle plusieurs censitaires de Berthier et des seigneuries avoisinantes. Son érudition et sa sagesse lui gagnèrent l'admiration du jeune curé Pouget, et malgré leur différence d'âge, les deux notables se trouvèrent rapidement des affinités. Par exemple, ils s'en donnaient à cœur joie de parler en latin entre eux.

Alors que Marie-Ange, angoissée, se demandait si elle devait transmettre cette information à son mari dès son retour, Christine conclut à la barbe de sa tante :

— Rester neutre, c'est être lâche. Moi, je ne serai jamais lâche. À ma façon, je vais faire savoir aux soldats américains que je suis de leur côté.

Voyant qu'elle ne gagnerait pas sur sa nièce, Marie-Ange ajouta :

— Si c'est avec ton drapeau caché dans l'armoire, je vais le changer de place, tiens !

— Ça fait longtemps que je l'ai déplacé.

La répartie spontanée et glaciale de sa nièce saisit Marie-Ange.

— Tu devrais avoir honte de me mettre dans une telle situation, pleurnicha Marie-Ange.

Remuée, Christine se leva aussitôt et se serra contre sa tante.

— Ce petit jeu est bien plus dangereux que tu n'y crois, ma petite fille. En plus, tu me mets dans de beaux draps, parce que je devrai répéter notre conversation à ton oncle.

— Vous ne feriez pas ça ?

La tante Marie-Ange fit signe que non, en essuyant ses larmes avec le rebord de son tablier.

— Alors, moi non plus, je ne mettrai pas ma menace à exécution. Je vous aime bien trop pour ça.

Christine se félicita de ne pas avoir rapporté l'arrivée de James Livingston chez Jacques Cotnoir, la veille. Sinon ses chances de revoir le beau colonel auraient été grandement diminuées, sans compter que Marie-Ange aurait peut-être dénoncé sa sœur Renée.

Marie-Ange parut rassurée. Tante et nièce se firent un gros câlin.

À la nuit tombée, lorsqu'il revint à la maison, Louis-Daniel Guilbault trouva sa femme assoupie sur sa berceuse, près du poêle en fonte, dont elle avait hérité de sa mère, et sur lequel trônait la soupière au fumet odorant de chou bouilli. Louis-Daniel Guilbault se souvenait que ce legs du poêle avait causé tout un remous, même si la grand-mère Gertrude avait précisé dans son testament fait devant le notaire Faribault que cet héritage compensait la prise en charge de Christine par Marie-Ange. Certains membres de la famille Rémillard avaient protesté, notamment Renée, prétextant qu'elle aurait aimé, autant que sa sœur aînée, avoir la garde de la jeune fille.

Louis-Daniel comprit que Marie-Ange, chapelet entre les doigts, avait égrené son rosaire comme chaque soir selon les préceptes de la nouvelle Congrégation de Saint-Rosaire, qu'elle avait joint avec sa sœur Marie-Claire, mariée à Antoine Guilbault, le frère de son mari, et sa belle-sœur, Geneviève Guilbault, mariée à Nicolas Marseille.

L'homme de soixante-quatorze ans fit rapidement des yeux le tour de la pièce et remarqua sur la pierre d'eau[1] deux bols de soupe refroidie; cela lui indiqua que Marie-Ange avait dû se coucher tard, car elle avait négligé de faire la vaisselle. Le fumet aigre-doux légèrement acidulé de la soupe au chou lui chatouilla les narines. La flamme de la chandelle, qui vacillait encore sous le boisseau, signifiait que Marie-Ange avait dû lutter contre le sommeil et qu'elle avait l'intention d'attendre l'arrivée de son mari.

Lorsque le vieux milicien reconnut la veste de Christine accrochée au clou derrière la porte d'entrée, il sut instinctivement les raisons de la venue de la jeune fille. Tante et nièce s'étaient conté des peurs en s'entretenant de la présence de la flotte américaine. Il ne s'inquiéta pas outre mesure des raisons pour lesquelles Christine n'avait pas aidé sa tante à la vaisselle puisque cette dernière se réservait encore toutes les tâches ménagères — chose qu'il ne comprenait pas, puisque, selon lui, à dix-huit ans Christine était depuis longtemps en âge de tenir maison.

Déjà que l'attitude rebelle de Christine la rendait différente des autres jeunes filles de Berthier et que, aux dires du seigneur James Cuthbert, elle était *too French*! Intérieurement, James Cuthbert n'avait jamais cru aux origines écossaises de la famille Rémillard.

Même que le notaire Faribault trouvait personnellement les propos de Christine trop radicaux, les apparentant au mouvement réactionnaire des Fils de la Liberté.

Louis-Daniel Guilbault s'apprêtait à se servir de la soupe lorsque sa femme ouvrit les yeux.

— Je me suis assoupie. Tu dois avoir faim. Laisse-moi t'en servir, dit Marie-Ange, se levant prestement pour devancer son mari.

L'homme s'installa machinalement au bout de la table. Marie-Ange lui servit la soupe accompagnée d'un quignon de pain et de beurre. Cela ne semblait pas lui suffire.

— Ce soir est un moment spécial: j'ai besoin d'un remontant. Et pas de la piquette.

---

1. Sorte d'évier d'ardoise à la base de la fenêtre de la cuisine.

Marie-Ange grimaça. Elle n'aimait pas que son mari prenne de la boisson autrement que dans les occasions de réjouissance. Cependant, elle se dit que ce qu'il avait à lui annoncer devait nécessiter tout son petit change et qu'il avait besoin d'un stimulant. Elle sortit de l'armoire la flasque de whisky blanc alambiqué et en versa une rasade dans une tasse de grès. Louis-Daniel le but d'un trait. Comme il en réclamait une autre lampée, Marie-Ange s'interposa :

— Mange ta soupe d'abord. Aussi chaude, elle te revigorera tout autant.

Elle se dépêcha à remplir l'écuelle. Elle récupéra du garde-manger du pâté de lapin, de la compote d'oignon et de la confiture de groseille, et tartina grassement le pain beurré, de manière à en faire un sandwich. L'homme oublia vite le *p'tit blanc* et avala sa soupe. S'essuyant la bouche du rebord de la manche, il demanda :

— Christine est venue souper ?

Marie-Ange fit signe que oui.

— Elle doit dormir à poings fermés. Elle m'est apparue bien excitée.

— Les gens de l'île Saint-Ignace doivent en avoir plein la vue de bateaux américains. Comment réagissent-ils ?

— Christine dit que Renée et Jacques paraissent résignés. Ils laisseront tout aux Américains, si nécessaire. Christine a préféré venir nous en informer. Je me demande si ce n'est pas trop dangereux de la laisser retourner là-bas.

Le vieux milicien rompu aux arrestations équivoques, parfois sommaires, ainsi qu'aux sautes d'humeur intempestives de James Cuthbert, jonglait.

— Le pire qui pourrait arriver serait que Christine sympathise avec les soldats. Tu la connais, elle est bien capable de le faire ! Le seigneur Cuthbert a bien dit qu'il jetterait au cachot — et même, pendrait haut et court — tout collaborateur ou sympathisant avec l'ennemi, femmes et enfants compris, en guise de représailles... Ça n'exclut pas notre Christine, hélas !

— Doux Jésus, miséricorde ! Il ne peut pas faire ça, répondit Marie-Ange en se signant.

— Il y a encore pire.

Déjà, des larmes commençaient à couler sur les joues crevassées de Marie-Ange. Il était notoire dans la famille que

Louis-Daniel aimait impressionner Marie-Ange par des récits cauchemardesques.

La bouche pleine, Louis-Daniel Guilbault apporta aussitôt une précision.

— Pas lui, bien sûr. Plutôt le capitaine Olivier et notre fils Corbin, les chefs de la milice, les gardiens de l'ordre et de la loi.

Marie-Ange lâcha un cri de désespoir. Elle se mit soudain à tressaillir.

— Pas Corbin ! Christine est sa cousine, presque sa sœur ! Tu ne permettrais pas ça, mon mari, sinon je vais trépasser. Je te connais, tu as l'estime du seigneur Cuthbert, tu pourras le raisonner, n'est-ce pas ?

Louis-Daniel eut peur que la vive réaction de Marie-Ange n'ait réveillé Christine. Au risque de s'étouffer, il avala sa bouchée. Lui qui voulait comme à son habitude créer de l'effet sur sa femme, et ainsi se rehausser, commença à s'inquiéter, en se disant qu'il était sans doute allé trop loin. Il baissa le ton, pour inciter sa femme à en faire autant.

— Sois sans inquiétude. Jamais je ne permettrai ça à quiconque ! Le seigneur Cuthbert vient d'autoriser la conscription de tous les censitaires et de leur fils aptes à porter le fusil. Nous commencerons les exercices de tir dès demain à l'aube. Pour le moment, notre travail s'attarde à ça, pas aux arrestations… Tu me réveilleras à la barre du jour. Nous sommes en guerre, Marie-Ange. Christine doit en connaître les conséquences, elle aussi. Les Américains ne tarderont pas à envahir la seigneurie.

Marie-Ange se dit qu'il serait plus facile de le réveiller s'il n'abusait pas trop de l'alcool.

— La petite me disait que le curé et le notaire… Non, rien.

Intrigué, Louis-Daniel regarda sa femme. Comme elle ne continua pas, il se dit que son secret de femme n'était sans doute pas assez important pour faire bifurquer leur conversation.

— Il y a des rumeurs selon lesquelles les habitants de Saint-Cuthbert et des rangs Saint-Esprit et Saint-Pierre soient sympathiques à la cause des Américains… C'est maintenant que nous connaîtrons leur véritable allégeance. Mais je doute qu'ils veuillent être considérés comme traîtres et fusillés sur la place publique par l'armée anglaise. Heureusement, Corbin et moi n'aurons rien à voir avec les exécutions des traîtres et des déserteurs. La milice n'est pas un peloton d'exécution.

Marie-Ange se signa encore une fois. Son mari plongea soudainement dans le passé nébuleux de la naissance de Christine et de la légende familiale.

— Le savais-tu pour Émilion ? Quand on pense qu'à son retour de Québec, après avoir été reconduire Antoinette et son mari, ton père l'avait acheté à Yamachiche. C'est en chemin qu'il a commencé à échafauder toute cette histoire. Je ne serais pas surpris que le drapeau français ayant supposément appartenu au général Montcalm, et donné par le père de Christine, n'ait été en réalité qu'une autre chimère de ton père Edgar pour réhabiliter Antoinette aux yeux de la famille et faire des accroires à Christine.

Émilion, le vieux cheval bai, broutait toujours l'herbe tendre du pré des Guilbault.

Marie-Ange grimaça.

— C'est papa qui te l'a dit ?

— Seulement pour Émilion. Avant sa mort, un soir que nous étions seuls. Pour le drapeau, c'est mon dire.

En pensant à la disparition tragique d'Antoinette, les larmes jaillirent sur les joues de Marie-Ange.

— Avec toutes les lubies d'Antoinette, Christine se retrouve sans dot à remettre à son futur mari : Émilion ne vaut plus grand-chose au marché des chevaux de Trois Rivières, continua Louis-Daniel.

Marie-Ange saisit l'occasion pour rappeler à son mari ce qui avait été convenu au sujet de l'avenir de Christine.

— Nous nous sommes entendus pour la doter, tu te rappelles ?

— Ouais, ouais… Pourvu qu'elle reste en vie. Pour ça, il faudra l'encabaner. Je crains qu'elle ait des idées réactionnaires, qu'elle aille rejoindre les insurgés.

Certaine de la promesse de sa pupille, Marie-Ange répondit à son mari :

— Elle restera bien docile, ne crains rien. Demain matin, tu lui parleras.

Louis-Daniel Guilbault doutait de l'affirmation de sa femme. Il haussa les épaules de dépit et préféra secouer sa tasse en grès. Comprenant le message, Marie-Ange dit :

— Si tu veux te lever dispos, il faudra d'abord aller te coucher.

Elle se dépêcha de récupérer la vaisselle sale. Comme son mari allait allumer sa pipe, elle l'intima de s'abstenir :

— Pas de tabac non plus. Ça t'empêcherait de dormir.

Avant de se lever, le vieil homme visa le crachoir. Marie-Ange sut qu'elle l'avait contrarié.

— Une pipée, juste une. J'aime mieux ça qu'un p'tit verre.

Son mari lui sourit. Louis-Daniel avait contracté cette habitude avec son père, depuis sa jeunesse à l'île Dupas. Il l'avait intensifiée avant son mariage lorsqu'il s'était engagé comme voyageur de la fourrure dans l'Ouest pour se ramasser un pécule.

Corbin Guilbault et Ursule Desrosiers avaient donné à Marie-Ange et Louis-Daniel cinq petits-enfants. Leur aînée, Gillette, âgée de vingt ans, était mariée depuis deux ans à Louis Champagne. Leurs secondes petites-filles, des jumelles, Jeanne d'Arc et Jeanne-Mance étaient du même âge que Christine Comtois. Suivaient deux garçons âgés de quinze et douze ans.

Si le capitaine Louis Olivier était responsable de l'ensemble de la milice des seigneuries de James Cuthbert, Corbin Guilbault dirigeait pour sa part celle de Berthier. Ce dernier laissait à son père le soin de s'adresser aux irréductibles paroissiens des concessions de Saint-Esprit, de Saint-Pierre et de la côte Saint-Antoine, en haut de la rivière Bayonne, de bons habitants comme lui. Pour sa part, le capitaine Biron dirigeait la milice de Saint-Cuthbert.

— Peux-tu me dire ce dont il a été question à cette fameuse réunion qui a duré si tard, mon mari?

Louis-Daniel prêta plutôt attention au bruit qu'il soupçonnait venir d'en haut. Il leva le menton à l'intention de sa femme et dit:

— Il faudra mettre une trappe à souris sous peu au grenier. J'ai l'impression d'avoir entendu trottiner.

Marie-Ange ne fut pas dupe. Elle craignit que Christine ait entendu leur conversation. Fronçant les sourcils, le chef de la milice baissa le ton et dit à sa femme:

— De toute manière, elle l'aurait bien appris un jour ou l'autre.

Un silence entendu plana dans la pièce. Marie-Ange laissa de longues secondes à son mari pour qu'il lui livre l'essentiel de la réunion. Comme elle comprit qu'il avait sciemment détourné la conversation, elle se résigna.

Par ailleurs, elle tremblait à l'idée que Berthier puisse servir de champ de bataille aux belligérants et que sa famille soit intimement impliquée dans ce conflit.

— En tout cas, fais attention à toi. La guerre n'est pas de ton âge... J'ai peur pour nous tous, Louis-Daniel.

Marie-Ange connaissait mal son mari, qui avait hâte de participer comme milicien à une vraie bataille. D'ailleurs, ce fut sans doute la raison pour laquelle le seigneur de Berthier avait permis qu'il assiste Corbin dans ses fonctions, puisque Louis-Daniel Guilbault n'avait jamais tiré une balle sur un Anglais. Il tardait à Louis-Daniel de montrer sa bravoure contre les Américains.

— Justement, j'en parlais à Corbin, nous avons conclu que la guerre ne concernait que les hommes. Conséquemment, tu devrais, avec notre bru et nos petits-enfants, te réfugier à la cabane à sucre de ton frère, en haut de la rivière Bayonne. La guerre ne se rendra pas jusque-là.

Marie-Ange s'offusqua.

— Je ne partirai pas sans Christine. Elle fait autant partie de la famille que nos petits-enfants... Et puis d'être installé dans une cabane à sucre ne m'apparaît pas bien confortable, si l'on doit y passer l'hiver. Tu sais quand commence un siège militaire, mais tu ne sais jamais quand il finit. Il faudra que tu trouves un autre endroit pour nous loger.

La répartie futée de sa femme impressionna le milicien et le fit jongler.

— Ouais, entendu. Quand j'aurai trouvé la planque, Christine vous accompagnera. Ça sera beaucoup moins dangereux qu'à l'île Saint-Ignace, de toute manière... Elle n'aura pas le choix, crois-moi. En tant que chef de milice qui reprend du service, et son tuteur, je le lui ordonnerai, quand je la verrai demain matin. Tu la réveilleras en même temps que moi.

Marie-Ange toisa son mari avec circonspection.

— La sécurité de nos enfants passe avant nos idées politiques... Et ça comprend Christine, bien entendu.

Marie-Ange se leva spontanément et alla mettre sa main sur l'épaule de son mari, en lui disant :

— Comme ça, tu y avais pensé ! Il me semblait bien que tu aimais Christine, toi aussi, malgré son caractère frondeur.

— Rebelle, ouais.

Marie-Ange gratifia son mari d'un sourire et changea de propos.

— Depuis quand t'es-tu réconcilié avec mon frère Pierre-Simon ? Tu me disais qu'il estimait, à tort, comme la majorité des censitaires de Berthier, que les habitants avaient tout à gagner en se prenant de querelle avec les Britanniques.

Pour toute réponse, Louis-Daniel grogna. Marie-Ange venait de résumer la volonté des Canadiens français de se débarrasser du joug anglais en sympathisant avec l'envahisseur américain.

Recroquevillée sur sa paillasse dans sa couverture de laine, après avoir tout entendu de la conversation de Louis-Daniel et Marie-Ange, Christine pleurait à chaudes larmes. Elle réalisait qu'elle n'avait jamais rien eu qui ait appartenu à son père, si ce n'était le drapeau fleurdelisé caché au fond du coffre de cèdre de sa tante Marie-Ange récupéré par son grand-père Edgar ! Elle souhaitait que la provenance de l'étendard n'ait pas été une autre légende inventée par la famille, tout comme elle espérait que son cheval Émilion ait réellement été monté par un membre de l'état-major de l'armée française.

Christine se sentit plus que jamais isolée, à moitié déracinée. Et si son père n'avait été qu'un quidam sans histoire ? Si sa famille avait orné les contours de sa naissance d'histoires romanesques, tel un conte de fées, qui était-il vraiment ? Pourquoi avait-on laissé Christine dans sa rêverie d'enfant, lui laissant croire qu'elle était fille d'un capitaine de cavalerie ? Sa mère Antoinette, qu'on disait jolie, avait démontré la hardiesse que l'élan de son cœur lui avait dictée, en prenant le risque de fuir la maison et d'accompagner un inconnu à Québec. Aurait-elle perdu la tête pour le premier sigisbée venu ?

Cette conclusion inquiéta Christine. Elle chercha à se rappeler les souvenirs de son enfance chez ses grands-parents à Saint-Cuthbert. Elle sombra rapidement dans un sommeil agité.

CHAPITRE VII
ROSINE

Un soir de juillet, après le souper, alors que l'odeur du foin mûr envahissait l'air ambiant de la petite ferme d'Edgar Rémillard établie le long de la rivière Chicot, la petite Christine observait sa grand-mère Gertrude en train de tailler ses rosiers et d'y sélectionner des fleurs qui embaumeraient la maison de leur odeur. Dans sa menotte, la fillette tenait la grosse main rugueuse de son grand-père Edgar. De son autre main, le quinquagénaire couvrait le tuyau de sa pipe pour que la brise d'été n'éparpille pas la cendre chaude et brûle la fillette.

Christine avait toujours été intriguée par ces fleurs de différentes couleurs au parfum délicat et envoûtant que les voisines venaient régulièrement humer. Bien entendu, elles ne manquaient pas de congratuler la fillette sur sa beauté.

— Qu'elle est donc jolie votre petite Christine, avec sa peau délicate et son teint de pêche. Et la couleur de ses cheveux ! Elle ressemble comme deux gouttes d'eau à Antoinette, n'est-ce pas madame Gertrude ? Regardez-moi donc ces boucles vermeilles comme le coucher de soleil ! Pas étonnant qu'elle soit tombée amoureuse, votre Antoinette. Le capitaine devait être un bien bel officier. D'ailleurs, ça n'a pas été la première fille chez les Clermont à s'épivarder avec un coureur de jupons.

C'est ce qu'avait dit un jour Gilberte Laporte, voisine du rang du Chicot, qui avait eu la maladresse d'évoquer le souvenir trouble de Roberte Clermont, la sœur de Gertrude, qui s'était enfuie avec un coureur des bois.

Il n'en fallut pas plus pour que Gertrude, piquée au vif, la remette à sa place.

— Il ne faut pas tenir compte des racontars, madame Laporte. Sinon, nous devrions donner foi à ceux qui veulent nous faire croire que votre fils, poil de carotte, a la même tignasse que le forgeron Lauzon…

***

Un jour, de plus en plus consciente de l'effet de sa beauté, la fillette interrogea sa grand-mère.

— Pourquoi maman m'a-t-elle appelée *Rose*, en plus de *Christine Éloïse*?

— Parce que tu es la plus belle des roses de mon jardin. La rose apporte l'amour. C'est pour ça que nous t'aimons tant.

Ravie, la fillette s'empressa d'embrasser sa grand-mère sur la joue. Puis songeuse, elle demanda:

— Pourquoi grand-père m'appelle-t-il *Pompon Rose*, quand nous sommes seuls?

La question fit sourire Gertrude. Elle fit semblant de réfléchir, avant de répondre:

— Parce que mes fleurs sont en fait une variété de pompons roses… Et puis, non, c'est trop compliqué pour une petite fille… Tu sais que ton grand-père Edgar est un sourcier qui fait apparaître l'eau avec sa baguette?

— Tante Renée dit que grand-père est un sorcier qui fait apparaître ce qu'il veut avec sa baguette magique.

— Renée dit ça? Eh bien, c'est en partie vrai. Il faut avoir des dons de divination pour trouver l'emplacement d'une source et y creuser un puits. Toutefois, un sourcier n'est pas un sorcier, sinon il serait brûlé vif. Tu ne voudrais pas que ton grand-père soit brûlé vif, n'est-ce pas, comme une sorcière de Salem?

Horrifiée, la fillette s'empressa de confirmer son dégoût.

— Alors, il faudrait l'appeler autrement. Comme *Pépère*, par exemple.

— Pépère Égard!

Gertrude imagina Edgar avec ce surnom et s'esclaffa.

À partir de là, les jeunes gens de Saint-Cuthbert s'amusèrent à l'appeler Pépère Égard. Même le curé demanda à ses paroissiens de prier pour le repos de l'âme du bien-aimé Pépère Égard, lors de ses funérailles.

À la vérité, Edgar, qui n'avait jamais apprécié son singulier prénom écossais, se plut aussitôt à se faire appeler Pépère Égard par sa chère petite-fille. En retour, il l'appelait affectueusement Rosine.

— Pourquoi m'appeler Rosine, Pépère Égard ? Lui demanda Christine.

— Tu ne voudrais quand même pas que je t'appelle Épine, comme les épines d'une rose. Rosine te convient beaucoup mieux.

La fillette trouva cette explication plausible. Gertrude trouva que Rosine lui convenait bien. Dorénavant, Christine devint familièrement Rosine. Toutefois, Gertrude continua à appeler son mari Edgar, pour lui donner plus de prestance. Pépère Égard et Rosine entretinrent une complicité enviable que leur différence d'âge n'altéra jamais.

***

Rosine était une fillette démonstrative et attachante. Audacieuse, presque téméraire, elle n'hésitait pas à entraîner son grand-père dans des jeux risqués. Elle prenait plaisir à le dominer, et lui se prêtait de bonne foi à ses extravagances. Sa personnalité lui valait parfois d'être préférée à ses cousines du même âge : ainsi, elle était la seule à pouvoir accompagner Pépère lorsqu'il partait à la recherche de sources d'eau.

Rosine observait attentivement les gestes de son grand-père, qui tenait les deux extrémités de sa baguette de sourcier en forme d'Y, faite en bois de coudrier. Il s'avançait lentement en tordant les mains de manière à avoir les deux paumes à l'horizontale.

Quand Pépère Égard sentait la présence de l'eau sous ses pieds, la baguette se mettait à tourner dans ses mains tremblantes, et la pointe se dirigeait vers le bas.

Rosine avait remarqué que la moustache de Pépère commençait à osciller bien avant la baguette, de sorte qu'elle ne se gênait pas pour signaler la présence d'une source d'eau. Tellement que le bruit courut que Rosine avait hérité d'un don. Pépère Égard crut également aux dons divinatoires de sa petite-fille, qui percevait le champ magnétique plus rapidement que lui. Aux clients qui demandaient l'assistance de Rosine, il répondait qu'elle était encore trop jeune et inexpérimentée.

Un jour, alors que Rosine lui avait demandé de tenir sa baguette de sourcier, son grand-père lui avait répondu qu'elle pourrait accomplir bien des merveilles en utilisant plutôt un pendule. Il prit alors une grosse médaille à l'effigie de Saint Joseph et y attacha un long fil, en disant à Rosine que les oscillations du pendule lui indiqueraient non seulement les points d'eau, mais aussi les objets métalliques recherchés sous terre.

— Qu'est-ce qui fait osciller la médaille de Saint Joseph, Pépère Égard ?

Le vieil homme aurait pu lui répondre que la menotte du p'tit Jésus de la crèche tenait le fil de la médaille du haut du ciel. Comme lui-même n'y croyait pas outre mesure, il préféra lui enseigner ce qu'il avait compris, au fil des années, de son observation des étoiles et de la lecture de la carte du ciel dans son vieux livre d'astronomie.

Un soir d'été, il amena Rosine sur les bords de la rivière Chicot et lui demanda d'écouter les bruits.

Après quelques minutes d'attente, alors que l'enfant commençait à s'agiter d'impatience, des ailes immenses se déployèrent au sommet d'un gros peuplier, dans un bruissement silencieux. Le hululement de l'oiseau impressionna tant l'enfant qu'elle se colla près de son Pépère Égard, qui l'informa :

— Ce rapace est un hibou. Il vit la nuit. Il est si gros que nous l'appelons *grand-duc.* Maintenant, regarde le ciel. Il y autant d'animaux qui habitent le ciel que sur la terre. Ils prennent la forme d'étoiles et accompagnent les anges. Observe bien les étoiles dans le ciel et dis-moi ce que tu vois.

Rosine, qui n'y voyait rien, commença à pleurnicher. Pépère Égard pointa la constellation.

— Regarde bien ces étoiles et essaie d'imaginer l'animal que je pointe du doigt… Il y a ici deux ours, une mère et son bébé ourson. Les vois-tu ?

— Oui ! annonça fièrement Rosine.

— Vois-tu maintenant l'œil brillant de la mère ourse qui surveille son ourson ?

Rosine regarda son grand-père avec les yeux émus de l'innocence.

Edgar allait lui dire que la voûte céleste était farcie de quatre-vingt-huit constellations, dont la Grande Ourse et la Petite Ourse, et que l'étoile Polaire indiquait le nord, mais il jugea que Rosine était encore à l'âge à rêvasser en contemplant les étoiles.

— Tu vois le triangle d'étoiles qui ressemble à ma baguette de sourcier, là-bas ? Tu devrais y voir notre grand-duc qui tient une lyre dans ses serres. Le vois-tu ?

— Comme l'ange de l'église au-dessus de la crèche ?

— Si tu veux. Regarde l'étoile qui brille autant que celle de l'ourse. On dit que c'est le cœur du hibou qui palpite.

— Pourquoi pas celui de l'ange ?

— Pourquoi pas, en effet, répondit Edgar en pressant Rosine contre lui.

Pépère avait bien choisi sa nuit chaude du mois d'août, alors que les constellations de l'Aigle, du Cygne et de la Lyre (avec Véga, son étoile brillante) scintillaient de tous leurs feux.

Rosine crut alors que l'ange de la crèche tenait fermement en main le fil de la médaille de Saint Joseph et guidait Pépère Égard à trouver des points d'eau souterraine. Rosine connaissait maintenant l'explication du miracle.

Lorsque Rosine trouva un jour son grand-père inanimé dans les roses du jardin, elle crut que c'était un autre de ses tours de magie. Sa grand-mère Gertrude dut lui expliquer que Pépère était allé rejoindre sa mère Antoinette au ciel, et qu'il ne ferait jamais plus de miracles avec sa médaille de Saint Joseph. Alors, Rosine demanda naïvement :

— Est-ce que Pépère Égard va tenir la lyre de l'ange ou le fil de la médaille de Saint Joseph, quand je serai sourcière ?

Gertrude regarda curieusement Rosine, en se demandant :

Qu'est-ce que son grand-père a bien pu lui raconter ?

— Nous allons désormais prier Pépère Égard chaque soir au pied du lit, et après la messe sur sa tombe au cimetière derrière l'église, pour qu'il veille sur nous tous. Devenu un ange, ton Pépère te guidera toujours.

Chaque dimanche, accompagnée par ses tantes ou sa grand-mère, Rosine alla prier sur la tombe de Pépère Égard afin de lui demander de la guider comme sourcière. Ce n'est que beaucoup plus tard, en consultant le livre d'astronomie aux pages écornées reçu en héritage de sa grand-mère, que Rosine comprit la leçon enfantine de son Pépère. Elle resta néanmoins persuadée qu'il avait un don comme sourcier, et que le magnétisme de sa grosse médaille était dû à l'influence de la voûte céleste.

Après quelques semaines de chagrin intense, alors que Rosine s'ennuya de son Pépère au point d'en avoir le sommeil très agité, Gertrude se décida à consulter le médecin de Saint-Cuthbert, le docteur Boucher. Après son examen, celui-ci se prononça.

— Votre fillette n'est pas malade, madame Rémillard. En tout cas, la médecine que je pratique ne peut rien pour l'aider. Celle des Sauvages avec leurs plantes guérisseuses, non plus. C'est plus compliqué… Cet enfant-la s'ennuie de son Pépère… Elle a besoin d'un père.

Gertrude s'emporta aussitôt.

— Je vous vois venir, docteur Boucher… N'allez pas me demander de me remarier ! J'ai contribué avec… presque deux mariages…

— Que voulez- vous dire, madame Rémillard ?

Gertrude livra son secret.

— Je ne me suis mariée qu'une seule fois, et c'était avec mon cher Edgar, avec lequel j'ai élevé toute ma famille… Cependant, Marie-Ange n'est pas de lui, et elle ne le sait pas. Elle est la fille d'Eugène Aubin, du rang Saint-Esprit. Il est décédé en Illinois, où son canot rabaska a chaviré dans les rapides. J'étais enceinte quand il est parti et il ne l'a jamais su. Ma défunte mère — Dieu ait son âme ! — s'est rabattue sur Edgar Rémillard, le fils de notre voisin au rang Sainte-Catherine, déjà vieux garçon. Mon père s'est endetté pour lui acheter une ferme, pas trop loin de chez nous, et a soudoyé le curé pour qu'il nous marie. En un clin d'œil, nous étions mariés. Marie-Ange est arrivée six mois plus tard. Edgar n'a jamais passé de remarque, trop heureux de bercer son premier bébé… Moi, je me suis sentie coupable. Pour m'enlever ce poids sur la conscience, Marie-Claire est née à peine dix mois après la venue de Marie-Ange.

Le docteur Boucher, un veuf encore vert, frétilla de la moustache. Lui qui s'imaginait déjà dans le lit de Gertrude, à l'aider à se débarrasser de ses remords…

— Vos filles sont mariées, madame Rémillard ?

— Toutes, et bien mariées, d'ailleurs.

— Un père, un grand-père ou un oncle, c'est du pareil au même, dans votre situation. Votre fillette a besoin d'une présence masculine forte auprès d'elle, et le plus souvent possible.

— Le plus souvent possible... Ouais... Si mes gendres alternaient dans ce rôle?

— Que voulez-vous dire, Gertrude? Permettez-vous que je vous appelle par votre prénom, désormais? demanda le docteur qui voulait se donner toutes les chances avec l'opulente Gertrude.

Celle-ci ne voulut pas mordre à l'hameçon. Le médecin n'avait pas bonne réputation dans le coin, lui qui se montrait insistant auprès de ses patientes sur la nécessité de l'examen gynécologique préventif.

— Marie-Ange demeure à Berthier et Renée, à l'île Saint-Ignace. Rosine pourrait alterner dans les deux familles. Qu'en pensez-vous? proposa Gertrude.

— Si l'on dit que deux têtes valent mieux qu'une, c'est différent dans ce cas-ci. Ça serait mieux qu'une de vos filles adopte Christine. Votre Marie-Claire? suggéra le docteur.

— Elle a sa charge; toujours un nouveau dans le ber, année après année. Non, Rosine ne serait pas choyée, dut constater Gertrude.

— Alors, il vaut mieux que votre Rosine reste seule avec vous, pour le moment... Vous verrez pour la suite, conclut le docteur Boucher.

Gertrude comprit vite l'allusion. Elle prit soin de demander à ses filles Marie-Ange et Marie-Claire d'accueillir Rosine après son décès.

La fillette retrouva un sommeil apaisant assez rapidement, de sorte que Gertrude se débarrassa du spectre d'un remariage. Elle décéda sept ans plus tard. Rosine se retrouva une moitié de l'année à Berthier, et l'autre à l'île Saint-Ignace. Elle exigea de ses tantes de ne plus l'appeler affectueusement Rosine, surnom réservé à ses grands-parents décédés, mais plutôt Christine.

Marie-Ange et Renée se rendirent compte que Christine avait hérité du caractère affirmé de leur mère Gertrude et de leur sœur Antoinette.

Chapitre VIII

La décision

Lorsque Christine se réveilla soudainement en plein milieu de la nuit, le cœur chaviré après s'être remémoré des souvenirs d'enfance, elle eut la vive impression d'être passée subitement à l'âge adulte. Elle avait vu en rêve James Livingston et voulait revoir ce beau colonel.

Dire que j'ai toujours cru que mon destin serait de marier un garçon de Berthier ou de Saint-Cuthbert. Au fait, est-il marié ? Beau comme il est, il doit en faire tourner bien des têtes… S'il l'est, que vais-je faire ? J'aimerais tant le revoir. De toute manière, c'est ce type d'homme dont je rêvais, que je veux. Beau, grand et patriote… Même si j'ai dit à Angélique que jamais je ne trahirais le seigneur Cuthbert en me rapprochant des Bostonnais, je ne vois pas pourquoi je me sentirais maintenant plus coupable que tante Renée et oncle Jacques, se dit-elle.

Christine ressentit l'urgent besoin de prendre une décision qui orienterait son destin. Elle se mit à réfléchir. *D'abord, je vais aller récupérer le drapeau.* Elle se leva aussitôt, et après avoir entendu ronfler son oncle, elle se risqua à descendre sans bruit de l'échelle menant au grenier.

Une fois le drapeau bien en main, elle le plaça sur son cœur, en pensant à ses parents. Elle sut aussitôt que son destin serait d'aider les Américains, puisqu'ils étaient les amis des Français.

D'abord, je dois retrouver le colonel Livingston. Mais comment et par où commencer ? Retourner à l'île Saint-Ignace ? Peut-être bien, mais il me faudrait d'abord m'excuser auprès de ma tante Renée d'être partie comme une sauvagesse.

Mais Christine n'aimait pas s'excuser. Elle jugea bon de continuer à dormir, se disant que la nuit porterait conseil et qu'elle attendrait de décider de son sort à son réveil. Christine s'enroula dans le drapeau et se mit à rêver au beau colonel, comme sa mère avait dû le faire mille et une fois.

Le lendemain matin, Christine attendit que son oncle ait quitté la maison pour se lever. Marie-Ange avait choisi de la laisser traîner au lit. Pour sa part, Louis-Daniel s'était éveillé en ronchonnant lorsqu'il s'était aperçu que le soleil avait commencé à filtrer par le carreau de leur chambre. Au déjeuner, sa femme lui avait versé une rasade de *p'tit blanc* dans son thé bouillant pour se faire pardonner. Il sembla surpris.

— Tiens, car tu n'auras pas le temps de fumer avant de partir. Les autres t'attendent sans doute impatiemment au manoir, l'avisa Marie-Ange.

— S'il n'est pas trop tard.

— Tu sais bien que Corbin serait venu te chercher, voyons. Et puis, guerre ou pas, il faut bien que les habitants fassent le train avant de combattre. Même les soldats américains comprennent ça !

— Pas sûr ! Il y a de bons et de mauvais Anglais. Les Bostonnais sont de mauvais Anglais, affirma Louis-Daniel.

Marie-Ange ne voulut pas contrarier son mari. Elle savait que son opinion reflétait celle du seigneur James Cuthbert. Pour sa part, elle priait, sans trop se poser de question, pour la victoire de l'Angleterre sur les États insurgés, depuis que le nouveau curé Pouget leur avait demandé de le faire, un dimanche en chaire.

— Bon, il faut que j'y aille, si je ne veux pas être écrabouillé par le seigneur Cuthbert.

Le seigneur James Cuthbert avait la réputation d'être impatient, irascible et facilement colérique. Le teint rosé de son visage virait rapidement au rouge sous l'effet de la colère — et de l'abus de scotch, aux dires de certains.

Dès qu'elle entendit le claquement de la porte, Christine se dépêcha de rouler son drapeau et quelques vêtements dans un baluchon de fortune. Sa décision était fermement prise. Elle déserterait la maison familiale afin d'aller au-devant du colonel américain. Comme elle ne savait pas où et quand elle pourrait avaler son repas du midi, elle se dit qu'un copieux déjeuner l'aiderait à tenir jusqu'au soir. Elle se doutait bien que sa tante ne s'opposerait pas à la gaver. Et si jamais celle-ci s'inquiétait du baluchon, elle aurait sa réponse prête. Elle ne se trompait pas.

Tout en lui préparant l'omelette que la jeune fille avait demandée, à la vue du bagage qu'elle tenait en main, Marie-Ange s'inquiéta. Christine tenta de la rassurer.

— Je vous ai entendu dire qu'en cas d'attaque américaine, nous irions nous réfugier quelque part. J'ai préparé mon barda en conséquence.

La jeune fille avait prévu se rendre, mine de rien, à l'île Saint-Ignace chez les Cotnoir, et demander à sa cousine Angélique où était parti le colonel, s'il n'était plus chez eux. Si Angélique ne le savait pas, elle suivrait le parcours de la flotte américaine. Elle trouverait bien une barque dans le voisinage pour se rallier aux Américains et leur demander où trouver l'étranger.

La tante sourit et parut rassurée. Elle eut peur que l'intrépide nièce s'en retourne à l'île Saint-Ignace.

— Nous partirons sans doute dès que ton oncle nous fera signe. Nous prendrons au passage Ursule et les enfants. Vous devrez voyager ensemble, sans vous chicaner.

Une idée venait de germer dans l'esprit de Christine. Après avoir avalé son déjeuner, elle claironna :

— Je vais atteler Émilion dès maintenant. J'amène mon barda dans le coffre ; comme ça, je serai prête. Après, je me rendrai à l'île Saint-Ignace, car j'y ai oublié mon chandail en tricot.

Marie-Ange ne fut pas dupe du prétexte de Christine.

— Je te le défends : c'est trop dangereux ! Si tu étais capturée par les Américains… J'aime mieux te voir observer leurs mouvements du belvédère. Tu me promets de rester tranquille ? S'il t'arrivait malheur, j'en mourrais de peine.

La jeune fille embrassa sa tante et la remercia pour la généreuse portion d'omelette. Avant de sortir, elle saisit deux grosses pommes et les enfouit dans son baluchon. Elle fit de même pour le morceau de fromage que son oncle n'avait pas fini de manger.

Elle se dirigea par la suite en direction du belvédère longeant le canal, en se disant :

Le colonel Livingston est peut-être comme un courant d'air ; il ne sera pas facile de le rejoindre. J'aurais dû rester hier à l'île Saint-Ignace... Et si Angélique s'intéressait à lui ? Non, elle est plutôt du genre à marier un gars de Saint-Cuthbert, un bon habitant. Elle m'a déjà dit qu'elle refuserait de marier un capitaine de milice comme notre cousin Corbin.

Christine se mit à imaginer James Livingston dans son bel uniforme d'officier américain. *Qu'il doit être beau !* Elle revint à la réalité quand elle se rendit compte qu'elle n'avait jamais vu un soldat américain en uniforme.

En chemin, Christine rencontra des badauds tout énervés qui couraient dans toutes les directions. Elle reconnut des insulaires de l'île Saint-Ignace qui la croisèrent sans la voir. Un voisin des Cotnoir, Régis Plante, lui confirma que les marins américains s'avançaient en droite ligne vers Berthier, plutôt que de naviguer vers Montréal. Selon lui, ils mettraient pied à terre dans l'heure, peut-être avant, d'abord sur les îles Saint-Ignace et Dupas, et ils franchiraient ensuite en saut de puce le chenal du Nord séparant les îles du littoral du continent. Immanquablement, ils envahiraient le domaine seigneurial en moins de deux.

— Monsieur Plante, auriez-vous rencontré un de nos parents de Québec sur l'île ? Un homme aux cheveux bruns d'environ trente ans ? Un lointain cousin Houle est censé venir nous visiter.

— Si ce cousin m'avait demandé où était la maison de Jacques Cotnoir, je le lui aurais dit... J'y pense, comment se fait-il que Jacques ou Renée ne m'aient pas présenté cette visite, ce matin ? Car j'ai vu Jacques en compagnie d'un survenant... un homme de près de trente ans d'âge, oui. Je les ai salués sans prêter attention, surtout sans avoir été présenté. D'habitude, ton oncle est plus d'adon avec... C'était peut-être ton cousin, car ils étaient en grande conversation, comme des amis. Jacques a attelé les chevaux et le vieux Duclos les a suivis un bout de route jusqu'au chemin du Roy. Tu le connais, c'est un écornifleur. Ils allaient sans doute chez la famille Houle à Saint-Cuthbert... À propos, j'ai retrouvé ma petite barque de chasse à la dérive, et je me demande qui a bien pu l'utiliser. Est-ce possible que ce soit ton cousin, Christine ? Parce que sinon, il se pourrait que ce cousin Houle soit américain.

Christine prit peur d'être démasquée.

— Bien sûr que non: les Houle viennent de l'île d'Orléans, comme les Plante!

Christine s'empressa de continuer.

— Quant à votre barque, c'est François Fafard qui a dû vous l'emprunter pour se rendre chez Gillette Lépine, de l'autre versant de l'île. C'est l'amie de ma cousine Angélique.

— Il me semblait que François Fafard te faisait la cour. Du moins, il me paraissait très empressé. Auriez-vous cassé vos amourettes? demanda Régis Plante, en ricanant. Il faut que je te laisse, les Américains s'en viennent.

Christine repensa à toute l'inquiétude qu'elle causerait à sa tante Marie-Ange si elle s'enfuyait de la maison. *Ma tante Marie-Ange est si gentille!* Elle décida de revenir l'informer de la situation et de rester auprès d'elle, jusqu'au retour de son oncle, après quoi, elle l'aviserait de sa propre stratégie. Soudain, elle décida de se rendre au manoir informer son oncle de la menace imminente. Elle était bien connue du portier puisqu'elle se rendait occasionnellement, sur demande de la seigneuresse Catherine Cairns Cuthbert, garder les petits Alexander et James Cuthbert junior, âgés respectivement de huit et six ans.

***

Issu d'une famille de la vieille noblesse écossaise des Highlands, le seigneur James Cuthbert avait acheté, le 7 mars 1765, après son retour à la vie civile, la seigneurie de Berthier-en-Haut, située sur la rive nord du fleuve, avec ses six cent quarante-neuf habitants. Après la chute de Québec en 1759, en tant qu'officier de carrière dans l'armée britannique, il avait été capitaine de la marine et de l'infanterie, ainsi que membre de l'état-major anglais du général Murray.

En août 1760, de retour à Québec après la capitulation de Montréal, la flotte de Murray avait sillonné les îles de Berthier avant de déboucher sur le lac Saint-Pierre. James Cuthbert aurait d'abord été impressionné par le tableau pittoresque de la Grande-Côte de Berthier, ainsi que par la végétation luxuriante des îles et la majesté des grands arbres du littoral, dont les ombres couvraient le chenal du Nord. Il aurait confié à ses compagnons de l'état-major, avec un certain lyrisme qui ne lui était pas coutumier :

— Un jour, je me porterai acquéreur de ce jardin d'Éden. J'en ferai un havre de paix pour mes censitaires, où le rire des enfants et le gazouillis des oiseaux viendront égayer leurs journées de labeur, ainsi qu'une halte de ravissement pour mes invités.

Artisan du développement de la seigneurie de Berthier, James Cuthbert avait acquis par la suite les seigneuries avoisinantes de Dusablé, de Maskinongé, D'Autray, de Lanoraie, et d'une partie de Carufel. Son domaine foncier s'étendait sur environ cinquante milles le long du Saint-Laurent. En bon seigneur, James Cuthbert encourageait la jeunesse censitaire à s'établir en amont des rivières Bayonne, La Chaloupe, Chicot et Maskinongé.

En 1749, James Cuthbert avait épousé en premières noces une Écossaise, Margaret Mackenzie. Devenu veuf, il se remaria en 1766 avec Catherine Cairns, une autre Écossaise, sœur de l'administrateur de la seigneurie, Alexander Cairns.

Visionnaire, entrepreneur, audacieux, de caractère difficile, employant des méthodes autoritaires à l'égard de ses censitaires, conflictuel et pompeux, James Cuthbert s'évertua à agrandir sa seigneurie en acquérant des territoires limitrophes, parfois en parcelles, le long du fleuve et de la rivière Bayonne.

Par sa générosité, malgré des relations difficiles, il s'employa à créer des liens de solidarité avec les paroissiens de Sainte-Geneviève de Berthier, en faisant des dons substantiels à l'église et au curé Louis Balthazar de Kerberio, en offrant notamment une cloche qu'il commanda directement de Londres. En 1766, il gratifia aussi, la paroisse de Saint-Cuthbert d'un grand terrain pour la construction d'une église, de deux cloches et d'un tableau de saint Cuthbert, à la seule condition que l'église portât son nom.

Pendant ce temps, son épouse Catherine Cairns Cuthbert s'était employée à combler de bonheur son impétueux mari en donnant naissance à sept enfants. Ils eurent d'abord deux fils : Alexander, né le 14 août 1767 au manoir que Cuthbert avait fait agrandir et rénover, et James junior, né le 4 juin 1769 ; puis, cinq filles, successivement : Catherine Betsy Isabella, Mary Ann, Georgina-Davida, Margaret Ethelind et Jane, cette dernière née le 12 mars 1773. Tous les enfants Cuthbert furent baptisés à l'église anglicane de Montréal. À l'automne 1775, Catherine Cairns Cuthbert était enceinte de cinq mois.

Juge de paix et membre du Conseil législatif, en vertu de l'Acte de Québec de 1774, qui obligeait le clergé et les seigneurs à soutenir les Britanniques contre les Bostonnais, Cuthbert exigeait la plus totale obéissance de ses censitaires, s'attendant d'eux qu'ils s'enrôlent dans la milice canadienne, parce qu'il savait imminente l'arrivée des troupes ennemies et aussi parce qu'il avait vu poindre une fronde dans sa seigneurie de Berthier, notamment chez les paroissiens de Saint-Cuthbert, des patriotes nostalgiques du régime français. Il avait demandé à ses chefs de la milice de commencer au plus vite l'entraînement des miliciens.

Le seigneur de Berthier souhaitait que ses fils soient bilingues, et même s'ils avaient un percepteur qui leur donnait des leçons de français, il tenait à ce qu'ils le pratiquent avec quelqu'un du peuple. Christine avait appris la langue anglaise auprès de ses amies Kathleen et Barbara Morrison, dont le père William était le comptable de la seigneurie et le frère de Donald Morrison, marié à Geneviève Cairns, sœur de la seigneuresse Catherine et d'Alexander Cairns. Elle avait été aussi recommandée par le notaire Faribault et avait reçu l'assentiment de la seigneuresse Catherine, qui s'entretenait avec elle en anglais.

***

Christine arriva au manoir tout essoufflée, baluchon en main. Le portier s'inquiéta et alla aussitôt aviser le seigneur de la venue impromptue de la jeune fille. Celui-ci terminait sa rencontre avec ses chefs de la milice. Il venait de leur donner le mot d'ordre de rassembler la milice et d'enrôler par la force si nécessaire tous les habitants mâles en âge de tenir un fusil.

Il avait aboyé :

— S'ils peuvent travailler aux champs, ils sont aptes à manier un fusil. Quant aux vieillards, ils se coucheront par terre pour mieux tirer, pourvu qu'ils soient encore capables de viser.

Les domestiques allaient et venaient dans tous les sens et les fillettes Cuthbert semblaient apeurées dans cette cohue. Pour sa part, la seigneuresse, nerveuse, exaspérée et alourdie par sa grossesse, avait perdu le contrôle de la situation. Elle était en compagnie de sa belle-sœur, Mary Bergen, la femme de son frère Alexander, et de sa sœur Geneviève, qui était en visite à Berthier. Geneviève Cairns avait abjuré la foi protestante pour épouser le catholique irlandais Donald Morrison.

Les cinq fillettes Cuthbert pleurnichaient à tour de rôle dans les bras de l'une ou l'autre, tandis que la seigneuresse essayait de repérer ses domestiques pour qu'ils s'occupent des enfants, comme il se devait. Les garçons Cuthbert, pour leur part, excités par le tohu-bohu, devenaient turbulents et ne se gênaient pas pour agacer leurs sœurs. En tendant l'oreille, Christine attrapa une bribe d'une discussion animée.

— C'est en diligence que nous devrions nous rendre à Montréal, et le plus tôt possible ! Si ce que l'on dit est vrai, naviguer sur le fleuve est suicidaire puisque les navires de guerre américains nous captureront illico. Le temps presse. Qu'en penses-tu, Catherine, *my dear* ? J'en ai le frisson, rien qu'à imaginer tout cela. Les portes de notre maison de la rue Saint-Charles vous sont grandes ouvertes, vous le savez bien, James et toi. Donald serait si fier d'accueillir son illustre beau-frère. Si ça devenait plus dangereux, nous irions nous réfugier au couvent de la rue Bonsecours, chez les bonnes sœurs. Aucun Américain n'aurait l'impudence de forcer leur cloître, insista Geneviève Cairns.

— C'est James qui décidera au moment du départ. Je doute qu'il puisse nous accompagner. Je le connais, jamais, il ne laissera ses censitaires seuls ; plutôt mourir de honte... Est-ce que les voitures sont prêtes, Alexander ? demanda la seigneuresse, décontenancée par la tragédie de voir sa famille brisée par une guerre impitoyable qui s'annonçait.

— Tout est prêt. Nous attendons l'autorisation de partir. Les attelages piaffent d'impatience. Les postes de relais nous fourniront des montures fraîches. Pourvu que Montréal puisse résister à l'agresseur ! répondit Alexander, avec un brin d'impatience dans la voix.

— Alexander, tu devrais faire entendre raison à James. Le manoir de Berthier ne pourra pas résister bien longtemps à l'envahisseur qui est à ses portes. Sans parler de notre maison de Saint-Cuthbert, entourée de traîtres à notre patrie... C'est la pire épreuve de notre existence, n'est-ce pas Alexander, *my dear* ? Un si beau coin, si bucolique ! s'exclama Mary.

Alexander Cairns et sa femme Mary Bergen demeuraient à Saint-Cuthbert, non loin de l'ancienne maison d'Edgar et de Gertrude Rémillard, là où avait grandi Christine.

Alexander apparut de plus en plus agacé par les commentaires de sa femme. Ses sœurs Geneviève et Catherine Cairns savaient pertinemment que leur belle-sœur Mary Bergen, issue de la bourgeoisie de Québec et ayant grandi dans la Haute-Ville, détestait la campagne et rêvait de retrouver son confort de citadine. Son départ pour Montréal, en dépit de la situation problématique qui le motivait, était pour elle une occasion rêvée d'échapper à l'ennui de son mode de vie, loin des mondanités. Devant le regard de reproche de ses belles-sœurs, Mary Bergen modéra le ton.

Lorsqu'elle aperçut Christine, la seigneuresse vit une lueur d'espoir dans toute cette excitation.

— *Thank God, Christine came!*

Madame Cuthbert attrapa aussitôt ses garçons par le bras, et les remit à l'attention de la jeune fille. Ces derniers en profitèrent en petits garnements pour s'accrocher aux basques de Christine, dans un sans-gêne cacophonique qui contrastait avec la rectitude de leur éducation rigoureuse.

— Occupez-vous-en jusqu'à notre départ, lorsque mon mari en donnera le signal, lui dit la seigneuresse, en haussant les épaules de dépit, pour démontrer son exaspération.

Sur les entrefaites, Louis-Daniel et Corbin Guilbault sortirent de la pièce, suivis du seigneur, et aperçurent Christine entraînée par les gamins dans une ronde improvisée. Celle-ci fit un air dépité à son oncle et à son cousin. Elle eut juste le temps de dire:

— Dites à ma tante que je n'ai pas eu le temps d'atteler Émilion et que j'ignore quand je retournerai à la maison.

Louis-Daniel Guilbault cligna des yeux d'approbation, quand James Cuthbert intima à ses enfants de se taire de sa voix de stentor:

— *Will you shut up?!* s'exclama-t-il, en roulant de gros yeux exorbitants contrariés à l'endroit de ses fils.

Les domestiques qui s'activaient aux préparatifs du départ furent saisis et se transformèrent aussitôt en statue de sel, alors qu'Alexander et James junior obtempérèrent et conservèrent un silence olympien. Quant aux fillettes, elles se blottirent dans la masse des crinolines des vêtements de voyage des femmes de la famille Cairns.

Connaissant l'impétuosité de son mari et sa maussaderie lorsqu'il était contrarié, la seigneuresse Catherine ne prit pas le risque que James Cuthbert prenne ses garçons pour cible, malgré tout l'amour qu'il leur portait. Catherine invita Christine à se rendre à la salle de jeu avec ses deux fils.

— Nous vous aviserons du moment de notre départ. Calmez-les, si vous en êtes capable; je vous en serais reconnaissante, supplia Catherine Cairns Cuthbert du regard.

Christine la rassura par un sourire entendu.

— Que diriez-vous de jouer à la marelle, les garçons?

— Non, non, plutôt à la guerre. Père dit que ça fait plus viril. Où sont mes soldats de plomb? Je ferai en sorte de tuer le plus de méchants Américains possible, répliqua le plus vieux.

Christine parut horrifiée par la proposition, tandis que la seigneuresse Catherine fit un rictus de compassion à Christine, doutant que ses petits garnements puissent s'assagir dans le contexte perturbé.

— La marelle conviendra pour le moment; après on verra. D'ailleurs, tes figurines sont probablement emballées. Venez, j'ai une collation pour vous, proposa Christine.

Le mot *collation* caressa le tympan des enfants comme le chant d'une sirène. Christine leur offrit deux grosses pommes qu'ils croquèrent à pleines dents. Le jeu de la marelle attendrait; le danger de la guerre qui les guettait était imminent. Devant la fenêtre à l'étage, qui surplombait le belvédère à l'arrière du manoir, la jeune fille grignota, elle, son morceau de fromage, en se demandant bien ce que le destin lui réserverait.

Même si l'île Randin lui bloquait passablement la vue et même si elle savait que le chenal ne se prêtait pas à la navigation, Christine tenta de déceler l'apparition de bateaux américains. Elle cherchait aussi du regard la silhouette du colonel. Son cœur se serrait.

Depuis sa rencontre avec James Livingston, sa vie avait basculé. Elle ne pensait qu'à lui, le voyant dans ses pensées jour et nuit, s'imaginant qu'il la cherchait aux quatre coins de la seigneurie de Berthier; elle savait cependant que si tel avait été le cas, il n'aurait eu qu'à demander où se trouvait la maison de Louis-Daniel Guilbault pour la trouver. À cette constatation, elle émit un soupir de déception. Elle se rendait compte pour la première fois de sa vie combien l'amour pour un homme inaccessible pouvait faire mal.

Bien évidemment qu'il ne cognerait pas à la porte de l'ennemi ! Et s'il s'était rendu chez les Lépine, pour mieux se réfugier ? Personne ne va chez les Lépine !

La grande Gillette ne manquera pas de remonter sa jupe jusqu'aux cuisses. Depuis le temps qu'elle s'exerce dans le vent à se la retrousser sans jupon, jusqu'au derrière, celle-là… Le colonel ne sera pas dupe ; il m'est apparu en mission, bien affairé, pas disponible pour la bagatelle !

Déprimée, Christine crut entendre le ra de tambours militaires, lorsque la serrure de la porte grinça et qu'on l'ouvrit brusquement. Prise de panique, mais surmontant sa peur, elle tenta d'approcher d'elle les deux garçons pour les protéger. Soudain, elle vit apparaître son cousin Corbin. Elle respira d'aise.

— Il paraît que les soldats américains vont débarquer sous peu. Ça doit être vrai, car un cocher s'apprête à partir vers Montréal avec la seigneuresse Cuthbert et ses enfants, ainsi que son frère, monsieur Alexander, et sa femme, leur sœur Geneviève et quelques servantes. Le seigneur Cuthbert vient d'en décider. Le juge John Fraser, l'ami du seigneur Cuthbert, va les accueillir. Tu viens avec moi, le temps presse !

Compatriote écossais de James Cuthbert, le juge de paix pour le district de Montréal, John Fraser, avait combattu comme lieutenant et capitaine dans le régiment écossais en Acadie et à Québec, lors de la bataille des plaines d'Abraham. Après le traité de Versailles en 1763 et la démobilisation de son régiment, l'avocat fut nommé juge de la Cour des plaids à Montréal en 1764 et juge de paix, l'année suivante. Il venait d'être élu au Conseil législatif en 1775, comme son ami James Cuthbert. Parfaitement bilingue, il avait étudié au Collège des Jésuites à Douai, en France. Il abjura le protestantisme lorsqu'il épousa une Canadienne française, Marie-Claire Fleury Deschambault, fille du receveur de la Compagnie des Indes au Canada.

— Laisse-moi au moins le temps de ramener Alexander et James junior auprès de leur mère. Que va-t-il arriver au seigneur Cuthbert ?

— Il reste au manoir pour organiser la défense de sa seigneurie, le temps que la garnison anglaise de Trois-Rivières nous envoie des fantassins en renforts. Notre milice seule ne viendra pas à bout de repousser l'ennemi, même si nous disposons en plus du support d'hommes valides prêts à combattre… Ah, s'il n'y avait pas cette sympathie de nos habitants pour la cause des insurgés, en confondant notre patriotisme avec le leur. Monsieur Cuthbert est certain que le capitaine Strong, qui commande la défense de Trois-Rivières, nous viendra en aide dans les prochains jours. Une estafette est déjà en route, pour lui remettre la demande. Monsieur Alexander Cairns voulait y aller, mais le seigneur Cuthbert a exigé qu'il protège plutôt sa famille durant son voyage à Montréal.

À Trois-Rivières, la Maison du Gouverneur servait de caserne militaire depuis dix ans. Quelques centaines de militaires pouvaient y loger.

Le premier réflexe de Christine fut de prendre les garçons par la main.

— Je tiens à les reconduire moi-même au lieu du départ. C'est plus prudent.

Corbin afficha un rictus d'impatience.

Affolée dans ce tohu-bohu, la seigneuresse était fort occupée à donner ses ordres aux domestiques, aidée par son frère Alexander. Lorsqu'elle aperçut la jeune fille qui lui ramenait ses fils, Catherine Cairns Cuthbert s'approcha vers Christine.

— Dire que j'étais en train d'oublier mes garçons avec toutes ces misères. Heureusement que je pouvais vous faire confiance! Permettez-moi de vous embrasser.

En dépit de son ventre déjà rond de cinq mois de grossesse qui l'alourdissait un peu, Catherine s'approcha de Christine et lui fit l'accolade, comme son rang et son éducation britannique le lui avaient appris. Puis, dérogeant du protocole, elle la serra avec force contre sa poitrine.

— *We'll miss you a lot, Christine, my dear!*

— Vous me manquerez aussi, répondit la jeune fille, émue.

Christine fit ses adieux aux garçons en leur ébouriffant les cheveux.

— La prochaine fois que je vous verrai, j'aurai d'autres succulentes pommes à vous offrir.

— J'en veux une autre tout de suite! ordonna Alexander.

— Toi, mon grand, prends bien soin de ton frère et de tes sœurs. Et aussi de ta maman, qui va bientôt vous donner un petit frère.

L'allusion à sa délivrance prochaine fit couler des larmes aux yeux de la seigneuresse. N'y tenant plus, Christine s'employa à serrer contre elle les garçonnets, avant de les confier à leur mère avec plus de difficulté qu'elle n'aurait cru. Dans un ultime effort, elle les embrassa sur le front. Catherine se rendit compte que Christine s'était réellement attachée à ses enfants.

— Leur maman vous écrira en leur nom.

Puis dans un français bien hésitant et laborieux, elle se risqua :

— En fran-çais, si pos-sible.

La seigneresse rougit, gênée d'avoir peut-être été entendue par quelqu'un d'autre que la jeune fille. Christine l'entendait parler français pour la première fois. Puis, reprenant sa contenance, Catherine Cairns revint à sa langue maternelle :

— *Go ahead, Christine, and take care. Farewell.*

Les petits Alexander et James junior lui envoyèrent la main en pleurnichant. Christine se demandait si elle les reverrait un jour. Elle éclata en sanglots.

L'animation près du manoir était à son comble.

En route, Corbin informa sa cousine qu'il n'y avait plus une minute à perdre, car les soldats avaient commencé à débarquer sur l'île Saint-Ignace. Elle eut une pensée pour sa cousine Angélique et sa famille. Puis, elle s'en voulut d'être revenue à Berthier, alors que le colonel Livingston aurait pu la présenter à l'état-major américain comme étant une fière patriote comme eux.

Ce n'est pas en suivant Corbin que je vais revoir le beau colonel ! se dit-elle.

— Où allons-nous ? maugréa-t-elle.

— En haut de la rivière Bayonne. Plus loin que la fourche des trois chemins du Pont-Jouette, il y a une croix de chemin. Ma mère t'y conduira.

Christine devint soucieuse.

— Je n'abandonnerai pas Émilion aux soldats pour qu'ils le mangent. Je resterai ici avec lui pour le défendre.

Pour la première fois, Corbin lui sourit.

— Tu as juste le temps de l'atteler ; sinon, il nous suivra par la bride.

Les voitures des fuyards encombraient le chemin du Roy. Ursule Desrosiers Guilbault, la femme de Corbin, et ses autres enfants prenaient place dans la calèche de Louis Champagne, le gendre de la fille aînée de Corbin. Marie-Ange, les jumelles Jeanne-Mance et Jeanne d'Arc choisirent de monter dans le cabriolet de Christine, qui vit l'occasion d'impressionner ses cousines.

— Hue ! Ha ! Émilion !

Le brave cheval bai se dégourdit rapidement les pattes et tira allègrement la voiture. Dans leur cabriolet, Jeanne d'Arc et Jeanne-Mance chantaient :

Sur les routes qui glissent
Nous traînons nos maisons
Sans but et sans caprices
Sans lointains horizons
Nous sommes les marins d'eau douce
Qu'un cheval tire sans secousse
Au pas lourd des chevaux
Nous allons sans repos
Hue ! Ha ! Dio !

Christine n'avait pas le cœur à la fête. Elle se sentait plutôt maussade et triste. En entendant l'exubérance de ses cousines, elle maugréa :

— Elles n'ont pas l'air de se rendre compte de la gravité de la situation.

— Il faut bien qu'elles se divertissent un peu, ces jeunettes, guerre ou pas, répondit Marie-Ange.

— Où allons-nous exactement ? demanda Louis Champagne à Marie-Ange en frôlant la voiture de Christine.

— Chez mon cousin Jean-Louis Piet, à la concession de la côte Saint-Antoine. Mon mari a appris récemment que sa demeure était libre. Nous aurons la chance d'habiter une maison neuve, pleine de commodités… Nous avons été invités à la visiter, il y a quelques années. Elle est toute simple, mais splendide. Imagine-toi qu'elle a été bâtie la même année que la naissance de Christine et des jumelles.

— Est-ce que Christine le sait ? demanda Ursule à sa belle-mère.

— Non, pas encore. Si jamais elle rouspète, je le lui dirai.

Ursule sourit. C'était un secret de polichinelle dans la famille que la jeune fille avait été gâtée par sa grand-mère Gertrude, et que cela avait participé à fonder son caractère rebelle.

Marie-Ange ajouta :

— Ton beau-père et ton mari viendront nous rejoindre aussi vite qu'ils le pourront.

Après avoir dépassé la fourche des trois chemins et longé la rivière Bayonne, où les voyageurs avaient pu apprécier les teintes multicolores de la frondaison des érables, des saules, des liards et des peupliers, le petit convoi aperçut au loin une croix de chemin.

— C'est là ; nous y sommes presque. Nous allons pouvoir réciter notre chapelet en paix et prier pour les nôtres afin qu'il ne leur arrive rien de mal.

La croix de chemin plantée devant la maison était ornée de fleurons. Une gloire cerclée de fer-blanc et un cœur de couleur incarnat y avaient été sculptés, à la demande du clergé, afin de propager la dévotion au Sacré-Cœur.

La maison solidement construite en pierre des champs et recouverte de stuc blanc, sise sur la terre battue, semblait bien accueillante avec ses petites fenêtres peintes en bleu et ses deux lucarnes, qui permettaient de surveiller de loin les rares passants et ainsi mieux protéger ses occupants. Un four à pain protégé par un toit pentu trônait sur le tertre tout près de la bâtisse.

Quand les attelages s'arrêtèrent, Marie-Ange invita son monde à se recueillir au pied de la croix et récita quelques Ave. Dès que l'amen fut prononcé, le groupe s'empressa de découvrir les lieux, en faisant d'abord le tour de la maison. Rapidement, Louis Champagne repéra la petite écurie et enjoignit Christine à dételer son cheval ; les autres avaient déjà pénétré dans la maison.

Avant de les accompagner, celle-ci fut attirée par le bouillonnement des eaux de la rivière, à l'arrière de la maison. Elle aperçut un petit sentier tapissé de feuilles mortes, d'aiguilles de mélèze et de pin, qui menait au cours d'eau à travers une cerisaie alignée en potager. Christine aimait s'emplir la bouche de cerises et cracher les noyaux en mitraille, le plus loin possible. Cependant, pas question de rester là jusqu'à la fin du printemps à se gaver de ces fruits amers et violacés : elle devait retrouver le colonel et lui avouer son amour.

Christine contemplait les cascades d'eau de la rivière glissant sur les galets. Elle n'avait jamais remonté aussi haut le parcours de la rivière Bayonne.

Lorsqu'elle revint à la maison, elle vit que les premiers voisins étaient venus se présenter. On les informa rapidement de la présence de la flotte américaine. Christine ne dit rien. Elle ne voulait surtout pas s'ingérer dans la conversation.

Quand Louis-Daniel et Corbin Guilbault revinrent le soir même, à la brunante, ils informèrent la maisonnée que l'état-major du général Montgomery menaçait de s'installer au manoir, et que le seigneur James Cuthbert parlait de se réfugier incognito, afin d'éviter un bain de sang.

— Pourquoi n'irait-il pas rejoindre la seigneuresse à Montréal?

— Parce que le seigneur Cuthbert n'est pas un lâche. Il préférera mourir plutôt que d'abandonner ses censitaires à leur triste sort, prisonniers des Bostonnais, répondit Nicolas Geoffroy.

Cyrille Bastien ajouta:

— J'ai pour mon dire qu'il y a autant de chances que les insurgés bostonnais décident d'attaquer Trois-Rivières en empruntant le chemin du Roy qu'ils choisissent de se rendre à Montréal. Si c'est le cas, leurs soldats vont piétiner nos terres. Du moins, celle du fief Chicot.

— Ils feraient mieux de se dépêcher avant novembre, car les pluies vont rendre leur marche impraticable.

— Coudonc, de quel bord tu te places, Geoffroy? À t'écouter, tu serais prêt à les avertir de faire attention. Prend garde, on pourrait t'emprisonner pour moins que ça!

Menaçant, la main sur la crosse de son pistolet, Louis-Daniel Guilbault s'était avancé vers son nouveau voisin de la côte Saint-Antoine. Il a fallu que son fils Corbin l'arrête. Déjà, la nervosité avait pris place dans la tranquille campagne avoisinant la rivière Bayonne. Marie-Ange décréta qu'il fallait réciter le rosaire à genoux, pour implorer la divine miséricorde.

Elle n'avait pas tort, puisque, paniqués, les pauvres gens fuyaient à l'intérieur des terres. Quelques familles qui se dirigeaient sur la route de la concession Saint-Antoine, à la recherche d'un gîte, avaient déjà frappé à la porte de la famille Guilbault, elle-même nouvellement arrivée.

Christine se demandait si les capitaines de milice Guilbault avaient raison. La présence du colonel Livingston la rassurait sur le sort réservé à Berthier. Il n'était pas arrivé en éclaireur puisqu'elle avait vu la flotte présente sur le fleuve avant lui. Elle se dit qu'elle n'avait plus de temps à perdre et qu'elle devait se rendre retrouver le colonel chez son amie Geneviève, la fille du notaire Faribault.

Le lendemain, Christine avisa sa tante qu'elle voulait reconnaître les lieux avoisinants de la rivière Bayonne, et peut-être bien se rendre jusqu'à Pointe-Esther, le lieu du moulin banal des censitaires de Berthier, dont elle avait si souvent entendu parler. Marie-Ange lui répondit :

— Ne va pas trop loin : les soldats pourraient rôder. Sans Louis-Daniel et Corbin, il n'y aura que Louis pour nous défendre.

Surprise, Christine demanda :

— Mais où sont-ils allés ?

— Ils sont retournés de bon matin à Berthier pour lever une armée de miliciens. C'est leur rôle. J'ignore quand ils reviendront. Si jamais c'est nécessaire, Louis-Daniel a laissé son pistolet. Louis s'en servira.

Chapitre IX
Le notaire

Dès le lendemain de son arrivée, James Livingston quitta l'île Saint-Ignace avec Jacques Cotnoir, en prenant soin de ne pas attirer la curiosité et d'éviter d'être interpellé par la police.

Les chefs de milice avaient reçu l'ordre du seigneur Cuthbert de lever une petite armée de censitaires pour défendre ses seigneuries et déloger les Américains, s'ils se présentaient. Déjà, la milice avait installé son camp de guerre sur la place publique, en face du manoir, et frappait aux portes des maisons des habitants des îles Saint-Ignace et Dupas, jusqu'à celles longeant les rivières, aux limites des territoires habités. Par peur des Américains ou de l'enrôlement obligatoire, la population des îles fuyait vers le continent, se bousculant pour prendre place sur les bacs.

James Livingston avait informé Renée Cotnoir qu'il ne croyait pas que les soldats américains débarqueraient à l'île Saint-Ignace, ni même à Berthier, car ce n'était pas des champs de bataille stratégiques.

Les Américains savaient que le gouverneur Carleton ne viendrait pas défendre James Cuthbert, avec lequel il était à couteau tiré, de la même façon que ce dernier ne ferait pas partie de l'état-major anglais. Toutefois, l'occasion d'être cantonné sur la terre ferme et logé chez l'habitant à Berthier avait des avantages certains pour l'armée anglaise, qui avait déjà envahi les environs de Trois-Rivières, de Yamachiche et de Rivière-du-Loup.

Jacques Cotnoir avait établi une liste des gens qu'il croyait favorables au mouvement des patriotes, aidé en cela par sa femme Renée, qui connaissait mieux la population de Saint-Cuthbert. Le colonel Livingston savait maintenait qu'il devait commencer par aborder le notaire Faribault.

Ce dernier avait installé son étude en face du manoir, de l'autre côté de la place publique, rue Montcalm. Quand il fut avisé par sa fille Geneviève, qui faisait office de préposée à l'accueil des visiteurs, que Jacques Cotnoir attendait en compagnie d'un inconnu, sans rendez-vous, la situation parut suspecte. Le notaire demanda à Geneviève une description de l'homme qui accompagnait Cotnoir.

— Il est grand et jeune, imposant, vêtu comme un habitant, mais il n'est pas d'ici… Il a un je ne sais quoi dans le regard qui fascine…

Celle-ci rougit. Le notaire comprit que sa fille n'avait pas été insensible au charme de l'inconnu. Il s'inquiéta en pensant qu'à Berthier, les garçons de l'âge de Geneviève devaient maintenant s'enrôler et marcher au pas de course, le fusil à la main. Le notaire se rendit compte que sa Geneviève devenait une femme.

— Fais-les entrer. Monsieur Cotnoir se chargera des présentations.

C'est avec une certaine gêne que Jacques Cotnoir identifia son compagnon.

— Notaire Faribault, veuillez excuser notre intrusion dans votre étude, sans rendez-vous.

— Je vous pardonne ce sans-gêne, monsieur Cotnoir, soyez sans crainte, puisque vous faites partie de ma clientèle de choix. Hum, hum !

Le notaire s'éclaircissait la voix pour inciter Cotnoir à lui présenter son compagnon inconnu. Comme Jacques Cotnoir hésitait, le notaire, impatient, prit la parole.

— À qui ai-je l'honneur ? Viendriez-vous de la part des coseigneurs de Sorel, Greenwood et Higginson ? demanda Barthélemy Faribault en dévisageant l'inconnu.

L'inconnu comprit qu'il devait se présenter, sans ambages.

— Je suis avocat. Je connais bien les coseigneurs de Sorel, puisqu'ils ont été mes clients à Montréal et à Sorel. Colonel James

Livingston, commandant du premier régiment canadien de l'armée des Treize Colonies de la Nouvelle-Angleterre.

Le teint du notaire devint aussi blafard que le plâtre de la petite statue de Saint-Marc l'évangéliste, le saint patron des notaires, qu'il avait ramenée de Paris. Barthélemy Faribault avait installé la statuette sur une tablette au fond de son étude.

Le colonel continua :

— J'irai droit au but. Je sollicite votre aide pour recruter des miliciens dans notre armée…

Barthélémy Faribault dévisagea Jacques Cotnoir. Il n'aurait jamais supposé que le beau-frère du capitaine de milice Guilbault à Berthier puisse être un collaborateur des insurgés américains. Le notaire n'était pas encore revenu de sa mauvaise surprise. Il était aphone. De longues secondes s'écoulèrent sans que le notaire réagisse. Le colonel s'impatienta.

— Vous n'avez pas le choix de nous aider, à moins que vous ne préfériez que notre armée s'installe à Berthier. Vous en subiriez alors tous les fâcheuses conséquences. Des pertes de vie vous seraient attribuées, et, bien entendu, vous seriez banni par les vôtres.

Si l'arrogance du discours de James Livingston avait pour motif d'intimider le notaire et de le faire craquer, elle rata son but.

Le colonel se leva et tendit la main au notaire. Jacques Cotnoir crut que le notaire allait sceller immédiatement son accord, mais ce dernier restait figé sur son siège.

Réalisant l'inconfort de la situation, qui ne pouvait qu'exacerber l'impatience du colonel, Jacques Cotnoir décida de préciser sa collaboration.

— J'ai dit au colonel Livingston qu'il y avait un bon nombre de Canadiens français patriotes à Berthier qui attendaient l'occasion de se débarrasser des Anglais une fois pour toutes. Comme cette occasion nous est offerte maintenant avec l'arrivée de la flotte des insurgés, il n'y a que vous, notaire Faribault, qui puissiez nous donner un coup de pouce en incitant les habitants de Berthier à se ranger du côté des Américains. Comme tout le monde vous apprécie, il vous serait facile d'intervenir… En plus, la rumeur court que vous êtes clandestinement le chef du mouvement patriotique de la seigneurie de Berthier.

Le notaire ne le nia pas formellement, tout fier de pouvoir être considéré comme un chef de file parmi les siens. Comme le caractère imprévisible de James Cuthbert, qui oscillait facilement du meilleur au pire, contrastait sans doute avec l'humeur égale et modérée du notaire, celui-ci voulut jouer la carte de la loyauté avec le seigneur de Berthier.

— Dans ma fonction de notaire, je jouis de la confiance et la clientèle de l'honorable monsieur Cuthbert, le seigneur de Berthier, qui a démontré maintes fois sa générosité envers ses sujets français catholiques : je ne peux me permettre de lui être déloyal. D'ailleurs, je ne suis pas le seul qui bénéficie de l'estime du peuple. Vous devriez le demander au jeune curé Pouget. Il a l'habitude de haranguer ses fidèles à l'église. Je ne suis pas plaideur comme un avocat, mais un simple notaire, plus à l'aise dans la paperasse qu'au tribunal.

Le notaire se rengorgea et fit osciller le pompon de son chapeau par de vifs mouvements de tête. Il avait en main sa plume d'oie qu'il tortillonnait entre ses doigts. Le colonel voyait bien que le notaire semblait nerveux. Il insista :

— Comme nous sommes collègues…

Le notaire regardait le colonel avec circonspection. Sans en prendre ombrage, Livingston ajouta :

— En tant qu'homme de loi, si je vous garantissais que Berthier serait épargné, pourvu que nous levions un régiment de volontaires prêts à se battre pour notre cause, changeriez-vous de position ? Je vous en donne ma parole.

Le notaire sentit une forte pression sur ses frêles épaules.

— Puisque je vous dis que je n'ai aucun motif à trahir le seigneur Cuthbert ! Il nous traite avec…

— Avec rudesse, notaire ! C'est ce que j'ai appris. Ça, vous ne pourrez pas le contester. Plusieurs familles canadiennes-françaises sont déjà favorables à la cause des Fils de la Liberté. Des gens qui veulent respirer à nouveau sur la terre de leurs ancêtres. Ils ont besoin d'être appuyés par un notable des leurs. Vous ne pourrez pas leur refuser d'être épargnés.

— C'est vrai, notaire. Pensez aux familles d'habitants qui triment durs et qui ont droit à leur tranquillité ! reprit Jacques Cotnoir avec enthousiasme.

Le notaire darda Cotnoir des yeux.

— Ne me dites pas que vous êtes prêts à renier vos liens de parenté avec les Guilbault ! James Cuthbert vous ferait fusiller s'il l'apprenait. Le saviez-vous ? dit le notaire.

La menace exécutoire eut l'heur de réfréner l'optimisme de Cotnoir. James Livingston prit la défense de son collaborateur.

— James Cuthbert ne se permettrait pas cette vengeance, car il serait exilé bien avant… Maintenant, de quelle façon allez-vous soutenir notre action ?

— Quand j'aurai un mobile manifeste, je m'adresserai à mes concitoyens. D'ici là, je resterai loyal à mon gouvernement et à mon évêque.

Le colonel eut un rictus de frustration.

— Très bien, notaire… Comme j'aimerais rester au cœur de la place publique à Berthier, que diriez-vous de me loger chez vous, en secret ? J'y dirigerai mes activités de recrutement et d'organisation du siège de Berthier, en face du manoir de James Cuthbert, sans qu'il ne se doute de rien.

Le notaire faillit faire une crise d'apoplexie. Il réalisait l'ironie grotesque de la situation. Il était prisonnier de l'ennemi, chez lui, sans qu'il puisse en aviser James Cuthbert. Soudain, un nom lui vint en tête et une idée germa dans son esprit : *Christine Comtois.*

— Je vais aviser ma femme de votre visite. Vous logerez au grenier, pour avoir la meilleure vue sur le manoir.

— Et du trafic sur le fleuve aussi. C'est essentiel.

— Et moi, quand vous reverrais-je ? demanda Jacques Cotnoir au colonel, pris à part.

— Quand je vous le ferai savoir. Pour l'instant, nous voir ensemble pourrait paraître louche. Et surtout, n'ayez crainte pour votre maison. Elle sera préservée, en cas d'invasion.

Jacques Cotnoir sourit de gratitude.

Le notaire accueillit le nouveau personnage contre son gré. Il avisa sa femme et ses enfants que le visiteur inopiné ne resterait qu'un temps et qu'il logerait au grenier, avant de retourner à Montréal, où il demeurait. Il présenta le nouveau venu comme un lointain cousin de Montréal, sans plus, sinon en indiquant qu'il s'appelait Robert Faribault.

Geneviève fut désignée pour aller porter les repas au « lointain cousin » Robert, au grenier. Lorsqu'elle demanda à son père quelle était l'occupation dudit cousin, le notaire répondit :

— Journaliste. Il est envoyé par *La Gazette de Montréal* pour suivre l'avancée de la flotte américaine… À propos, attends-tu la visite de Christine Comtois ?

— Bientôt, j'imagine. Elle vient me voir aussi souvent qu'elle le peut. Pourquoi ?

— Parce que Robert souhaiterait la présence d'un interprète. Comme elle parle anglais et que c'est une jeune femme débrouillarde… Je lui ai dit qu'elle était la meilleure amie de sa cousine Geneviève. Je tiens à le lui annoncer moi-même, cependant. Avertis-moi quand elle arrivera.

— Vous pouvez compter sur moi. Comment les gens de Montréal ont-ils pu savoir que l'armée des Bostonnais était en face de Berthier, puisque nous avons été pris par surprise ?

— C'est ça, le journalisme. Le journaliste doit être présent à la seconde presque où l'événement se produit, et si possible avant. Ce métier demande beaucoup d'analyse de la situation et de flair, pour que le journal soit le premier à imprimer la nouvelle. Ton cousin aura à rencontrer des gens de Berthier et des seigneuries avoisinantes pour s'informer. Il ne faut pas s'en inquiéter.

Geneviève tomba sous le charme de son cousin et ne se gêna pas pour le claironner à ses parents. Sa mère, Catherine-Antoinette Véronneau, prévint sa fille de ne pas espérer que son cousin Robert lui demande de l'épouser, car le notaire lui refuserait sa main.

— Mais pourquoi ? L'Église catholique a bien donné une dispense à Domitille Laroche, qui s'est mariée avec son cousin Damien Turcot.

— Parce que ton cousin Robert est un fils illégitime, né de père inconnu. Tante Roberte n'a pas dévoilé le nom de famille de son… géniteur.

— À moins de me faire protestante.

— Ne dis plus jamais ça : tu ferais mourir ton père de honte. Tu sais qu'il n'aime pas que nous fréquentions des protestants. Deviens une hérétique et il te déshéritera. Pire, il te chassera de la maison, répondit Catherine-Antoinette, furieuse, à sa fille.

Quand Christine Comtois arriva à Berthier, elle se précipita à la maison de son oncle Guilbault, pour vérifier que personne n'avait profité de l'absence des propriétaires pour s'infiltrer à l'intérieur de la bâtisse. Ce qu'elle vit au loin ne l'enchanta guère. De la fumée sortait de la cheminée. Son cœur battait fort. Ils étaient donc là. Piquée dans sa curiosité, elle décida de se rendre chez elle, en sourdine, afin d'observer la situation de plus près. Elle s'approcha furtivement d'une des fenêtres ouvertes. Elle entendit parler français.

— S'il fallait que tante Marie-Ange voie la fenêtre ouverte, elle qui craint toujours que l'on chauffe l'extérieur, elle ferait bien une colère ! Pourtant, mon oncle Louis-Daniel et mon cousin Corbin le savent, marmonna-t-elle.

Elle prêta l'oreille.

Ils ne sont pas seuls, se dit-elle avec rage. *Pourtant, il me semble reconnaître cette voix. J'y suis, c'est François Fafard. Il va savoir une fois pour toutes ce que je pense de lui.*

— Christine ! Que fais-tu ici ?

— Je te croyais à demeure chez Gillette Lépine, toi ! Je te fais remarquer que je suis ici chez moi, mais pas toi.

La répartie cinglante de la jeune femme attira la venue de Corbin.

— Christine, tu étais censée rester tu sais où !

— Que fait-il ici, celui-là ? Il n'a pas eu assez de me ridiculiser avec Gillette Lépine, il vient me relancer jusqu'ici ! Je ne veux plus jamais le revoir, tu m'entends, jamais ! Qu'il déguerpisse.

Christine avait élevé la voix pour que François Fafard comprenne bien le message. Elle s'apprêtait à se rendre à sa chambre, lorsqu'elle vit son oncle Louis-Daniel avec d'autres jeunes gens, armés de fusils. Corbin lui bloqua la route en lui disant à mi-voix :

— Désolée, mais la maison est devenue une caserne de miliciens. Nous ne l'avons dit ni à ma mère ni à ma femme, car elles ne seraient jamais parties.

— Mais ma chambre au grenier ?

— Réquisitionnée. Même notre écurie, par ordre du seigneur Cuthbert. Il vient de convertir le manoir et ses dépendances en château fort.

Christine voulut faire un pas, mais Corbin la bloqua.

— Un débarquement de soldats américains est imminent. Nous ne comprenons pas pourquoi ce n'est pas encore fait. Il faut que tu retournes d'où tu viens. C'est trop dangereux.

— C'est aussi dangereux pour vous. Vous n'êtes pas de vrais soldats, vous n'avez jamais fait face à un soldat ennemi de votre sainte vie. Ils vous tueront. Ça sera une véritable boucherie.

Christine était devenue subitement compatissante avec le sort des censitaires de Berthier, qui ne connaissaient rien à la guerre.

Corbin comprit l'angoisse de sa cousine et voulut la rassurer.

— James Cuthbert a parlé de se rendre plutôt que de combattre, si l'armée anglaise n'arrive pas à temps. Au premier tir de l'ennemi, nous afficherons le drapeau blanc. Pour le moment, en tant que capitaines de milice, nous réquisitionnons les maisons autour de la place publique et des principales rues de Berthier, pour loger nos miliciens... Il y a, semble-t-il, un espion qui rôde par ici. François Fafard a entendu parler d'un officier de l'armée américaine dans les parages. En apprenant que nous sommes déterminés à nous défendre regroupés, leur état-major cherchera sans doute un terrain d'entente. Comme celui d'éviter le pillage de nos maisons. S'ils le faisaient, chaque famille serait défendue par un milicien entraîné. Même le notaire n'y échappera pas. Allez, file, il vaut mieux pour nous tous. La guerre n'est pas l'apanage des femmes.

En entendant parler de l'officier américain, Christine se dit: *Ça doit être le colonel Livingston.* Elle décida de se rendre chez Geneviève Faribault. La maison du notaire était à un saut de puce. En arrivant, elle entendit une vive discussion. Elle reconnut la voix du notaire, d'ordinaire si calme.

— Capitaine Olivier, vous n'avez pas le droit de me forcer à loger des soldats ici. Je saurai très bien défendre ma famille moi-même.

— Vous n'avez jamais tenu autre chose dans votre main qu'une plume d'oie! Connaissez-vous au moins le maniement d'un fusil? Bien sûr que non: le fusil à baïonnette fait trop populaire pour notre notaire parisien qui se bat avec des mots.

— Vous méprisez ma profession, ignare! Au moins, respectez nos origines communes.

Parisien de naissance comme le notaire, Louis Olivier était marié à Madeleine Hénault, une fille de famille respectée de la seigneurie de Berthier. Insensible à ces considérations, le capitaine de milice n'en fit pas de cas.

— Ce n'est pas votre profession de notaire qui me déplaît, mais votre sympathie envers la cause américaine. Et je ne suis pas le seul à le penser, et pas des moindres.

— Sortez, sinon je vous embroche comme un mousquetaire du roi l'aurait fait.

Le notaire venait de décrocher sa rapière accrochée au mur. Louis Olivier riposta en sortant son pistolet de son étui.

— Un geste et vous êtes mort.

— Ça sera un assassinat ! Vous répondrez de vos actes un jour, capitaine Olivier.

— Soyez de notre côté, dimanche après la grand-messe. Ça sera mieux pour vous !

Le capitaine de milice parti en claquant la porte. Le notaire soupçonnait James Cuthbert d'avoir incité Louis Olivier de le forcer à loger des soldats à son domicile, en représailles à sa soi-disant sympathie à la cause américaine. Le notaire se dépêcha de rejoindre James Livingston, qui avait tout entendu au grenier, tant la discussion avait été vive.

— Colonel, si je puis aider mes concitoyens, je suis prêt à collaborer à la paix avec l'état-major américain. Cependant, je ne veux aucune effusion de sang à Berthier. Qu'attendez-vous de moi précisément ?

— J'ai entendu que James Cuthbert vous avait demandé d'inciter vos concitoyens à se mobiliser pour défendre sa seigneurie contre nous ?

— Oui, demain, dimanche, l'on me demande de prendre la parole.

— Vous parlerez alors en faveur des insurgés. Vous n'aurez probablement pas le choix, car Berthier sera possiblement sous tutelle américaine. Comme nous ne voulons pas occuper indéfiniment Berthier — qui n'est pas un poste stratégique pour nous le long du fleuve, comme peuvent l'être Sorel ou Trois-Rivières —, nous vous laisserons la gestion intérimaire de Berthier, le temps que James Cuthbert fasse acte de subordination aux Treize Colonies.

Le notaire comprit que Berthier ne pourrait pas échapper à la guerre. Il joua son dernier atout pour l'éviter.

— Je dois vous informer que le seigneur Cuthbert attend des renforts de soldats de Trois-Rivières. Des fantassins qui arriveront dans quelques jours. Notre milice se battra à leurs côtés. Ce sera l'affrontement avec votre armée, car les Canadiens français se rallieront aux Anglais, selon les directives de notre clergé, pour éviter une guerre civile entre eux.

Livingston blêmit. Il n'avait pas pu obtenir cette information, puisqu'il n'avait pas encore tissé son réseau d'espionnage. Si le notaire disait vrai, sa mission serait tuée dans l'œuf. Sans parler de son exécution, s'il était capturé. Il tenta de retrouver son calme, en affirmant faussement :

— J'ai été avisé par mon contact de Maskinongé que le messager qui se dirigeait vers Trois-Rivières avait été arrêté.

Le notaire donna le bénéfice du doute au colonel. Effectivement, il avait entendu dire que Joseph Merlet, du fief Chicot, avait eu une altercation musclée avec un cavalier qui l'aurait engueulé, parce qu'il l'empêchait de foncer à vive allure sur le chemin du Roy, à la hauteur de Maskinongé.

— Si vous dites vrai, je parlerai à mes concitoyens en faveur des insurgés américains, mais strictement pour leur sauver la vie. En ce cas, je ne veux aucune effusion de sang ni mauvais traitements à Berthier. Est-ce clair ? Si jamais James Cuthbert me voyait ouvertement le trahir, il me le ferait payer cher.

Le colonel étudiait le regard du notaire. Il se disait que le notaire avait du cran de lui servir cette réponse alors que l'armée américaine était aux portes de Berthier et qu'il aurait pu faire un plaideur redoutable.

— Soit ! Mais entre-temps, j'attends que vous me donniez la liste de vos concitoyens que je pourrais enrôler dans mon régiment de Berthier. J'imagine que James Cuthbert en a dressé une, et que vous êtes au courant.

Le notaire Faribault n'aimait pas se faire dicter une ligne de conduite sous la menace ou la contrainte. Méfiant, il voulait se donner du temps, au cas où le colonel Livingston n'aurait été qu'un imposteur.

— Vous l'aurez sous peu. Cependant, il faudra aller vous planquer ailleurs, en lieu sûr. Je m'en occupe.

— Qui ira m'y reconduire ?

— Une amie de ma fille Geneviève. Préparez votre barda.

Chapitre X
Le grand rassemblement

Le lendemain, dimanche, après la grand-messe, un grand rassemblement était prévu à la croisée de trois fourches, près du pont Jouette reliant les deux rives de la rivière Bayonne, au pied d'une croix de chemin. Les cultivateurs connaissaient bien la route puisqu'ils faisaient moudre leur grain non loin, au moulin à farine situé à Pointe-Esther.

Comme il prévoyait que les habitants seraient peu enthousiastes à s'enrôler, James Cuthbert avait mandaté le notaire Faribault pour haranguer les habitants du versant sud de la rivière, alors que le curé Pouget, ancien desservant de la paroisse de Saint-Cuthbert, profiterait de son éloquence naturelle pour convaincre les résidents du versant nord.

Quand Christine frappa à la porte de la maison du notaire, en demandant à voir son amie Geneviève, celle-ci était en compagnie de son cousin Robert Faribault. Comme celui-ci faisait dos aux jeunes femmes, Geneviève, toute fière, lança à Christine :

— Laisse-moi te présenter mon cousin Robert Faribault, de Montréal. Il a un petit accent, à peine perceptible : c'est tellement mignon !

— Ton cousin ? Tu ne m'as jamais dit que tu avais de la parenté à Montréal.

— Un lointain cousin, mais un cousin quand même.

Puis s'approchant de Christine, elle lui chuchota à l'oreille :

— Je te dis que s'il n'était pas mon cousin, la robe de mariée de ma mère servirait plus vite qu'on pense.

— Si beau que ça ? J'ai hâte de voir son visage.

Christine venait d'élever le ton. L'ayant sans doute entendu, le cousin Robert se retourna aussitôt.

Stupéfaite, Christine resta figée sur place. Son cœur se mit à battre la chamade. Enfin, le beau colonel était là. Elle l'avait retrouvée. Elle se dit qu'elle ne le laisserait plus filer.

Geneviève chuchota :

— Qu'est-ce que je t'avais dit. Il semble te faire de l'effet, mon cousin !

Puis à haute voix, Geneviève fit les présentations.

— Christine, voici mon cousin Robert Faribault. Robert, je te présente ma meilleure amie, Christine Comtois.

James Livingston pointa son regard dans celui de Christine pour mieux reconnaître celle qu'il avait rencontrée à l'île Saint-Ignace. Cependant, il ne voulut pas montrer qu'il l'avait reconnue.

— *Mademoiselle*, je suppose ?

Christine confirma son état civil de la tête, sans mot dire.

— Mademoiselle Christine, je suis heureux de faire votre connaissance.

Pour toute réponse, elle fit la révérence.

— Christine, c'est mon cousin, pas le gouverneur Carleton. Présente-lui la main, à moins que tu ne préfères le baisemain, dit Geneviève à mi-voix, taquinant son amie.

— Appelez-moi Robert, tout simplement... Avoir su que Berthier et ses îles cachaient d'aussi jolis minois, je me serais empressé de venir bien avant.

La répartie de Robert eut le mérite de faire rougir les deux jeunes filles. Christine en fut troublée.

Geneviève rompit le silence.

— Mon père m'a demandé de reconduire mon cousin Robert chez Basile Laforge, voisin du père d'Angèle Marseille, aux trois fourches, demain. Veux-tu nous accompagner ? Vous savez sans doute qu'il y aura là un grand rassemblement demain ?

— Tout bon journaliste se doit d'avoir des antennes partout, répondit Robert.

Geneviève Faribault parut enchantée du professionnalisme de son cousin.

— J'aimerais bien y aller, mais ma mère ne veut pas. Elle trouve que c'est trop dangereux pour une demoiselle, dit Geneviève, l'air maussade.

— Irez-vous à ce rassemblement, Christine ? demanda Robert en marquant ses mots.

Geneviève se rendit compte que Christine n'était pas indifférente à son cousin. Cette dernière prit la décision de participer à ce rassemblement historique. Elle mourait d'envie d'accompagner James Livingston. Elle regarda son amie Geneviève qui haussait les sourcils en signe de complicité, tout en lui souriant. Christine chuchota à son amie :

— Il ne faudrait pas que mon oncle ou Corbin me reconnaissent… Il faudra me déguiser. Aurais-tu une idée ? De plus, il faudra que je passe la nuit ici. La maison de tante Marie-Ange est transformée en caserne.

— Le voilà ton déguisement : en milicien. À propos, mon père tient à te parler de toute urgence.

— Rien de grave ?

— Aucune idée. Tu connais le notaire : avec lui, tout est sérieux.

Lorsque Christine fut dans le bureau du notaire, il l'invita à fermer la porte.

— Les murs ont des oreilles.

Christine comprit que Geneviève tendait souvent l'oreille pour écouter les consultations de son père.

— J'ai un service à vous demander. C'est délicat… Hum, voilà… Lors du rassemblement au pont Jouette, pourriez-vous accompagner notre cousin Robert Faribault ? Vous pourriez l'aider à se familiariser avec le langage des gens d'ici ? Il pourrait avoir de la difficulté à le décoder. Question de l'aider dans son travail…

Christine parut enchantée de la demande, s'empêchant bien de mentionner au notaire qu'elle n'était pas dupe de la supercherie.

Le notaire cache quelque chose ! se dit-elle.

Il reprit :

— D'ailleurs… Si vous pouviez me relater les faits et gestes de ce neveu qui m'était jusqu'à récemment inconnu, j'apprécierais.

— *Faits et gestes* ?

— Oui. À qui parle-t-il, comment réagit-il ? Vous voyez ce que je veux dire ? Oh, rassurez-vous, uniquement dans le but de l'aider. Je ne voudrais pas qu'il écrive un article dans son journal qui compromettrait notre famille. En deux mots, ne le quittez pas d'une semelle. Et surtout, n'en dites rien à Geneviève.

— Entendu, répondit Christine, perplexe, trouvant l'attitude du notaire bizarre.

C'est bien ce que je pensais, se dit-elle.

Quant au notaire, il se demandait de quel côté penchait Christine Comtois. Endossait-elle l'allégeance des Cotnoir ou des Guilbault?

Le lendemain matin, au moment du départ pour le pont Jouette en compagnie de Geneviève et de Robert, Christine sortit de la maison du notaire, vêtue d'une tenue de milicien trouvée la veille chez son oncle dans le coffre du boghey des chefs de milice. Elle s'était dit que personne ne la reconnaîtrait. Or elle croisa la femme du notaire Faribault, qui la détailla.

— Il me semble vous reconnaître, monsieur. Me tromperais-je? Je, je... Pourquoi vous déguiser, Christine? Il faut avouer que ce déguisement est invraisemblable.

La jeune femme ne voulut pas dire à la femme du notaire qu'elle allait désobéir au capitaine de milice Guilbault.

— Un tel rassemblement d'hommes pourrait être dangereux pour toute femme, puisque nous les croiserons peut-être sur notre route.

— Vous faites bien de me prévenir. Aussi, Geneviève restera ici. Déjà que le notaire pourrait risquer sa vie.

La déception apparut sur le visage de Geneviève.

La calèche prit la route des trois fourches, à quelques milles de Berthier, en empruntant le sentier qui menait à Pointe-Esther, le long de la rivière Bayonne, et qui se terminait au moulin à vent du meunier. Rendue au pont Jouette, la voiture bifurqua à l'intérieur des terres en direction de la maison de Nicolas Marseille, en passant par le lieu du rassemblement, une prairie qui servait aussi de terrain de stationnement pour les habitants qui allaient faire moudre le grain, sur le versant sud de la rivière Bayonne. Quelques-uns attendaient déjà leur tour. Christine décida de stopper l'attelage.

— Si nous allions attendre les autres en marchant un peu autour du moulin, colonel Livingston.

— Appelez-moi tout simplement Robert! À propos, il ne faudrait pas que quelqu'un nous voie.

Christine s'attendait à cette remarque de la part de l'officier américain, c'est pourquoi elle répondit tout naturellement :

— Nous irons alors dans la cabane, de l'autre côté de la rivière. L'on y accède par un pont suspendu. Nous serons à l'abri des regards. Venez, Robert, suivez-moi.

Elle prit machinalement la main de son compagnon. Celui-ci se montra intimidé par le geste et rougit. Il retira délicatement sa main de celle de Christine.

— Pas de ça ! Si l'on nous voyait.

Christine éclata de rire. Robert trouvait Christine de bien audacieuse compagnie.

Christine enleva aussitôt son tricorne, laissant ses longs cheveux roux flotter sous la brise légère.

— Est-ce mieux ainsi, Robert ?

Le pseudo-cousin Faribault resta ébahi par l'éclat de beauté de la jeune fille. Par pudeur, il détourna le regard et resta silencieux. Christine parut agacée par le peu de réactions du colonel. Elle décida de le provoquer.

— Ne m'aviez pas dit que vous étiez inconnu des gens d'ici ?

Christine se surprit elle-même du ton mielleux qu'elle employa. Robert se sentit intimidé par la spontanéité de la jeune femme. Il se méfia soudainement d'un rapprochement familier avec Christine Comtois.

— C'est vrai. Mais si je suis un inconnu, vous ne l'êtes pas de votre côté. Les gens pourraient vous reconnaître facilement... Toutefois, je préférerais rester de ce côté-ci de la rive, autour du moulin ; je me sentirais plus à l'aise.

Christine reçut la réponse comme un défi. Ainsi, le beau colonel Livingston gardait ses distances. Il ne se permettrait pas de s'attarder à d'autres considérations que son travail. Même si elle avait déjà émis cette hypothèse avec sa cousine Angélique, en son for intérieur elle avait espéré que James Livingston puisse être célibataire. Afin de ne pas perdre la face, elle remonta ses cheveux et remit son tricorne.

— De cette façon, personne ne me reconnaîtra. Pouvons-nous tout de même bavarder un peu tout en nous promenant, comme le feraient deux simples clients du moulin en attente de leur tour ?

D'un air narquois, Robert regarda Christine, qui avait pris soin de mettre ses mains dans les poches de son capot. Le colonel comprit qu'il n'avait pas affaire à une petite sotte. L'audacieuse jeune fille démontrait de la vivacité d'esprit. Cependant, comme il s'était rendu compte que Christine avait un penchant pour lui, il décida de la tenir à l'œil.

Le cœur de Christine battait à tout rompre dans sa poitrine. Elle voulut s'attaquer à son principal défi : séduire James Livingston.

— Si j'ai bien compris, Geneviève croit toujours que vous êtes son cousin Faribault…

Le colonel sourit de la méprise.

— Fort bien. Alors, pourquoi le notaire entretient-il cette supercherie ?

— Probablement par prudence. Soit qu'il ne veut pas compromettre sa famille, attendant de savoir de quel côté le vent va tourner, soit qu'il se méfie de vous, puisque vous êtes apparentée aux Cotnoir et aux Guilbault.

— Ou bien que son idée ne soit pas encore faite !

Même si le notaire lui avait exprimé clairement son appui à la cause des insurgés bostonnais, l'argument de Christine sema le doute dans l'esprit du colonel. Du moins, le croyait-il.

— Nous le saurons bientôt…

Puis, James Livingston s'enhardit à demander :

— J'ai besoin de votre aide, Christine.

Le colonel avait planté ses yeux perçants dans l'azur de ceux de Christine. Troublée, la jeune fille ne savait comment réagir : il avait refusé de prendre sa main, peu avant, mais lui demandait maintenant de l'aider.

— De quelle façon ?

Le cœur de Christine battait fort. Tous les espoirs étaient encore permis.

— En vous introduisant chez James Cuthbert et en me faisant un rapport de ses agissements et de ses échanges avec les Britanniques. Comme il vous a en estime et que vous parlez anglais, cela ne vous sera pas difficile… Personne ne devra savoir que nous collaborons. Encore moins vos familles Cotnoir et Guilbault, il va de soi.

Si Christine avait rêvé de contribuer à la victoire des patriotes américains sous les ordres d'un militaire charmant, elle se rendit compte qu'elle n'était pas à l'aise d'assumer une telle mission.

— Jamais je ne trahirai mon oncle et mon cousin Guilbault. Je ne vous rapporterai rien de ce que j'ai entendu à la maison.

Le colonel Livingston ne parut pas décontenancé par la réaction de Christine.

— Ne craignez rien. Ce ne sont pas eux qui nous intéressent. Je ne vous demanderai pas de les dénoncer. Cependant, quand nous gagnerons la guerre, les capitaines de milice seront traduits en justice.

Christine blêmit. Elle n'avait pas envisagé la fin du conflit de cette façon.

— Ils seront fusillés?

— Peut-être. La loi martiale est expéditive pour les vaincus. Ainsi, vous pourriez leur sauver la vie, en collaborant.

Christine pensa à sa tante Marie-Ange qui, à son âge, ne se remettrait jamais de l'exécution de son mari. Elle se signa. Ce geste religieux symbolique lui fit réaliser une autre issue à la guerre.

— Et si l'armée américaine perd?

— Alors, c'est moi qui serai fusillé, si l'on me prend. Quant aux Cotnoir, ils pourraient subir le même sort... Ne craignez rien: jamais je ne parlerai de notre collaboration, ni de celle du notaire Faribault et de sa famille, ou de celle des Cotnoir. Plutôt mourir, je le jure, la main sur le cœur. Vous n'avez rien à craindre, Christine, tout à gagner.

Le colonel mit sa main gantée sur son cœur.

Pendant que Christine réfléchissait, le colonel ajouta:

— Les insurgés se battent pour un idéal. Une fois la guerre gagnée, une belle affectation vous sera octroyée. Quant à notre lieu de rendez-vous secret, ne m'avez-vous pas parlé d'une cabane désaffectée, de l'autre côté de la rivière?

— Oui, celle du meunier. On y accède par un pont suspendu, de ce côté-ci de la rive, ou bien de l'autre côté, en empruntant le pont Jouette.

— Eh bien, allons maintenant identifier ce lieu, avant que le rassemblement ne commence.

— Espérons que la passerelle suspendue soit en bon état.

Le couple s'enhardit à pas hésitants sur le petit pont. Du haut de leur promontoire, Christine Comtois et James Livingston pouvaient apercevoir le spectacle désolant des liards, des saules, des aulnes et des peupliers qui avaient perdu leurs feuilles, les bras avancés tels des fantômes menaçants au-dessus des eaux refroidies de la rivière Bayonne, dont les rivages avaient fait le deuil de leur végétation lacustre.

De là, le colonel pouvait aussi voir le sentier longeant le rivage nord de la rivière qui permet de se rendre à Pointe-Esther. Telle une cache pour la chasse du printemps, la cabane du meunier apparaissait au bout du petit sentier. Christine avait appris que le meunier n'y allait plus depuis qu'il avait élu domicile au moulin en permanence. Cependant, la cabane restait assez sécuritaire pour que des espions puissent échanger leurs secrets sans être repérés par des témoins.

En traversant, Christine fit un faux pas qui aurait pu la faire passer par-dessus le cordage, si le colonel ne lui avait pris la main. La jeune fille le remercia d'un sourire sincère. Elle s'attendait à ce que le colonel libère sa main, mais il continua de la tenir, prétextant qu'un autre faux pas était encore possible.

Christine se sentait en toute sécurité avec le bel officier qui se tenait tout près d'elle. Elle ne chercha pas à se libérer, bien au contraire. Heureuse comme elle ne l'avait jamais été auparavant en compagnie d'un homme, elle aurait voulu que ces instants durent toujours.

Une fois à l'intérieur de la cabane, James Livingston expliqua plus en détail à Christine la mission délicate qu'il attendait d'elle. Soudainement, elle prit peur.

— Je ne peux pas accepter cette mission : ce serait trahir tous ceux que j'aime.

— Et les Cotnoir, les aimez-vous ? Pourtant, ils sont de notre côté…

La panique envahit Christine. Le colonel n'insista plus. Il lui prit la main et la serra bien fort.

— La guerre, hélas !, n'est pas faite pour les âmes sensibles… Et je ne voudrais surtout pas qu'une personne aussi charmante se fasse du souci par ma faute. Vous êtes si jolie, Christine !

Le colonel la pressa contre son torse. Christine se laissa faire. Elle était tombée sous le charme du colonel. Elle leva la tête pour plonger son regard dans les yeux séducteurs de l'officier. Celui-ci ne put résister à l'offrande de la jolie rousse, et l'embrassa. Christine eut un sentiment nouveau. Dans son rêve à l'île Saint-Ignace, elle n'aurait jamais cru que le baiser de son officier américain mystère ait pu être aussi tendre. Enlacé, le couple resta de longues minutes à savourer ces baisers langoureux, le cœur à l'unisson.

Plutôt que de chercher à abuser de l'ingénuité de la jeune fille, le colonel chercha à la protéger.

— Vous m'êtes trop précieuse pour vous obliger à collaborer avec notre armée. Dans votre situation, je vous conseille d'y réfléchir… J'aimerais plutôt vous revoir pour un motif… plus personnel.

Le colonel embrassa alors Christine de manière si passionnée qu'elle en perdit presque le souffle. Son cœur battait la chamade. Elle avait de la difficulté à croire qu'elle vivait un moment si merveilleux.

— Moi aussi, James… Et quel est ce motif si personnel ?

Sans attendre la réponse du colonel, elle lui fit le salut militaire.

— Je veux vous servir la vie durant, colonel James Livingston, commandant du premier régiment de miliciens pro-rebelles.

Puis Christine lui prit la main et l'embrassa de toutes ses forces. James se laissa faire, puis la pressa sur son cœur.

— Je ne veux pas vous perdre, Christine Comtois. Je veux que l'on se revoie ici, le plus souvent possible.

— Moi aussi.

— *Darling !*

Des baisers fougueux succédèrent aux précédents, plus réservés, plus tendres. Après cette effusion de désir, Christine susurra :

— Quand nous reverrons-nous ? J'ai déjà hâte à ce moment.

— Bientôt. Je vous le ferai savoir. Allons au rassemblement, il est temps, dit-il, en lui mordillant les oreilles.

En sortant, James faillit trébucher sur le vieux tapis du seuil de porte. Il se rattrapa, en s'agrippant sur le linteau. Cette acrobatie lui permit d'apercevoir une petite porte donnant sur la rivière. Plutôt que de maugréer, une idée lui vint.

— Vous trouverez mon courrier dans l'embrasure de cette poterne. Personne n'aura l'idée d'y jeter un coup d'œil, même pas le meunier, si jamais il vient ici. L'accès est trop escarpé… En attendant, introduisez-moi chez Basile Laforge. Vous saurez m'y retrouver, si vous penchez de notre côté.

Christine resta sidérée.

— Comment se fait-il que vous connaissiez le lieu secret de votre planque?

— Parce que j'ai des oreilles tout le tour de la tête. L'état-major américain ne m'a pas fait colonel pour rien. Basile Laforge demeure non loin des trois fourches et du pont Jouette. Son voisin, Nicolas Marseille, est marié à Geneviève Guilbault, la sœur de Louis-Daniel.

L'intelligence du colonel James Livingston impressionna Christine. Elle fut grandement troublée par le beau colonel.

C'est impossible qu'un tel homme n'ait pas déjà attiré l'attention d'une femme! Je devrais le lui demander. Et s'il me répond qu'il est marié? J'aime autant ne pas prendre ce risque, s'inquiéta-t-elle.

— Lorsque nous retournerons au lieu du rassemblement, il ne faudra pas que nous attirions l'attention sur nous. Quant à Geneviève Faribault, il faudra qu'elle croie que je suis son cousin le plus longtemps possible. Pourrais-tu conserver notre secret?

— Si jamais Geneviève l'apprenait, elle le saurait de ses parents, pas de moi!

— Je t'aime, Christine, déclara James, tout en l'embrassant goulûment.

Quand la voiture de Louis-Daniel et de Corbin Guilbault arriva sur les lieux du rassemblement, un grand nombre de cultivateurs, fusils et fourches en main, chahutaient bruyamment. Le capitaine Olivier, accompagné de Cuthbert, faisait faire quelques manœuvres militaires aux miliciens. Certains habitants de Berthier avaient refusé l'invitation, alors que James Cuthbert, rouge de colère, exhortait les récalcitrants à plus de discipline, de sa voix tonitruante.

Les chefs de milice eurent beau intervenir avec insistance en disant aux contestataires que les trois milles qui séparaient Berthier du lieu du rassemblement seraient vite franchis par les quatre mille soldats américains s'ils se décidaient à marcher en rang pour les combattre, l'argument ne réussit pas à les convaincre.

Habillée d'une salopette, les cheveux relevés à la garçonne et coiffée de son tricorne, Christine se faufila parmi la foule, accompagnée de James Livingston. Les deux participants saisirent au passage une fourche pour mieux s'intégrer aux protestataires.

Soudain, le seigneur de Berthier monta sur une estrade. Lorsqu'il tenta de prendre la parole, sa voix fut couverte par des huées. Il se rendit vite compte que la zizanie s'était infiltrée parmi ses censitaires. Il fit un geste de provocation en tirant en l'air avec son pistolet, pour se faire écouter. Dans un français bien laborieux, il dit :

— Obéissant aux ordres du gouverneur Carleton, qui demande l'enrôlement de la milice canadienne, qui se battra aux côtés des tuniques rouges, je vous conjure de défendre notre territoire devant les *Sons of Liberty*. Nous allons les combattre jusqu'au dernier. Pour ça, vos chefs de milice seront là pour conduire les opérations militaires. S'il le faut, nous mourrons tous dans l'honneur d'avoir défendu notre patrie, en renouvelant notre allégeance au roi d'Angleterre. Vive le roi George !

Des huées fusèrent bien avant qu'il ne se rasseye.

— Nous vous proposions d'envoyer quinze miliciens par compagnie à Montréal, mais vous avez jugé ce nombre insuffisant. Vous auriez dû accepter, car nous avons changé d'idée depuis ! lança un récalcitrant.

Rouge de colère, James Cuthbert se leva aussitôt, déchira son texte de façon ostentatoire et grogna avec véhémence :

— J'exige que mes censitaires combattent les soldats américains ici. Les bâtards qui refuseront le paieront chèrement, peut-être même au prix de leur vie !

À la suite de ces propos belliqueux de James Cuthbert, quelques contestataires s'exclamèrent : « Assassin ! »

James Cuthbert demanda au capitaine Olivier de hisser l'*Union Flag* britannique à un mât improvisé, afin que tous fassent le salut au drapeau. L'*Union Flag* était composé de la superposition de la croix de saint André (*Scotch Jack*) et de la croix de saint Georges (*English Jack*)[2]. Un cornet commença à interpréter l'hymne national anglais.

La rumeur de la cohue se mit à gronder, et les miliciens d'infortune s'avancèrent vers l'estrade, menaçants. Comme Christine et son compagnon restaient figés sur place, un costaud empoigna la jeune femme travestie par les bras, et vociféra, en la soulevant :

— Hé ! le freluquet, tu es mieux d'être du côté des Fils de la Liberté !

---

2. L'*Union Jack* prendra sa forme actuelle en 1801, lorsque la croix de Saint-Patrice y sera superposée aux autres croix pour symboliser le royaume unifié d'Angleterre et d'Irlande.

La jeune fille se sentit aussi légère qu'une plume au vent, transportée par la foule en marche, en regardant derrière elle, paniquée de se voir distancer du colonel. Elle aurait souhaité que celui-ci se porte à son secours et la défende. Cependant, elle comprenait que s'il l'avait fait, il aurait risqué de se faire attraper par la police de James Cuthbert. C'est pour cette raison qu'ils s'étaient entendus au préalable d'adopter cette stratégie prudente.

Comme Christine avait perdu sa fourche, le mastard lui remit un fusil avec baïonnette plus haut qu'elle. Elle eut du mal à le saisir tant le mousquet était pesant. Christine pensa s'en départir, mais le regard menaçant du gorille l'en dissuada. Comme elle s'approchait de l'estrade, encadrée des autres, un des habitants, Conrad Pigeon, monta sur l'estrade et confronta le seigneur Cuthbert.

— Notre pays n'est pas votre pays, comme votre roi George n'est pas notre roi! Le nôtre, c'est le roi Louis de France, et notre pays, c'est le Canada! Nous n'avons rien à voir dans cette guerre entre Britanniques! Nous n'appuierons pas les tuniques rouges! Nous n'appuierons pas les Anglais!

Une immense clameur monta des rangs des insurgés.

— Si vous nous forcez, nous serons plutôt aux côtés des Fils de la Liberté!

Une autre clameur, cette fois plus forte, se fit entendre. En retrait, James Livingston enregistrait dans sa mémoire le plaidoyer de ce patriote. Il aurait souhaité demander à Christine le nom de ce vaillant partisan. Il commit l'imprudence de s'informer auprès de son voisin, un habitant bourru dont la salive brunie par sa chique dégoulinait à la commissure des lèvres.

— Pigeon. Conrad Pigeon. Dis donc, toi, tu n'es pas d'ici! Pigeon est connu comme Barrabas dans la Passion.

Le regard du cultivateur figea le capitaine, pourtant habitué au mépris. Il se ressaisit, en lançant à la volée:

— Je viens de l'île Saint-Ignace!

— C'est bien ce que je disais. Un pied à Sorel et l'autre à Berthier, et le cul dans le fleuve. Ce n'est pas un sol que vous avez, plutôt un marécage boueux que l'on a hâte de traverser.

Ne voulant pas amorcer la conversation, le colonel haussa les épaules, en guise de soumission à l'argumentaire irréfutable de l'escogriffe. Cependant, celui-ci n'en démordit pas.

— Tu ne dois pas y habiter depuis longtemps, toi, pour te laisse manger la laine sur le dos comme ça. Un vrai patriote comme moi, Joseph Rainville, de la rivière Bonaventure, aurait déjà pris le mord aux dents… L'île Saint-Ignace… Les Fils de la Liberté devraient débarquer là avec leurs gros bateaux, c'est logique, plutôt qu'en face de la Grande-Côte où ils pourraient rester embourbés. Qu'en penses-tu ? Tu dois bien avoir un nom… Douville ? Dufaux ?

Joseph Rainville s'était installé devant James Livingston pour mieux observer ses traits. Le capitaine cherchait à fuir de cet encombrant voisin, lorsqu'il aperçut soudain la silhouette de Christine, baïonnette au bout d'un fusil, parmi la cohue des chauds partisans entassés près du promontoire. Si le colonel avait espéré que Christine s'implique dans la manifestation, il n'aurait jamais pensé que son action ait pu prendre cette forme. James Livingston fit signe à Joseph Rainville de s'intéresser plutôt au déroulement de l'événement.

En un éclair, Christine laissa tomber son arme et sortit du baluchon son drapeau fleurdelisé qu'elle lança sur l'estrade. Surpris, Conrad Pigeon l'attrapa, tout en cherchant qui l'avait lancé. Il invita Christine sur l'estrade et, après avoir déroulé le drapeau fleurdelisé avec enthousiasme, Pigeon le porta fièrement à bout de bras. Une autre clameur, cette fois plus délirante, monta des rangs.

— Vive le roi de France ! Vive le Canada !

La foule se mit alors à scander :

— Pi-geon ! Pi-geon !

Joseph Rainville ne se gêna pas pour donner un coup de coude dans les côtes de son voisin, afin de l'inciter à manifester à son tour à pleins poumons, à l'unisson avec la foule.

Livingston dut se résoudre à scander lui aussi « Pi-geon ! Pigeon ! » pour ne pas éveiller davantage de soupçons, au grand plaisir de Joseph Rainville, qui ne lâcha pas sa prise.

— Tu ne t'es pas encore nommé, l'ami !

Le gênant personnage tombait sur les nerfs de James Livingston, qui se demandait bien comment s'en débarrasser en douceur, alors qu'en d'autres temps et lieu, il l'aurait tout simplement trucidé. Il eut la présence d'esprit de répondre :

— *Lamy*, voilà, tu as deviné.

Tout à sa joie, Joseph Rainville éclata d'un gros rire sonore qui n'échappa à ses autres voisins, courroucés de son attitude.

— Qu'as-tu à rire du drapeau français, le taon ? Serais-tu du côté des Anglais, comme les Guilbault ?

La menace fit taire le bavard qui chercha à se faire oublier. C'est à ce moment que James Livingston choisit de se distancer de Joseph Rainville.

Entre-temps, comme Christine n'avait pas bronché, préférant rester silencieuse, le même costaud à sa gauche la souleva et la projeta sans ménagement à l'avant de la première rangée, en lui criant :

— Vas-y, mon gars !

Pigeon attrapa Christine par la main, la fit monter sur le présentoir, puis redescendit dans la foule. La jeune fille se retrouva au-devant de la scène, sous le feu nourri des encouragements. Tout à côté, James Cuthbert parut tétanisé par la tournure de la situation, tandis que les chefs de la milice s'étaient rapprochés de lui pour lui prêter main-forte, si le besoin s'en était fait sentir.

Conrad Pigeon demanda au frêle garçon coiffé du tricorne :

— Comment t'appelles-tu, mon gars ?

Dans son énervement, Christine n'eut en tête que le nom de cette journée.

— Dimanche.

Pigeon resta pantois.

— Dimanche !… Dimanche qui ?

La jeune fille ne voulut pas prononcer son nom véritable de famille ni celui de ses autres parents, de peur qu'ils ne soient blâmés si elle était démasquée. Elle s'écria spontanément :

— Dimanche Chrétien, monsieur.

Un rire traversa la foule en cascade.

— Tu dois être un bon catholique avec ton nom, et non un de ces damnés protestants. Tes parents auraient pu t'appeler Minuit Chrétien, tant qu'à y être !

Le rire généralisé s'était amplifié.

— Sérieusement, serais-tu le garçon de Jean-Marius Chrétien, du rang Saint-Pierre ? reprit Pigeon, fier de son effet sur les gens rassemblés.

— C'est mon père.

Conrad Pigeon parut satisfait, puisqu'il savait que Jean-Marius Chrétien était réfractaire à l'autorité anglaise, comme les autres habitants de ce rang. Il annonça le nom du garçon avec sa voix forte, le mât du drapeau en main :

— Voici notre ami Dimanche Chrétien, fils de Jean-Marius du rang Saint-Pierre, deux vrais patriotes. Je sais qu'il est parmi nous ; qu'il vienne rejoindre son fils !

Un murmure se mit aussitôt à déferler parmi les rangs des contestataires. Puis la foule en délire se mit à scander le prénom de l'habitant bien connu :

— Jean-Marius ! Jean-Marius !

Sur les entrefaites, deux cultivateurs du rang Saint-Pierre faisaient un passage à Jean-Marius Chrétien, qui s'amenait à l'avant. Quand Pigeon le reconnut, il l'invita sur l'estrade, à côté de Dimanche. Joseph Pigeon s'adressa à Chrétien :

— Jean-Marius, tu ne m'as jamais dit que tu avais un couillon ?

— C'est parce que ma femme ne m'a donné que cinq fendues !

Tous tournèrent alors le regard vers Dimanche. Blanche de peur, sachant que sa véritable identité serait dévoilée, Christine détourna la tête vers le seigneur Cuthbert. Trouvant la situation grotesque, alors que les sympathisants exigeaient de l'action, Pigeon souleva le tricorne du mystérieux individu. La chevelure rousse de Christine déferla aussitôt en cascade gonflée par le vent.

Un immense *Oh !* traversa la foule, puis les rires fusèrent.

— En voilà une de tes filles, Jean-Marius !

— J'aimerais bien, mais les miennes sont noiraudes comme des prunes. Celle-là ressemble à une carotte.

Conrad Pigeon semblait consterné.

James Cuthbert s'apprêtait à ordonner l'arrestation immédiate des trois protestataires, et tout particulièrement celle de Jean-Marius Chrétien, qui ne se gênait pas pour soulever la population du rang Saint-Pierre contre son autorité, lorsqu'il reconnut la jeune fille : Christine !

Il s'avança vers elle pour la sortir de là, voulant savoir pourquoi elle l'avait trahi.

La foule crut que le seigneur voulait s'en prendre à une des leurs, de surcroît la plus vulnérable. Les insurgés des premières rangées menacèrent James Cuthbert de leurs fourches ; d'autres le mirent en joue. Voyant le possible lynchage, le capitaine Olivier vint à la rescousse de son seigneur avec ses miliciens. Il les positionna en rangs serrés et, une fois les baïonnettes bien vissées, leur ordonna de viser leurs concitoyens et de tirer sur eux, à son commandement.

Déjà, des mutins avaient grossi le rang des insurgés, exhortant leurs amis de les rejoindre, en leur criant que la vraie menace venait des tuniques rouges et non des soldats américains. Les mouvements de troupes avaient dégénéré en cohue indescriptible. Néanmoins par miracle, aucun coup de feu n'avait encore été tiré.

Corbin Guilbault s'était empressé de se rapprocher de l'estrade, en criant à tue-tête pour être bien entendu :

— Cette jeune fille est ma cousine, Christine Comtois. Elle n'a rien à voir avec la guerre. Nous allons la ramener à la maison.

Reconnaissant son cousin, traumatisée d'avoir causé cette flambée de violence, la jeune fille s'exclama :

— C'est vrai, je m'appelle Christine Comtois, et lui, c'est mon cousin, Corbin Guilbault. Laissez-le tranquille.

Dans la confusion, galvanisée par le mouvement de foule, Christine avait ajouté « il est des nôtres », excitant davantage les cultivateurs récalcitrants. Ceux-ci se ruèrent vers eux et les hissèrent sur leurs épaules. Corbin avait beau se débattre, la populace se promenait avec leurs trophées de guerre à bout de bras, délaissant Pigeon et Chrétien décontenancés à l'avant. La foule à l'humeur changeante s'était trouvé un symbole.

Voyant la scène, Louis-Daniel Guilbault essaya tant bien que mal de stopper la foule, mais en vain. Il se joignit plutôt à son tour au mouvement de foule, dans le but de protéger la jeune fille du tripotage. Il réussit à se faufiler jusqu'à elle. Bousculant fermement les impolis trop enthousiastes, il la récupéra, malgré ses soixante-quatorze ans. Elle fondit en larmes dans ses bras. Devant la scène dramatique, ces pères de famille furent pris soudainement de contrition et leur firent une haie d'honneur. La clameur s'arrêta aussitôt. Corbin sauta par terre et vint rejoindre père et cousine.

Pantois, James Cuthbert et Louis Olivier semblaient déroutés par la situation. Ils n'y comprenaient plus rien. Le curé Pouget et le notaire Faribault, venus à la rescousse pour pacifier les ardeurs des deux camps, jugèrent que le moment était propice pour intervenir, tandis que Christine était mise à l'écart.

Le seigneur de Berthier prit la décision de laisser le jeune curé Pouget convaincre ses paroissiens, se disant que la population catholique de ses seigneuries écouterait davantage la parole du représentant de l'évêque de Québec, monseigneur Briand, que la sienne.

Grand de taille, le visage plutôt sympathique, estimé pour son humilité et son sens de la charité, le curé était chaussé de sabots et portait un manchon en peau d'ours. En quelques semaines, lors des prêches, il avait réussi à impressionner ses paroissiens de Saint-Cuthbert, surtout quand, au prône, il les avait semoncés pour leur tendance à blasphémer le nom du Seigneur, tout en menaçant le malengueulé de la paroisse.

— Tu as avantage à venir te confesser avant longtemps, Gervais Ayotte, sinon je parlerai de toi en chaire dimanche prochain.

Quand le curé Pouget tenta d'expliquer qu'il était possible aux habitants d'être à la fois bons catholiques et francophones tout en restant loyal au roi d'Angleterre pour leur survie, et qu'il demanda à ses paroissiens de Berthier et de Saint-Cuthbert d'obtempérer à la demande du seigneur Cuthbert, les insurgés lui répondirent en chœur qu'ils repousseraient toute tentative de les forcer à se battre.

— Vous laisseriez les soldats américains brûler vos fermes et violer vos femmes et vos filles, bande de lâches ? Car n'en doutez pas, ils le feront, et à la première occasion ! hurla James Cuthbert rouge de colère et les yeux exorbités, qui avait pris la place du curé Pouget sur l'estrade, au grand regret de l'ecclésiastique qui tentait de le calmer.

— Vous confondez soldats américains et soldats anglais, seigneur Cuthbert.

— Qui a dit ça ?! Qui a dit ça, que je l'étripe ?! Si vous m'y forcez, dans un claquement de doigts, je demande au gouverneur Carleton d'intervenir et les soldats anglais viendront pour vous vous rabattre le caquet.

James Cuthbert avait joint le geste à la parole.

— C'est bien ce que je disais : une bien drôle de réaction pour un juge de paix.

Alors que James Cuthbert faisait signe au capitaine Louis Olivier d'arrêter le téméraire, et de l'amener sur l'estrade pour que son cas serve d'exemple, Conrad Pigeon s'était précipité là-haut à la vitesse de l'éclair.

— Tous autant que nous sommes, ici présents, nous repousserons la force par la force, si le gouverneur Carleton s'en mêle. De plus, les Canadiens qui appuieront James Cuthbert, seront pendus haut et court, cet après-midi même. Nous le jurons !

— Nous le jurons ! scanda la foule galvanisée par les propos meurtriers de leur chef de file, pics et pelles brandis bien haut dans un geste menaçant.

Le curé Pouget avait reconnu un de ses paroissiens, Pamphile Roch, dans la troisième rangée. L'homme d'Église intervint afin de désamorcer la bombe, faisant fi des dernières menaces de confrontation armée :

— Notre ami Pamphile a le droit d'exprimer son opinion, comme le seigneur Cuthbert le fait. Toutefois, la raillerie n'est pas de mise ici. Je demande le respect de la part de tous, si nous voulons en arriver à un consensus.

— Oubliez votre latin, monsieur le curé : vous n'êtes pas en chaire !

Le rire se répandit dans la foule.

— *Consensus* veut dire un « terrain d'entente ». Il n'y aura aucune entente entre nous si la moquerie continue. Messieurs, du calme, s'il vous plaît… Bon. Il s'agit de notre survie, la survie de notre peuple. Alors, aussi bien choisir la meilleure des alliances. Votre clergé recommande de vous battre aux côtés du gouvernement anglais, qui fait tout en œuvre pour nous protéger, comme il l'a toujours fait depuis quinze ans. Que peut-on lui demander de plus, alors que l'ennemi nous encercle ?

Le seigneur Cuthbert apparut satisfait de la harangue du curé.

— La liberté, curé Pouget, la liberté de vivre chez nous comme nous l'entendons, alors que les Anglais nous traitent comme des esclaves. Les Américains nous ont promis par écrit de respecter notre religion, notre langue et nos coutumes, s'exprima Conrad Pigeon.

— Et l'Acte de Québec ne vous a pas suffi, bande d'ignares et d'abrutis de Saint-Cuthbert ? Vous déshonorez le nom de mon saint ancêtre. Pour ça, je devrais faire changer de saint patron à votre paroisse. N'oubliez pas que c'est moi qui vous l'ai recommandé ! Et n'allez pas choisir saint André, le patron de l'Écosse : vous ne le méritez pas davantage… Le curé Pouget obéit à son seigneur, il sera d'accord avec moi, ragea James Cuthbert de sa voix tonitruante.

L'ecclésiastique qui se voulait rassurant, afin d'apaiser le bouillant royaliste, décida de lui river le clou.

— J'obéis aux directives de mon évêque, qui les reçoit du pape, monsieur Cuthbert. Ma paroisse est déjà consacrée au culte de Saint-Cuthbert, je me battrai pour qu'elle le reste, et ce, aussi longtemps que j'en serai le curé, ne vous en déplaise. D'ailleurs, mes paroissiens sont de bons catholiques et honorent votre ancêtre, le priant collectivement à la messe du dimanche… Depuis deux ans que je suis le curé de Saint-Cuthbert, à ma souvenance, je ne me rappelle pas vous avoir vu ne serait-ce qu'une seule fois agenouillé devant sa statue bien en évidence dans le chœur. Est-ce que je me trompe ?

James Cuthbert rougit de honte à cette vérité. Il préféra se rasseoir.

— Bravo, curé Pouget ! Vous êtes des nôtres, clama l'auditoire.

Un murmure d'approbation circula dans la foule.

— Si vous entendez par là que je suis du côté du Bon Dieu, comme votre pasteur, pour vous guider sur le bon chemin, alors je vous dis que nous devons nous serrer les coudes pour affronter un ennemi commun, ensemble. Et je ne veux surtout pas que cette guerre en devienne une de religion dans cette seigneurie, car les Américains nous assurent de la liberté de culte.

— Ce qui veut dire, curé Pouget ?

— Que le diable rôde partout, surtout dans les lieux les moins prévisibles, et que l'ennemi est celui qui s'attaque à l'Église… En conséquence, je me rangerai du côté de mes paroissiens qui connaissent en toute conscience ce qui est mieux pour leur famille, pourvu qu'ils continuent à être de bons catholiques pratiquants, un peuple fier de sa religion, de ses origines et de sa langue française, répondit l'ecclésiastique, en tournant la tête vers le seigneur Cuthbert.

— Le curé Pouget n'est pas neutre…, s'exclama Conrad Pigeon sur l'élévation de l'estrade, au grand déplaisir de James Cuthbert.

Un murmure de mécontentement secoua l'auditoire.

— Mieux que ça : il est patriote, comme nous ! continua Pigeon, fier de son effet.

— Hourra ! Il est des nôtres, clamèrent les récalcitrants au régime anglais.

— Vous allez le payer cher, curé Pouget, *be sure of that!* menaça James Cuthbert.

Aussitôt, un rigolo s'avança vers Louis Olivier, lui fit une grimace, et lui dit:

— Capitaine Maboule, qui a perdu la boule!

L'autre mit aussitôt la main sur la crosse de son revolver, mais James Cuthbert stoppa son geste.

— Nous verrons bien qui l'emportera.

La foule se mit aussitôt à fredonner:

En roulant ma boule, en roulant, en roulant ma bou-ou-le[3].

James Cuthbert se leva pour remettre de l'ordre dans l'assemblée, puis il reprit la parole.

— Le curé Pouget a droit à son opinion. Vous savez tous qu'il est un bon curé et qu'il est très éloquent, comme Bossuet l'était. De belles qualités essentielles à une cure. Nous parlons ici de guerre avec des fusils et non avec des mots. Si vous voulez le meilleur prêcheur pour dire votre oraison funèbre, il sera là. Mais pour vous défendre, il vous faudra un soldat chevronné qui a combattu sur les champs de bataille auprès des meilleurs généraux…

— Qui n'est pas le général Wolfe, on s'entend! intervint un plaisantin à l'esprit vif.

Un éclat de rire fit sursauter les épaules des protestataires.

En roulant ma bou-ou-le.

— Encore moins vous, capitaine Cuthbert!

Louis Olivier incita Louis-Daniel Guilbault à s'avancer vers le malotru qui venait d'insulter le seigneur Cuthbert. Le curé Pouget décida d'intervenir, s'interposant entre la police et le manifestant.

— Nous sommes ici pour décider de notre sort, pas pour entreprendre une guerre fratricide.

Un remous d'approbation se fit entendre dans la foule. James Cuthbert en profita pour diminuer la crédibilité du curé, en se rehaussant devant les sceptiques.

— Notre bon curé Pouget prêche pour sa religion, qui dit d'aimer son prochain, sans se battre. Je ne suis pas contre, tout au contraire, car votre Dieu est aussi le mien. Ce que je vous dis, c'est qu'il faut se battre ensemble contre un ennemi commun, le diable personnifié, les insurgés américains. Si vous désirez voir grandir

3. La chanson préférée des voyageurs de la fourrure.

vos enfants, il vaut mieux résister par les armes que de mourir en martyr sans se défendre. Notre bon curé Pouget est encore jeune et sans expérience. Son âme est pure, car il a reniflé beaucoup plus d'encens que de poudre à canon. Moi, j'ai dû tuer des combattants ennemis, j'ai vu ce que l'horreur de la guerre pouvait infliger, et je ne voudrais pas revivre ça, sans tout faire pour m'en exempter. C'est pour ça que je vous demande de vous unir sous le drapeau britannique.

— Facile à dire, capitaine Cuthbert. Ceux que vous avez tués à Québec, ce sont les nôtres, des *Canayens*.

James Cuthbert ne voulut pas relever la remarque, qu'il savait juste. Cette guerre était finie depuis quinze ans, et pour lui, l'ennemi était le soldat ou le milicien identifiable au régime français. Il décida de marquer ce dialogue de sourds par l'intimidation, une de ses armes de prédilection pour terroriser l'ennemi.

— Gens de la seigneurie de Berthier, vous n'aurez pas le choix. Vous vous battrez aux côtés de l'armée britannique ou contre elle. Vous ne pourrez pas rester neutres.

— Chooooooou ! clama la foule.

Emporté par la colère, Cuthbert ajouta, en désespoir de cause :

— Censitaires, vous êtes avec moi ou contre moi. Il n'y a pas de position intermédiaire. En ce cas, vous vous en repentirez amèrement, croyez-moi.

— Assassin ! Assassin ! reprit la foule.

La cohue, qu'avait énormément de difficulté à contenir les capitaines de la milice et le curé Pouget, commençait à déferler vers l'estrade. La situation dégénérait. C'est le moment que choisit le notaire Faribault, placé aux côtés du seigneur Cuthbert, qui fulminait, pour prendre la parole à son tour. Il expliqua à ses compatriotes qu'ils avaient tout avantage à repousser l'intrus, sans renier leur allégeance au roi de France.

— Messieurs, messieurs, du calme, je vous en prie. Il faut voir les choses en face. Les positions du seigneur Cuthbert et du curé Pouget ne sont pas irréconciliables, bien au contraire. James Cuthbert n'est pas contre notre religion et nos traditions. Il nous a maintes fois prouvé depuis dix ans qu'il les appuyait. Je le connais ; ses paroles ont dépassé sa pensée. C'est un homme de conviction ; sa haute fonction de conseiller législatif le prouve bien. Il a toujours défendu l'intérêt primordial du bon peuple.

Quant au curé Pouget, il ne veut pas d'une guerre sainte, d'une guerre fratricide... Il n'a jamais dit qu'il ne voulait pas que vous vous battiez aux côtés des Anglais. Au contraire, il dit suivre les directives de son évêque qui vous incite à le faire. Cependant, il a la magnanimité de vous permettre de prendre votre propre décision, même si son inexpérience l'incite à donner foi aux ténors américains qui nous promettent la liberté de culte et le respect de notre belle langue française. Je vous rappelle que le gouvernement anglais a toujours fait de même, et plus encore depuis l'adoption de l'Acte de Québec...

Un murmure d'approbation se répandit dans la foule. James Cuthbert se renfonça dans son banc, en se rengorgeant. Il était satisfait du plaidoyer du notaire.

— Le seigneur Cuthbert a bien raison : l'ennemi est à nos portes, et beaucoup plus que vous ne le croyez. Les minutes, les secondes comptent. Je suis bien placé pour vous le dire, car j'ai été sollicité par l'état-major américain.

Un silence monacal s'établit dans la foule, devant cette révélation.

Pour sa part, James Livingston se durcit. L'alliance qu'il avait concoctée avec le notaire semblait désormais compromise. Le colonel sut hors de tout doute que le notaire Faribault ne lui donnerait aucune liste d'insurgés ; il espérait maintenant qu'il ne le dénonce pas illico à la police de James Cuthbert. Il se crut perdu et se dit qu'il devait s'éloigner discrètement du rassemblement. Dorénavant, le colonel devrait se réfugier chez d'autres sympathisants. Il tendit l'oreille pour mieux identifier lesquels.

Aussitôt, James Cuthbert lança à l'endroit du notaire :

— Pourquoi ne pas m'en avoir informé ? Je devrais vous arrêter pour ça, comme patriote.

La menace irrita le notaire, qui répondit à haute voix, pour que tout le monde entende :

— Pour sauver notre peuple, en effet, en retardant l'invasion américaine dans votre seigneurie de Berthier. Si vous appelez ça être patriote, je le suis ! Nous n'avons pas tous la chance d'aller nous réfugier à Montréal ! Ne nous faisons pas d'illusions : les Américains viendront réquisitionner nos maisons, votre manoir en premier. Bientôt, ils brûleront nos récoltes et nous ne passerons pas l'hiver. Nous mourrons de faim.

Conrad Pigeon prit à son tour la parole :

— Les Américains nous ont déjà garanti notre liberté, si nous les appuyons. Si nous les combattons, avons-nous même un mince espoir de les vaincre ? Non. Ils sont beaucoup trop nombreux. Notre seul espoir est de rester neutres ou de nous battre à leurs côtés. Vous savez tous que je suis de cette dernière option. Mais pour avoir ce que le curé appelle un *consensus*, la question est claire pour moi. Êtes-vous pour les Américains, contre les Américains ou neutres ? Par ailleurs, si certains veulent émettre d'autres arguments, c'est le temps, sinon nous passerons au vote à main levée.

Un habitant interpella le notaire.

— De quel côté êtes-vous, notaire Faribault ? Celui des Anglais ou des Américains ?

La question saisit l'homme de loi. Il prit une profonde inspiration et clama :

— Mon premier devoir est de protéger ma famille, comme vous la vôtre…

Un silence nouveau régnait tandis que tous attendaient que le notaire affiche son allégeance. Il pesa ses mots longtemps avant de continuer, sachant que leur portée serait historique :

— Et mon souhait le plus cher est de vivre en paix à Berthier.

— Hourra ! clama la foule.

Encouragé par cette exclamation spontanée, le notaire ajouta :

— Restons neutres jusqu'à ce que les Américains nous attaquent. Alors, nous nous défendrons. D'ici là, réservons-leur un accueil poli. Jusqu'à maintenant, ils nous ont respectés.

— Restons neutres ! reprirent ses adeptes.

Le notaire venait de cautionner la position de neutralité de la majorité des habitants de Berthier, de Saint-Cuthbert et des alentours. Son discours n'avait pas fait que des heureux, notamment le seigneur Cuthbert, qui lui offrait un regard glacial. Le curé Pouget, qui approuvait tout bas ce que le notaire avait exprimé tout haut, expliqua à James Cuthbert que le notaire Faribault avait employé le seul argument possible pour pacifier les ardeurs contradictoires de ses censitaires.

Ce à quoi le seigneur répondit, en colère :

— Comment pourrais-je l'expliquer et demander des renforts au gouverneur Carleton pour nous défendre, maintenant ? Sans milice, nous sommes dorénavant livrés aux caprices des Fils de la Liberté. Les sympathisants des Américains le paieront cher.

Se tournant vers le notaire, enragé, il dit :

— Il faudra bien que vous racontiez un jour vos manigances à l'état-major anglais…

Conrad Pigeon conclut l'acerbe échange.

— James Cuthbert, au cas où tu ne nous aurais pas encore compris, nous ne marcherons pas avec toi ! Est-ce clair ? Dorénavant, inutile de nous déranger. Nous repousserons la force par la force, si les Anglais nous y obligent.

Pigeon eut l'audace de remonter sur l'estrade, le poing levé.

— Et gare à ceux parmi nous qui combattront les Américains. Nous ferons ce que les Anglais ont fait à nos parents de l'île d'Orléans et du bas du fleuve : nous brûlerons leurs maisons et leurs fermes, et nous tuerons leurs animaux. Nous en faisons le serment.

— Oui ! oui ! répondit la foule.

— Dites « Nous le jurons ! », exhorta Pigeon.

Galvanisés par ce discours incendiaire, les cultivateurs hurlèrent :

— Nous le jurons !

Ce que James Livingston entendit lui plut. Il estima que la position officielle de neutralité du notaire et de la majorité de la population de Berthier était un moindre mal. S'il pouvait faire pencher le notaire du côté des Fils de la Liberté, ce n'était qu'une question de temps avant que les censitaires ne proclament leur allégeance pour ceux-ci, puisqu'ils ne voulaient pas combattre pour les Anglais. Le recrutement pour établir son régiment canadien serait alors chose facile. En attendant, il lui fallait rapidement se mettre en contact avec l'état-major américain pour lui recommander d'envahir le territoire de Berthier et de ses îles.

La milice de Cuthbert, peu organisée, rendrait rapidement les armes, plutôt que de se défendre.

Le seigneur de Berthier se rendit vite compte que jamais il ne réussirait à convaincre ses censitaires de s'enrôler, alors que son curé et son notaire avaient épousé la cause nationaliste, et que ses chefs de milice, eux aussi Canadiens français, étaient déchirés dans leur allégeance. Il décida d'en référer aux autorités gouvernementales et ecclésiastiques pour en découdre avec ses opposants, qu'ils soient neutres, récalcitrants ou sympathisants à la cause américaine.

James Cuthbert demanda d'abord de l'aide au gouverneur Carleton, puisque le capitaine Strong n'avait pas daigné lui envoyer les renforts ardemment souhaités. Ce dernier n'étant pas encore revenu de Londres, son état-major répondit à Cuthbert que sa demande serait prise en considération de façon urgente. Cuthbert écrivit ensuite au vicaire général de Montréal, Étienne Montgolfier, se plaignant de ce que le jeune curé Pouget refusait d'obéir au mandement de monseigneur Briand, qui rappelait à ses ouailles leur serment de fidélité. Le vicaire général lui fit savoir diplomatiquement qu'il en informerait aussitôt son évêque.

En l'absence de sa famille, après avoir perdu l'estime et le support de ses censitaires, James Cuthbert crut que l'armée anglaise l'ignorerait, alors que l'ennemi était aux portes de Berthier. Sombrant dans la déprime, près du désespoir, il décida de quitter son manoir et de diriger la défense de sa seigneurie dans un endroit secret.

Pourtant, la riposte de l'état-major anglais ne se fit pas attendre. Deux fils de la noblesse canadienne-française de la région du lac Saint-Pierre, fidèles à l'autorité du gouverneur Carleton et près du pouvoir anglais, furent désignés pour persuader la population canadienne — par la force, s'il le fallait — de s'enrôler dans la milice. Ils commencèrent par la seigneurie récalcitrante de James Cuthbert.

Christine fut ramenée à la maison de la côte Saint-Antoine et fortement semoncée par Louis-Daniel et Marie-Ange. Cette dernière essaya de faire comprendre à sa nièce que par cette étourderie, elle avait mise en péril la réputation et même la vie de leurs familles. Elle exigea que Christine ne quitte dorénavant plus la maison. On intima également à la jeune femme de ne plus contrecarrer le travail de son oncle et de son cousin, au risque d'être incarcérée.

— Par qui, tante Marie-Ange? Le seigneur Cuthbert se cache, maintenant que les Bostonnais peuvent occuper Berthier à tout moment. Vous m'empêchez même d'aller visiter mes amies, Geneviève Faribault, Kathleen et Barbara Morrison. Au moins, si je pouvais aller rejoindre Angélique à l'île Saint-Ignace… Vous savez aussi bien que moi que les Bostonnais ne font de mal à personne.

Louis-Daniel et Corbin Guilbault savaient que James Cuthbert se terrait chez le capitaine Olivier, voisin de William Morrison, dont la maison était devenue le foyer de résistance du seigneur de Berthier, et qu'il ne fallait surtout pas que la jeune fille évente cette information.

— Pour le moment, Christine, mais ça ne restera pas comme ça très longtemps. Ces soldats sont venus pour conquérir le Canada. Inévitablement, il y aura des morts, et je ne veux pas qu'il y en ait dans notre famille. Le seigneur Cuthbert a promis d'oublier ton étourderie, à la condition que tu te tiennes tranquille.

— C'est lui qui a dit ça ? Il ne s'est pourtant pas gêné pour vociférer à l'endroit des hommes qui ne voulaient pas s'enrôler.

— Les censitaires sont quand même ses sujets, selon la loi... Et puis, Louis-Daniel lui a rappelé que notre famille avait toujours coopéré avec le gouvernement anglais. Cet argument a permis de tempérer son humeur, il faut maintenant que tu manifestes de la bonne volonté.

— Justement, pourquoi me tairais-je si les convictions patriotiques que m'a léguées mon père m'amènent à épouser la cause des Fils de la Liberté ?

Marie-Ange voyait bien qu'elle n'aurait pas le dernier mot avec sa nièce entêtée. Plutôt que de continuer ce dialogue de sourds, elle essaya de comprendre ses réactions, même si ses propos l'inquiétaient toujours. Tout à coup, la lumière se fit dans son esprit.

— Ce ne serait pas plutôt faire la connaissance d'un de ces soldats qui te plairait ?

Marie-Ange avait touché la cible. Christine rougit et revit en pensée le visage de James Livingston qu'elle brûlait de revoir. Aussitôt, son regard flotta dans le vague, oubliant les circonstances de sa rencontre avec le colonel américain, comme si l'être espéré était l'unique sujet de ses préoccupations. Marie-Ange avait compris l'attitude de Christine.

— Pauvre petite fille. S'enticher d'un soldat ! Américain en plus ! Pense à ta mère Antoinette. Tu ferais mieux de t'enlever ça de la tête, surtout si tu ne sais pas s'il est marié. Vierge du Saint-Rosaire, faites en sorte que ça n'arrive pas dans notre famille, ajouta la tante en dodelinant la tête de compassion, sans deviner que Christine avait déjà rencontré l'ennemi.

L'affirmation sensée de Marie-Ange secoua Christine.

— Ma mère l'a bien fait.

Marie-Ange prit un profond respire qui en dit long sur son point de vue à l'égard des amours des parents de Christine.

— Oui, c'est vrai, mais ton père était Français et catholique.

À son air, Christine ne semblait pas convaincue par le faible argument de sa tante. Marie-Ange ne savait plus quoi dire. Elle décida simplement d'ajouter :

— Nous devrions réciter notre rosaire chaque jour, à la croix du chemin : ça nous aidera. Je vais commencer aujourd'hui ; demain, ça sera ton tour, ajouta la vieille tante, par dépit.

La jeune fille fit une moue. Elle souhaitait une vie plus excitante. En cachette, au milieu du bric-à-brac du grenier de la maison Piet, Christine s'attabla à ce qui s'apparentait à un pupitre d'écolier, près de la lucarne. Elle décida que cet emplacement ferait office de repaire. Elle aiguisa sa plume d'oie et rédigea une lettre d'amour au colonel Livingston.

À mon bel amour, James,

Je t'écris de la maison de mon oncle (le capitaine de milice Louis-Daniel Guilbault), dont je ne peux te révéler l'emplacement pour l'instant, puisque ledit oncle est du bord des Anglais. J'espère que tu comprendras que j'ai le cœur déchiré entre ma famille et toi, l'homme le plus extraordinaire qu'il m'a été donné de rencontrer à ce jour dans ma vie !

Christine prit la peine de se relire, en épongeant de son buvard les larmes qui avaient perlé sur le papier parchemin qui servait au notaire Faribault à rédiger ses contrats. Elle se trouva satisfaite de son introduction, qui faisait une mise au point sur sa loyauté à sa famille, avant ses affinités politiques.

Depuis notre rencontre, je n'ai cessé de penser à toi, alors que je n'ai pas de médaillon à ton image pour te presser contre mon cœur. Parlons-en de ce cœur ! Il ne cesse de battre la chamade et réclame de te revoir au plus vite ou, pour le moins, de recevoir de tes nouvelles à notre lieu de rendez-vous secret.

J'imagine la tête de mon amie Geneviève Faribault lorsqu'elle apprendra que son cousin Robert n'était nul autre que le colonel américain James Livingston… Elle s'en voudra d'y avoir cru, car tu ne lui étais pas indifférent.

Je viens d'apprendre que tu t'étais installé au manoir de Berthier. Cela veut dire que je suis en mesure de te trouver et d'aller te serrer dans mes bras et t'embrasser aussi longtemps que possible quand bon me semble. (Il n'y a sans doute pas d'autre homme au monde capable de baisers si tendres.) Par ailleurs, j'attendrai que tu me fasses signe, car je ne voudrais surtout pas que notre amour naissant puisse être tué dans l'œuf par tes obligations et tes soucis militaires. Toi seul déciderais du meilleur moment et de l'endroit où nous pourrions nous rencontrer de nouveau. D'ici là, j'attendrai avec amour et impatience.

Je te laisse, James adoré. Je me rendrai chaque semaine à la cabane du meunier pour voir si tu n'as pas glissé de courrier sous la poterne. En attendant de tes nouvelles, mon cœur palpite d'un amour effréné.

Celle qui ne pense qu'à toi,
Christine

Christine se relut. Le passage où elle mentionnait l'intérêt de Geneviève pour son pseudo-cousin la dérangea. Au cas où, elle décida de biffer ce dernier bout de phrase, se disant qu'elle ne courrait pas le risque de rapprocher Geneviève et James.

Je glisserai la lettre sous la poterne de la cabane du meunier et vérifierai si James a cherché à me rejoindre, se dit-elle

Christine embrassa la lettre et la mit sur son cœur, tentant de l'imprégner de l'intensité de son amour.

Chapitre XI
Les otages

Le 10 octobre 1775, Charles-Louis Tarieu de Lanaudière et le chevalier Godefroy de Tonnancour partirent de Trois-Rivières, accompagnés d'un bataillon de soixante-sept sympathisants, afin de recruter des miliciens en route. Un groupe d'habitants du fief Chicot et de Saint-Cuthbert commandés par Joseph Merlet eurent vent de leur venue et décidèrent de leur propre chef d'aller les stopper. Ils se tapirent dans les bois du fief Chicot pour les attendre. Le 13 octobre, Lanaudière, Tonnancour et leurs compagnons furent faits prisonniers. Joseph Merlet était un dur à cuire du fief Chicot, un militaire démobilisé qui détestait les tuniques rouges. Cependant, la capture des deux prisonniers de marque, émissaires du gouverneur Carleton, et de leur groupe loyaliste, était encombrante et dangereuse, même si la prise était belle. Il avait l'intention de les exécuter, mais il se retint. S'il savait qu'à la première occasion, le seigneur de Berthier le passerait par les armes s'il venait à apprendre l'assassinat une fois libéré, il craignait encore davantage l'état-major américain et ses échanges de prisonniers de marque avec le gouverneur Carleton

Il pressait à Merlet de se rendre à Saint-Cuthbert avec les prisonniers Lanaudière et Tonnancour, afin de discuter de leur sort avec le capitaine de milice Biron, suivi des habitants de la place qui avaient souhaité retourner chez eux. De là, il ferait ses recommandations au colonel américain James Livingston, nommé gouverneur de la seigneurie de Berthier-en-Haut par le général Richard Montgomery.

Lorsque Christine apprit l'information de la capture des deux nobles de Trois-Rivières, elle comprit que les partisans de James Livingston opéraient dans les parages. Elle sut par son cousin que l'officier américain qui avait transformé le manoir en quartier général était colonel. Elle n'était pas certaine de connaître son identité, lorsque sa cousine Marie-Ursule Desrosiers Guilbault la lui avait apprise :

— Il s'agit du colonel James Livingston. Semble-t-il qu'il est jeune et très beau. Y a des commères qui insinuent qu'il est de Sorel. En connaissez-vous beaucoup des habitants de Sorel qui sont Américains ? Que des racontars ! Elles se disent patriotes, mais c'est davantage par fascination pour l'uniforme américain que par principe.

Le cœur de Christine battit la chamade.

Christine décida de fausser compagnie aux gens de la maison et de se rendre à Saint-Cuthbert par les terres, après avoir bifurqué vers la cabane du meunier.

Le lendemain matin très tôt, elle se leva sur la pointe des pieds et glana quelques fruits à emporter comme déjeuner. Elle griffonna un petit mot : « Ne serai pas partie longtemps ; soyez sans inquiétude. Christine », et choisit de chevaucher Émilion en amazone, plutôt que de risquer de s'enliser en boghey.

Quand Marie-Ange trouva le bout de papier, elle dit à son mari :

— La p'tite va me faire mourir avant le temps. Il y a plein de soldats qui grouillent.

— Christine court après son malheur. Nous ne pourrons pas toujours la protéger ! répondit Louis-Daniel, impuissant.

Christine décida de parcourir une région qui lui était inconnue, même si la route commençait à être boueuse. Elle n'osait reprendre le chemin pour se rendre aux trois Fourches, de crainte d'être interrogée par les soldats américains, même si elle mourait d'envie d'en rencontrer un, ou pire, d'être dénoncée par des miliciens à la solde de James Cuthbert. Elle savait que son oncle ne lui pardonnerait pas deux escapades de la sorte. Elle ne voulait pas non plus risquer de désappointer le commandant américain du manoir, son cher James.

Christine prit la décision de franchir la rivière Bayonne jusqu'en face de Pointe-Esther. De là, elle se dirigerait vers Saint-Cuthbert, à partir du rang Saint-Esprit. Elle se disait qu'au pire, elle irait se réfugier chez Jean-Eudes Laporte ou Victor Dubeau, des patriotes qui l'aideraient.

Lorsque Christine arriva devant Pointe-Esther, son cœur battait fort. Elle espérait plus que tout avoir reçu une lettre ou un message de James. Elle conduisit Émilion le plus près de la cabane, et, furtivement, elle s'approcha de la poterne. Elle respirait difficilement. Elle glissa sa main sous la porte. Rien. Son cœur se fendit en mille miettes. Se pouvait-il que James l'ait déjà oubliée?

Ça ne fait pas assez longtemps que nous nous sommes vus. Il faut que je le laisse s'installer au manoir. Je vais lui laisser ma lettre et je vérifierai au retour si j'ai du courrier, se dit-elle.

Il ne lui fallut que quelques heures pour arriver au centre du petit village de Saint-Cuthbert. Elle fut impressionnée par la beauté de l'église et du presbytère tout neuf. Devant le cimetière, elle en profita pour faire une brève prière à la mémoire de ses grands-parents Rémillard et de sa mère, même si elle savait qu'elle n'avait pas été inhumée là.

Faites que James ne m'oublie pas. C'est un homme si extraordinaire! Comme vous, maman, je viens de rencontrer l'homme de ma vie. Il est si extraordinaire! Je sais qu'il est Américain et qu'il doit être protestant, mais ça ne veut pas dire qu'il soit damné pour autant! Et s'il est marié, conseillez-lui de me dire la vérité rapidement, pour que je ne manque pas à mon devoir de chrétienne. Amen.

Les *nôtres*, comme aimaient s'appeler entre eux les habitants de Saint-Cuthbert — pour se distinguer des *neutres* —, ramenèrent leurs prisonniers chez leur capitaine de milice. En chemin, comme la nouvelle de la capture des prisonniers de marque s'était répandue, il s'était formé une haie d'épouses d'habitants venues applaudir les faits d'armes de leurs maris et tourner en dérision les vaincus, en leur disant:

— Voilà ce qui arrive lorsque l'on mange dans la main des Anglais.

Le capitaine de milice Biron était en compagnie du curé Pouget et du capitaine François Guillot, dit Larose, de la milice de la seigneurie de Rivière-du-Loup, favorable au gouvernement américain. Ce dernier buvait une coupe de vin avec le capitaine

Biron, alors que l'ecclésiastique sirotait son thé. Le capitaine Larose était venu informer son homologue des conséquences fâcheuses pour le peuple de la libération des deux éminents personnages de Trois-Rivières.

Quand le chef des rebelles se rendit compte de la présence de Larose, il le remercia sèchement et lui demanda de partir, expliquant qu'il traiterait ses prisonniers à sa manière. L'autre décampa en maugréant, sans prendre le temps de remercier son hôte ou de saluer l'ecclésiastique. La rage de Joseph Merlet empira. Il menaça d'exécuter les otages sur-le-champ. Il fallut toute la diplomatie du curé Pouget pour le raisonner, en lui expliquant que le gouverneur Carleton était bien capable de considérer les habitants du fief Chicot et de Saint-Cuthbert comme des criminels et de les envoyer à la potence si les Américains perdaient la guerre.

Déjà, la population grouillait au centre de la place publique, en face de la demeure du capitaine Biron. Une manifestante lui signala le motif du rassemblement.

— Le curé Pouget est trop charitable. Il paraît qu'il est en train de négocier la libération de ces deux traîtres de Trois-Rivières, alors qu'on devrait les trucider.

— Qui sont-ils ?

— Godefroy de Tonnancour et Charles-Louis Tarieu de Lanaudière. Ce Lanaudière est, semble-t-il, un renégat. Il renie sa haute naissance canadienne-française pour s'acoquiner avec le gouverneur anglais.

La curiosité de Christine fit place à une grande nostalgie. Elle pensa à son père, qu'elle n'avait pas connu.

— Qu'est-ce qu'ils ont fait ? demanda innocemment la jeune fille.

La femme la regarda avec curiosité.

— Ça paraît que tu n'es pas d'ici, toi ! Ces suppôts du gouverneur anglais ne méritent pas qu'on les laisse filer, eux qui sont venus enrôler nos hommes et nos garçons.

Aussitôt une clameur s'éleva.

— Les prisonniers sortent.

Comme elle n'y voyait rien, Christine se fraya un chemin dans la cohue et se dirigea à l'avant de la foule. Elle se figea à la vue Charles-Louis Tarieu de Lanaudière, ce bel aristocrate au port de tête altier, malgré le fait qu'il ait, comme son compagnon d'infortune, les menottes aux poignets.

Messieurs Tonnancour et Lanaudière étaient vêtus de la redingote rouge galonnée des officiers anglais. Ils étaient coiffés d'un chapeau à large bord. Celui de Lanaudière était paré d'une plume d'autruche blanche. Malgré son état de prisonnier, Lanaudière défilait d'un pas assuré. Cette attitude séduisit la jeune fille, qui ignorait tout de cet officier, sinon qu'il affirmait son allégeance au gouvernement anglais.

Louis-Joseph Godefroy de Tonnancour était le seigneur de Pointe-du-Lac. Écuyer, important marchand et garde-magasin du roi, il avait fait fortune dans l'importation du sel, du poivre et des céréales. D'aucuns croyaient qu'il faisait toujours le commerce du vin et de l'alcool de contrebande avec la France, même s'il s'était rangé du côté du pouvoir britannique. En 1740, il avait épousé une Anglaise de Nouvelle-Angleterre qui avait été faite prisonnière par les Abénaquis. Âgé de soixante-trois ans, ce colonel de la milice avait proclamé haut et fort qu'il refuserait de remettre sa commission si la ville de Trois-Rivières venait à tomber entre les mains américaines.

Charles-Louis était le fils aîné de Charles-François de Lanaudière et de Louise-Geneviève Deschamps de Boishébert. Il était âgé de trente-deux ans.

Charles-François fit d'abord carrière comme officier militaire, avant de devenir propriétaire des seigneuries de Sainte-Anne-de-la-Pérade et de Lac-Maskinongé. Il fit fortune dans le commerce de la fourrure. Les Lanaudière firent partie de l'élite de la Nouvelle-France et fréquentèrent assidûment le Château-Saint-Louis, le palais de l'intendant Bigot et les salons en vogue. Louise-Geneviève tint elle-même salon, accueillant le marquis de Montcalm à fréquence régulière.

Après la Conquête, appauvri par la perte des revenus provenant du commerce de la fourrure et de son statut d'officier, le seigneur Lanaudière assura sa position sociale et économique en se rapprochant du pouvoir anglais et en impliquant sa famille dans l'administration coloniale. Les Tarieu de Lanaudière restèrent de fervents catholiques, malgré leurs accointances avec le pouvoir anglais.

Charles-Louis devint l'aide de camp du gouverneur Carleton. En 1770, il accompagna le gouverneur à Londres où il resta deux ans. Lors de l'invasion américaine en 1775, il démontra de nouveau son enthousiasme à la couronne britannique en recrutant des miliciens canadiens. Charles-Louis était marié depuis six ans à Geneviève-Élizabeth de La Corne, la fille de Marie-Anne Hervieux et de Luc de La Corne Saint-Luc, un riche militaire et marchand de fourrures qui avait survécu au naufrage de l'*Auguste* en 1761 avec six autres passagers. Il était revenu seul à Québec, après trois mois de marche en raquettes en Acadie et en Gaspésie. Ses compagnons d'infortune étaient morts en route. Luc de La Corne Saint-Luc était considéré par ses contemporains comme un héros de la Nouvelle-France, au même titre que D'Iberville et La Vérendrye.

Christine s'avança pour admirer le gentilhomme de plus près. Le prisonnier crut que la jeune fille voulait l'agresser, et fit un pas en retrait. Il craignait davantage la vindicte populaire que le combat en duel puisqu'il excellait à l'escrime et au tir au pistolet.

La femme tenta d'encourager Christine, l'exhortant de frapper le prisonnier et insultant ce dernier.

— Faux noble ! Suppôt de Satan ! Gibier de potence ! On devrait te lier les pieds pour que la p'tite te jette facilement par terre.

La foule scanda : « Par terre ! Par terre ! Par terre ! »

Comme Christine ne s'exécutait pas, la femme la poussa vers Lanaudière, au point de la faire tomber. Tout se passa très vite. La jeune fille glissa dans la boue. Les badauds vindicatifs allaient la fouler au pied quand Charles-Louis intervint en hurlant :

— Reculez, bande d'ignares et d'assassins ! Vous êtes en train de piétiner l'une des vôtres !

Le ton autoritaire employé par Lanaudière figea la populace. La jeune fille essaya de se relever, humiliée d'être vue maculée de boue par un tel gentilhomme, mais n'y réussit que partiellement.

— Nous ne la connaissons pas. Elle n'est pas de Saint-Cuthbert. C'est une étrangère, s'écria la femme qui avait poussé Christine.

— Je l'ai vu arriver sur son étalon bai. Elle venait du rang Saint-Esprit.

Il y eut un murmure. Si la jeune fille arrivait du rang Saint-Esprit, elle n'était pas complètement étrangère, car les familles étaient les mêmes. En outre, les cultivateurs étaient presque des *nôtres*.

— Qui es-tu ? Certainement pas du fief Chicot ni de Carufel, car je te connaîtrais, demanda Joseph Merlet, en remettant brusquement sur pied Christine, qui exécuta un mouvement d'autodéfense, en criant :

— Vous me faites mal ! Ne me touchez plus !

Stupéfait de l'assurance de la jeune fille, Merlet lâcha prise. Christine tomba un genou par terre, en suscitant le fou rire des autres. Plutôt que de se moquer d'elle, Merlet l'aida de nouveau à se relever, mais plus doucement.

— Et que je ne vois plus personne se moquer de sa parlure, vous m'entendez ?

Les gens se turent aussitôt.

— Tu viens d'où, ma p'tite ? On dirait que tu as l'accent des îles, demanda Merlet.

Au-devant de la scène, un plaisantin se risqua à répondre :

— Ça doit être une Cayenne.

Pas si loin de Berthier, cinquante familles acadiennes provenant de Boston et du Connecticut venaient de fonder la paroisse de la Nouvelle-Acadie, sous le patronage de Saint-Jacques, dans la seigneurie de Saint-Sulpice. James Cuthbert commençait à soupçonner ces migrants d'avoir répandu une mauvaise influence de neutralité sur ses censitaires.

Le révolutionnaire du chef Chicot fustigea le plaisantin du regard, en mettant la main sur la crosse de son revolver en guise de semonce. La populace recula d'un pas, laissant la place aux duellistes. Or, ce duel était inéquitable, car le drôle n'était pas armé. Pire, il passait pour l'innocent de Saint-Cuthbert. Lanaudière jugea bon d'intervenir, malgré l'humeur guerrière de son geôlier.

— Elle a de la noblesse dans son parler, cette petite. Laissez-la donc s'exprimer. Et surtout, que personne ne s'en prenne à elle, car on aura affaire à moi !

Le ton était sans équivoque. L'aide de camp du gouverneur Carleton s'était rapproché de Christine.

Celle-ci jeta un regard bienveillant au militaire galonné et lui répondit, de la reconnaissance dans les yeux :

— Je m'appelle Christine Comtois. Mes parents étaient de Berthier. Antoinette Rémillard et Ferréol Gilbert, dit Comtois.

Merlet n'avait pas aimé la manière dont son prisonnier l'avait supplanté. Il voulut reprendre le haut du pavé face à Lanaudière.

— J'ai grandi avec sa mère, la belle Antoinette, au fief Chicot. Elle a marié un officier français. Ils se sont noyés en Acadie avec d'autres nobles. Le grand-père de la p'tite était cultivateur. Il était l'ami de mon père.

Un murmure se répandit dans la petite foule.

— Elle serait la petite-fille d'Edgar Rémillard et de Gertrude Clermont, les parents d'Antoinette, continua Merlet.

Lanaudière raviva ses souvenirs de famille.

— Êtes-vous la fille du capitaine Ferréol Gilbert, dit Comtois, l'adjoint du brigadier Lévis, avec lequel il a combattu à Sainte-Foy?

Émue, Christine approuva du chef. Lanaudière continua avec enthousiasme, malgré ses chaînes de prisonnier.

— Mon beau-père, Luc de La Corne Saint-Luc, était sur l'*Auguste* avec vos parents, lors de son naufrage. Votre père était un valeureux militaire, un héros.

Merlet voulut rabaisser la popularité du noble au chapeau enjolivé d'une plume d'autruche, et le brusqua.

— Tu parleras lorsque je te le dirai, traître à ta patrie.

L'injure heurta de plein fouet la fierté de l'aide de camp, qui n'allait pas se faire insulter par un ignare polisson. Il s'avança sous le nez de Merlet, et lui répondit avec morgue:

— Je me demande lequel est le plus renégat, en collaborant avec les Bostonnais, ces faux Anglais. Tire donc, et va donc au bout de ta traîtrise.

Les deux belligérants se parlaient maintenant face à face. Les narines de Merlet frémissaient de haine, alors qu'il avait la main sur la crosse de son revolver. Lanaudière le narguait de son regard hautain, imbu de sa relation avec le pouvoir anglais. Comme Merlet n'osait porter le coup fatal, Lanaudière en rajoutait.

— C'est bien ce que je pensais: tu n'es qu'un lâche et un cul-terreux.

Merlet voyait rouge. Plutôt que de se servir de son arme, il préféra asséner un coup de poing sur la gueule du prisonnier menotté. Plutôt que de s'affaler, Lanaudière cracha du sang sur le capot du chef de gang. La tension était à son paroxysme entre les deux hommes. D'aucuns présageaient la mort de Lanaudière.

— Ce n'est pas en s'entretuant que nous allons sauver notre race. Parlez-moi de mes parents, car je ne les ai pas connus! s'exclama Christine, émue.

Le cri du cœur de la jeune fille surprit les belligérants. Le mot *race* rejoignit leurs motivations profondes et réveilla le motif supérieur de leur combat. Le noble et le rebelle se rejoignaient dans la survie du peuple canadien-français, l'un, dans la crainte de l'annexion du Canada aux États-Unis, l'autre, dans son désir d'indépendance du joug du pouvoir anglais.

Christine émut l'assemblée. Les pugilistes se sentirent penauds, alors que les femmes de Saint-Cuthbert étaient maintenant devenues solidaires de l'étrangère venue du rang Saint-Esprit.

La manifestation alerta le curé Pouget et le capitaine Biron, qui venaient de sortir du presbytère. Reconnaissant la jeune fille, le curé de Saint-Cuthbert s'interposa avec sa voix convaincante. Sans le dire ouvertement, il s'était réjoui de l'acte de patriotisme de Christine, lorsqu'elle avait brandi le drapeau fleurdelisé lors du grand rassemblement au pont Jouette.

— Que personne ne touche à un cheveu de ma paroissienne ! La famille de Christine est installée à Berthier depuis des générations.

Le curé Pouget sourit à Christine.

La sommation du curé Pouget fit taire les contestataires, même si l'on doutait qu'il ait réellement connu la jeune fille et sa famille. Lorsque l'ecclésiastique se portait garant d'un paroissien, personne n'avait à redire, de peur d'être rabroué du haut de la chaire ou de se voir refuser l'absolution au confessionnal.

Finalement, le curé Pouget obtint des habitants que les deux otages aient droit à l'impunité. Merlet les laissa filer, à la condition qu'on ne les revoie plus dans les parages recruter de nouveaux miliciens.

Avant de traverser le lac Saint-Pierre avec ses compagnons d'infortune vers Nicolet, Lanaudière voulut s'entretenir avec Christine. Par considération pour la fille de son amie d'enfance du fief Chicot, Merlet accepta.

— J'ai bien apprécié votre courage, mademoiselle. J'ai su aussitôt que vous aviez du sang de patriote dans les veines. Comme je vous le disais, mes parents ont bien connu les vôtres.

— Comment étaient-ils ? Mes oncles et mes tantes ne m'en parlent jamais.

Charles-Louis de Lanaudière raconta ce qu'il savait d'Antoinette et de Ferréol Gilbert, dit Comtois.

— Votre père a combattu aux côtés du chevalier de Lévis à Montréal et à Sainte-Foy. Il s'est distingué par son héroïsme et son aptitude au commandement. Laissez-moi vous dire tout le courage que vos parents ont démontré lors de ce naufrage. Mon beau-père m'a raconté que votre mère n'avait de cesse de parler de sa petite fille adorée. Elle craignait de ne pas être capable de vivre de si longs mois en France, sans mourir d'ennui pour vous. Comme elle aimait tellement votre père, elle n'a pas voulu le décevoir en le laissant partir seul... Lors de la tempête, avant le naufrage, ils ont aidé et réconforté tout un chacun. Votre mère est même allée secourir les chevaux et les autres bêtes dans la cale, alors que votre père aidait les marins à tenir le navire à flot. Ils n'ont pas dormi, préférant laisser leur cabine intacte aux enfants à bord. Ils sont morts en héros.

Christine avait la larme à l'œil.

— Pourquoi votre beau-père et les six autres passagers ont-ils pu être sauvés et non mes parents ?

— Parce qu'ils étaient d'excellents nageurs. Ils ont été projetés à l'eau comme les autres. Ils ont dû nager une bonne distance dans l'eau glacée avant d'arriver sur la grève. C'était le sauve-qui-peut. Mon oncle et deux de ses fils sont morts eux aussi dans ce naufrage. Mon beau-père m'a souvent dit que votre mère a répété *Christine*, avant de se noyer.

Cette fois, les sanglots étranglèrent la voix de Christine.

Lanaudière s'approcha de la jeune fille et lui présenta son mouchoir.

— Toutes mes excuses. Avoir su...

En reniflant, Christine hoqueta :

— Mais non... Je sais maintenant que ma mère m'aimait vraiment.

— Vous étiez l'enfant chérie de vos parents... Il faudrait que vous veniez rencontrer mon beau-père, un jour. Il vous en dirait bien davantage, j'en suis certain.

Lanaudière attendit que Christine se remette de ses émotions pour continuer.

— Nous aurions bien aimé rencontrer James Cuthbert, mais ça nous sera hélas impossible. Vous pourriez lui remettre une lettre de notre part ? Elle est écrite — *for sure* — en anglais. Si vous acceptez, je vous présenterai à sir Cuthbert, pour qu'il sache que vous représentez le gouvernement de lord Carleton.

N'écoutant que son désir d'en apprendre davantage sur ses parents, par hardiesse, la jeune fille répondit avec ferveur :

— Je la lui remettrai en main propre ; je sais où il se cache. Mais c'est un secret, et je sais tenir ma langue.

Lanaudière sourit à la fanfaronnade de Christine.

— Je ne savais pas que sir Cuthbert parlait français !

— Ça n'a pas d'importance, puisque moi, je parle anglais.

Lanaudière devint de plus en plus intrigué par la jeune fille vêtue comme une habitante du coin. Il se surprit à rire de la conjoncture des événements qui lui permettrait de prendre contact avec le seigneur James Cuthbert. Il rit tant que toute la tension vécue depuis les dernières heures, les derniers jours de la prise d'otages dont il avait fait l'objet avec Tonnancour, voulut s'échapper de son corps.

— Oh ! Parce que mademoiselle Comtois parle anglais !

— *Of course !* Je l'ai appris avec mon amie Barbara Morrison, répondit Christine, de bon cœur.

— Et dans le plus pur accent britannique ! Si le gouverneur Carleton entendait ça...

Il reprit son sérieux.

— Le recrutement des miliciens nous apparaît difficile, comme notre arrestation par des fanatiques le prouve. Ce n'est pas en restant neutre que les Canadiens construiront leur avenir, mais en s'unissant au plus fort. Et l'Angleterre est la plus forte.

— Même si la France appuie les Bostonnais ?

— Il n'y a que les gens insensés qui osent défier le pouvoir anglais. Même votre père aurait accepté de collaborer avec notre gouvernement, s'il avait survécu. Ne dit-on pas : « *If you can't beat them, join them* » ? La France a déjà marchandé le Canada en 1763, ne l'oubliez pas.

Des pensées contradictoires s'entrechoquaient dans la tête de Christine, qui se demandait si son père Ferréol aurait agi de la sorte, et si Lanaudière avait une juste vision du patriotisme canadien-français.

— Moi qui croyais que notre patriotisme se jumelait à celui des Bostonnais ! s'exclama la jeune fille, dépitée.

— C'est ce que les Américains disent pour mieux nous ensorceler, mais n'en croyez rien. Dès qu'ils en auront l'occasion, ils tenteront d'assimiler notre peuple au leur. Un même continent, une même langue, une même religion. Nous serons bien loin du compte. Nous serons presque leurs esclaves, beaucoup bien moins traités que nos esclaves à nous. Tenez, mon beau-père en a vingt-cinq, et ils sont aussi bien considérés que les autres domestiques. Mais les Américains nous enchaîneront et nous fouetteront. Ne croyons ni à leur clémence ni à leur principe d'égalité entre les citoyens et les races. C'est un peuple de tricheurs. Vous savez, l'usurpateur du manoir de Berthier, le commandant américain, commence à solliciter à la ronde des jeunes filles pour les embaucher au service de son quartier général. Eh bien, la rumeur veut que ce soit pour les débaucher plutôt que pour les embaucher. Et dire que les habitants trouvent leur collaboration salutaire pour leurs familles. Ils le regretteront amèrement.

À cette nouvelle, Christine faillit s'évanouir. Elle ne put que balbutier :

— Le commandant ?

— Un jeune colonel, James Livingston, plus occupé par la bagatelle que par le sérieux de sa fonction. Il paraîtrait que la fille du notaire de la place lui rend visite plus souvent qu'à son tour.

— En êtes-vous certain ? s'écria Christine, n'en pouvant plus d'entendre de telles inepties.

Le ton surprit Lanaudière, qui se mit à se méfier de Christine.

— Vous connaissez ce colonel américain, mademoiselle Comtois ?

Christine ne voulait pas croire à de tels racontars. Elle voulut laver la réputation de Geneviève Faribault.

— Non, mais Geneviève Faribault, qui semble être cette personne, est ma meilleure amie. Je doute qu'elle agisse comme une dévoyée au quartier général américain, répondit Christine sur un ton ferme.

La répartie surprit Lanaudière, qui s'excusa. Il se hâta de faire une proposition à Christine.

— Comme ça, nous pouvons compter sur vous pour entrer en contact avec James Cuthbert et collaborer avec l'état-major de l'armée anglaise ?

Christine se sentit inconfortable. Elle devint soudainement songeuse.

Je ne souhaiterais pas que le représentant du gouvernement anglais me demande d'espionner mon amoureux, car je serais dans une position intenable. Cependant, entrer en contact avec James Cuthbert n'a rien de déloyal envers James. Je ne ferai que communiquer avec mon patron, le seigneur de Berthier.

— Je ne sais pas si mon oncle et mon cousin me laisseront faire.

— Qui sont-ils?

— Louis-Daniel et Corbin Guilbault, les chefs de la milice à Berthier.

Lanaudière éclata de rire, au point que Christine parut intimidée.

— Raison de plus pour accepter! Ils en seront ravis et vous aideront, croyez-moi.

Avant que son idée ne se soit faite, l'aide de camp Charles-Louis Tarieu de Lanaudière lui remit une lettre; la jeune fille se dépêcha de la cacher sous sa vareuse.

Lanaudière continua d'un ton convaincant.

— Nous aimerions aussi tout savoir des mouvements des troupes américaines et, par-dessus tout, des secrets militaires de l'état-major qui loge au manoir seigneurial. Et des agissements du commandant.

Christine sursauta. Elle comprit que l'aide de camp lui proposait d'agir comme espionne.

— Agir comme espionne, au nom du roi d'Angleterre, comme dans Shakespeare?

— Le véritable patriotisme canadien n'est pas à la remorque de l'idéologie des insurgés américains, fut-elle attrayante, répondit Lanaudière.

Christine ressentit toute la nervosité de ses dix-huit ans à l'idée de jouer un rôle de premier ordre dans la défense de son pays, comme dans la pièce de théâtre de monsieur Shakespeare, *Henri VI*, alors qu'elle aimait jouer en anglais le rôle de Jeanne d'Arc avec ses amies. Jamais elle n'aurait pensé le faire en collaborant avec les Anglais, elle qui avait hésité à se rallier aux Américains, malgré son penchant amoureux pour James Livingston.

Lanaudière sourit. Il sut que Christine ne manquait pas d'imagination et qu'elle connaissait le théâtre anglais aussi bien que lui, sans même ne jamais avoir été à Londres. Il comprit qu'il pourrait la mettre à contribution, puisqu'elle possédait tous les atouts pour jouer le rôle demandé.

Je ne peux pas faire ça à James. Ce serait de la traîtrise. S'il l'apprenait, je perdrais aussitôt son amour.

Christine refoulait ses larmes. Elle espérait jouer un rôle à la mesure de son idéal patriotique, voici qu'elle était prise entre deux feux. Intimidée par le charisme de Lanaudière, elle ne pouvait pas lui répondre non.

— Il nous faudrait un nom de code ainsi qu'une adresse postale, aisés à retenir pour vous rejoindre très facilement, insista Lanaudière.

La jeune fille se dit qu'un messager du gouverneur ne pourrait se rendre à l'île Saint-Ignace sans éveiller les soupçons de Jacques Cotnoir. Bien entendu, le choix du moulin de Pointe-Esther était exclu.

*Je n'aurai qu'*à *faire semblant d'espionner James, sans donner d'information. Après tout, mes amours ne concernent que James et moi*, pensa-t-elle.

Christine leva les yeux au ciel pour chercher un nom de code inspirant.

— *Nuage* sera mon nom de code. Vous m'enverrez vos messages codés ou chiffrés à la maison de Jean-Louis Piet, en haut de la rivière Bayonne. C'est le domicile de mon oncle Louis-Daniel Guilbault, le capitaine de milice. Je ne voudrais surtout pas que mon oncle et mon cousin soient informés de mes agissements.

— Soyez sans crainte. *Nuage* fera référence au temps souvent nuageux de l'archipel du lac Saint-Pierre. Nos messages seront rédigés en français, pour que les Américains ne comprennent pas leur contenu. Comme très peu de gens de Berthier savent lire, excepté votre curé, votre notaire et vous même, il y a peu de risques…

— Quand recevrais-je mon premier message ?

Lanaudière craignit soudain que Christine ne prenne son rôle à la légère. Il tint à préciser :

— Savez-vous comment sont traités les espions en temps de guerre ?

La jeune fille le regarda droit dans les yeux, avec tout le sérieux qu'elle a pu y mettre, et répondit :

— Ils sont fusillés.

— Et ça ne vous fait pas peur ? Car avant de vous tuer, on va vous torturer pour tout savoir de vos secrets. Êtes-vous prête à mourir pour le roi d'Angleterre ?

— Vous sembliez convaincu que j'étais la personne désignée pour servir ma patrie !

— *Notre* patrie ! Notre patrie, c'est l'Angleterre. Nous nous battons en fait pour assurer l'avenir de notre race, car notre premier ennemi, ce sont les États-Unis. Nous sommes bien d'accord ? Vous êtes réellement prête ?

Christine fit un timide acquiescement de la tête.

— Maintenant, allez remettre cette lettre au seigneur Cuthbert avec toute la discrétion requise. Ne vous faites pas prendre par les Américains, car celle-ci est écrite en Anglais. Nous prendrons bientôt contact avec vous.

Lanaudière décrivit à la nouvelle agente du gouvernement anglais son rôle dans la stratégie pour déloger les Américains du pays. Dès qu'il eut terminé, il lui demanda si elle avait une dernière question.

— Que dois-je faire de mon drapeau français ? C'est le seul héritage qu'il me reste désormais de mon père. Il l'a récupéré des mains du chevalier de Lévis.

Christine sortit le drapeau fleurdelisé de son baluchon et le tendit à Lanaudière. Estomaqué, celui-ci fixa longuement le symbole déchu de la puissance française.

— Je le reconnais… En souvenir des nôtres qui se sont battus et qui sont morts sur le champ de bataille pour notre patrie, ce drapeau fleurdelisé incarne l'espoir passé de notre peuple. Ne le détruisons pas, considérons-le comme une relique.

— Est-ce possible qu'il incarne de nouveau l'espoir des Canadiens ?

Lanaudière pointa l'infini, comme s'il voulait y trouver réponse à la question. Christine crut qu'il répondrait par l'affirmative.

— Non. Seul l'*Union Flag* pourra sauver notre peuple de la menace américaine. Faites en sorte de vous le rappeler et… de ne pas vous faire prendre avec ce drapeau fleurdelisé.

Au retour, Christine emprunta le même chemin qui menait à la cabane du meunier, en face de Pointe-Esther. Elle glissa sa main sous la poterne pour vérifier que sa lettre avait bien résisté à la dernière journée venteuse. À sa grande surprise, sa lettre avait été récupérée. À la place, Christine trouva une enveloppe aux armoiries du château Ramezay. Comme le général américain Richard

Montgomery avait fait de ce château son quartier général à Montréal, Christine sut que c'était James qui lui écrivait. Elle se dépêcha d'ouvrir l'enveloppe. Son cœur battait la chamade.

Mon amour,

Je t'écris sur ce papier pour te protéger. Aussi pour te prouver que notre amour va au-delà des considérations politiques ou guerrières. C'est la raison pour laquelle j'ai voulu t'écrire le plus rapidement possible. Mais ce n'est qu'une raison bien secondaire, puisque je voulais te dire que depuis notre rencontre, je n'ai de cesse de penser à toi et que mon cœur se consume à la perspective de te revoir…

Christine pressa la lettre sur son cœur, les yeux inondés de larmes, se disant que sa prière devant l'église de Saint-Cuthbert avait été exaucée. Son cœur battait si fort dans sa poitrine qu'elle croyait qu'il en sortirait. Elle continua sa lecture.

C'est impossible d'aimer davantage, je te le jure. Je vois ton visage partout dans le manoir, en imaginant t'y voir déambuler avec tes petits pas. J'aime chaque pièce où tu pourrais y être. En un mot, ta compagnie me manque. J'ai tant envie que tu viennes m'y retrouver. Je te dirai quand cela sera possible. D'ici là, je ne vis que dans l'attente de trouver une autre lettre de toi sous la poterne.

À mon grand amour pour toujours,

J.

Christine ferma les yeux de longues minutes tant elle était heureuse. Elle essayait de se remémorer le séduisant visage de James et, surtout, ses yeux pénétrants. Elle aurait donné quelques années de sa vie, à l'instant, pour se retrouver dans les bras de l'homme qu'elle aimait par-dessus tout.

Je raconterais ça à Geneviève Faribault et à Angélique Houle qu'elles ne me croiraient pas. Mais elles n'en sauront rien. Le roman d'amour que je vis est extraordinaire. Pourquoi n'ai-je pas du papier sur moi, au lieu de le laisser à la maison ? J'aimerais écrire encore et encore à James, pensa Christine.

Le hennissement d'Émilion ramena Christine à la réalité. Il était temps qu'elle revienne à la maison.

— Que vais-je dire ? Bah, que j'avais besoin de prendre l'air.

Une fois rentrée, elle fut apostrophée par son oncle.

— Peux-tu nous dire où tu étais passée ? Veux-tu faire mourir Marie-Ange ?

— J'ai prié sur la tombe de mes grands-parents, au cimetière de Saint-Cuthbert.

Marie-Ange s'approcha de sa filleule et l'embrassa.

— Je le savais que tu étais une bonne petite fille et que tu ne nous aurais pas inquiétés sans raison valable. À l'avenir, emmène-moi : ça fait si longtemps que je n'ai pas prié sur la tombe de mes parents.

— C'est bien trop dangereux pour vous, à votre âge. Nous irons quand la guerre sera finie.

— Pourvu qu'elle finisse ! Tu sais quand une guerre commence, mais tu ne sais jamais quand ni comment elle finit !

— Elle finira quand nous aurons bouté les Américains dehors, torrieu !

Le blasphème de Louis-Daniel figea les deux femmes. Christine comprit qu'il ne faudrait jamais que son oncle apprenne son idylle avec le colonel James Livingston. Alors, pour que le capitaine de milice puisse nier catégoriquement toute rumeur à cet effet, Christine décida de lui révéler le véritable motif de son voyage à Saint-Cuthbert. Louis-Daniel la semonça.

— Veux-tu faire mourir ta tante d'inquiétude, avec ce qui vient d'arriver à la fille de Narcisse Trudel, ce qui l'a rendue folle ? Depuis que les soldats américains sont dans le coin, les femmes ne sont plus en sécurité. Le curé Pouget aurait pu au moins t'avertir.

La rumeur voulait que Séraphine Trudel ait été violée par des soldats en maraude. Le curé Pouget avait réussi à savoir que son père Narcisse Trudel avait commis l'inceste. Comme l'ecclésiastique ne voulait pas que James Cuthbert fasse exécuter un paroissien « neutre », il laissa circuler la fausse information.

Louis-Daniel Guilbault aussi était inquiet, mais il n'osait pas le faire paraître. Il était de bon aloi qu'une femme exprime davantage ses émotions. Finalement, Christine avoua à Louis-Daniel et à Marie-Ange qu'elle avait été témoin de la libération des otages

Tonnancour et Lanaudière, et que ce dernier lui avait confié la mission de remettre un message au seigneur de Berthier.

La jeune fille raconta les circonstances de sa rencontre et évoqua le souvenir que Lanaudière conservait de ses parents. Elle réussit à émouvoir sa famille.

— Donne-moi cette lettre. J'irai la remettre moi-même à sir Cuthbert.

Comme Christine s'opposait, Marie-Ange prit la part de sa nièce.

— C'est à Christine que l'aide de camp du gouverneur vient de confier cette mission. D'autant plus que tu ne parles pas anglais. Elle doit servir son pays, elle aussi. Fais donc plutôt en sorte de lui faciliter cette rencontre.

Louis-Daniel Guilbault n'entendait pas souvent sa femme s'imposer de la sorte. Il s'inclina et répondit simplement :

— Tu as raison. Je serai arrêté et fait prisonnier si les Américains m'interceptent. Je sais qu'ils ont confisqué notre maison pour en faire une caserne.

— Louis-Daniel ! cria Marie-Ange avec horreur.

Elle commença à égrener son chapelet qu'elle avait en permanence dans sa poche, pour implorer la protection du ciel.

Se rendant compte du malaise de Marie-Ange, pour lui donner le temps de reprendre son calme, Louis-Daniel alluma sa pipe et aspira quelques bouffées de fumée. Puis, il s'adressa à Christine.

— James Cuthbert se cache chez le capitaine Olivier, à la Grande-Côte. Il faudrait que quelqu'un de fiable t'accompagne, pas un neutre, pas un mou. Je t'accompagnerai, ou bien Corbin.

— Personne ne s'interrogera à mon sujet si j'y vais seule. Je n'aurai qu'à dire que je me rends chez mon amie Barbara, tout près de la maison du capitaine Olivier. Si l'on m'arrête, je pourrai expliquer aux soldats américains que nous projetions de leur cuisiner une recette bien de chez nous, proposa la jeune fille, tout en regardant sa tante de manière complice.

— De la tarte au suif ! s'exclama Marie-Ange en riant.

L'allusion au mets préféré de Louis-Daniel eut l'heur de détendre l'atmosphère, même si l'on se doutait que Marie-Ange n'avait pas le cœur à rire.

Se reprenant, le vieux milicien fit les gros yeux à sa femme. Puis, s'adressant à Christine, il dit :

— Tu feras bien attention à qui tu t'adresses, en y allant. Tu es connue comme étant ma nièce, et plusieurs sympathisants des Américains souhaitent connaître l'endroit de notre refuge. Fais le message au seigneur Cuthbert que nous attendons ses ordres. Remets mon couteau de chasse à Louis Olivier : il t'accueillera sans méfiance et te conduira au seigneur Cuthbert. Ne parle à personne de la lettre et ne la remet qu'à James Cuthbert en main propre.

Louis-Daniel Guilbault alla chercher son couteau de chasse au manche en ivoire sculpté de ses initiales dans une dent de morse, scrupuleusement rangé dans son étui près de ses pistolets dans l'armoire, et le lui remit. Christine constata que le capitaine de milice possédait un petit arsenal.

— Tu pourras toujours t'en servir pour te défendre, au cas où… Je viens de te confier un secret militaire ; ne va surtout pas le dévoiler, même sous la torture, recommanda le vieux trappeur avec fierté.

— Louis-Daniel ! s'écria de nouveau Marie-Ange. Elle ferma les yeux et reprit la récitation de son chapelet du bout des lèvres.

Chapitre XII

L'invasion

Jacques Cotnoir se fit réveiller par le clapotement inhabituel de la vague sur la rive et sur son quai. Avant d'en inquiéter sa femme Renée qui partageait sa couchette, il se glissa furtivement hors du lit grossier et se faufila à la fenêtre pour observer les mouvements de navigation sur le fleuve ; il se doutait bien que quelque chose d'anormal se produisait. Avec la faible luminosité de la fenêtre et la brume du matin, il voyait à peine dehors. Il décida de sortir et d'aller voir. Il enfila vite son survêtement par-dessus sa combinaison de nuit en lin, et chaussa ses mocassins fourrés plutôt que ses sabots. L'air vif qui s'infiltrait par les interstices des planches ne lui laissait aucun doute sur le temps frais de la saison. Jacques prit ensuite son fusil au-dessus de la cheminée, et ouvrit délicatement la porte pour ne pas réveiller sa femme et sa fille, Angélique. Peine perdue, car le grincement des pentures rouillées ameuta Renée.

— Tu t'es bien levé tôt, toi ! Pourquoi prends-tu ton fusil ? Que se passe-t-il ?

Connaissant l'acuité de sa femme à percevoir l'importance des situations, il jugea bon de lui dire la vérité.

— Un bruit de vague inhabituel. Je veux m'assurer de ce qui se passe, répondit Jacques.

— Je te suis, ajouta Renée.

Celle-ci se leva et l'accompagna à la porte, pieds nus, sans avoir pris la peine de s'habiller. Elle n'était vêtue que de sa jaquette de nuit en ratine. Son mari put deviner les formes tout en rondeur de sa femme lorsqu'elle se leva en se dandinant, avant de se glisser en vitesse dans la noirceur de leur chambre uniquement éclairée par la chandelle sous le boisseau. Pour le moment, Jacques avait autre chose en tête.

Grelottant dans l'air vif du petit matin de ce début d'octobre, Renée et Jacques furent abasourdis d'apercevoir une nuée de bateaux presque collés au rivage de l'île Saint-Ignace.

— Ça y est, les Bostonnais débarquent… Le colonel Livingston aurait quand même pu nous avertir ! Il ne nous reste plus qu'à aller au-devant d'eux au grand quai pour les accueillir.

— Dans cette brume, alors que personne n'y voit clair, en portant ce fusil ? C'est le meilleur moyen de te faire tuer !

— Il faut que j'aille avertir Théophile et les autres. L'heure est venue.

— Théophile Lépine ? Me cacherais-tu quelque chose ?

Embarrassé, Jacques Cotnoir regarda sa femme.

— Tu vas prendre une fluxion de poitrine. Rentrons à la maison, je vais t'expliquer.

Jacques raconta à sa femme l'intention de quelques insulaires de Saint-Ignace de se ranger du côté des Américains, en cas d'invasion, et de tout faire pour leur faciliter la tâche.

— S'il le faut, nous nous battrons contre nos voisins qui prendront les armes du côté des Anglais.

Renée envisagea son mari avec dureté.

— Autant dire que ce n'est qu'une question de temps pour que Louis-Daniel et toi vous vous battiez en duel ! Marie-Ange et moi ne le permettrons pas. De plus, essaie de te mettre à la place de Christine, déchirée entre ses deux familles ! Pourquoi m'as-tu fait ces cachotteries avec vos réunions secrètes ? Il me semblait que tu avais contribué à ta part en aidant ce colonel Livingston. N'était-ce pas suffisant ?

Jacques Cotnoir ne savait plus quel argument employer pour se justifier.

— La guerre est l'affaire des hommes.

— Eh bien, moi, j'ai déjà été veuve une fois, rien ne me presse de l'être de nouveau, rétorqua Renée, du tac au tac.

Puis elle se radoucit.

— Si vous tenez absolument à vous rendre utile, vous n'aurez qu'à les guider vers Berthier. Car à bien y penser, j'aime autant voir ces soldats le plus loin possible de notre île.

Jacques Cotnoir grimaça.

— Nous avons entendu dire que le colonel qui commande ces troupes est à la recherche de miliciens canadiens pour se battre dans l'armée américaine.

— Que je te vois t'enrôler ! menaça Renée. Attends-tu que ces soldats s'égarent sur l'île ? Dépêche-toi d'avertir Théophile et les autres, en leur disant de ne pas trop jouer aux héros et de nous protéger si jamais ces soldats se permettent trop de largesse.

***

James Cuthbert se fit réveiller par le son des coups de poing donnés dans la solide porte d'entrée en chêne du manoir. Il cria aussitôt à l'un de ses serviteurs d'aller vérifier ce qui se passait. Le capitaine de milice, Louis Olivier, était dans tous ses états.

— *Mister Cuthbert.* Je veux parler dès maintenant au seigneur Cuthbert. C'est un ordre, vous m'entendez ?! Un ultimatum ! vociféra Olivier, qui avait empoigné le serviteur par le collet, l'empêchant de proférer un mot tant il était étouffé.

Avec Joseph Roch et Pierre-Simon Latour, Louis Olivier comptait parmi les hommes les plus forts de la seigneurie de Berthier. Personne ne doutait de la force d'Olivier ; tous admiraient son imposante carrure.

James Cuthbert n'avait pas encore eu le temps de revêtir son attirail de conseiller législatif qu'il portait habituellement pour impressionner tout visiteur d'importance. Il se présenta donc à la porte en queue de chemise, sans col ni décoration. La bouche pâteuse d'une veillée à ruminer ses présents malheurs, le nez dans son verre de whisky, il vit son chef de police en train d'étrangler son domestique. Il rugit de sa voix de baryton éraillée :

— Qu'est-ce qui vous prend, Oliver ?! Ce n'est pas à Chuck qu'il faut vous en prendre, mais aux Américains.

Le mastodonte échappa le domestique, qui s'empressa de fuir la pièce en se massant la gorge.

— Justement : les Américains arrivent ! Dépêchez-vous de m'accompagner !

— Mais il faut les débouter, leur faire un accueil meurtrier dont ils se souviendront longtemps. Mettez nos miliciens en rangs serrés et commandez à nos batteries de mitrailleuses de cracher le feu.

Louis Olivier regarda James Cuthbert, découragé.

— Nous sommes à peine une quinzaine de miliciens entraînés contre tout un régiment. Je ne sais même pas si les capitaines de police, Louis-Daniel et Corbin Guilbault, ont été avisés. Je les ai vus, les Américains : le fleuve est noir de bateaux ennemis. Résister serait suicidaire. Hélas, le salut est de se rendre.

— Jamais ! *Never, Oliver !* Ne me parlez jamais de reddition. Ce n'est bon que pour les poules mouillées américaines. Combattons ! Mes censitaires seront de mon côté.

Le capitaine de milice rappela à James Cuthbert que la population de sa seigneurie préférerait conserver sa neutralité, plutôt que se battre du côté anglais.

— *Sons of bitches !* jura Cuthbert.

Puis il demanda :

— Contre un régiment ?

— Le premier régiment américain de rangers canadiens. La plupart recrutés le long du Richelieu.

— Qui les commande ?

— Un colonel de Sorel. Un certain James Livingston. C'est Sauvageon Dutremble, de l'île Saint-Ignace — un de nos indicateurs — qui est venu m'avertir en toute vitesse de l'arrivée des soldats américains. Le connaissez-vous, ce Livingston ? Il paraît qu'il est avocat. Il paraît aussi qu'il aurait convaincu le général américain Philippe Schuyler de l'appui des Canadiens à la cause des insurgés.

James Cuthbert blêmit.

— Et de leur recrutement sur ma seigneurie, il n'y a qu'un pas… J'ai connu un Andrew Livingston, un homme d'affaires américain prospère et un Écossais patriote à Montréal, mais cet homme est décédé. Il avait commercé à Chambly, il y a une trentaine d'années, m'avait-il dit. Il aurait été apparenté au jeune général Montgomery, et sa femme était de la famille d'un autre général américain, Ten Broeck, je crois. Ça doit être son fils, s'il vient de Sorel. S'il est aussi dur en affaires que son père, inutile de discuter. Il préférera nous exterminer plutôt que de nous faire prisonniers.

— Alors, venez vous réfugier chez nous à la Grande-Côte, le temps qui conviendra.

— Tu as sans doute raison, Oliver.

James Cuthbert sonna la cloche afin d'aviser son serviteur de sa décision. Quand il se rendit compte qu'il devrait accompagner son maître chez Louis Olivier, Chuck préféra rester au manoir, malgré la menace américaine.

James Cuthbert venait à peine de partir du manoir sur les chapeaux de roue que l'état-major américain du premier régiment canadien, le colonel James Livingston en tête, vint s'installer. À leur arrivée, Chuck offrit ses services au colonel, en lui disant que le seigneur James Cuthbert était parti rejoindre sa famille à Montréal.

Une fois installé, le colonel Livingston demanda à rencontrer le notaire Faribault. Ce dernier fut obligé de dresser la liste des censitaires de Berthier qui pourraient accueillir de deux à trois soldats américains par maison. Le notaire s'abstint de recommander la demeure de censitaires favorables à la cause anglaise, de crainte de déclencher un bain de sang et une guerre fratricide à Berthier.

Le colonel demanda de nouveau au notaire de lui dresser la liste des censitaires pro-rebelles aptes à s'enrôler du côté des insurgés. Encore une fois, le notaire contourna cette obligation en recommandant des citoyens des îles Saint-Ignace et de l'île Dupas, sachant fort bien qu'ils n'étaient pas citoyens de Berthier. Le ton montait entre le colonel et le notaire, qui s'en voulait de plus en plus d'avoir accepté de se dire apparenté avec son vis-à-vis.

Le colonel voulut rassurer le notaire sur les méthodes qu'il emploierait pour impliquer les censitaires de Berthier.

— C'est une guerre entre gens civilisés, notaire Faribault. Entre hommes de loi qui œuvrent pour la justice, nous saurons bien trouver un terrain d'entente. Soyez raisonnable, même si vous avez affiché publiquement votre neutralité, soi-disant pour protéger votre famille. Ne m'aviez-vous pas déjà dit que vous étiez sympathique à notre cause ?

Le notaire grimaça. Le colonel continua.

— Je sais que vous avez déménagé votre famille à Saint-Sulpice depuis que nous vous avons obligé à héberger nos soldats, et que c'est un irritant, mais la guerre a ses priorités. Je sais qu'un homme de loi n'apprécie pas la compagnie de la soldatesque dans ses archives et ses dossiers si précieux. Certes, une étude notariale n'est pas une caserne. Il faut nous comprendre : nous manquons de logement et votre emplacement est commode pour l'hébergement des troupes… Il faudra trouver un arrangement, si nous voulons collaborer.

L'étude du notaire Faribault n'avait de nom que sa devanture, puisque les soldats américains avaient déjà commencé à brûler les précieux actes notariés dans l'âtre pour se réchauffer, alors que la clientèle avait complètement déserté.

En officier de bon entendement en temps de guerre, le colonel Livingston fit savoir au notaire qu'il voulait que la population de Berthier se sente à l'aise, malgré la présence des soldats qui grouillaient dans la seigneurie de Berthier. Pour lui manifester sa magnanimité et son humanité, le colonel proposa au notaire de le rencontrer en présence de représentants de la même famille, partisans des camps opposés, en promettant de ne pas tenir rigueur à celui qui serait dans le camp anglais.

— Je serai bon joueur : je vous laisse le choix de la famille, suggéra le colonel.

Connaissant l'appui de Jacques Cotnoir à la cause rebelle, Barthélemy Faribault proposa au commandant américain de discuter en présence des deux beaux-frères, Jacques Cotnoir et Louis-Daniel Guilbault, capitaine de milice pro-britannique. Ce faisant, le notaire savait qu'il citait le nom d'un personnage bien connu à Berthier, ennemi officiel des insurgés. Cependant, il ne pouvait pas prévoir la réaction de Louis-Daniel, étant donné que son nouveau lieu de résidence était tenu secret et que ce dernier pourrait croire que les Américains lui tendaient un piège. De plus, le notaire devait l'informer de la présence de Jacques Cotnoir.

Le notaire jugea bon de faire appel à sa fille Geneviève, qui irait tout bonnement rendre visite à sa copine Christine Comtois, avec la mission de remettre une lettre de la plus haute importance à Louis-Daniel Guilbault. Lorsque Geneviève se présenta, rue Montcalm, le notaire dévoila à sa fille la véritable identité de son cousin Robert.

— Il faut que tu saches que Robert Faribault n'a jamais existé. Sous ce nom d'emprunt se cachait le colonel James Livingston, commandant des troupes américaines de la région de Berthier.

— Mais… pourquoi avoir… ? balbutia Geneviève, abasourdie.

— Je n'ai pas eu le choix d'agir de la sorte ; je devais vous protéger.

Quand Geneviève Faribault arriva chez Louis-Daniel Guilbault, en haut de la rivière Bayonne, la famille, qui n'avait pas encore été visitée par les soldats américains, était en train de finir de dîner.

CHAPITRE XIII

L'ÉTRANGE MISSIVE

Marie-Ange et Ursule Guilbault desservaient les assiettes et les tasses tandis que Christine Comtois remplissait l'évier d'eau bouillante en vue de faire la vaisselle, regardant distraitement par la fenêtre, qui donnait sur la seule route carrossable. Personne n'avait le cœur à rire. Les hommes avaient déjà en main leurs pipes de plâtre et s'apprêtaient à partager leur tabac brun, cultivé sur les terres sablonneuses de Lanoraie, qu'ils tiraient de leur blague en vessie de porc.

En allant s'affaler sur leur chaise berceuse près du crachoir, Louis-Daniel et Corbin Guilbault se préparaient une fois de plus à meubler leurs longues journées à se cacher, comme ils le faisaient depuis trois semaines, en discourant de la situation de guerre. Ils ne voulaient et ne souhaitaient recevoir aucune visite, de peur d'être repérés par les Américains et les pro-rebelles. Si cela devait arriver, ils avaient projeté de se terrer au grenier, auquel on accédait par une trappe au plafond de la chambre principale. Pour les besoins immédiats, le grenier, qui servait de rangement pour les sacs de farine, accueillait deux paillasses en feuilles de maïs séché, au cas où les chefs de milice auraient à se cacher longtemps.

Fuir par l'arrière, vers la rivière Bayonne, était exclu, puisque les deux hommes étaient plus à risque d'être repérés, comme ils ne pouvaient se camoufler derrière les érables à Giguère, qui perdaient leurs larges feuilles en cette période de l'année. De plus, Louis-Daniel ne voulait pas inquiéter Marie-Ange.

— Vous ne devriez pas charger vos fusils : et si les enfants tiraient par mégarde ? Laissez-les plutôt au grenier, dit Marie-Ange.

— Ils n'ont qu'à jouer à autre chose. Les soldats américains peuvent arriver d'une minute à l'autre, et nous, nous devons être prêts à nous défendre, répondit Louis-Daniel en maugréant.

— Voyons donc, le père ! Vous savez mieux que quiconque ce que des armes chargées peuvent faire. Nous ne pourrons pas résister bien longtemps... Chargés ou pas, nos fusils ne nous seront pas d'une grande aide : nous devrons tôt ou tard nous constituer prisonniers, au lieu de tirer. Maman a raison, il faut mieux désarmer nos fusils et laisser les enfants s'amuser avec.

— Des plans pour qu'il y ait encore plus de morts... Je ne voudrais pas que ce soit l'un de mes enfants ! clama Ursule, paniquée.

Tous les regards se tournèrent vers Christine, qui se remettait à peine de la disparition de son petit ami François Fafard, mort dans une échauffourée — c'est, du moins, ce qu'elle croyait —, lorsque des Américains s'étaient présentés à la maison des Guilbault, transformée en caserne des miliciens pro-britanniques. Même si Christine et François venaient de rompre, la mort héroïque de ce dernier la faisait cruellement souffrir. Christine déversait machinalement son récipient d'eau bouillante dans l'évier et le remplissait à l'âtre, là où un chaudron pendait de la crémaillère. De temps en temps, elle essuyait une larme avec la manche de sa robe, laissant croire à l'effet de vapeur, et jetait un coup d'œil au carreau de la fenêtre recouverte de papier huilé. Personne n'était dupe de son manège ni ne croyait à la peine véritable de Christine, excepté Marie-Ange qui se doutait que sa filleule ait pu avoir un véritable coup de cœur pour cet homme rencontré lors de son escapade à Saint-Cuthbert.

Lorsque Marie-Ange s'était confiée à son mari, Louis-Daniel lui avait répondu d'un ton bourru :

— Que vas-tu chercher là ! C'était un bon p'tit gars, quoiqu'un peu faraud... Le jeune Fafard était sans doute porté à courir la galipote, mais le garçon qui ne le fait pas à vingt ans le fera une fois marié. C'était beau de les regarder.

Marie-Ange devint songeuse. Elle se demandait si avant son mariage, son mari avait vraiment couru l'allumette avec les sauvagesses, lors de ses voyages de traite aux Grands Lacs.

— N'oublie pas qu'ils avaient rompu.

— Des vétilles de jeunes amoureux. Ils se seraient réconciliés, j'en suis convaincu.

— N'empêche qu'ils ne le pourront plus… Cette fois-ci, c'est *différent.* Christine est troublée. As-tu remarqué son regard vague ? Seule une femme peut percevoir et comprendre ça !

— Je n'ai remarqué que ses larmes. Une femme qui pleure, habituellement c'est qu'elle a perdu son amoureux.

— À moins que l'être aimé soit inaccessible ou déjà pris !

Louis-Daniel regarda sa femme sans trop saisir son langage.

— Laisse… Je me comprends, répliqua-t-elle, contrariée.

— Une voiture à cheval ! La monture avance à pas lents, s'écria Christine.

Branle-bas de combat.

— Des soldats ? Combien ? Bonyeu, parle, Christine ! Si ce sont des soldats, nous irons au grenier.

Aussitôt, Louis-Daniel et Corbin saisirent leurs fusils qu'ils venaient de désarmer et se postèrent, l'un à la fenêtre, l'autre près de la porte d'entrée, tandis que les femmes Guilbault se réfugièrent avec les enfants dans la chambre.

— C'est une femme seule.

— Quoi, qui ? demanda Louis-Daniel qui voyait plutôt clair-obscur par la fenêtre.

— Attendez, elle vient d'arrêter son attelage et s'apprête à descendre. Mon Dieu ! s'exclama Christine.

— Si tu ne nous dis pas de qui il s'agit, nous sortons, Corbin et moi, et nous allons l'accueillir à notre façon.

— Comme vous dites, le père ! approuva Corbin.

— C'est Geneviève, mon amie Geneviève Faribault, la fille du notaire ! Je sors à sa rencontre. Rangez vos fusils.

Aussitôt dit, aussitôt fait. Les deux jeunes filles se saluèrent affectueusement. Geneviève offrit ses condoléances à Christine, pour la mort de François Fafard, en se rendant compte de l'air absent de son amie.

— Ses parents ont eu tellement de peine ! Ils auraient tellement aimé que tu assistes à l'enterrement auprès d'eux. Heureusement qu'Angélique était là pour te remplacer, dit Geneviève.

— Dans son cœur, oui !... Comme François et moi avions rompu, il s'est dépêché de faire la cour à Angélique qui a mordu à l'hameçon. C'est à elle de pleurer, pas à moi.

Geneviève prit le visage de Christine par le menton et l'observa attentivement.

— Alors, dis-moi pour qui tu as versé toutes ces larmes... Est-ce que je le connais ?

Comme Christine ne répondait pas, Geneviève conclut que son amie avait été déçue de l'attitude de sa cousine Angélique, et que cette peine s'ajoutait au deuil de François, pour lequel elle avait eu tant d'affection.

— Brrr ! Le temps est frais. Tu m'invites à entrer ou pas ? J'ai une lettre à remettre à ton oncle.

Christine sortit de sa bulle.

— Tu as raison, c'est impoli de ma part. Quelqu'un t'a suivie ?

— Ne t'inquiète pas. Les soldats américains sont plus occupés à fumer la pipe, le fusil en bandoulière, en faisant leur ronde, qu'à arrêter les honnêtes habitants. J'aime autant ça !

— Pas d'écornifleur, pas de pro-rebelles à tes trousses pour espionner ? La fille du notaire ne doit pas passer inaperçue.

— Pas davantage que la nièce du capitaine de milice de Berthier.

Christine sourit.

— Entre !

Après les salutations d'usage, et les questions concernant la présence des Américains à Berthier et le départ abrupt du seigneur Cuthbert, Geneviève Faribault remit la lettre du notaire à Louis-Daniel Guilbault. Comme l'un des critères pour la nomination d'un capitaine de police était sa capacité à lire et à écrire, Louis-Daniel, surpris, saisit la lettre et se mit à lire, en plissant les yeux, la calligraphie ample et solennelle du notaire. Il se mit alors à maugréer, prétextant sa mauvaise vue. Il préféra remettre la lettre à Corbin, qui s'empressa de la décoder. Devant la surprise de son fils, exprimée par des mimiques inquiétantes, Louis-Daniel n'en pouvait plus d'attendre.

— Le commandant américain Livingston vous ordonne de le rencontrer avec le notaire au manoir.

Corbin leva les yeux vers son père changé en statue de sel. Alors qu'Ursule s'était rapprochée de Corbin pour s'assurer qu'il n'avait pas mal lu la lettre, celui-ci la repoussa d'un geste impatience. Pour sa part, Marie-Ange avait jugé bon de se tenir près de son mari, en cas de perte de conscience, tant elle le trouvait livide. Comme il était devenu muet, elle interrogea son fils :

— Quand ?

— Le plus tôt possible !

Marie-Ange grimaça. Elle eut peur que son mari soit fait prisonnier illico, ou soit pris en otage par le commandant, qui voudrait sans doute savoir où se cache le seigneur James Cuthbert.

— N'y va pas : ils vont t'arrêter et peut-être t'exécuter.

— Attendez, sa mère. Le notaire a écrit autre chose. Pour mieux garantir la sécurité de papa, mon oncle Jacques Cotnoir a le droit d'être présent à la rencontre… C'est étrange d'amener Jacques là ! Ils auraient dû me demander plutôt ! dit Corbin, navré.

— Pour qu'ils fassent une pierre deux coups, en vous fusillant ? Jamais dans cent ans. Comprends-moi, Corbin : tu restes ici ! s'insurgea Ursule.

Corbin n'osa pas contester l'injonction de sa femme. Il lui adressa un regard de soumission qui la réconforta.

De son côté, en entendant la convocation de Jacques Cotnoir, Christine avait blêmi. Sorti de sa mauvaise surprise, Louis-Daniel s'en rendit compte.

Christine en profita pour s'adresser en retrait à sa tante Marie-Ange.

— J'ai à vous confier un secret que je traîne depuis longtemps et qui pèse lourd, très lourd.

— Ne me fais pas mourir avant le temps. Dis-le vite, avant que je m'évanouisse.

— Oncle Jacques et tante Renée…

Marie-Ange devint blafarde.

— Y sont du mauvais bord ?

Christine acquiesça, soulagée.

— Je m'en doutais ! Vierge Marie, si ma défunte mère entendait ça ! J'imagine que Renée n'a pas eu le choix d'appuyer son mari. Que va faire Louis-Daniel en l'apprenant ? Il va le dénoncer à James Cuthbert, c'est sûr, et la famille sera déchirée… Tu as bien fait de me le dire. Quand cette maudite guerre sera finie, j'arrangerai les choses avec ma sœur Renée.

Louis-Daniel Guilbault prit sa voix autoritaire des grandes occasions.

— Sais-tu quelque chose que nous ne savons pas ? Je n'irai pas me mettre dans la gueule du loup sans savoir ce qui m'attend, sauf le respect que je dois à monsieur le notaire Faribault, dit Louis-Daniel en regardant furtivement Geneviève.

Devant la tension qui régnait dans la maison, celle-ci se crut obligée de dévoiler le secret de Jacques Cotnoir.

— Mon oncle Jacques est pro-rebelle ! s'écria Christine, honteuse.

L'onde de choc fit le tour de la pièce à la vitesse de la lumière.

— Quoi ? ! Pourquoi ne pas nous l'avoir dit avant, jappa Louis-Daniel, dévasté.

— Louis-Daniel ! Ce n'est quand même pas la faute de Christine. Pauvre p'tite fille.

Marie-Ange s'approcha de Christine et la prit dans ses bras pour la protéger. Voyant la réprobation de son amie, Geneviève décida de la défendre.

— Moi aussi, je le savais. Monsieur Cotnoir est venu rencontrer mon père avec le colonel Livingston, pour le convaincre d'adhérer au mouvement des patriotes américains.

Consternation. Christine décida de sortir Geneviève d'embarras.

— Le colonel Livingston est venu rencontrer mon oncle Jacques, il y a plus d'un mois… Jacques attendait une visite des insurgés afin d'organiser le recrutement des miliciens rebelles. Ils sont ensuite allés rencontrer le notaire Faribault. Comme Geneviève travaille comme assistante au bureau de son père, elle les a forcément vus.

Maintenant affalé sur sa chaise, Louis-Daniel réfléchissait.

— C'était avant le rassemblement aux trois fourches, où tu nous as mis dans la tourmente ?

Christine ne répondit pas. Elle se jura de ne pas dévoiler à son oncle qu'elle accompagnait James Livingston, à ce moment-là. Pour se protéger, elle jeta un regard désapprobateur à Geneviève qui comprit le message.

— Louis-Daniel, je t'en supplie ! Christine n'y est pour rien dans les opinions politiques de Jacques Cotnoir. N'est-ce pas ? demanda Marie-Ange en implorant sa filleule du regard.

Cette dernière opina.

— Si le commandant américain exige que Jacques soit présent à la rencontre, mon beau-frère doit être à la tête de la sédition ou pas très loin.

Apeurée par le volcan Louis-Daniel Guilbault qui menaçait d'entrer en ébullition, Christine fit aussitôt signe qu'elle n'était pas au courant, par un haussement d'épaules.

— Certaine?

— Si Christine le dit! Je lui fais entièrement confiance. Christine n'est pas une menteuse.

Christine remercia sa marraine d'un sourire. Cette dernière se mit soudainement à pleurer. D'un élan spontané, Christine alla la réconforter, en la serrant dans ses bras. Les sanglots de Marie-Ange l'empêchaient de se calmer. Ursule s'approcha des deux femmes.

— Voyons, madame Guilbault, personne n'est mort. L'oncle Jacques a probablement été entraîné dans cette mésaventure. Vous le connaissez, il n'y a pas plus naïf que lui. Le bon pain moisit vite en présence d'ivraie. Corbin va le sortir de là.

La maisonnée tourna ses regards vers Ursule. Personne ne crut ses propos, et encore moins Marie-Ange, qui parvint à surmonter ses pleurs pour s'expliquer.

— Nous avions une famille si unie! Maudite soit la guerre! Les Rémillard de Saint-Cuthbert ont toujours été honorables et n'ont jamais mangé dans la main anglaise de James Cuthbert. Cependant, ce n'est pas une raison pour s'acoquiner avec les rebelles pro-américains. Nous sommes de vrais patriotes canadiens qui devons notre subsistance à notre labeur quotidien, sans quêter à qui que ce soit!

Personne ne s'attendait à une telle profession de nationalisme de la part de Marie-Ange, habituellement si soumise et en accord avec les opinions de son mari.

— Ouais... Un peu trop patriotes à mon goût. Prends ta mère Gertrude: il n'y avait pas plus buté contre les Anglais, au nom de la cause des Canadiens. Pourtant, quand le seigneur James Cuthbert a payé de ses propres deniers l'emplacement de la pierre tombale de ton père Edgar, près de la croix du centre, la meilleure place au cimetière, elle n'a pas craché dessus. Et pourquoi James Cuthbert a-t-il été aussi généreux? demanda énergiquement Louis-Daniel.

Tout le monde resta estomaqué par cette révélation et tourna le regard vers Marie-Ange, qui venait de redoubler ses pleurs.

— Parce que le gendre d'Edgar et de Gertrude Rémillard était sergent d'armes dans la milice de la seigneurie de Berthier que James Cuthbert venait d'acheter ! Et ce gendre n'était pas Jacques Cotnoir, mais bien moi, Louis-Daniel Guilbault, le p'tit gars dont les gens de Saint-Cuthbert se moquaient d'être originaire de l'île Dupas… Je vais lui tordre le cou ; pire, je vais l'arrêter, quand je verrai mon faux jeton de beau-frère.

La sentence durement exprimée par Louis-Daniel fit en sorte que Corbin se tourna vers sa mère.

— Est-ce vrai, maman ? Celle-ci grimaça. Elle répondit plutôt :

— Renée et moi nous entendons tellement bien. Il y a bien un moyen de les ramener à la raison et vivre en harmonie comme avant. Nous allons faire une triple neuvaine. La Providence va arranger ça.

Suppliante, Marie-Ange s'était tournée vers Ursule et Christine.

— Si Jacques est du bord des Américains, comme c'est là, il ne changera pas facilement d'idée et va attendre la fin de la guerre pour nous reparler… C'est loin d'être certain que je reparlerai un jour à ce traître ! s'exclama Louis-Daniel, en durcissant le ton.

— Doux Jésus, faites quelque chose. La famille et la terre, c'est ce qu'il y a de plus important pour les habitants. Si la guerre persiste, nous ne nous parlerons plus jamais ! pleurnicha Marie-Ange, paniquée.

Corbin eut un rictus de dépit. Il regarda Christine, qui en fit autant. Les deux cousins sentirent instinctivement qu'ils devaient pacifier et réunir les membres de la grande famille Rémillard, qui commençaient à s'entre-déchirer.

— Ne vous inquiétez pas, sa mère. Christine et moi allons nous occuper de ça. Quant à vous, papa, vous n'avez pas le choix, il vous faut y aller.

— D'autant plus que si le notaire vous a demandé, il doit bien y avoir une raison, et ce n'est pas pour vous faire arrêter. Probablement qu'il se sent plus en sécurité en votre présence, continua Christine.

Silence de la part de Louis-Daniel.

— Christine a raison, capitaine Guilbault. Mon père a une confiance aveugle en vous, renforça Geneviève Faribault.

Louis-Daniel Guilbault tirait sur le tuyau de sa pipe avec vigueur et le tabac du fourneau incandescent se consumait à une forte cadence. Les volutes de fumée envahissaient la pièce. Le capitaine de milice prit son temps avant de rendre sa réponse, alors que tous les regards étaient tournés vers lui.

— Quand doit avoir lieu la rencontre ? Ah oui, le plus tôt possible. Bon, il est temps de partir, si l'on veut arriver à Berthier avant la brunante, dit-il, en s'adressant à Geneviève.

— Geneviève prendra bien une tasse de thé et un morceau de tarte avant de partir, supposa Ursule. N'est-ce pas, Geneviève ?

— Que je suis impolie : j'aurais dû lui proposer, réagit Marie-Ange en s'empressant.

— Laissez faire, madame Guilbault : c'est à moi de le faire.

— En ce cas, je vais préparer le barda de mon mari, ajouta Marie-Ange, ravie de l'aide offerte par sa bru.

Dès que Geneviève et Louis-Daniel se mirent en direction vers Berthier, Christine et Corbin décidèrent de se rendre discrètement à l'île Saint-Ignace, chez les Cotnoir, pour faire avec eux une mise au point. Même si le cheval Émilion connaissait bien le chemin, Corbin décida de jouer de prudence, en profitant de la brunante, et de longer la rivière Bayonne du côté nord, là où il savait qu'il n'y avait pas de barrage de soldats américains. Ils prirent le bac et traversèrent à l'île Dupas, en prenant bien soin d'éviter les rencontres indésirables. C'est sans anicroche qu'ils arrivèrent à la chaumière des Cotnoir, qui venaient tout juste de finir de souper.

CHAPITRE XIV
LA RENCONTRE

Christine avait conseillé à son cousin Corbin de la laisser retourner à la maison, avant d'aviser son oncle et sa tante de la venue de leur neveu, en lui recommandant la plus grande discrétion possible, car le molosse de la maison faisait habituellement bonne garde. Elle se dépêcha d'aller à la niche caresser l'encolure de Bigot, son chien, en lui prodiguant les marques d'affection auxquelles la femme et la bête étaient habituées depuis tant d'années. Quand Christine frappa à la porte, elle entendit son oncle dire :

— Tu as remarqué, Renée ? Le chien n'a jappé qu'une seule fois. Ça doit être quelqu'un qu'il connaît bien qui se présente. Mais qui ?

— Attends-tu quelqu'un ?

— Ni ce soir ni si tard.

— Si c'était Théophile Lépine ou l'un de tes comparses ?

— Je ne vois pas en quoi, quoique c'est possible.

— Et toi, Angélique ?

— Voyons. La seule personne qui pourrait venir me voir, c'est Christine, mais elle entrerait sans frapper !

Jacques et Renée acquiescèrent. Jacques se leva, prit son fusil par mesure de précaution, et ouvrit la porte. Surpris, il s'exclama :

— Christine ?

Aussitôt, Renée et Angélique s'avancèrent vers elle.

— Entre… Tu es bien certaine de ne pas avoir été suivie? J'ai su par le notaire que tu étais chez les Guilbault, cachés Dieu sait où.

Jacques s'apprêtait à refermer la porte, lorsque Christine ajouta:

— Je ne suis pas seule. Mon invité est allé dételer Émilion.

— À l'écurie? Ton invité doit connaître les lieux pour y être déjà venu…

Christine fit signe que oui.

— As-tu fini de jouer à la cachette, Christine Comtois? Tu vois que mes parents meurent d'envie de savoir qui c'est, s'exclama Angélique Houle.

— Corbin m'accompagne.

— Corbin… Corbin Guilbault, mon neveu? demanda Renée Rémillard Cotnoir, saisie.

— Voyons, maman: il n'y a qu'un seul Corbin Guilbault à Berthier.

Jacques Cotnoir restait figé sur place. Renée se doutait bien que son neveu était venu pour une affaire d'extrême importance. Jacques avait peur que son neveu vienne lui chercher noise.

— Voyons, Jacques! Va chercher Corbin à l'écurie! Le pauvre, il ne doit pas s'y retrouver dans cette noirceur.

Jacques Cotnoir écouta sa femme. Il prit sa lanterne d'une main, son fusil de l'autre, et se dirigea vers l'écurie. Quand Corbin vit venir son oncle armé, il mit la main sur la crosse de son revolver. Même s'il aimait bien cet oncle, de le savoir du côté des Américains le rendait suspicieux au point de faire feu en cas de légitime défense. Les deux hommes restèrent dans cette position pendant quelques secondes, muets, jusqu'à ce qu'Émilion, qui les reconnaissait, hennisse. Jacques Cotnoir prit finalement la parole.

— Ne reste pas comme ça dans le noir, Corbin: tu risques de te faire prendre pour un ennemi.

Corbin sortit de la stalle du cheval, en direction de la lueur de la lanterne. En passant devant son oncle, il lui décocha une réprimande.

— En effet, nous ne savons plus trop bien qui est l'ennemi, par les temps qui courent, hein?

L'allusion cinglante ne présageait rien de bon. Quand l'oncle et le neveu entèrent dans la maison, Renée remarqua que ni l'un ni l'autre ne paraissait heureux de leurs retrouvailles. Même qu'une réelle tension nerveuse animait les deux opposants politiques. Elle devinait que Christine avait avoué à tous que leur famille sympathisait avec les insurgés américains. Elle décida de détendre l'atmosphère chargée d'émotions fortes.

— Vous devez crever de faim ! Il reste du ragoût encore chaud et du bon pain. Ça devrait vous remplir la panse et vous remonter le Canayen. Vous n'avez pas le choix. Angélique, sors les assiettes de l'armoire.

Un sourire timide apparut sur les lèvres de Corbin, alors que Christine se dépêcha de seconder Angélique.

— C'est pas de refus, ma tante Renée. Le trajet a été assez long, étant donné la présence des soldats américains. Nous ne voulions pas nous faire attraper.

Quand l'assiette fumante fut présentée à Corbin, il se dépêcha de faire honneur au ragoût de mouton qu'il saupoudra de carex haché, séché et salé de l'île, en sauçant son pain dans l'épais bouillon.

— Il n'y a qu'à l'île Saint-Ignace que l'on retrouve ce goût unique d'herbes salées. Ça me rappelle mon enfance, quand je venais avec mes parents...

Une certaine gêne s'empara de Corbin, qui préféra faire dévier la conversation. Il s'adressa à son oncle.

— Il paraît qu'à l'île Dupas, des habitants fabriquent leur bière d'orge avec du foin salé, plutôt qu'avec du houblon. En avez-vous entendu parler ?

En silence, Jacques Cotnoir continuait à observer durement son neveu. Pour éviter la confrontation, Renée répondit à la place de son mari :

— Tu veux parler de Ti-Caille Lampron, le propriétaire de la terre voisine de tes grands-parents Guilbault jadis. Il paraît que sa bière n'a pas son pareil. Toutefois, une bière sans houblon n'est pas une bière : ça ressemble à du pipi de chat. En fait, la femme de Ti-Caille me disait que sa bière était faite d'orge, mais aussi en partie de houblon, comme toutes les autres bières, mais assaisonnée avec une recette bien à elle de foin salé. Par ailleurs, notre carex à nous est plus goûteux, car il est parfumé aux eaux du fleuve, tandis que le leur a un goût marécageux.

Tout le monde opina devant les propos de Renée, qui avait la réputation de vanter les mérites culinaires de son île. Mais tout ce discours visant à harmoniser cachait une autre réalité, plus agressive.

— Tu n'es pas venu inopinément pour nous entretenir de la bière à Ti-Caille, hein, Corbin ?

— Non, mon oncle, de quelque chose de bien plus important. De la famille. Ma mère ne va pas bien.

Un silence monacal se fit. Christine s'arrêta de picorer dans son assiette, alors que Corbin tambourinait contre la sienne avec sa cuillère.

— Quoi ? Est-ce que Marie-Ange est malade ? demanda Renée, angoissée.

— Non, ce n'est pas ça. Mais elle a commencé à pleurer quand elle a su que vous étiez acoquinés avec les Américains. Elle ne voudrait surtout pas que la famille Rémillard soit divisée, pire, qu'elle s'entretue. Christine et moi sommes venus vous faire entendre raison.

Les regards se tournèrent vers Christine qui devait se justifier.

— J'ai été obligée de dire que vous aviez reçu la visite du colonel Livingston, et qu'oncle Jacques l'avait accompagné chez le notaire Faribault. C'est Geneviève qui me l'a dit… Tout ça, c'est à cause de la lettre.

Jacques intima à Christine de lui préciser à quelle lettre elle faisait allusion.

— La lettre invitant mon oncle Louis-Daniel à rencontrer le commandant américain en votre présence.

Ce fut au tour de Renée de questionner son mari.

— Tu ne m'as jamais dit que tu rencontrais le colonel Livingston ?

— Je ne l'ai su qu'hier. Personne ne m'a dit que Louis-Daniel serait là !

— Mon père est furieux depuis qu'il a appris que vous collaboriez avec les Américains. En fait, il est tellement fâché qu'il ne veut plus vous revoir, à moins que vous ne reveniez à de meilleures intentions. Sinon…

— Sinon quoi ? Il a l'intention de m'arrêter, de me tuer ? Tu oublies, Corbin, que les Américains ont pratiquement gagné la guerre, et que le Canada deviendra sous peu un État américain. C'est moi qui devrais tous vous faire arrêter par le commandant Livingston, si je savais où est votre cachette. Quoique nous en ayons une bonne idée…

Jacques Cotnoir se tourna alors vers Christine qui n'osait prendre la parole.

— Jacques Cotnoir ! Que je te voie ou que j'apprenne que tu as fait ça, et je ne donne pas cher de ta peau !

La menace de Renée déclencha les pleurs d'Angélique, qui alla se réfugier dans sa chambre. Christine chercha à la suivre, mais Jacques intervint.

— Christine, reste ici. C'est à cause de toi, cet embrouillement emberlificoté. Si tu avais tenu ta langue, comme je te l'avais demandé, nous n'en serions pas là à nous entredéchirer.

Ce fut au tour de Christine de pleurer. Renée prit la part de sa nièce.

— Regarde où en est notre famille. Je ne pourrai plus regarder ma sœur Marie-Ange en face, sans vouloir mourir de honte.

— J'ai quand même le droit à mes opinions politiques, et je suis loin d'être le seul à Berthier, à voir le nombre de censitaires de James Cuthbert, qui accueille avec enthousiasme les soldats américains… Nous sommes du bon bord, à ce que je sache ! C'est à Louis-Daniel et à Corbin de se ranger de notre côté… La famille doit comprendre ça, toi, Renée, la première.

Pour une rare fois, Jacques Cotnoir ne pliait pas devant sa femme. Celle-ci ne voulut pas se laisser dominer.

— Si j'ai accepté ta position, c'était pour sauver notre mariage, comme la loi le prescrit. Mais la famille Rémillard a aussi ses impératifs. Avant d'être une Cotnoir, j'ai été une Rémillard et une Houle.

Corbin se rendait compte que sa tante privilégiait la bonne entente familiale, avant les allégeances politiques. Il se hasarda à dire :

— Arrangez-vous pas, mon oncle, pour que ça dégénère en duel, parce que c'en serait fini de l'harmonie de la famille Rémillard, peu importe le camp qui gagnerait la guerre. Même Christine ne pourra plus séjourner d'une famille à l'autre, car elle aura à faire un choix, et je ne crois pas qu'elle le veuille !

Jacques Cotnoir fixa son neveu avec appréhension.

— Voudrais-tu me provoquer en duel, Corbin ?

— Pas moi ! Mais vous connaissez le mauvais caractère de mon père. Des plans pour qu'il ne veuille plus vous parler pour le reste de ses jours.

Jacques Cotnoir serra les dents. Plus tolérant que son beau-frère Louis-Daniel Guilbault, il n'aimait pas s'en laisser imposer non plus. Il s'adressa à sa femme.

— Si jamais Théophile apprenait que je me suis ramolli pour protéger la bonne entente dans ma famille, il prendrait ma place auprès du commandant. À ce moment-là, il poursuivrait Louis-Daniel et Corbin.

Renée sentit que son mari venait de comprendre les risques d'une division possible dans la famille Rémillard, et peut-être même comment cela risquait d'affecter un bon nombre de familles des seigneuries de James Cuthbert qui appuyaient les Américains. Elle s'approcha de son mari et lui mit la main sur l'épaule, pour lui exprimer sa loyauté.

— Vous ne pouvez quand même pas m'obliger à renier mon patriotisme et à appuyer les Anglais ! Si Louis-Daniel et Corbin sont les capitaines de milice de James Cuthbert, ça les regarde. Jamais je ne les trahirai pour autant, comme je ne les considère pas non plus comme des parias. Ils font leur boulot et font vivre leur famille. Que voulez-vous que je fasse de plus ? C'est à ton père et à toi, Corbin, de mettre de l'eau dans votre vin en acceptant mes allégeances politiques. Si les Anglais gagnent, je respecterai votre victoire, sans grogne. S'ils perdent, je demanderai au colonel Livingston l'amnistie au moins pour ma famille, conclut Jacques, s'adressant à Corbin.

Comme ce dernier ne réagissait pas assez au goût de Jacques, celui-ci lâcha un cri du cœur.

— Tu ne comprends donc pas que Louis-Daniel est en mauvaise posture, et que je ferai tout en mon possible pour le tirer d'embarras ! C'est mon beau-frère, avant d'être un opposant politique ou un ennemi.

En se rangeant aux arguments de son mari, Renée expliqua à Corbin :

— Ton oncle vient de démontrer qu'il avait bon cœur et qu'il pouvait être accommodant. Tu devrais le comprendre.

— Qui me garantira que Louis-Daniel agira de la même manière ? La rencontre aura lieu sous peu.

Satisfait, Corbin répondit :

— Je m'en charge.

Corbin se tourna alors vers Christine.

— Dès demain matin, nous nous rendrons chez le notaire.

— C'est dangereux: la route n'est pas sûre, dit Renée, inquiète.

— Pas plus dangereux que ce que fera mon oncle Jacques pour nous protéger, mon père et moi.

L'argument flatta Jacques.

— Si vous veniez avec nous, caché au fond du berlot, ça serait beaucoup plus facile, suggéra Christine.

— Si je suis pris par les Américains en compagnie d'un capitaine de la milice de James Cuthbert, je serai accusé d'espionnage, et sans doute fusillé. Non, merci. Je verrai Louis-Daniel chez le commandant au manoir, conclut Jacques Cotnoir.

— Vous passerez la nuit ici et vous mettrez en route tôt demain matin, ajouta Renée, fière du dénouement familial.

Le lendemain matin, lorsque Christine et Corbin prirent le chemin de Berthier aux aurores, Renée dit à Corbin:

— Salue bien ta mère de ma part et dis-lui qu'elle n'a pas à s'en faire et que j'ai hâte de la revoir. Jacques et moi ne cherchons pas à diviser la famille.

— Je le sais, ma tante. Je vais faire en sorte de modérer mon père.

— Fais attention. En temps de guerre, tout est propice aux excès, et principalement en présence d'une belle fille comme toi. Fais confiance à Corbin et embrasse Marie-Ange pour moi, dit Renée à Christine.

— Je vais retourner bientôt avec Corbin à…

— Chut! Ne nous dis pas où ils se terrent: c'est mieux pour toi! Il est grandement temps que tu apprennes à garder ta langue, hein!

Christine sourit à Renée. Elle avait compris l'importance du silence dans un monde plein de suspicion.

— Christine et moi revenons de l'île Saint-Ignace, et nous avons eu une bonne discussion avec oncle Jacques et tante Renée. Jacques a dit qu'il vous protégerait si ça devait mal tourner pour le notaire et vous.

Louis-Daniel était songeur. Tirant fortement sur sa pipe, il exhalait les volutes de fumée à une cadence qui trahissait sa nervosité.

— Es-tu certain de la bonne foi de mon beau-frère?

— Autant que de la vôtre, le père!

Louis-Daniel fixa son regard presque haineux dans celui de son fils.

— Difficile à croire !

— Il va bien le falloir ! Je vous ferai remarquer que nous ne sommes pas en situation de force, et que notre cachette pourrait être repérée. Jacques Cotnoir est le meilleur allié que nous puissions avoir, et, comme parent, il ne vous trahira pas. D'ailleurs, il n'a même pas demandé où nous demeurions.

— A-t-il demandé une monnaie d'échange, comme de demander à James Cuthbert de l'amnistier si nous gagnions la guerre ?

— Rien.

Louis-Daniel parut étonné.

— Ça prouve sa bonne foi et son esprit de famille. Je vous demande d'avoir les mêmes dispositions, conclut Corbin.

La rencontre avec le commandant américain de la région de Berthier revêtit un caractère militaire. Après avoir été rejoints à la maison du notaire en face du manoir, le capitaine de la milice de James Cuthbert et le notaire de Berthier longèrent une haie de soldats, avant de prendre place dans la salle d'attente. Rapidement, ils furent reçus par le commandant et son aide de camp, en présence de Jacques Cotnoir. Inquiet, ce dernier fixa le regard de son beau-frère. Louis-Daniel le rassura en clignant des yeux. L'harmonie dans la famille Rémillard était sauve.

Dans un excellent français, le jeune colonel Livingston expliqua sa position.

— Comme je viens de le mentionner à monsieur Cotnoir, les Américains veulent construire un pays avec les Canadiens et non contre eux… Je ne veux pas détruire vos familles, mais vous aider à voir grandir vos enfants dans un pays prospère et libre, et les protéger de tout despotisme. Monsieur Cotnoir a eu l'amabilité de m'informer que monsieur Louis-Daniel-Guilbault, capitaine de la milice de Berthier, ici présent, était son beau-frère, et qu'il nous garantissait sa collaboration, en échange de sa protection… Même si nous sommes en temps de guerre, les Américains ne sont pas des voyous, et monsieur Guilbault sera traité avec tous les égards dus à son rang militaire, et libre après cette rencontre de retourner chez lui, sans être suivi, s'il collabore un tant soit peu… Sa famille ne sera pas inquiétée, même s'il ne répond pas à notre entière satisfaction. Nous l'avons promis à monsieur Cotnoir.

Le colonel regarda Louis-Daniel bien en face.

— Monsieur Guilbault, dites-nous seulement où se cache James Cuthbert.

— Je ne le sais pas, colonel. Je crois qu'il change de planque fréquemment. Je n'ai pas eu de ses nouvelles depuis plusieurs semaines.

Peine perdue. Le colonel Livingston regarda son aide de camp qui jaugeait le visage du vieux capitaine de milice. Aucun indice ne permettait non plus à ce dernier de déceler sur les traits de Louis-Daniel s'il mentait.

— Votre réponse est imprécise, monsieur Guilbault. Il nous faut des certitudes. Cachez-vous James Cuthbert chez vous ? précisa le colonel.

— Comment pourrais-je le savoir ? Vous avez transformé ma maison en caserne !

La réponse du tac au tac indisposa le colonel, qui durcit le ton.

— Donnez-nous des noms de censitaires qui pourraient héberger James Cuthbert !

Louis-Daniel regarda son beau-frère, qui fixait le plancher, puis il répondit :

— Tous les censitaires seraient en mesure de le faire.

— Vous jouez au chat et à la souris, capitaine Guilbault. Des noms ou je prendrai une autre méthode pour les connaître.

Par loyauté à son seigneur James Cuthbert, Louis-Daniel répondit :

— Je n'en connais aucun.

— Vous l'aurez voulu.

Louis-Daniel pensait être molesté ou torturé, quand il eut la surprise d'entendre le notaire s'exclamer :

— Non, arrêtez ! Pas de torture !

Le notaire Faribault suggéra aussitôt des noms d'habitants de Saint-Cuthbert et du rang Saint-Pierre qui n'étaient pas ses clients, disant au scribe qui prenait la liste en note que ces sympathisants étaient résidents de la Grande-Côte et d'Orvilliers. Le notaire fournit même une liste de censitaires et de leurs fils qui pourraient servir sous le drapeau des Treize Colonies, sans qu'on la lui demande. Les deux beaux-frères se regardaient, étonnés.

Le notaire Faribault fut libre de retourner chez lui. Lorsque Louis-Daniel Guilbault fut invité à partir, il regarda Jacques Cotnoir, s'attendant à un regard de reproche. Tel ne fut pas le cas.

Louis-Daniel tint à se rendre chez le notaire. Il n'en revenait pas de la supercherie.

— Vous les avez bien bernés avec le faux lieu de résidence des censitaires et cette liste de miliciens pro-américains potentiels !

— N'est-ce pas ? Vous ne vous attendiez pas à ce que je collabore avec eux, tout de même ! répondit le notaire, tout heureux de sa prestation.

— S'ils se rendent compte de la tromperie ?

— Je fais la guerre à ma façon. Ils savent que nous sommes deux résistants.

— Mais vous étiez neutre, notaire, lors du rassemblement aux trois fourches.

— Comme homme de loi, je suis du côté du droit et de la justice. Aujourd'hui, ce colonel avocat avait mis de côté sa toge !

Lorsque Louis-Daniel Guilbault revint à la rivière Bayonne par de nombreux détours, après s'être assuré qu'il n'était pas suivi, il fit le récit à sa famille de sa rencontre au manoir avec le commandant américain, en présence de Jacques Cotnoir et du notaire, en se donnant de l'importance.

— Le colonel Livingston n'a pas hésité à me menacer de me torturer, pour me faire parler. Le commandant voulait savoir où James Cuthbert se cachait et qui pourrait protéger sa clandestinité, en disant que maintenant, c'étaient les Américains qui faisaient la loi !

— Te torturer ? Mais c'est un être cruel et sanguinaire. S'en prendre à un père de famille ! s'indigna Marie-Ange.

— Vous savez bien que je n'aurais pas parlé, même sous la torture. Plutôt mourir. Je ne changerai pas, guerre ou pas !

Louis-Daniel regardait son petit auditoire impressionné, qui attendait la suite du récit avec impatience.

— Cependant, le notaire l'a fait à ma place, en leur tendant un piège. Cet homme est plus rusé qu'on pourrait croire ! Il est de notre côté, je vous dis. Contrairement à un autre que j'apprends à mieux connaître ! Jacques Cotnoir n'a pas cherché à prendre ma défense. Toujours fidèle à lui-même, jamais un mot. Il a fallu que ce soit le notaire qui me sauve de la torture. Je me demande bien ce qu'il faisait là… J'ai le sentiment que le colonel Livingston respecte les gens de Berthier…

— En les torturant ? Drôle de respect, nargua Corbin.

— Le colonel américain n'a même pas cherché à valider les renseignements fournis par le notaire ni même à me faire suivre. M'est d'avis qu'il ne veut pas de sang sur les mains, mais il a cherché plutôt à intimider, pour que nous abandonnions notre lutte. Notre neutralité serait déjà une victoire pour lui… Et peut-être bien qu'il souhaite qu'on joigne ses rangs comme miliciens.

— Il doit bien savoir que nous serons prêts à mourir, plutôt que de combattre sous le drapeau américain !

— Corbin ! Pense à ta famille ! paniqua Ursule.

— Ursule a raison. Pourquoi vous battre et risquer vos vies, alors que James Cuthbert se cache de l'ennemi ? S'il est aussi vaillant qu'on le dit, qu'il prenne la tête de la défense de ses seigneuries et qu'il aille au front !

Le cri du cœur de Marie-Ange saisit la maisonnée. Christine comprit que la guerre amènerait tôt ou tard le deuil dans la famille. Louis-Daniel brisa le silence pesant qui planait dans la pièce.

— Qui pourrait bien nous demander de rejoindre le camp américain ? demanda Corbin, dubitatif.

— Jacques ! répondit Louis-Daniel.

Stupeur.

— Jacques Cotnoir, le mari de ma sœur Renée ? demanda Marie-Ange

— Qui d'autre ? Le commandant n'est pas fou ! Il savait bien qu'il pourrait faire une pierre deux coups pour l'appuyer, en réunissant deux beaux-frères canayens, même dans des camps opposés politiquement.

Marie-Ange sourit à cette perspective. Elle voulut flatter l'ego son mari.

— Surtout parce que vous êtes deux chefs de file… Comme ça, tu n'en veux plus à Jacques ?

— Non, pourvu qu'il n'insiste pas trop à me demander de me joindre au mouvement pro-rebelle. L'esprit de famille a tout de même ses limites.

— De toute façon, cette rencontre a permis de vous rapprocher, Jacques et toi. C'est ce qui compte. La famille doit passer avant les opinions politiques, trancha Marie-Ange, dominant son mari pour une rare fois.

Un ange passa. La remarque de sa femme faisait réfléchir le vieux chef de police.

— Alors, qu'est-ce qu'on fait ? demanda Corbin à son père.

Louis-Daniel sortit de ses pensées.

— Nous continuerons notre combat, mais pas au détriment de notre famille. J'espère que Jacques en dira autant à Renée.

Marie-Ange exultait. Elle ne s'attendait pas à un changement d'attitude aussi rapide.

— Je connais bien la fierté de ma sœur. Elle l'a héritée de notre mère Gertrude Clermont Rémillard. T'en souviens-tu assez pour ça, Corbin ? demanda Marie-Ange, alors que Louis-Daniel levait les yeux au ciel, se rappelant l'orgueil démesuré de sa belle-mère.

Corbin ressassait ses lointains souvenirs de cette grand-mère qui mordait ses *r* avec un son guttural, lorsqu'elle prononçait le prénom de son mari Edgar, pour mieux prévenir ceux qui transformaient le prénom en *Égard* de la bonne prononciation du prénom. Qu'elle était impressionnante, Gertrude, avec ses cheveux poivre et sel retenus par un filet, et ses innombrables jupes et jupons qui flottaient au-dessus de ses sabots de bois, qui claquaient fort sur le plancher à cause de sa corpulence ! Corbin regarda sa mère Marie-Ange, beaucoup plus menue.

Tante Renée ressemble davantage à ma grand-mère… Je me demande ce que mon oncle Jacques a pu lui raconter de sa convocation chez le commandant américain, se dit-il.

Christine se sentait malheureuse. Elle avait le cœur brisé. Elle ne pouvait pas croire au récit de son oncle Louis-Daniel. Elle ne pouvait pas s'imaginer qu'un être aussi tendre et aussi sentimental que James puisse s'être transformé en tortionnaire sanguinaire, qui avait menacé son oncle et le notaire Faribault, un homme si respectable, de torture. Pas James, même s'il était colonel dans le camp ennemi ! Il devait se douter que Christine saurait de la bouche de son oncle, de quelle façon il s'était comporté vis-à-vis d'un membre de sa famille. Pourtant, le dernier message amoureux de James traduisait une telle tendresse !

Ce soir-là, dans son oreiller, Christine pleura toutes les larmes de son corps, se demandant si elle était tombée amoureuse d'une brute. Elle s'endormit en se disant qu'elle retournerait bientôt à la cabane du meunier pour voir si elle n'avait pas reçu d'autres nouvelles de James. Sinon, elle se rendrait elle-même au manoir, pour le rencontrer.

Chapitre XV

La correspondance

Si le colonel américain Livingston, dont les miliciens occupaient maintenant Berthier jusqu'à Saint-Cuthbert, se félicitait d'avoir obtenu par le notaire la liste des irréductibles partisans du seigneur James Cuthbert, il n'eut guère le temps de solliciter cette nouvelle recrue potentielle, car le 18 octobre 1775, il reçut l'ordre de ses supérieurs de partir illico attaquer le fort Chambly, alors qu'il s'attendait à prendre d'assaut Trois-Rivières.

Il ne restait que quelques heures de préparation logistique avant de faire traverser le fleuve à son régiment. James avait rangé dans un tiroir sous clé les lettres qu'il avait reçues d'Elizabeth et de Christine. Depuis leur rencontre à la cabane du meunier, ses pensées étaient dirigées vers la belle rousse, qu'il souhaitait revoir aussi vite que possible et embrasser, et à laquelle il déclarerait encore et encore tout son amour. Il voyait en rêve son corps, qui l'invitait à plus d'intimité. Christine lui avait dit qu'elle était fortement éprise de lui. Il se rendait compte qu'il était sous le charme de cette déesse, encore plus que ce qu'il aurait pu s'imaginer.

Ce sentiment pour la belle Christine rendait James tout aussi malheureux. Il se sentait coupable. Il se rendait compte qu'il n'avait plus la même concentration au travail, et il craignait que son attitude ne parvienne à ses supérieurs, notamment à son cousin, le général Richard Montgomery, déjà informé par Elizabeth, qui s'inquiétait du silence de son mari ; en effet, James n'avait pas pris le temps de répondre aux lettres d'amour d'Elizabeth. Sa dernière missive était alarmiste. James se devait de rassurer sa femme.

En lui disant que j'ai le béguin pour une beauté locale? Il vaudrait mieux que j'y voie clair à propos de Christine. Je dois répondre à Elizabeth, avant de partir. Christine attendra au retour.

James relut la dernière lettre d'Elizabeth, pour mieux se la remémorer.

Mon amour,

C'est ta femme complètement bouleversée qui t'écrit. Que se passe-t-il? Tu n'as pas répondu à ma dernière lettre. J'ai vraiment cru que tu étais mort. Je me suis rendue au château Ramezay rencontrer notre cousin, le général Richard Montgomery, avec nos petits. Le général a eu une attention toute particulière pour notre petit garçon qui porte son nom, m'assurant que tu allais bien et que tu dirigeais le commandement militaire à Berthier. Il m'a dit que tu partirais en mission sous peu, mais que tu ne le savais pas encore. Suis-je trop indiscrète, en te le disant, ou bien as-tu déjà été informé de cette mission?

J'ai vraiment peur de perdre au combat l'homme de ma vie. Heureusement que nos chers petits pensent que leur papa fait un long voyage sur le fleuve et qu'il leur rapportera un arc de sauvage comme jouet. Je me sens tellement coupable d'avoir mis un bémol sur ton enthousiasme pour ton idéal révolutionnaire, que je suis rendue à croire que c'est la cause de ton silence. Rassure-moi à ce sujet, je t'en prie.

Ta mère va bien et te fait ses salutations. Nous nous voyons souvent, avec les enfants. Quant à mes parents, chez qui nous demeurons, ils souffrent du vacarme que fait la soldatesque. Mon père n'ose pas se plaindre, car les affaires à la taverne ont décuplé. Le général Richard Montgomery a fortement recommandé le pub à ses officiers qui s'y retrouvent aussi souvent qu'au mess du château.

Je t'aime tellement. Tu es ma raison d'exister avec nos chers petits. Vitement que cette guerre se termine. Le général Richard Montgomery m'a promis qu'il ferait en sorte que tu puisses venir nous voir à Montréal. J'ai tellement hâte de me retrouver dans tes bras et de t'exprimer tout mon amour.

Écris-moi vite, je me meurs de te lire.

Lizbeth

Des larmes montèrent aux yeux de James. Il n'aurait pas pu dire si elles étaient de honte, de culpabilité ou d'amour. Il ne put les retenir longtemps de couler. Il s'empressa de fermer la porte de son cabinet et de pleurer, en se rappelant les beaux moments de sa vie de famille. Il prit sa plume dans l'encrier.

Mon bel amour,

Je m'excuse grandement pour le retard dans notre correspondance; je suis impardonnable. Toute raison invoquée ne justifierait pas d'avoir fait souffrir une femme aussi extraordinaire, une épouse aussi merveilleuse. Je t'aime tellement. Je pense si souvent à toi et à nos garçons. Vous me manquez, vous ne pouvez pas savoir à quel point.

Je pars à l'instant pour mener mon régiment combattre à Chambly. Nous tirerons sur des amis qui sont dans le camp adverse; que veux-tu, c'est la guerre. En passant à Sorel, je jetterai un coup d'œil sur notre jolie maisonnette, en me rappelant que nous y avons vécu de si belles années. Je penserai à vous. Dès que le fort Chambly sera pris, je demanderai la permission d'aller vous retrouver à Montréal. Peut-être que le général Montgomery m'y enverrra lors d'une nouvelle affectation; ce serait merveilleux de se retrouver tous, et ne plus jamais se quitter.

Ton James qui t'aime plus qu'hier et moins que demain, et qui t'embrasse éternellement, ainsi que les enfants. Transmets mes meilleurs sentiments à ma mère et à tes parents.

Le 20 octobre suivant, le premier régiment de miliciens canadiens de l'armée américaine, dirigé par le colonel Livingston, s'empara du fort Chambly, hermétique poste stratégique de la défense du Richelieu, chargé d'approvisionner le fort Saint-Jean, principal poste de défense de Montréal.

Lorsque Christine apprit le départ subit des troupes américaines, elle se dépêcha d'aller vérifier à la poterne de la cabane du meunier si elle avait reçu du courrier. Rien, sinon que des traces de bottes dans la boue devant la porte d'entrée. Christine eut peur d'avoir été suivie. Elle supposa que le meunier était venu vérifier l'état des lieux, alarmé par les allées et venues inhabituelles sur la passerelle enjambant la rivière.

Il faudra que j'avertisse James!

En pensant à son beau colonel, les sanglots lui nouèrent la gorge et les larmes inondèrent son visage.

Pourquoi ne m'a-t-il pas avisé de son départ? Parce que je n'ai pas à connaître les secrets militaires américains. Soit. Mais il aurait quand même dû prendre la peine de me dire qu'il m'aimait. Que c'est compliqué! Maintenant que l'hiver approche, il ne sera bientôt plus possible de me rendre à la cabane du meunier. Je ferai en sorte d'aller retrouver James au manoir, lorsqu'il reviendra de Chambly.

Christine avait apprit par son cousin Corbin que fort de sa victoire rapide à Chambly, le régiment du colonel Linvingston avait contribué à la prise du fort Saint-Jean le 3 novembre 1775. Le découragement la prit lorsqu'elle pensa au fait que les Américains seraient pris bientôt dans les glaces du fleuve et qu'ils ne pourraient pas revenir à Berthier avant le printemps.

Marie-Ange voyait bien que Christine était maussade plus souvent qu'à son tour.

— Qu'est-ce qui te trotte dans la tête, pour être de si mauvaise humeur?

— La compagnie de Geneviève me manque, depuis qu'elle est partie à Saint-Sulpice.

— Tu devrais tenir davantage compagnie à Jeanne-Mance et à Jeanne d'Arc. Elles te voient dans leur soupe. Elles prennent modèle sur toi. Au lieu de ça, on dirait que tu cherches à t'illustrer dans cette guerre — qui ne concerne que les hommes, faut-il te le rappeler!

La remarque de Marie-Ange irrita Christine.

— Justement, si vous voulez que je sois un modèle pour Jeanne d'Arc Guilbault, sachez que la vraie Jeanne d'Arc, la pucelle d'Orléans, est mon modèle, et que j'ai bien l'intention d'agir comme elle l'a fait.

Marie-Ange était illettrée. Elle n'avait qu'une vague connaissance du rôle joué par Jeanne d'Arc dans l'histoire de la France. Pour cacher son ignorance à Christine, elle préféra en rester là. Cependant, elle parut réconfortée par le fait que Christine souhaitait prendre une pucelle comme modèle.

Chapitre XVI

La réaction du seigneur de Berthier

Si James Cuthbert déplorait, de sa cachette, l'imminence de la victoire des insurgés — car Montréal était maintenant à la portée de l'armée de Montgomery —, il voyait par ailleurs le territoire de ses seigneuries momentanément libéré de l'envahisseur américain. Seuls quelques miliciens pro-rebelles étaient demeurés à Saint-Cuthbert. La population de Berthier, qui était restée loyale aux Anglais, était en liesse. Les autres s'arrangèrent pour faire le moins de bruit possible.

Toutefois, leur bonheur fut de courte durée. Le général Montgomery décida d'attaquer simultanément Montréal et Trois-Rivières, et de renforcer ses batteries installées à Sorel et à l'île Saint-Ignace, et ainsi avoir une plus grande maîtrise de la voie fluviale.

Si le plus gros de son armée, cantonnée à Sorel, navigua vers Montréal, le régiment de miliciens du colonel Livingston revint à Berthier, demeurant prêt à attaquer Trois-Rivières à tout moment. James Livingston se réinstalla au manoir, alors que James Cuthbert, irascible et bouillant de caractère, se voyait claustré dans sa clandestinité encore longtemps. Il était humilié de vivre incognito sur la Grande-Côte, en ayant peu ou pas de nouvelles de sa famille, installée à Montréal.

De sa retraite forcée, James Cuthbert rageait. Et pour cause : les nouvelles qu'il recevait étaient dévastatrices. Il apprit par le capitaine de milice Olivier que les Américains qui occupaient les deux rives du fleuve Saint-Laurent, à Sorel et à Berthier, profitaient allègrement de l'accueil et de la sympathie de la population neutre.

Tantôt, l'état-major américain du colonel James Livingston s'en donnait à cœur joie sur son domaine seigneurial, festoyant même au manoir avec certains de ses censitaires acquis à leur cause. Tantôt, les soldats américains, plutôt que de piller et de razzier les maisons et les réserves de nourriture de la population, comme l'aurait fait l'armée anglaise, payaient plutôt bien les habitants en argent sonnant, qui devinrent vite accommodants, voire hospitaliers.

Pourtant, de sa cachette, James Cuthbert continuait avec un malin plaisir sa partie de bras de fer avec ses censitaires, alors qu'il aurait dû atermoyer et profiter de l'occasion pour se faire du capital de sympathie. Le combattant en lui, plutôt que le diplomate, agissait. Ainsi, une réaction jugée abusive de la part de James Cuthbert incita ses censitaires de Saint-Cuthbert à s'enraciner dans leur opposition au gouvernement anglais.

Le seigneur de Berthier se réjouit lorsque monseigneur Briand menaça d'excommunication les Canadiens rebelles qui avaient pris les armes contre le roi d'Angleterre. Il s'attendait aussi à une réprimande sévère de la part du prélat contre les neutres. Comme ce désaveu ne vint pas, il fut l'artisan de la nomination du curé Pouget à la cure de la paroisse La Visitation à Sault-au-Récollet, en guise de représailles, à la fin de 1775, en sachant que les paroissiens canadiens-français de Saint-Cuthbert ne lui pardonneraient pas son ingérence dans le départ contesté de leur curé. Le curé Pouget, qui s'était rapidement imposé comme un pasteur estimé, fut remplacé par un nouveau pasteur au caractère vindicatif, le curé Dubois. Les paroissiens de Saint-Cuthbert eurent dorénavant trois motifs pour en vouloir à l'ingérence du seigneur protestant anglophone James Cuthbert, car celui-ci avait déjà cherché noise à leur premier curé.

Joseph-Basile Parent fut le premier curé de Saint-Cuthbert, en septembre 1770. Durant la guerre de la Conquête, en tant que curé de L'Ange-Gardien, il avait servi comme espion pour le compte du gouverneur Vaudreuil. Le seigneur James Cuthbert, qui avait participé à la bataille des plaines d'Abraham à titre d'aide de camp du général Wolfe, l'avait soupçonné publiquement de tiédeur face au régime anglais et l'avait fait muter.

Voyant la vengeance de Cuthbert, le notaire Faribault préférait rester en vie, tapi dans l'ombre, plutôt que d'être considéré comme le chef de file de la rébellion des censitaires de Berthier. Cependant, il se félicitait de la neutralité de la population, qui avait eu le mérite d'éviter une effusion de sang.

Après la libération de Lanaudière et de Tonnancour, confirmant l'appréhension du seigneur de Berthier, les soldats du premier régiment de miliciens canadiens de l'armée américaine cantonnés à Berthier se préparaient à intervenir à Trois-Rivières par voie de terre. Le colonel James Livingston attendait ses ordres de l'état-major.

James Cuthbert avait recommandé à ses chefs de milice de rester chez eux, le temps d'attendre ses ordres du gouverneur Carleton. Lorsqu'il apprit la capture de l'aide de camp du gouverneur, il sombra dans une dépression surtout causée par son inaction. Il rongeait son frein en occupant ses journées à siroter son whisky, lorsqu'il reçut la visite de Christine.

Investie de son importante mission, se félicitant de ne pas avoir fait de mauvaises rencontres, Christine décida de se rendre directement à la maison du capitaine Olivier, qui la reconnut aussitôt.

— C'est toi, le garçon manqué qui s'amuse à jouer au trouble-fête. Je t'aime mieux vêtue en fille, tiens-le-toi pour dit. Si tu n'avais pas été apparentée aux Guilbault…

Christine savait que Louis Olivier ne faisait pas dans la dentelle et avait son franc-parler.

— C'est mon oncle qui m'envoie, dit-elle en sortant le couteau de chasse de l'étui.

Olivier fit un pas en retrait. Il avait reconnu le poignard de l'ancien voyageur de la fourrure.

— Fais attention ! Ce couteau est aussi tranchant qu'une lame de rasoir. Qu'es-tu venue faire ?

Par nervosité, elle balbutia :

— Je veux parler à sir James Cuthbert. C'est mon oncle qui m'a dit qu'il se terrait ici.

Olivier pointa ses gros yeux vers la jeune fille frêle.

— Tu veux lui dire quoi ?

— Lui parler de… de ses garçons, Alexander et James junior. Tout s'est tellement passé vite, l'autre jour, que je n'ai pas pu l'aborder.

— Ses garçons ?!

Encouragée par l'étonnement du gros homme, elle continua à fausser la vérité.

— C'est un secret que m'a confié la seigneuresse à propos de ses garçons. Je l'ai écrit dans une lettre, pour ne pas l'oublier.

Christine brandit la lettre dont l'enveloppe arborait le drapeau anglais. Or, c'était le même papier qu'utilisait le militaire Cuthbert.

Sur les entrefaites, l'épouse de Louis Olivier venait de capter la conversation.

— Qu'attends-tu pour la reconduire à sir Cuthbert ? Le pauvre homme se meurt d'ennui d'avoir des nouvelles de sa famille ! Un homme ne peut se préoccuper uniquement de la guerre !

L'allusion alla droit à l'oreille du capitaine de milice. Louis Olivier ne se préoccupait que de milice et de politique, au détriment de sa vie familiale.

Lorsque la jeune fille fut dirigée vers la cachette, le capitaine Olivier jugea bon de lui faire ce rappel.

— Ce que tu vas voir doit rester un secret. Jure-le.

— Je le jure sur la tombe de qui vous voudrez, dit-elle, en levant le poing en l'air, comme les neutres l'avaient fait au rassemblement des Trois Fourches.

— N'en rajoute pas, j'ai compris.

La jeune fille entra par une trappe et descendit un escalier qui débouchait au sous-sol terreux de la maison. Elle y vit, à la lueur de bougies, des amoncellements de navets, de choux et de citrouilles. Louis Olivier toussota trois fois. Il attendit que James Cuthbert s'écrie :

— *Is that you, Oliver?*

— *Yes, sir Cuthbert. Somebody is here for you.*

Lorsque Christine se trouva devant James Cuthbert, celui-ci resta figé. Il balbutia plutôt que d'aboyer, comme à son habitude.

— *Christine! What are you doing here?*

Militaire et ancien membre de l'état-major du général Murray, nouvellement nommé conseiller législatif et prospère propriétaire de plusieurs seigneuries, James Cuthbert faisait pitié à voir. Sa famille s'était exilée à Montréal pour fuir, et lui se terrait dans une cave humide et froide, parce que les Américains occupaient son manoir et ses dépendances. Qui plus est, ses censitaires ne voulaient pas se battre à ses côtés et déloger l'ennemi. Au contraire, ils semblaient plutôt tolérer les soldats américains, et même sympathiser avec eux.

Voyant que la jeune fille figeait en présence de Louis Olivier, Cuthbert fit signe à celui-ci de les laisser seuls. Christine craignait que le seigneur de Berthier ne lui en veuille encore pour son implication avec les neutres, mais tel ne semblait pas le cas. Elle débita rapidement son boniment.

— J'ai dit au capitaine Olivier que je voulais vous parler de vos garçons... Mais en fait, je dois vous remettre une lettre du gouverneur Carleton.

Christine retira la lettre estampillée aux armoiries royales anglaises de la poche de son capot et la remit au seigneur. Cuthbert n'en revenait tout simplement pas qu'une jeune fille de Berthier qui venait de s'associer aux neutres puisse être la messagère du gouverneur Carleton, alors qu'il était en froid avec le gouverneur pour des raisons politiques, même s'il venait d'avoir un siège au Conseil législatif.

Avant d'ouvrir la lettre, par mesure de prudence, Cuthbert demanda à Christine par quel hasard providentiel avait-elle eu cette missive.

— J'ai rencontré l'aide de camp du gouverneur Carleton à Saint-Cuthbert, Charles-Louis Tarieu de Lanaudière. Une fois que j'ai été libéré par le curé Pouget, nous avons discuté de mes parents, dont il avait eu des échos. Comme je lui disais que je parlais anglais avec vous, et que je gardais à l'occasion Alexander et James junior, il m'a demandé de vous remettre la lettre, après m'avoir fait jurer fidélité au roi d'Angleterre.

James Cuthbert restait sceptique. De plus, il n'avait pas aimé la référence au curé Pouget. Il jeta un regard dubitatif à Christine, lissa sa moustache et entreprit la lecture de la missive ultra-secrète.

Nos renseignements disent que les troupes du général Montgomery, cantonnées à Sorel et à Berthier, attaqueront bientôt Trois-Rivières. Nous ne savons pas encore s'ils le feront par terre ou par mer, mais nous croyons qu'ils se dirigeront aussi vers Montréal et Québec, qu'ils pourraient attaquer les deux villes au même moment. Pour sa part, le gouverneur Carleton, qui arrivera sous peu prendre son commandement, entendra défendre la province sur tous les fronts, Montréal, Québec et Trois-Rivières. Par cette procuration, le gouverneur Carleton demande au seigneur Cuthbert d'assurer sa sécurité sur ses seigneuries, lorsqu'il y sera par voie de terre ou de mer, et compte sur la collaboration de la population canadienne pour gagner la guerre.

Cette messagère a toute la confiance du gouvernement anglais. Elle sera notre intermédiaire. Vive le roi George III!

Charles-Louis Tarieu de Lanaudière, aide de camp du gouverneur Guy Carleton

James Cuthbert reprit sa prestance guerrière. Il bomba le torse et serra les poings.

— *God save the King!* entonna Cuthbert, heureux que le gouverneur Carleton l'ait toujours en mémoire, puisque les deux hommes n'avaient de cesse de se chamailler à l'Assemblée législative.

L'humeur du seigneur avait réconforté Christine. Elle attendit en vain un bon mot de Cuthbert. Depuis sa conduite inconvenante au rassemblement du pont Jouette, Cuthbert n'allait tout de même pas la complimenter pour ses bons services à la nation. Pour sauver la face, elle se risqua:

— Avez-vous eu des nouvelles de votre femme et de vos enfants, sir Cuthbert?

La question sortit le seigneur de sa pensée guerrière. Il se radoucit.

— Non, hélas, mais ils me manquent. Montréal n'a pas encore été attaquée: ils sont en sécurité. Mieux qu'à Berthier, en tout cas...

Puis une idée germa dans l'esprit de Cuthbert.

— Si je vous demandais d'aller prendre de leurs nouvelles, le feriez-vous?

Christine faillit perdre pied.

— À Montréal?

— Mais oui: c'est là qu'ils sont.

— Je n'y suis jamais allée. Mon oncle Louis-Daniel et ma tante Marie-Ange ne le permettront jamais. Les Américains ne me permettront pas de circuler comme ça.

— Vous l'avez déjà prouvé au pont Jouette. Amenez votre drapeau. S'ils vous questionnent, vous leur direz que vous appuyez leur guerre patriotique.

— Je ne peux pas partir seule, c'est trop risqué.

— Vous êtes bien venue ici seule… Hum, vous avez raison : c'est capricieux et égoïste de ma part. Tant que l'ennemi sera sur mes terres, ça sera trop dangereux.

Il tardait à Christine de se rendre au manoir seigneurial pour revoir James, mais elle se dit que cette démarche risquait de mettre sa vie en péril. Il ne lui restait qu'à attendre en pleurant des nouvelles de son amoureux, tout en obéissant aux directives du gouvernement anglais. Cette situation la rendait très inconfortable. En retournant en haut de la rivière Bayonne, elle s'arrêta à Pointe-Esther dans l'intention de vérifier de nouveau si elle avait reçu du courrier à la maison du meunier.

Chapitre XVII
Le meunier

Le seigneur James Cuthbert avait fait en sorte de faciliter la navigation sur les rivières de ses seigneuries, en éliminant les obstacles qui auraient nécessité des portages. La rivière Bayonne, particulièrement, servait de voie navigable à ceux qui préféraient transporter par barque leur récolte annuelle de blé et de grain, du fleuve jusqu'au moulin de Pointe-Esther. En amont, les galets à fleur d'eau en été obligeaient les canoteurs à portager. James Cuthbert projetait d'ailleurs la construction d'une écluse pour retenir l'eau, afin que les cultivateurs apportent leur grain jusqu'au moulin à farine. Il parlait même d'en faire également un moulin à scie.

Le premier seigneur de Berthier à avoir fait construire un moulin banal, Pierre de Lestage, l'avait situé sur une pointe de terre s'avançant dans la rivière Bayonne. Il avait nommé cette pointe en hommage à sa femme, Esther Sawyer. Depuis, les censitaires allaient faire moudre leur grain à Pointe-Esther.

Il y avait deux chemins carrossables qui se rendaient au moulin.

Les gens de Berthier empruntaient la route qui serpentait le côté ouest de la rivière. Ils se rendaient ainsi jusqu'aux trois fourches, à une distance d'environ trois milles de Berthier, là où avait eu lieu le rassemblement des neutres, des nôtres, comme certains les appelaient, l'automne précédent. Comme le sentier qui se rendait jusqu'au moulin était assez étroit, encombré bien souvent par les bêtes à cornes du meunier qui passaient à l'orée du sentier, les habitants préféraient stationner en haut de la côte leur tombereau rempli de grains à moudre et attendre que leur tour vienne pour descendre au moulin. Cette manœuvre empêchait les accidents de convoi. Il aurait été fâcheux de perdre une partie de son labeur annuel pour une embardée risquée.

Les cultivateurs des rangs Saint-Esprit et Saint-Pierre, plus en profondeur dans les terres, se rendaient au moulin en longeant le littoral du côté est de la rivière Bayonne, sur un sentier carrossable jusqu'au pont Jouette enjambant le cours d'eau, en passant au pied de la falaise que dominait la cabane du meunier, que d'aucuns considéraient plutôt comme sa véritable maison. Ils pouvaient par la suite rejoindre Pointe-Esther comme le faisaient les habitants de Berthier-en-Haut, en dehors de la saison estivale.

Toutefois, afin d'éviter tout affrontement — car les gens de Berthier les considéraient tout aussi comme sécessionnistes que les gens de Saint-Cuthbert —, les habitants de ces rangs éloignés préféraient se rendre en groupe pour aller faire moudre leur grain en été. Leurs charrettes traversaient ainsi à gué la rivière, et les clients attendaient leur tour en campant sur la petite île en face de la pointe, l'île Lestage, la seule, en fait, sise sur le lit de la rivière Bayonne. Par ailleurs, il était impossible d'emprunter cette voie au printemps sans affronter le courant fort, les remous et les dangers de la crue des eaux.

Non pas que le moulin ait été situé si bas près de la rivière. Non, car la meule était actionnée par le vent qui faisait tourner les ailes du moulin. Celui-ci dominait plutôt Pointe-Esther, qui trempait ses pieds dans les eaux bouillonnantes au printemps, et celles, plus calmes, de l'été, qui se frayaient un chemin dans les replis du galet.

Avec ses ailes majestueuses, le moulin scrutait l'horizon à la recherche d'un vent qui permettrait d'actionner sa grosse meule en silex anxieuse de broyer le blé, le sarrasin et l'avoine pour en extraire une farine aux couleurs chatoyantes, presque rosées.

Le meunier devait veiller aux caprices du vent. À cet effet, il prévoyait les vents contraires et virait la tête du moulin pour orienter ses volants au moyen du timon (aussi appelé *queue du moulin*). Quand le vent s'emportait, il fallait soit plier les ailes, soit serrer le frein, pour bloquer leur mouvement rotatif.

Les structures du moulin étaient toutes faites de pièces de bois grosses et lourdes pour supporter les meules de pierre. Sous la toiture, la transmission du mouvement des ailes à l'axe vertical des meules se faisait par un mécanisme d'engrenages.

Quand le vent manquait à l'appel, les clients impatients s'empressaient de qualifier le moulin de *flandrin*, pour décrire le manque d'énergie qui caractérise les habitants des Flandres, pays d'origine des moulins à vent. Il n'aurait pas fallu toutefois que le meunier entende cette épithète avilissante.

Le logement du meunier se trouvait à l'étage en dessous du système d'engrenages, de telle sorte qu'il pouvait s'occuper sans perte de temps des opérations de la meunerie dans la chambre des blutoirs qui séparaient la farine du son. L'expertise du meunier consistait à cueillir la mouture, à contrôler sa finesse et à l'ensacher.

Après avoir gravi l'escalier pentu en bois d'orme vermoulu qui se rendait au grenier du moulin, le meunier remplissait d'abord la trémie du contenu des poches qu'il avait hissées et passait ensuite le grain au crible pour y enlever les impuretés. Le grain était alors acheminé soigneusement aux meules, afin d'être broyé. Les tamis de ces dernières répartissaient la farine à pain du son, servant à l'alimentation du bétail. Le meunier devait régulièrement curer le mordant de la surface des meules, pour une meilleure efficacité.

Quand les meules étaient en train d'extraire la farine précieuse de l'écorce de l'épi, Romuald Bonin fermait la porte à sa clientèle pour que le divin froment ne s'échappe pas du pressoir. De toute manière, le bruit des ailes ronflantes du moulin ainsi que du grincement de la meule indiquait aux cultivateurs de Berthier-en-Haut d'attendre leur tour.

La pente abrupte du chemin pour aller au moulin obligeait l'ajout d'un cheval pour le transport des poches de grain. Cependant, rares étaient les cultivateurs qui bénéficiaient d'un attelage double. Ceux-ci devaient prêter leur palefroi à cette cérémonie, alors que le meunier fournissait le harnais de l'attelage.

La plupart du temps, l'habitant qui avait fait moudre son blé signalait aux autres que leur tour viendrait sous peu, afin de leur permettre de préparer leur cheval. Les habitants en profitaient alors pour échanger les nouvelles de la seigneurie, tout autant que sur le parvis de l'église après la grand-messe. Certains préféraient le faire entre hommes. Cela leur permettait d'apprendre à leur progéniture mâle la façon de conclure des affaires, bien souvent par une poignée de main bien ferme.

D'autres attendaient leur visite au moulin pour régler leurs différends de manière virile, à l'abri des reproches des autorités civiles et religieuses. La plupart ne voulaient surtout pas que leurs femmes les voient en train de siroter leur alcool alambiqué. Quand la consommation d'alcool échauffait les esprits autant que leurs chicanes de clôtures, l'espace de stationnement se commuait en arène de rixe.

En été, Pointe-Esther pouvait aussi être le témoin de tels égarements. Sans égard au fait que les bagarreurs pouvaient être des clients réguliers, le meunier Romuald Bonin allait mettre fin au pugilat, lorsqu'on faisait appel à ses services. De forte taille, le meunier savait se faire écouter, et nul n'avait encore osé le défier dans des épreuves de force. Le voir se servir de ses puissants muscles pour ajuster sa meule suffisait à évaluer le risque de le provoquer.

Il était aussi convenu de laisser les chefs de la milice en dehors des démêlés des clients du meunier, même si c'était dans leurs fonctions de protéger tout le territoire de la seigneurie de James Cuthbert. D'ailleurs, comme ils étaient armés et représentaient la loi, il était de bon ton de rester tranquille quand les Guilbault, père ou fils, allaient faire moudre leur grain.

Toutefois, un combat de boxe improvisé entre un habitant de la rive est et un autre de la rive ouest avait failli tourner au drame. L'affrontement entre Toussaint Laporte et Léo Coderre avait eu lieu sur la petite île Lestage, l'été, avant l'invasion américaine de la seigneurie, en pleine canicule. Bien entendu, la rivière se passait à gué. Tellement que, dérogeant au protocole tacite selon lequel seuls les riverains de l'Est peuvent se rendre à la Pointe-Esther par cette voie, Coderre s'était permis, par bravade, de s'avancer vers l'île Lestage, à l'insu du meunier, et d'insulter là les clients.

Pour ajouter au mépris, Léo Coderre avait failli vomir, en crachant son venin.

— Tiens, tiens, si ce ne sont pas les habitants de Saint-Pierre et de Saint-Esprit, aux souliers crottés. Ce n'est pas de la farine de blé que vous mangez, mais du sarrasin pour votre pain noir. Chez nous, à Berthier, on le donne aux cochons.

Des avertissements, pour ne pas dire des menaces, fusèrent de la part des gens de l'Est.

La chaleur dédoublant l'effet de l'alcool qu'il avait ingurgité abondamment, Coderre, éméché, prit ces semonces à la légère. C'est alors que Toussaint Laporte, du rang Saint-Esprit, décida de corriger l'intrus. Un combat de boxe s'ensuivit. Laporte prit facilement le dessus sur Coderre, qui, titubant, donna l'impression d'avoir été cogné durement par son adversaire, encouragé par ses partisans. La clameur avait été si forte que le meunier en avait eu écho.

Ne tolérant aucune forme de violence sur le domaine seigneurial dont il était le meunier d'office, Romuald Bonin empoigna les deux belligérants, sans préférence pour l'un ou l'autre camp, et clama haut et fort :

— L'île Lestage est neutre. Elle n'appartient à personne d'autre que le seigneur Cuthbert, qui en est aussi le juge de paix. Si vous continuez à vous chamailler, c'est à lui que vous aurez à faire. Laissez-moi travailler, sinon vous coucherez à la belle étoile. Personne n'ira dans ma cabane.

La perspective d'avoir affaire au juge de paix ne rassura pas les habitants. Ils avaient su que précédemment James Cuthbert avait mis en joue trois cantonniers qui regimbaient à réparer le pont Jouette. De plus, le froment devenait une denrée de spéculation, et James Cuthbert tenait à l'expertise de son meunier comme à la prunelle de ses yeux. Par ailleurs, Romuald Bonin n'était pas si bête qu'il en avait l'air, avec son bonnet enfariné. Il craignait d'être supplanté dans son poste par l'un des trente chefs de famille anglaise de la seigneurie.

Même si son métier ne lui laissait pas de répit, ses gages étaient à l'égal du premier chef de milice, et Bonin caressait en secret le projet de s'acheter un lopin de terre, plus profondément le long de la rivière Bayonne, où il pourrait s'occuper d'un petit moulin actionné par une roue à aubes, qui lui permettrait de puiser facilement l'eau de la rivière. Son rêve de posséder à la fois un moulin à farine et à scie lui paraissait réalisable depuis que le seigneur

Cuthbert parlait de transport du bois et de la drave des billots sur la Bayonne. Déjà, il avait repéré l'endroit rêvé près d'une petite chute d'eau qui fournirait la force motrice à la grande scie à chasse mue par la roue hydraulique.

Joseph Branconnier, un habitant du rang Saint-Pierre, s'avança vers son ami Toussaint Laporte en lui disant:

— Ça suffit, Toussaint! Tu perds ton temps à vouloir corriger cette tête de mule de Coderre! Le moulin est bien loin de chez nous pour nous amuser à y revenir à cause d'un imbécile. Écoute ce que nous dit le meunier Bonin. Peut-être qu'un jour pas si lointain, nous irons faire moudre notre grain par lui, chez nous.

Le meunier fixa du regard Branconnier. Il venait de visualiser où il pourrait bien éventuellement se fixer. Romuald Bonin empoigna fermement Léo Coderre au collet et le ramena sous le bras jusqu'à Pointe-Esther.

— Un autre faux pas, Coderre, et je te ferai passer en justice devant James Cuthbert lui-même! Est-ce clair?

À ces mots, Léo Coderre dégrisa. Il comprit tout le sérieux de la menace du meunier.

— C'est mieux que je revienne une autre fois.

— Bien pensé, Coderre. Maintenant, laisse-moi reprendre le temps perdu par la faute de ta grande gueule.

Romuald Bonin franchissait la rivière par un pont suspendu fait de cordages, de treillis de branchage et de rondins d'arbre des alentours pour se rendre à sa cabane. Attachée à des arbres, avec une main courante faite d'un câble, la passerelle paraissait se balancer au-dessus du vide de la rivière Bayonne.

Les risques de cette traversée étaient tels que le meunier était le seul à emprunter cette voie. Cependant, il était déjà arrivé que des badauds et des curieux s'invitent à la cabane et s'installent sans gêne. Romuald les avait délogés, seulement en faisant rouler ses biceps et les muscles de ses avant-bras.

Lorsque Christine franchit la passerelle de cordage au-dessus de la rivière, elle fut accueillie par Romuald Bonin. Devant la stature imposante du colosse blond, Christine devint livide et voulut repartir aussitôt. Le meunier l'interpella avec sa grosse voix. Il ne savait pas comment parler aux femmes.

— Ça fait plusieurs fois que je vous observe venir par ici… Qui êtes-vous?

Le meunier avait parlé de manière intimidante. Le premier réflexe de Christine fut de trembler de tout son être et de pleurer, en se rappelant le viol de Séraphine Trudel.

— Non, pas de violence, je vous dirai tout !

À la grande surprise de Christine, le meunier répondit :

— Violence ? Mais je ne vous veux aucun mal, belle demoiselle. Je suis intriguée par vos fréquentes visites. Comme vous ne venez pas pour moi, alors je vous demandais…

Christine ne voulait pas révéler le motif de ses venues.

— Je m'appelle Christine Comtois. Je suis la nièce du capitaine de milice Guilbault.

Un sourire radieux apparut sur le visage étonné du meunier.

— La nièce de Corbin Guilbault ?

— Corbin est mon cousin ; en fait, c'est presque un frère pour moi ! Je suis plutôt la nièce de Louis-Daniel.

— Corbin est mon ami, dit le meunier en éclatant de rire.

Rassurée sur les intentions du meunier, Christine lui tendit la main. Ce dernier la lui serra avec vigueur, comme il l'aurait fait avec un client.

— Ça me fait plaisir de faire votre connaissance, Christine Guilbault.

— Christine Comtois. Ma mère, Antoinette Rémillard, était la sœur de la mère de Corbin, Marie-Ange Rémillard.

— Comtois… Ça m'est compliqué tous ces noms… Les chiffres me sont plus faciles, comme convertir un quintal en minot, vous voyez.

— Mon père était un officier français.

— Les militaires français, je les aimais bien dans leur uniforme bleu royal avec parements rouges. Il y a plusieurs soldats américains qui se promènent dans les parages dans leur uniforme aux mêmes couleurs, comme s'ils voulaient leur ressembler. Il y en a un qui est venu rôder autour de ma cabane. Je vous assure qu'il ne reviendra plus. Je lui ai fait peur en imitant le grognement de l'ours. Il a déguerpi vite ; je ne l'ai jamais revu… Ça fait des années qu'il n'y a pas eu d'ours dans les environs. Vous saviez que les Sauvages appelaient la Bayonne, *Okwary,* c'est-à-dire « rivière à l'ours » ?

Le meunier se mit à rire de sa supercherie. Christine comprit qu'un messager venait porter les lettres de James. Elle supposa que le soldat avait préféré détruire les autres lettres, plutôt que de faire face à l'ours.

James m'aime toujours ! Ce n'est pas de sa faute. J'y pense : il doit penser que je ne veux plus lui écrire, puisque le messager ne ramène pas les miennes ! Qui vient alors récupérer mes lettres ? Si mon oncle Louis-Daniel vient à en prendre connaissance ! se dit Christine, avec appréhension.

— Voulez-vous visiter ma cabane ? Elle n'est pas loin d'ici.

— Non. Je venais seulement traverser le pont. J'aime traverser un pont en corde.

Christine se méfiait du meunier, même s'il se disait l'ami de Corbin. Elle repensa à l'histoire sordide de Séraphine Trudel.

— Je disais ça comme ça. Comme je ne l'habite plus, il n'y a rien d'intéressant à visiter.

Au début de l'hiver, la passerelle devenait dangereuse à traverser. Le meunier s'était installé dans le logement situé au deuxième étage du moulin. Romuald Bonin préférait être sur place pour faire les réparations nécessaires et entretenir le mécanisme de la meunerie, en attendant les beaux jours du printemps pour recommencer ses activités.

En route, Christine se demandait quel stratagème employer pour reprendre contact avec James. Elle se dit qu'une occasion se présenterait tôt ou tard, et qu'en attendant, pour ne pas éveiller les soupçons, elle devrait collaborer avec le gouvernement anglais.

Chapitre XVIII

Un acte héroïque

Dès son retour d'Angleterre, au début de novembre, Carleton ne perdit pas un instant pour tenter de défendre le pays. Le 11 novembre, accompagné de son aide de camp, Charles-Louis Tarieu de Lanaudière, du beau-père de celui-ci, La Corne Saint-Luc, et de Joseph-Claude Boucher, chevalier de Niverville, Carleton navigua aussitôt vers Montréal, d'où il pouvait diriger les opérations de la défense de la frontière sud.

Voyant qu'il ne pourrait repousser les ennemis, trop nombreux, Carleton prit la décision risquée de retraiter rapidement vers Québec et d'organiser la défense de la ville en attendant les renforts de la Grande-Bretagne, même si Montgomery barrait la route fluviale et que les Américains occupaient les deux rives du Saint-Laurent jusqu'à Sorel, sur la rive sud, et jusqu'à Berthier, sur la rive nord. Montréal allait capituler le 13 novembre.

À cause de vents contraires sur le fleuve, le départ de Carleton fut remis de jour en jour. Le 13 novembre, au moment où l'armée de Montgomery mettait pied sur l'île de Montréal, Carleton fit voile vers Québec avec sa flottille de onze voiliers bien armés et une centaine de soldats. Lanaudière et Niverville étaient sur le même bateau que Carleton. Toutefois, une tempête qui dura trois jours obligea le bateau du gouverneur à se réfugier sur la côte de Lavaltrie.

La Corne Saint-Luc naviguait sur un autre bateau. Cette embarcation, de même que les autres bateaux de la flottille, furent poursuivies par les Américains jusqu'à Sorel, où, le 18 novembre, tous furent faits prisonniers et ramenés à Boucherville.

En apprenant la mésaventure du gouverneur, les Américains s'empressèrent de renforcer leurs batteries de Sorel et de la pointe ouest de l'île Saint-Ignace, afin de capturer Carleton, s'il persistait à fuir vers Québec. Les insulaires regroupés autour de Théophile Lépine et de Jacques Cotnoir offrirent leur aide à l'armée américaine, afin de leur faciliter la défense de leur île.

Lanaudière conseilla au gouverneur de prendre contact avec James Cuthbert pour trouver un moyen d'échapper aux Américains. Le seigneur de Berthier avait changé de refuge à quelques reprises, car sa cachette chez le capitaine Olivier avait été repérée par l'ennemi. James Cuthbert logeait maintenant chez des sympathisants, à Lanoraie, seigneurie voisine de Lavaltrie, et regrettait de ne pas fêter la Saint-Martin avec sa famille, comme il le faisait annuellement en novembre au manoir, dans sa tenue militaire galonnée et scintillante de médailles gagnées au combat, en recevant ses censitaires venus lui remettre leurs redevances seigneuriales.

En retour, James Cuthbert leur offrait un festin composé de cochonnailles et de rôtis braisés tournés sur la broche, dans la grande cuisine des domestiques, où trônait le gros poêle de fonte et ses lourds chaudrons suspendus au mur d'en face, ainsi qu'un grand étal où les domestiques découpaient les viandes. Les servantes vêtues de noir servaient les entremets et le vin clairet, alors que les convives mangeaient debout, autour de la grande table privée de chaises pour l'occasion, pour faire plus d'espace.

Vêtu de son kilt et au son de la cornemuse, James Cuthbert recevait aussi l'élite anglo-saxonne de sa seigneurie ainsi que son ami, le juge John Fraser, lors d'un repas somptueux où les mets de la cuisine écossaise, des viandes en croûte aromatisées à la menthe, se succédaient, accompagnés de whisky écossais vieilli dans des cuves de chêne.

Pour la circonstance, le seigneur de Berthier importait de la grouse, le plat emblématique d'Écosse, accompagné de *bread-sauce*[4] et de pommes de terre sautées au beurre et à l'oignon.

---

4. Purée au pain

Le gratin de merlan aux graines de moutarde était aussi bien apprécié.

Quand Cuthbert conseilla à ses supérieurs de suivre le littoral des îles en barque, en évitant la pointe ouest de l'île Saint-Ignace — car les Américains occupaient encore les rives de ses seigneuries et avaient positionné une batterie de canons à ce dernier endroit —, Lanaudière fit mention à Cuthbert de sa confiance envers Christine Comtois, une résidente de l'île Saint-Ignace. James Cuthbert confirma que celle-ci pourrait les guider à naviguer dans le lacet d'îles.

Cuthbert connaissait un navigateur du coin, un vieux batelier capable de les conduire en toute sécurité.

Cuthbert fit savoir à Louis-Daniel Guilbault qu'il devait accompagner sa nièce à l'île Dupas. Christine lui en dirait davantage. Une lettre signée de la main de Carleton accompagnait cet ordre. Sur l'enveloppe, un nuage grossièrement dessiné piquait la curiosité.

En lui remettant le billet, Louis-Daniel Guilbault lui demanda :

— Il paraît que c'est urgent. Pourquoi avoir dessiné un nuage ?

Christine haussa les épaules, en guise de réponse. Elle se mit à lire le message, en retrait.

Au nom du gouverneur Carleton, je vous demande, mademoiselle Christine Comtois, de nous attendre durant la nuit du 16 novembre, à minuit, sur la pointe ouest de l'île Dupas, en face de l'église, tapie et camouflée dans les hautes herbes. Vous vous rendrez auparavant au presbytère, où vous serez accueillie par le curé et sa servante. Ils sont des nôtres. Votre oncle vous accompagnera. Votre mission consistera à guider notre capitaine de barque à travers le lacet d'îlets et de canaux, jusqu'à l'île de Grâce, en face de Sorel. Avant d'arriver sur le rivage, vous entendrez trois fois le son du sifflet de chasseur. Ce sera notre signal.

Charles-Louis Tarieu de Lanaudière, aide de camp du gouverneur Carleton

Cette mission prenait beaucoup d'importance aux yeux de Christine. Elle jouait enfin un rôle capital, à la mesure de son ambition. Son oncle et sa tante s'en rendirent compte. Ils eurent l'impression que la jeune fille crâneuse qui défiait si souvent leur autorité, mais qui les désarmait toujours par son charme, devenait une femme.

Cependant, Christine se rendait compte qu'elle pratiquait un jeu dangereux en entraînant son oncle Louis-Daniel en territoire ami des Américains.

— Et puis ? demanda le vieux milicien, qui voulait connaître la fin du suspense.

Pour toute réponse, Christine lui remit la lettre, sans avoir pensé qu'il ne lisait pas l'anglais. Dépité, il lui fit signe de leur traduire le contenu du message.

Une fois qu'on lui eut transmis le contenu de la missive en français, Louis-Daniel réagit.

— Pourquoi moi, à mon âge ? Corbin est bien mieux placé que moi pour exécuter cette mission.

L'oncle Louis-Daniel vieillit, se dit Christine en elle-même.

Marie-Ange trouva naïvement le bon argument sans appel.

— Voyons ! S'ils te le demandent, c'est que tu connais l'île Dupas comme le fond de ta poche. Tu y es né ! Cependant, Corbin pourra te remplacer. Je préfère ça. Demande-lui : ça lui sera un honneur de te remplacer.

Louis-Daniel parut satisfait. Marie-Ange se tourna ensuite vers Christine, l'air bouleversé.

— Vierge Marie ! Tu vas bien grelotter par ces temps froids et humides. S'il faut en plus qu'il vente… Ça prend un homme pour exécuter cette mission. Il y a plein de conducteurs de bac qui pourraient faire ce qu'on te demande. Pourquoi te faire prendre autant de risque ? Apporte une couverture de laine bien chaude et demande à la servante du curé de préparer une bouillotte.

Corbin accepta d'emblée la mission d'accompagner Christine. Au moment de leur départ, Marie-Ange alla aussitôt chercher une couverture de la Compagnie de la Baie d'Hudson, ainsi qu'une vareuse de chasse doublée en mouton pour sa filleule.

— Tiens, tu porteras ça : c'est celle de ton grand-père. C'est tant mieux si elle est trop longue, elle te protégera les jambes. Quant à toi, Corbin, j'exige que tu restes avec Christine jusqu'à l'arrivée de la barque. Tu coucheras au presbytère après, et le lendemain, tu assisteras à la messe du curé. Ça ne te fera pas de tort. Vous n'avez plus de temps à perdre.

Le milicien haussa les sourcils. Sa femme Ursule n'osa pas s'opposer à sa belle-mère.

— Quant à toi, ma petite fille, ne prends aucun risque. Ce sont avant tout des soldats. Ne laisse rien paraître qui t'identifie comme une femme, tu me comprends ! Demande-leur de te déposer à la petite rivière entre les deux îles et retourne chez les Cotnoir avec Corbin. Ils n'auront qu'à naviguer tout droit en longeant l'île de Grâce, et ensuite, à emprunter le chenal de la sauvagesse jusqu'à l'entrée du lac Saint-Pierre. Si tu fais ce que je te dis, je vais mieux me sentir. Je vais réciter mon rosaire à ton intention jusqu'à ton retour. Fais bien attention à toi.

Marie-Ange pressa alors sa nièce sur elle, et mouilla les cheveux de Christine avec ses larmes. Pendant que Louis-Daniel Guilbault allait chercher son flacon de p'tit blanc — *pour les tenir au chaud*, avait-il dit à sa femme —, Christine enfila la vareuse doublée, qui lui allait aux genoux.

— Je ne peux quand même pas porter ça : ils vont me prendre pour un loup-garou et me tirer à bout portant !

La réaction spontanée de Christine réussit à détendre l'atmosphère.

La nuit du 15 au 16 novembre était froide. Le clair de lune zébré de nuages épars permettait au capitaine d'espérer conduire ses voyageurs clandestins déguisés en paysans à bon port. Heureusement, le temps venteux et régulier avait permis au capitaine Jean-Baptiste Bouchette dit le Tourte de naviguer sans claquement de voile. L'embarcation se dirigea vers les canaux des îles de Berthier, longeant d'assez loin le littoral de la Grande-Côte, en direction de l'extrémité de l'île Dupas.

En voyant le clocher de la petite église, qui se dressait entre les nuages qui rasaient les îles, Lanaudière mentionna à Carleton qu'on y était presque. Le Tourte siffla trois fois. Quelques minutes plus tard, le sable de la rive rocailleuse accueillit la barque. Le capitaine Bouchette sauta sur le rivage, invitant ses prestigieux passagers à en faire autant.

Christine attendait avec Corbin depuis déjà près d'une heure. Ils avaient réussi à se protéger du vent en se cachant derrière un amoncellement de débris d'embarcations naufragées. Le froid était mordant, et les deux veilleurs étaient bien calés dans leur couverture. La servante du curé avait préparé une collation avec du thé bouillant, qui, hélas, s'était bien vite refroidi. La flasque de p'tit blanc prit rapidement la relève. Lorsqu'ils entendirent siffler, cousin et cousine se levèrent aussitôt pour attendre sur la grève.

Comme il avait été formellement défendu d'allumer un fanal ou une torche, Corbin Guilbault avait eu l'idée d'amener son pipeau de chasse aux canards, pour signaler sa présence aux voyageurs. Lorsque le sable humide grinça, en frottant la coque de la chaloupe, les veilleurs agitèrent bien haut leurs bras, en guise de bienvenue.

L'accoutrement des uns et des autres créa au départ une confusion. Christine et Corbin s'attendaient à apercevoir des gradés militaires en tunique rouge, tandis que Carleton, Lanaudière et le chevalier Boucher de Niverville cherchaient à distinguer une silhouette féminine sortant du foin sauvage. Ce fut pistolet en main que l'état-major en cavale se présenta presque à l'aveugle, tant la nuit était propice au camouflage. Lanaudière reconnut la voix de la jeune fille, tandis que Carleton apprécia son petit accent anglais.

Christine présenta Corbin, qui proposa de retourner à Berthier, plutôt que de les accompagner.

— À bien y penser, si je me fais voir en me présentant chez les Cotnoir en pleine nuit, les rebelles de l'île Saint-Ignace vont bien se douter de quelque chose. Par contre, si ce n'est que toi, ils se diront tout simplement que tu rentres au bercail, comme à l'habitude. Je préfère ne pas risquer la vie du gouverneur Carleton. Es-tu à l'aise avec ma décision ? demanda Corbin.

— Reste avec nous, cousin. Tout ira pour le mieux. Un fusil de plus ne pourra qu'aider. Les oiseaux de malheur maraudent, m'a-t-on dit.

Christine présenta Corbin aux illustres bateleurs d'infortune.

Le capitaine Bouchette expliqua le stratagème conçu pour faire passer la barque loin des canons ennemis. Il n'était plus question de se servir de la voile : tous les hommes devaient ramer.

Le Tourte avait fait envelopper de linge les rames pour les rendre silencieuses. Sur les indications de Christine, qui se tenait à l'avant de la chaloupe, et qui indiquait par des gestes au capitaine la route à prendre pour ne pas éveiller les soupçons des militaires américains qui surveillaient le fleuve, l'embarcation se fraya en douceur un chemin sinueux dans l'entrelacement d'îlets et de canaux, jusqu'à la rivière entre l'île Saint-Ignace et l'île Dupas.

Soudain, un coup de fusil claqua, trouant la coque avant de la chaloupe verchère. La balle avait sifflé aux oreilles de Corbin. Aussitôt, il intima aux passagers de se coucher à plat ventre dans l'embarcation. Il donna l'exemple, agrippant sa cousine à bras le corps. Elle s'affala près du gouverneur Carleton, à deux pouces de son nez : elle pouvait lire la peur dans les yeux du généralissime. De l'autre côté du gouverneur, Lanaudière tentait du mieux qu'il le pouvait de protéger le commandant en chef des troupes britanniques, perdu dans sa vareuse trempée de paysan ; le mouvement soudain des passagers avait fait tanguer l'embarcation, au point d'y faire entrer l'eau. Christine tenta de rassurer Carleton.

— Soyez sans crainte, gouverneur : Corbin va nous sortir de là !

Le regard effrayé de Carleton se dissipa, pour laisser place à un sourire timide. Christine y vit un encouragement. Instinctivement, elle ordonna :

— Préparez vos fusils à la riposte. À cause du brouillard, personne ne nous verra. Ce n'était peut-être qu'un tireur isolé. Sinon, il va y avoir de la casse. Ils tireront quelques salves à l'aveugle, c'est notre chance. Après, nous nous approcherons de la rive. Vous attendrez le signal de Corbin pour viser les rebelles.

Contre toute attente, le gouverneur renchérit sur les ordres que Christine venait de donner.

— Faites comme elle dit. Désormais, *mister* Corbin Guilbault prendra le commandement de cette chaloupe, jusqu'à nouvel ordre. Notre vie est entre les mains de Christine et de Corbin.

Corbin commanda alors aux navigateurs clandestins de ramer silencieusement avec leurs mains, jusqu'à ce que l'on puisse apercevoir les ombres des attaquants.

Accroupis dans les hautes herbes de la rive et dissimulés derrière les cadavres de souche et de débris de bateaux charriés par le courant du fleuve, les conspirateurs de l'île Saint-Ignace se sentaient ragaillardis de pouvoir enfin participer à la vraie guerre. Théophile Lépine et Jacques Cotnoir avaient réussi à convaincre les soldats américains de leur laisser le champ libre pour intercepter l'intrusion de soldats anglais par le passage de l'île Dupas, qu'ils connaissaient comme le fond de leur poche. Cependant, personne du groupe n'avait d'expérience du combat militaire, et encore moins de l'embuscade nocturne.

***

Charles Denis venait de tirer un coup de fusil à l'aveuglette, alors qu'il avait perçu un mouvement suspect. Leur chef de guerre, Théophile Lépine, l'avait enguirlandé.

— C'est moi qui donne l'ordre de tirer, compris ? Ton coup aura pour effet de nous faire repérer. De plus, comme tu es sur ma propriété…

— En temps de guerre, plus personne n'est propriétaire de rien.

— Je vais te montrer si je suis le chef ici !

Théophile allait se lever pour intimider le contestataire, quand Jacques Cotnoir s'interposa :

— Silence, vous deux. L'ennemi est devant nous, pas à côté.

Théophile Lépine avait la réputation d'être une tête de cochon. Cependant, il respectait l'avis de son premier voisin, Jacques Cotnoir. Lépine bougonna.

— Tout le monde à son poste. Préparez-vous à tirer à vue quand je vous le dirai.

Il faisait un froid de canard. Même les insulaires rebelles habitués aux caprices de mère Nature claquaient des dents. Mathurin Plante commençait à éternuer.

— Silence, Mathurin ! Tu vas nous faire perdre notre effet de surprise, chuchota Charles Denis.

— Parlons-en de l'effet de surprise. Il est disparu avec ton coup de fusil en panique.

— Je vous dis que j'ai vu une grosse barque !

— Si tu avais vu un bateau, Charles, nous l'aurions aperçu nous aussi, ricana Ambroise Champagne.

— Silence ! Ils vont nous prendre pour cible, s'écria Lépine.

— S'ils tirent du canon, nous sommes morts, dit Antoine Lamy en tremblant.

— Pas d'imbécillités, Antoine. Il n'y a pas de canon dans une barque ! s'interposa Nicodème Désorcy.

— Oui, oui, ça s'est déjà vu. Le premier mari de la femme à Jacques Cotnoir me disait dans le temps qu'en face de Québec, le général Wolfe avait installé des canons bien en vue sur des barques, pour faire peur aux habitants de la Basse-Ville.

— Ta gueule, Antoine, sinon c'est moi qui vais te la fermer ! gronda Jacques Cotnoir.

Entre-temps, dans la chaloupe du gouverneur, Christine s'était rapprochée de Corbin. Elle lui chuchota à l'oreille :

— Ils sont huit.

— Tu es certaine ?

— J'ai reconnu leur voix. Ils sont tous de l'île Saint-Ignace. Mon oncle Jacques fait partie du groupe.

Accroupi, Lanaudière s'était rapproché de Corbin.

— Vous les connaissez ?

— Ce sont des pro-rebelles de l'île. Ils prennent les armes pour la première fois de leur vie. Ce sont des cultivateurs, pas des soldats. Nous avons un oncle parmi eux.

Lanaudière se tourna vers le gouverneur Carleton.

— Aucune effusion de sang inutile, si possible. Nous devons passer incognito. Négociez ! ordonna le gouverneur.

Corbin s'amena à la proue de la verchère, en faisant signe à Christine de rester à l'abri.

— Hé, oh ! C'est moi, Corbin Guilbault, le petit-fils d'Antoine, de l'île Dupas. Ne tirez pas !

Consternation chez les insurgés dissimulés le long de la rive. Ils discutèrent à faible voix.

— Le vieil Antoine est mort depuis longtemps. Le vieux ne demeurait-il pas plutôt à l'île Manon ?

— Plutôt à l'île Ducharme. Il a déménagé à l'île Dupas plus tard. C'est qui, ce Corbin ?

— C'est le chef de milice de Berthier. Le fils de Louis-Daniel, ce suppôt de James Cuthbert. Nous allons l'abattre comme un chien.

— Écoute-moi bien, Mathurin Plante. Corbin Guilbault est mon neveu. Vise-le, et je te fais sauter la cervelle drette là, compris ? menaça Jacques Cotnoir.

Une discussion animée s'ensuivit parmi les insurgés. La décision était partagée. Certains voulaient faire prisonnier le chef de milice, en l'invitant à accoster, puisqu'il habitait Berthier, et non les îles, d'autres préféraient le laisser aller, puisque Corbin était le neveu de Jacques Cotnoir.

Théophile s'approcha de Jacques.

— La situation est complexe et les hommes sont nerveux. Ils voudraient bien prouver aux Américains qu'ils contribuent à la guerre, et la prise de ton neveu serait un fait d'armes. De plus, je suis persuadé qu'il n'est pas seul. Il doit protéger James Cuthbert caché au fond de la chaloupe. Raison de plus pour les arrêter. Nous serons décorés par le colonel Livingston.

Jacques prit quelques secondes de réflexion.

— Laissez-moi lui parler.

Trop heureux de se soustraire à cet imbroglio, Lépine acquiesça.

— Corbin, c'est ton oncle Jacques, Jacques Cotnoir, me reconnais-tu ?

Corbin regarda Christine, qui lui dit :

— C'est lui.

— Oui, mon oncle !

— Tu t'en vas où comme ça, par cette nuit d'encre ? Drôle de temps pour se balader en temps de guerre, n'est-ce pas ?

— Je me rendais chez vous. J'étais à la Grande-Côte, et puis la bonne femme Plouffe m'a prêté sa verchère. Comme la chaloupe est plus stable, j'en ai profité.

Lépine chuchota à l'oreille de Cotnoir. Celui-ci dut lui faire une proposition, sans gaieté de cœur.

— Mes amis de l'île Saint-Ignace croient que tu escortes James Cuthbert, qui change constamment de cachette. Accoste, et nous vérifierons si c'est vrai.

Il n'était pas question pour Corbin d'accoster sur la rive.

— Vous avez raison, je ne suis pas seul.

Émoi parmi les insurgés.

— Si je demande à mon passager de s'identifier, et si vous convenez qu'il n'est pas votre ennemi, acceptez-vous de nous laisser passer ?

Conciliabule entre les pro-rebelles.

— Si tu dis vrai, non seulement nous vous laisserons passer, mais nous vous dirons où passer en toute sécurité.

Christine attendait ce moment pour se mettre en évidence. En accord avec Corbin, elle se leva et se pointa à l'avant de la chaloupe.

— Mon oncle Jacques, c'est Christine, Christine Comtois.

Stupeur parmi les protestataires.

— Christine, la copine de ma fille Gillette?

— Oui, monsieur Lépine, c'est moi Christine.

— La petite amie de François Fafard!

— Est-ce que tu considères Christine presque comme ta fille, Jacques?

— Je la considère comme telle!

— Alors si tu la considères comme ta fille, pourquoi la laisser traîner en pleine nuit avec un homme? C'est dangereux.

— Je vous rappelle, les gars, que Corbin est son cousin… Christine, que faisais-tu à la Grande-Côte?

— J'étais chez mes amies Kathleen et Barbara Morrison. Comme il se faisait tard, Corbin m'a proposé de me ramener. Je m'excuse de vous causer autant de souci.

Jacques Cotnoir riait sous cape, car il se doutait bien que Christine avait inventé cette histoire.

Théophile discuta avec les autres, pour en venir à une conclusion.

— Jamais nous ne tirerons sur la parenté. C'est ce qu'il y a de plus précieux pour les Canadiens français, avec la religion. La famille et la parenté d'abord, la patrie ensuite. Tout ça est lié. De plus, Christine est une petite fille de l'île, raison de plus. Cependant…

— Cependant quoi? demanda Jacques avec appréhension.

— Nous pensons que tu devrais être plus sévère avec Christine. Moi, Gillette, si elle se comportait comme ça…

Jacques n'écoutait plus, trop heureux du dénouement de l'impasse.

— Envoye à la maison, Christine, je ne te le dirai pas deux fois! Puis fais attention de faire japper le chien. Et toi, Corbin, tu restes à coucher. Les soldats américains ne seront pas aussi compréhensifs. Pour l'instant, rien ne nous laisse croire à des mouvements de troupes, mais on ne sait jamais!

— Merci, mon oncle Jacques. On se voit tout à l'heure, rétorqua aussitôt Christine qui comprit la position délicate de son parent.

Le capitaine reprit le pilotage de la chaloupe. Une demi-heure plus tard, le passage dangereux était franchi sans anicroche, jusqu'à la petite baie en face de la maison des Cotnoir. C'est alors que Christine avisa ses compagnons de camouflage qu'ils n'avaient qu'à continuer à naviguer tout droit, en longeant l'île de Grâce jusqu'au lac Saint-Pierre, leur recommandant d'emprunter le chenal de la sauvagesse.

Le gouverneur tint à remercier officiellement Christine pour son acte d'héroïsme.

— Nous aurons encore besoin de vos talents, mademoiselle. Quant à nous, nous voguons maintenant vers Trois-Rivières, espérant arriver à temps pour contrer l'offensive de l'ennemi.

Puis, se tournant vers Corbin, il dit :

— Capitaine de milice Guilbault, je saurai reconnaître votre contribution à notre victoire.

Enfin, il s'adressa à Lanaudière.

— En temps et lieu, vous nommerez Corbin Guilbault capitaine de milice en chef de Berthier. Vous le ferez savoir à James Cuthbert.

Les bateliers de fortune reprirent leurs rames. Après avoir franchi le lac Saint-Pierre, ils arrivèrent à Trois-Rivières dans l'espoir d'organiser la défense de la ville, sans savoir que cette nuit-là, six cents soldats américains et miliciens canadiens avaient occupé le territoire de la localité voisine de Yamachiche, et s'apprêtaient à assiéger la ville. Les troupes du colonel Livingston étaient du nombre.

De mauvaises nouvelles les attendaient. Le brigadier-général anglais Richard Prescott venait de capituler sans combattre devant le colonel américain Easton, même si la mobilisation générale de la population avait été décrétée. Le général Prescott avait été fait prisonnier. Le gouverneur et ses deux acolytes risquaient de devoir se rendre à l'ennemi encore déguisés en paysan, et de prendre leur repas chez Godefroy de Tonnancour.

Seigneur de Pointe-du-Lac, lieutenant-colonel des milices dans l'administration du gouvernement de Trois-Rivières, Godefroy de Tonnancour n'était pas retourné en France après la conquête anglaise. Le magasinier du roi avait fait fortune dans le commerce des denrées alimentaires de luxe. Sa maison faisait la fierté des Trifluviens.

Le gouverneur Carleton décida de regagner Québec dès que possible sur le *Senault Fell*, un de ses navires qui maraudait sur le fleuve, afin de réorganiser ses troupes pour défendre la capitale.

Corbin et Christine réveillèrent tante et cousine. Lorsqu'elle apprit par son oncle Jacques Cotnoir que les Américains étaient partis assiéger Trois-Rivières, Christine sombra dans un moment de déprime. Si elle avait eu du mal à justifier sa venue à sa tante Renée à une heure aussi tardive, elle en eut tout autant face à sa marraine Marie-Ange.

— Tu devrais être fière de ton acte de bravoure, plutôt que de te mettre dans un état pareil !

Corbin avait raconté en long et en large leurs péripéties nocturnes, en disant à sa mère et à son père que s'il avait accompli son devoir comme chef de milice, Christine avait été une véritable héroïne.

— Je m'attends à recevoir incessamment une autre mission venant du gouverneur Carleton, expliqua Christine.

Marie-Ange préféra commenter cette réponse devant son mari, le soir venu.

— Je me demande bien de qui elle tient cette manie de jouer au héros. Toujours vouloir être à l'avant-scène et faire parler d'elle. Probablement de Ferréol Gilbert, dit Comtois.

— Je te ferai remarquer qu'Antoinette, sa mère, ne donnait pas sa place. Mademoiselle Antoinette Rémillard ne pouvait pas épouser autrement qu'un officier, et un Français, de surcroît.

Marie-Ange ne voulut pas recommencer le sempiternel sujet à discorde entre eux.

— Alors que moi, j'ai épousé un trappeur de l'île Dupas. Mais pas n'importe lequel. Un trappeur devenu capitaine de milice. Un notable de la seigneurie de Berthier-en-Haut, qui a son banc bien en vue à l'église. Ça vaut bien un officier français.

Louis-Daniel relaxait en fumant sa pipe. Ces bonnes paroles le rassuraient.

— Je me demande si Ferréol aurait été du bord du gouvernement anglais, comme Lanaudière…

Marie-Ange réfléchissait en tricotant.

— Selon moi, il aurait sans doute été l'aide de camp du gouverneur, à la place de Lanaudière. Il avait assez de talent pour ça.

— Donc, Christine agit de la même manière que Ferréol l'aurait fait. Bon sang ne peut mentir. Il vaut mieux lui donner la corde nécessaire. Elle tiendrait son talent des Comtois plutôt que des Rémillard.

Contrariée, Marie-Ange se renfrogna.

— Si tu le dis, mon vieux !

De son côté, Christine se faisait du mauvais sang pour James.

Pourvu qu'il ne lui arrive rien ! Une balle perdue ou une fausse manœuvre lors du lancement d'une grenade, et… Je suis certaine qu'il a cherché à me joindre, mais qu'il n'en a pas eu le temps, ou que son messager a eu peur du meunier. Maintenant que le champ de bataille se déplace vers Québec, quand le reverrai-je ? Pas avant le printemps tard, s'il n'est pas mort au combat avant. Que je suis malheureuse ! Aimer autant et ne pas être en mesure de le faire savoir à l'être adoré…

CHAPITRE XIX
L'ULTIME BATAILLE

Dès son retour à Québec, le gouverneur Carleton et le lieutenant-gouverneur Cramahé regroupèrent leurs troupes dans cette place forte, où les murs de l'enceinte avaient bien besoin d'être renforcés. La garnison comptait dix-huit cents soldats. La population de la ville de Québec était prête à soutenir un long siège. Les citoyens, qui avaient refusé de combattre dans la milice, avaient été renvoyés de la ville.

Entre-temps, les mille cent volontaires du brigadier-général américain Benedict Arnold avaient franchi héroïquement l'arrière-pays du Maine, dans des conditions inhumaines de maladie et de famine, en remontant la rivière Kennebec et ses portages difficiles, ainsi que la rivière Chaudière, qui prenait sa source au lac Mégantic et dont la navigation était jugée impraticable jusqu'à Pointe-Lévis. L'armée d'Arnold, amincie de quatre cents soldats, se présenta sur les plaines d'Abraham le 13 novembre 1775. Il intima aussitôt aux Anglais de se rendre, mais ceux-ci refusèrent, même si leur situation semblait désespérée, puisque le chef de la défense de la colonie, le gouverneur Carleton, n'était pas encore revenu de Montréal. Arnold prit alors la décision d'attendre la flotte de Montgomery, qui prenait Montréal, le même jour, vingt milles en amont de Québec, à Pointe-aux-Trembles.

Le 6 décembre, l'armée du général Montgomery avait rejoint celle du général Arnold à Québec. Au passage, Montgomery avait ordonné à ses troupes de Trois-Rivières et au régiment de miliciens canadiens de son cousin, le colonel Livingston, de le suivre. Montgomery ne cacha pas à son cousin sa déception que si peu de miliciens aient été recrutés, lui qui espérait en voir mille.

— Vous aviez promis au général Schuyler une troupe bien plus imposante, en disant que les Canadiens nous appuieraient sans réserve. À ce que je vois, seuls les anciens soldats ont rejoint les rangs de votre régiment canadien. Votre aide de camp, le capitaine Moses Hazen, aurait pu en faire davantage, et ce n'est pas exclu que cette responsabilité lui incombe dorénavant ! C'est sur votre bonne foi et votre recommandation que le général Schuyler a convaincu le général George Washington, et que celui-ci s'est adressé au Congrès des Treize Colonies. C'est toute la crédibilité de la famille Livingston que vous remettez en cause.

Les Américains s'installèrent sur les hauteurs de Sainte-Foy, sur les plaines d'Abraham, sur les rives de la rivière Saint-Charles jusqu'à Lorette, et dans les faubourgs de la Basse-Ville. Montgomery voulait prendre d'assaut les murs de la forteresse sur la Haute-Ville, du côté des plaines d'Abraham. Arnold voulut le faire de l'autre flanc, par le faubourg Saint-Roch. Finalement, les deux généraux se concertèrent pour attaquer la Basse-Ville, des deux côtés à la fois, Montgomery à partir de l'Anse-au-Foulon, en se rejoignant au pied de la côte de la Montagne, afin de faire une brèche dans la forteresse à cet endroit. Le colonel Livingston et son régiment de miliciens canadiens, sous les ordres du général Montgomery, avaient été assignés à prendre d'assaut la porte Saint-Jean, afin de couper la déroute aux fuyards ennemis vers les hauteurs de Sainte-Foy.

La Basse-Ville était défendue par deux barricades sous le Cap Diamant. Celle appelée Près-de-Ville barrait la route de l'Anse-au-Foulon, en se rendant jusqu'au fleuve par la rue Champlain. L'autre barricade, nommée *Sault-au-Matelot*, non loin de la rue de la Montagne, coupait les rues du Sault-au-Matelot et Saint-Pierre en deux endroits, l'une à partir de la sortie de la rue Sous-le-Cap, où il y avait un premier barrage, et l'autre, trois cents pieds plus loin, rue du Sault-au-Matelot, jusqu'au fleuve.

Afin de convaincre les soldats américains qu'ils gagneraient l'« ultime bataille », le général Montgomery prit le pari de les libérer de leurs engagements militaires à compter du 1er janvier 1776.

La veille au soir de l'engagement sur les plaines d'Abraham, lors du bivouac avec ses officiers, alors que le vent gonflait déjà les tentes de ses soldats pendant qu'ils se restauraient d'une dernière ration avant la bataille et que la neige grésillait sur la toile par la force du vent, le général Montgomery s'entretint avec son cousin, le colonel Livingston. Le ronflement de la tempête de neige étouffait la voix du haut gradé au timbre de voix solennel. Richard Montgomery flattait son chien Chesapeake, un mâle golden retriever âgé d'environ trois ans qui suivait son maître pas à pas. Le colonel Livingston se présenta dans sa tenue de soldat combattant, comme l'avait demandé le général. Aussitôt arrivé, ce dernier invita son cousin à déposer son arme.

— Je tenais, James, à fêter cette dernière soirée de l'année avec un parent en prenant un dernier verre, comme si nous étions réunis dans la famille à Albany. Prenez un siège et détendez-vous. Tenez, sirotez ce madère, il en vaut la peine. Il vous réchauffera par cette nuit polaire.

James Livingston déboutonna son uniforme et desserra son ceinturon. Aussitôt, le général lui servit le madère.

— Trinquons à notre victoire de demain, en espérant qu'il y ait le moins de victimes possible des deux côtés... Comment vont votre femme Elizabeth et les enfants ? Votre dernier se nomme bien Richard Montgomery, n'est-ce pas ? J'ai eu l'occasion de les rencontrer en octobre dernier. Il paraît que vous manquez beaucoup à votre famille, dit le général en souriant.

Le général faisait référence à la correspondance espacée de son cousin. James rougit. Le souvenir de Christine passa dans son esprit comme un éclair.

— Lizbeth et moi avons choisi son nom d'un commun accord, répondit James, contrit.

— N'en soyez pas gêné ; j'ai été plutôt flatté. C'est mon épouse, votre cousine Maggie, qui ne cesse de me taquiner, y voyant une source d'idolâtrie. Soyez sans crainte, je ne le vois pas de cette façon, car je n'ai rien d'une idole. La guerre n'est pas pour moi source de divertissement, bien au contraire. Elle a ses contraintes, qu'il serait mieux de fuir, si nous le pouvions. Certains, hélas, trouvent dans la souffrance de l'ennemi un plaisir coupable... Quand cette guerre sera terminée, j'aimerais retourner voir votre famille, avec Maggie. Est-ce possible ?

— Elizabeth et les enfants en seraient ravis. Et moi, je souhaite revoir ma cousine et la présenter à tous. Ça fait hélas bien longtemps que nous nous sommes vus. La dernière fois, nous courrions l'Halloween.

Richard Montgomery sourit à cette sollicitude. Puis, le général demanda plus sérieusement :

— Avez-vous fait des projets après la guerre ?

— Pas encore. Mon cabinet d'avocats à Sorel et mon commerce à Chambly, celui dont j'ai hérité de mon père, allaient bien, quoique mon épouse semblait s'ennuyer, étant le plus souvent seule à la maison avec les enfants. Si l'issue de la guerre nous est favorable, nous pourrions nous y réinstaller. Sinon, vaut mieux que je pense à autre chose, car les gens de Sorel et des environs sont partisans et chauvins. Je m'en suis rendu compte lors du recrutement de miliciens. Il y a aussi la carrière militaire au sein de l'armée des États-Unis. Je suis toujours citoyen américain, même si je suis aussi Canadien.

James croyait que son cousin allait relever cette lacune dans ses effectifs, mais il n'en fit rien.

— J'aimerais vous parler franchement, entre cousins… Vous avez compté le nombre de brigadiers-généraux que nous avons dans notre armée ? Le nombre est effarant, comparé aux Britanniques. Comme si ce haut garde était une récompense pour service politique rendu. La future académie militaire de West Point mettra de l'ordre dans toute cette corruption, mais tous ne sont pas d'accord, le général Arnold en premier…

Le général Montgomery baissa subitement le ton, et ajouta sous le sceau de la confidence :

— Méfiez-vous de lui : il n'a en tête que ses ambitions politiques. Sa famille au Massachusetts est fortunée et gravite autour du pouvoir tenu par le Congrès. Arnold cherchera à supplanter le général Schuyler, comme il s'est débarrassé du général Allen. Pourquoi pensez-vous qu'il m'a fait demander avec mon armée à Québec ? Parce qu'il s'est rendu compte qu'il n'y parviendrait pas seul ; sinon, il aurait pris les mérites de la victoire pour lui. Pire, il cherchera à m'évincer à la première occasion. Il se fait appeler *général*, mais en fait, il a été nommé au grade de colonel de l'armée coloniale par le général Washington et le Congrès, après avoir convaincu mes supérieurs — dans mon dos — que je n'arriverais jamais à vaincre l'ennemi par mes propres moyens.

Il reprit sur un ton plus normal, en flattant Chesapeake.

— James, vous êtes très loin du pouvoir américain, et je n'ai pas l'ambition de briguer la présidence, ni du pays ni du Congrès. De plus, vos aptitudes au commandement militaire sont plutôt moyennes, si vous me permettez cette appréciation.

James grimaça. Richard Montgomery s'en rendit compte.

— Ne le prenez pas de cette manière, ça n'a rien d'un reproche. Pour bâtir la grande nation américaine, la structurer et l'encadrer, il nous faut davantage que des militaires, il nous faut des juristes, et vous êtes excellent en cette matière. Après cette guerre fratricide, mais combien nécessaire, pensez à revenir à Albany, tiens ! Je suis certain qu'une grande carrière vous y attend.

— Me restera à convaincre Elizabeth de quitter Montréal ! répondit James, qui doutait que cela puisse se faire.

— Faites-lui visiter le pays : elle en sera enchantée. Maggie se fera un plaisir de lui vanter les merveilles de l'Iroquoisie.

Le général se surprit à rire de son trait d'humour. Puis, plus sérieusement, il ajouta :

— Je ne sais ce que la journée de demain nous réservera, mais il faut que je vous dise que Benedict Arnold ne m'a pas donné le choix d'exécuter son plan de bataille, que je trouve bien déroutant. Diviser nos troupes pour encercler la Basse-Ville est audacieux, même téméraire. Je suis aussi superstitieux. J'aurais préféré me battre de ces hauteurs plutôt qu'en bas de la falaise, car nos soldats ne connaissent pas le chemin en bas de l'escarpement.

— Il y aura des guides, le rassura James.

— Qui ne parlent que français... alors que mes *New Englanders* ne connaissent pas un mot de cette langue. Aussi, je tiens à vous recommander de venir me prêter main-forte, dès que vous aurez pris d'assaut la porte Saint-Jean, plutôt que de vous joindre aux troupes d'Arnold et de Morgan. J'ai confiance en vous et en votre régiment de Canadiens... Avec vous auprès de moi, nous décuplons nos chances de victoire.

— Pourvu que nous arrivions à temps et en santé !

— Soyez sans crainte, tout se passera bien... Vous aurez compris que je n'ai aucune confiance en Arnold, qui préférera me laisser mourir au combat, car il me voit comme un concurrent politique. Ce n'est pas un fin stratège : il est aveuglé par son ambition.

— Vous pouvez compter sur mon appui, général. Je ferai tout en mon pouvoir pour combattre à vos côtés, et y mourir, s'il le faut.

— Parfait, mais je n'en demande pas tant… J'ai aussi deux autres faveurs à vous demander. Je dois vous parler de mon testament, en quelque sorte, si je meurs au combat…

James ne s'attendait pas à une telle requête.

— En tant qu'avocat ou notaire ?

Le général sourit.

— Si je décède, j'aimerais que vous alliez rendre visite à ma femme, de préférence avec Lizbeth, et lui racontiez le fil des événements de cette bataille cruciale… et lui remettiez ce médaillon, ainsi que cette lettre. Maggie m'avait offert ce médaillon comme cadeau d'anniversaire.

Richard Montgomery tendit à James Livingston le médaillon nacré, de la forme et de la couleur d'un camée, et l'enveloppe qui renfermait sans doute un serment d'amour.

— J'espère que je n'aurai pas à le faire !

— C'est aussi mon souhait, mais on ne sait jamais ! Alors, c'est promis ?

— Nous irons, Lizbeth et moi, je vous en fais la promesse.

— Maintenant, mon autre requête vous paraîtra farfelue, mais elle me tient à cœur. Je la fais… au cas où.

Le général se pencha sur l'encolure de Chesapeake et le serra contre lui : le chien lui manifesta en retour toute l'affection dont il était capable.

— J'aimerais que vous preniez soin de Chesapeake, que vous deveniez son maître, pour qu'il reste dans la famille et, si possible, que vous le remettiez un jour à Maggie. C'est envisageable ?

James se rapprocha de l'animal, qui commença à lui lécher la main.

— Déjà copains, Chesapeake ? murmura le général à son compagnon fidèle, satisfait de son legs.

Ému, James ne savait pas quoi dire. Chesapeake conclut ce contrat d'adoption éventuelle en aboyant, au grand contentement des deux officiers.

— Je vous offrirais bien un autre madère, mais la journée commencera tôt demain, et nous aurons besoin d'être dispos.

Puis-je nous souhaiter bonne chance, avant de nous transmettre nos vœux de bonne et heureuse année 1776 ? La meilleure des chances, James ; tout ira bien.

— Autant pour vous, mon général.

— *Richard*, pour ce soir. Le général ne reprend ses fonctions que demain matin.

Les deux cousins, Richard Montgomery, âgé de trente-sept ans, et James Livingston, âgé de vingt-huit ans, se donnèrent chaleureusement l'accolade, comme le feront les membres de toutes les familles au moment de souligner la venue du Nouvel An. Quand James quitta le pavillon du général Montgomery, Chesapeake aboya.

À quatre heures du matin, la veille de la Saint-Sylvestre, le ciel était sans lune et des bourrasques glaciales soufflaient des rafales de neige, rendant la visibilité nulle. Les deux armées des généraux américains marchaient en rangs serrés, afin d'attaquer la défense de la ville de Québec. Comme les fortifications de l'enceinte de la ville ne cédaient pas à l'assaut des Américains, Montgomery ordonna à ses troupes de longer la falaise, en empruntant la rue qui ceinturait la Basse-Ville, le long du Saint-Laurent, afin de créer une ouverture dans le bastion du Cap Diamant.

Montgomery n'aperçut la barricade Près-de-Ville que lorsqu'il se retrouva collé contre celle-ci. Elle n'était défendue que par cinquante hommes qui avaient été prévenus de l'arrivée de l'ennemi par des citadins. Montgomery en tête, le régiment américain passa à l'attaque, sans toutefois faire de dommage. Les miliciens canadiens de Carleton firent aussitôt feu sur eux, mitraillant simultanément sans pitié les premiers rangs ennemis à coup de canons et de mousquets.

Lors de l'attaque, le général Montgomery fut tué à la première salve. Il venait à peine d'avoir trente-sept ans. Pris de panique par la sévérité de la riposte ennemie, plutôt que de se regrouper dans ce chaos hivernal, les New-Yorkais de Montgomery préférèrent laisser leurs morts sur place et déguerpir aussitôt, le long du fleuve. Le cadavre de Montgomery ne fut retrouvé que le lendemain matin.

De leur côté, Benedict Arnold et les *New-Englanders*, avec le second, Daniel Morgan et ses valeureux Virginiens, ignorant la défaite et la mort de Montgomery, avaient foncé sur la barricade du Sault-au-Matelot. Les Virginiens de Morgan prirent d'abord d'assaut la petite barricade de la rue Sous-le-Cap. Blessé à la cheville gauche par une balle de mousquet, le général Benedict Arnold dut abandonner le combat. Il fut transporté à l'hôpital général et soigné par les Augustines. Il laissa le commandement de l'armée à son second, le colonel Daniel Morgan, une brute considérée comme un tacticien de talent.

Morgan voulut d'abord prendre d'assaut le gros barrage armé de canons. Après certaines délibérations avec son état-major, il consentit à tirer du mousquet à partir des maisons avoisinantes. Le long délai de réaction des Américains avait permis aux Britanniques d'organiser une contre-attaque et de prendre en souricière les soldats ennemis. Déjà, des milliers de miliciens pro-britanniques étaient sortis des chaumières et tiraient sur les troupes de Daniel Morgan dans les rues étroites de la Basse-Ville.

Les Américains furent pris à revers par les troupes de Carleton, qui avait déplacé hommes et canons à la première barricade. Coupé de tout renfort et sous le feu des balles, le colonel Morgan décida de se rendre et fut fait prisonnier avec plus de quatre cents de ses soldats valides ou blessés. Une centaine de cadavres de soldats américains morts au combat jonchaient les rues de Québec, dont certains ne furent retrouvés qu'au printemps, au moment du dégel.

Si les Américains rendirent les armes, Daniel Morgan, lui, refusa de remettre son épée au gouverneur Carleton, le général en chef britannique. Il préféra plutôt la rendre à un ecclésiastique. Morgan avait jadis subi le supplice de cinq cents coups de fouet, pour avoir frappé son supérieur dans l'armée britannique. Ce supplice l'avait incité à se joindre aux rebelles patriotes.

De son côté, le colonel Livingston et ses miliciens venaient de forcer la barricade de la porte Saint-Jean. Quand il apprit le décès de son cousin Montgomery, il partit aussitôt avec quelques miliciens à la recherche de son cadavre, laissant les autres rejoindre Arnold et Morgan. Il dit à son nouvel aide de camp, le jeune major Copperfield:

— Si vous trouvez sur votre route un golden retriever âgé de trois ans qui répond au nom de Chesapeake, ramenez-le-nous au camp. C'est le chien du général Montgomery. Pourvu que l'animal ait survécu !

Le colonel Livingston serra sur sa poitrine le médaillon que lui avait remis son cousin à l'intention de sa femme.

Livingston dut se réfugier rue Sous-le-Cap, plutôt que de chercher à rassembler son régiment. Cette manœuvre de déroute lui sauva la vie. Ses miliciens n'eurent pas la même chance. Seul le major Copperfield survécut. Cependant, le colonel Livingston ne put ensevelir son cousin, car le corps du général ne fut retrouvé que le lendemain matin, enfoui dans la neige, par des citadins sortis momentanément des murs de la ville, alors que les bombardements ennemis s'étaient estompés et que le sifflement des balles s'était tu. Autour du cadavre du général Montgomery, une mare de sang teintait la neige. Le chien Chesapeake se tenait là, aux côtés du corps inerte de son maître. Seuls les gémissements des quelques blessés appelant toujours à l'aide, rescapés de l'enfer de la bataille et du froid mordant, se mêlaient encore à la complainte du vent dans la tempête qui n'en finissait plus de siffler.

Le gouverneur Carleton ordonna que l'on ensevelisse la dépouille du général Montgomery au cimetière du temple presbytérien, avec les égards dus à son rang. Seul l'état-major britannique assista à la cérémonie. Le chien du général veilla sur la tombe de son maître pendant plusieurs jours. Plutôt que de remettre le chien à l'état-major américain, Charles-Louis Tarieu de Lanaudière, l'aide de camp du gouverneur Carleton, l'adopta. Il ramena le chien chez lui à Trois-Rivières, dès qu'il le put.

Plutôt que d'abandonner le combat, de sa retraite improvisée, le général Arnold ordonna de poursuivre le siège de Québec. Cependant, le temps très froid et l'humiliation de la défaite avaient incité un grand nombre de mercenaires et de miliciens pro-rebelles à rompre leur contrat d'engagement, tel qu'établi par le général Montgomery.

Les patriotes américains se battaient maintenant un contre trois dans des conditions hivernales extrêmement difficiles. Le général Arnold avait besoin de renforts. De sa chambre d'hôpital, il discuta de leur condition précaire avec le colonel Livingston et demanda à ce dernier ce qu'il en pensait. Le colonel Livingston nourrissait une profonde rancune envers les Anglais, qui n'avaient pas daigné lui remettre le corps de son cousin afin qu'il l'ensevelisse avec les égards du protocole militaire américain, en présence de ses soldats.

— Colonel Livingston, je dois nommer dorénavant un commandant provisoire à la tête de nos troupes sur le terrain, puisque le général Montgomery est mort et que le colonel Morgan est prisonnier, jusqu'au moment où ma cheville me permettra de reprendre ma place. Logiquement, j'ai pensé à vous. Votre régiment canadien, pour ce qu'il en reste, vous est loyal, davantage que les troupes de votre cousin, qui ont largement fui sur les eaux gelées du fleuve et qui ont abandonné son cadavre au pied des remparts.

— Sauf votre respect, mon général, quand pensez-vous reprendre l'offensive et d'où ? Les redoutes de l'ennemi sont de vrais nids de mitrailleuses et leurs miliciens occupent chaque maison à l'intérieur des remparts, alors que nous sommes occupés à soigner nos blessés.

— C'est à vous de le dire, Livingston, si vous désirez être nommé à cette fonction.

Le colonel Livingston porta un regard douteux sur les murs de la chambre d'hôpital.

— Considérant l'état de nos troupes et avec ce temps, ce serait un vrai miracle de gagner la prochaine bataille. Par ailleurs, je ne crois pas que l'ennemi cherchera à nous donner le coup fatal avant le printemps. Il craint l'hiver capricieux tout autant que nous et Carleton préférera soigner ses blessés, en attendant. Ce qui nous donne le temps d'attendre des renforts.

— Bien sûr des renforts, mais qui de fiable et de crédible ira les chercher et où ?

— Avec votre permission, je me rendrai à Montréal en raquettes avec quelques miliciens. Le capitaine Moses Hazen restera ici et prendra ma place. Il a déjà combattu sur les hauteurs des plaines d'Abraham. Mes miliciens sont de bons habitants habitués à ce mode de transport en hiver. Nous serons discrets. Je lèverai les troupes cantonnées à Montréal, à Sorel et à Trois-Rivières. Nous serons de retour prochainement.

Le général jonglait.

— Pour le moment, j'ai trop besoin de vous pour me remplacer à la tête de nos troupes, même si le capitaine Moses Hazen est un officier expérimenté. Vous comprendrez que les troupes du général Montgomery lui vouaient beaucoup de respect. Ils en feront autant pour le cousin de leur général mort comme un brave sur les premières lignes. J'enverrai un de nos vaillants soldats du Maine, un ancien trappeur, porter ma demande au commandant de Montréal.

— Sauf votre respect, mon général, parle-t-il français ?

— Est-ce nécessaire, puisque notre commandant de Montréal parle anglais ?

— Oui, si votre émissaire veut être logé et nourri chez l'habitant canadien, français et catholique.

— Que des chimères, colonel. Le Canada deviendra bientôt un état américain. Rompez.

À la différence du général Montgomery, Arnold était autoritaire et condescendant. Gare à celui qui contestait son opinion, tout autant que son autorité. C'est la raison pour laquelle il s'était adjoint Daniel Morgan et l'avait recommandé au grade de colonel comme féal sujet. Le colonel James Livingston fit le salut militaire, claqua les talons et regagna ses quartiers dans le jardin de l'enceinte de l'hôpital.

Chapitre XX
Les retrouvailles

À la mi-février, comme l'arrivée imminente de renforts tardait, n'en pouvant plus et s'impatientant, le général Arnold mandata le colonel Livingston pour se rendre à Montréal, toujours occupée par l'armée des patriotes, avec un détachement de soldats américains et de miliciens canadiens, afin d'y ramener des troupes fraîches. Le colonel Livingston reçut aussi l'ordre du général Arnold d'activer le recrutement de nouveaux miliciens et d'Amérindiens, en sillonnant la rive nord du Saint-Laurent, de Trois-Rivières jusqu'à Montréal, en espérant que cette fois-ci, il obtienne le succès escompté.

— Renvoyez-moi autant de soldats que vous le pourrez avec quelques officiers expérimentés. Le plus grand nombre possible ne sera pas de trop. Une fois cela fait, vous resterez à Berthier, le temps de refaire le plein de miliciens pour votre régiment, avant de nous rejoindre. Moses Hazen vous remplacera à Québec, à la tête de votre régiment, jusqu'à votre retour. Nous donnerons le coup fatal aux Anglais, le moment venu, probablement quand nos blessés seront complètement remis et avant les semailles.

Le colonel Livingston en profita pour rendre visite à sa famille. Elizabeth avait appris la nouvelle de la mort du général Montgomery, mais James n'avait pas eu le temps de lui écrire qu'il commanderait un détachement pour un temps. Quand James se présenta au pub, il eut la surprise d'apercevoir sa femme servir la clientèle, alors que son beau-père remplissait les chopes de bière. Quand Elizabeth reconnut son mari dans son uniforme bleu aux parements rouges bardé de gallons de colonel américain, elle faillit échapper les verres du précieux liquide aux teintes de houblon. Voyant sa fille figer devant l'officier américain haut gradé, Finbar Simpson s'apprêtait à prêter main-forte à sa fille, lorsqu'il reconnut à son tour son gendre. Après l'avoir salué, il pressa Elizabeth de se rendre au logis avec son mari.

Avant de monter au deuxième étage, une fois rendus dans l'arrière-boutique, Elizabeth et James se précipitèrent dans les bras l'un de l'autre. Ils se serrèrent tendrement. James se rendit compte que Lizbeth pleurait.

— Je voulais t'annoncer ma venue, mais je n'en ai pas eu le temps. Avoir su que ma présence te rendrait si triste… lui dit-il, en lui caressant la nuque.

— Tu sais bien que je pleure de joie ! Tu m'as tellement manqué. Si tu savais combien je t'aime !

James prit le visage de sa femme entre ses mains. Il remarqua des ridelles sous ses yeux. *Lizbeth vieillit prématurément. Sa vie ne doit pas être facile*, se dit-il. Il l'embrassa tendrement.

— Tu as bien reçu ma lettre ?

— Elle m'a fait tellement plaisir. J'aurais aimé en recevoir plus d'une, lui dit-elle, avec une pointe de reproche.

— Le commandement d'une garnison ne laisse pas grand temps à soi. J'aurais dû faire plus d'efforts, je sais.

— L'important est que tu sois avec nous, et pour longtemps.

— Je crains hélas que ma présence à Montréal soit de courte durée. Quelques semaines, quelques mois au plus.

— Alors, les enfants et moi profiterons au maximum de ton passage, répondit amoureusement Elizabeth en se pressant contre la poitrine de James.

— Comment vont-ils ?

— Bien. Viens t'en rendre compte par toi-même. La sieste devrait être terminée. C'est ma mère qui les surveille.

— Et la mienne, comment va-t-elle ?

— Tu ne l'as pas encore avisée de ton arrivée, fils ingrat ? Ce soir, nous irons lui rendre visite. Elle se fait beaucoup de souci pour toi, depuis la mort du général… Un si chic type.

— La veille de sa mort, mon cousin m'a parlé de ta visite, qu'il avait bien appréciée.

— Montons au logis.

Elizabeth et James, main dans la main comme deux inséparables, se rendirent au chevet de leurs garçons.

— Comme ils ont grandi !

— N'est-ce pas ? Attends d'entendre parler Edward. Il est déjà doué pour la plaidoirie, répondit Elizabeth avec fierté.

Quand Edward se réveilla, apercevant les décorations sur l'uniforme de son père, il se jeta dans ses bras.

— Papa, papa ! Je savais que tu reviendrais général, après avoir tué tous les soldats anglais.

— Pas si vite, fiston : la bravoure ne te hisse pas automatiquement au plus haut niveau de l'état-major.

Elizabeth fit signe à son mari que leur fils était trop jeune pour comprendre ce langage militaire. Cependant, le petit Richard Montgomery ne reconnut pas facilement son père et maugréa quand ce dernier voulut le prendre dans ses bras. Lizbeth réconforta son mari navré.

— Ça fait plus que six mois que tu es parti. Le quart de sa vie. Ça reviendra vite, ne t'en fais pas. Même moi, j'ai failli ne pas te reconnaître avec ton visage amaigri et cette cicatrice…

— Une lame de baïonnette a failli m'envoyer dans l'au-delà. J'ai esquivé le coup de justesse.

— Mon Dieu ! Il ne faut pas que ta mère entende ça !

— Mon corps amaigri est le reflet de la cuisine de la caserne, ma chérie.

— Moi qui croyais que les officiers mangeaient grassement.

— Au château Ramezay, oui, mais sur les plaines d'Abraham à Québec, les cuistots ne portent pas de toque !

— Alors, il va falloir remédier à ça. Au menu, ce soir, ton plat préféré sera le nôtre.

— Poisson frit dans la panure et Stout.

— Ça tombe bien, c'est ce que mon père fait de mieux.

Le fou rire d'Elizabeth et de James leur permit de recouvrer leur unisson. Pour leur coucher, les garçons réclamèrent leur père comme auparavant à Sorel. James joua à saute-mouton avec Edward et à saute-crapaud avec Richard Montgomery. Quand les époux se retrouvèrent sur l'oreiller, Elizabeth confia à James :

— J'avais tellement peur qu'une autre femme t'ait fait les yeux doux à Berthier. J'en étais folle de jalousie. C'est pour cette raison que j'ai été rendre visite à ton cousin. Il m'a réconfortée, en me disant que tu m'aimais beaucoup et que tu étais un homme responsable. Du coup, ça m'a rassurée. Il m'a parlé de sa femme, ta cousine Maggie, en me disant qu'il souhaitait que nous fassions connaissance après la guerre.

James fut secoué par les propos de Lizbeth. Il revit le visage de Christine, et s'en voulut d'avoir eu le coup de foudre. *Qu'est-ce qui m'a pris ? Je sais, elle est si belle… Et plus jeune*, se dit-il.

— Tu sais bien, ma chérie, qu'il n'y a que toi dans ma vie, avec les enfants, bien entendu. Tu n'as pas à t'inquiéter. Je suis comblé.

— Je sais bien que je ne t'ai pas fait la vie facile, et je le regrette.

— Tout ça est oublié depuis longtemps. À propos, le général Montgomery m'a demandé de remettre à ma cousine Maggie une lettre ainsi qu'un médaillon, *au cas où*… Nous irons lui rendre visite à Albany, après la guerre. Vous ferez ainsi connaissance. C'était son vœu, il me l'a demandé avant sa mort.

— Si tu savais à quel point j'ai eu peur de te perdre !

— J'essaie de ne pas prendre de risques inutiles au combat.

— Tu sais de quoi je parle, James !

— Je te le répète, il n'y a que deux femmes dans ma vie…

À ces mots, il sentit Lizbeth se crisper.

— Toi et… ma mère.

— Grand fou, va ! Alors, nous irons rendre visite à ton autre amoureuse demain. Cette nuit, tu es tout à moi. Je ne te partagerai pas, ricana Lizbeth, soulagée.

Les amoureux se prouvèrent leur amour. Si Lizbeth retrouvait la passion du bonheur conjugal interrompu par les obligations militaires de son mari, James, pour sa part, était torturé par le souvenir de Christine.

Quand vint le moment du départ, les deux époux s'étreignirent, entourés de leurs petits garçons.

— Je prie pour que tu restes en vie et que cette guerre finisse au plus vite. Tu nous as tellement manqué… N'oublie pas de rendre visite à ta mère. Si tu le veux, nous irons avec toi, dit amoureusement Lizbeth, en appuyant sa tête au creux de l'épaule de son mari.

James était déchiré. S'il quittait sa femme adorée, il s'apprêtait à revenir vers celle qui ne le quittait plus dans ses pensées. Il savait que tôt ou tard, il se rapprocherait de Christine, car il se sentait faible juste à savoir qu'il pourrait la relancer, alors qu'il s'était efforcé de ne pas le faire, afin de respecter sa promesse nuptiale. La seule façon de se protéger contre cette menace était d'amener sa famille à Berthier.

— Si tu m'accompagnais, nous pourrions continuer notre lune de miel ! chuchota James à l'oreille de Lizbeth.

Surprise, celle-ci s'apprêtait à rendre la décision que James devinait. Il lui imposa le silence, en l'embrassant. Lorsque Lizbeth put se dégager de l'étreinte, elle reprit son souffle. Son cœur battait la chamade. Elle devinait que James ne lui demanderait jamais de se séparer de ses petits enfants.

— Je ne crois pas qu'être entouré de la soldatesque soit recommandé pour l'éducation de nos petits. Je voudrais qu'ils choisissent autre chose que la vie militaire. Et puis, je voudrais passer du temps avec toi, et non pas être recluse dans le fond de ta caserne à me faire du mauvais sang, quand tu partiras en campagne militaire. Et puis, pensons à nos parents. Nous les ferions mourir d'inquiétude. Non, ma place est ici à Montréal.

— Tu es plus raisonnable que moi, mon amour, avoua tendrement James.

Elizabeth ne pouvait éponger ses pleurs, car elle tenait ses petits garçons par la main. James s'était alors avancé vers elle et l'avait consolée en lui déclarant son amour éternel.

— Tu es ma raison d'exister, Lizbeth. Chaque seconde loin de toi, m'est insupportable. Je t'aimerai jusqu'à la nuit des temps.

James avait alors déposé un baiser sur le front de sa femme, qui avait de nouveau fondu en larme, en s'affaissant sur sa poitrine.

— Fais attention à toi et reviens-nous vite, Jim. Nous t'aimons. Je t'aime.

— Si tu savais combien vous comptez pour moi. Vous êtes toute ma vie. Je t'aime, Lizbeth.

Elizabeth le regarda intensément, malgré la buée des larmes. James put lire toute la dignité de l'âme irlandaise devant l'adversité, devant l'impossible. Il sut qu'elle l'attendrait le temps qu'il fallait. Pour sa part, Elizabeth se rendit compte une fois de plus que James ne pourrait trancher entre sa cause patriotique et sa vie de famille. Les deux idéaux composaient son identité et ils étaient indissociables.

— Je t'attendrai le temps qu'il faudra.

— Je reviendrai dès que je le pourrai.

Ce furent les derniers mots d'adieu d'Elizabeth et de James.

Le 4 mars 1776, le colonel Livingston alla s'installer de nouveau au manoir de Berthier avec son état-major. Il avait bien l'intention de convaincre de nouvelles recrues à endosser l'effort de guerre. Le manoir était libre, puisque le seigneur James Cuthbert avait décidé de rester dans la clandestinité. Cependant, celui-ci ne perdait pas sa volonté d'appuyer les Britanniques.

À la mi-mars, un fort contingent de soldats américains de Montréal rejoignit Arnold à Québec. Au passage, les Américains avaient menacé le grand vicaire, Pierre Mangue Garaut, dit Saint-Onge, supérieur ecclésiastique et chapelain des Ursulines depuis le départ des Récollets, d'incendier la caserne militaire de Trois-Rivières (Maison des Gouverneurs).

En tant que représentant de monseigneur Briand, l'évêque de Québec venait d'émettre un nouveau mandement et d'exhorter la population d'appuyer indéfectiblement le gouvernement anglais. Le grand vicaire Saint-Onge, d'habitude si pondéré, avait dénoncé en chaire avec véhémence les Canadiens qui endossaient l'idéologie des insurgés américains qui les soudoyaient. L'Éminence les accusa même d'agir comme Judas Iscariote en voulant à tout prix vendre leur âme au diable, ainsi que de briser les familles de la population trifluvienne.

CHAPITRE XXI
LE COMMANDANT AMÉRICAIN

À la rivière Bayonne, le 20 mars, Christine Comtois reçut la visite du facteur, qui vint lui remettre une lettre avec un timbre où apparaissait un nuage. Elle sut que la missive avait été expédiée par l'état-major anglais.

Nous avons entendu dire que le commandant américain qui réside au manoir de Berthier se cherchait une jeune sympathisante canadienne comme interprète ou agent de liaison. Présentez-vous au manoir. Nous vous contacterons sitôt embauchée. L.

Christine faillit en perdre le souffle. Elle crut un moment que la missive provenait de James, tant elle espérait avoir de ses nouvelles. Son cœur battait la chamade.

L., c'est sûrement Lanaudière ou Livingston. Peu importe, enfin une occasion pour aller te rejoindre, James, se dit Christine qui s'entretint avec son oncle, afin d'avoir son aval.

— Un soldat ne choisit pas le moment ou la manière de sa mort. Voilà ta façon de combattre. Nous irons te reconduire par la rivière, Corbin et moi. Les chemins sont trop boueux, proclama Louis-Daniel Guilbault.

Le petit équipage navigua sur la crue des eaux de la rivière Bayonne dans sa barque. La petite embarcation se faufila entre les remous, qui menaçaient de les faire chavirer. Rendus au chenal du

Nord, les deux pagayeurs luttèrent de toutes leurs forces contre les courants contraires et les morceaux de glace de la débâcle.

Quand Christine mit le pied sur la rive gelée, en face du débarcadère du manoir, elle ressentit le frisson enivrant de la passion qui la réchauffait malgré le vent glacial qu'elle venait de subir sur le chenal. En envoyant furtivement la main aux capitaines de milice, elle avait le pressentiment que sa vie prendrait un tournant déterminant pour son destin.

Quand Christine se présenta au manoir et demanda, dans un très bon anglais, à rencontrer le commandant Livingston, la sentinelle siffla son admiration de manière vulgaire, jusqu'au moment où un autre soldat lui dit à l'oreille :

— Fallait le dire, ma petite demoiselle, que vous veniez pour le poste d'interprète… Allez, je vais aviser l'aide de camp du colonel de votre visite.

Christine observait le boudoir faisant office de salle d'attente, un lieu qu'elle avait bien connu et qui lui apparaissait maintenant si différent d'avant-guerre. Elle entendit au loin des voix masculines, et chercha à distinguer celle de James. Nerveuse, elle tenta d'apercevoir du coin de l'œil l'uniforme impeccable bardé de médailles de bravoure du commandant américain du siège de Berthier. Elle avait appris entre les branches qu'il s'était battu aux côtés de Georges Washington, et que ce dernier avait des vues politiques pour le colonel.

Que vais-je faire en le voyant ? Lui sauter dans le bras et l'embrasser ? Ça serait plutôt l'embarrasser, car il ne m'a pas fait signe de vie depuis belle lurette. Christine réalisa qu'elle devait jouer de prudence. Puis, un doute germa dans son esprit.

Que suis-je venue faire ici, sinon chercher le grand amour ? Rien ne me dit que James ne l'a pas fait exprès, et que ma visite, toute motivée par la candidature à ce poste d'interprète, fera son affaire. Si tel est le cas, il faudra assumer les risques de ma décision et faire la guerre de la manière que le gouverneur Carleton me l'a suggérée, en espionnant l'état-major bostonnais… Par ailleurs, tante Marie-Ange a raison : rien n'est plus mortel pour une espionne que de tomber amoureuse de son ennemi, fût-il séduisant.

L'aide de camp du commandant, le major Edward Copperfield, vint à la rencontre de Christine. Elle remarqua la série de gallons à l'épaulette du militaire, se disant que ce jeune homme au visage poupin et glabre devait être investi d'une ambition démesurée pour rechercher autant les honneurs et pour détenir une fonction aussi importante.

— Vous venez pour le poste d'interprète... À qui avons-nous affaire, *miss* ?

— Christine Comtois. Ma famille habite l'île Saint-Ignace.

— Je vois... Et c'est à l'île Saint-Ignace que vous avez appris à parler un si bon anglais ?

La question glaciale et pertinente, posée dès le début de l'entretien, eut l'heur de donner des frissons à Christine. Pourtant, elle s'était maintes fois préparée à l'interrogatoire ainsi qu'à la manière dont elle aurait à répondre aux questions sans éveiller le moindre doute. Christine eut peur de balbutier. Elle serra les mâchoires, et répondit avec assurance :

— Plutôt au manoir du seigneur Cuthbert. Quand James Cuthbert a acheté la seigneurie de Berthier, il a aussitôt fondé une petite école de langue anglaise. Ma famille m'y a inscrit. La classe se faisait au manoir avec miss Peacock, ici, à l'étage. Plus tard, à l'occasion, j'ai été la gardienne de ses fils.

Pour plus de vraisemblance, Christine pointa le second étage du doigt.

— *Baby-sitter !* siffla l'officier, de manière frisant l'insolence.

Edward Copperfield tentait d'évaluer la vraisemblance des propos de Christine. Il se séchait la commissure des lèvres, tout en lisant de son regard pénétrant dans les yeux de son interlocutrice.

— Qui étaient les autres élèves, puisque les enfants de Cuthbert n'étaient pas d'âge scolaire ?

Christine se sentit coincée. Elle ne connaissait pas d'autres familles britanniques que les Morrison, puisqu'elle avait inventé l'identité de miss Peacock. Surtout, elle ne voulait pas révéler son amitié avec la famille Morrison, liée aux Cuthbert. Les secondes s'écoulaient trop lentement au gré de Christine. Son regard allait invariablement et avec frayeur des yeux inquisiteurs du major au plancher de bois franc martelé et crotté des bottes des militaires américains. La panique avait commencé à s'emparer d'elle. Elle avait beau fouiller désespérément son cerveau, pour trouver la pirouette qui la sortirait de cette impasse, elle n'y parvenait pas.

Au moment où elle crut que le major allait l'éconduire, elle entendit du bout du corridor :

— Est-ce si important de fouiller aussi loin dans son passé, major ? Cette jeune fille m'apparaît trop ingénue pour jouer les espionnes. Pourvu qu'elle puisse traduire le charabia local, je n'en demande pas davantage. Vous devriez plutôt commencer à apprendre la langue française. Saviez-vous que le marquis de La Fayette s'apprête à venir nous rejoindre ? Rompez, major.

Le major Copperfield enjamba le couloir et chuchota quelques mots à son supérieur. Puis, faisant le salut militaire, il claqua les talons et dit :

— Colonel !

La fermeté du propos du commandant américain impressionna Christine. Elle eut l'impression d'entendre les tonalités de la voix de James Livingston, mais en beaucoup plus ferme.

C'est la voix de James, je la reconnais.

Afin d'apprivoiser sa nervosité, Christine se plut à imaginer le personnage dont le timbre de voix lui imposait le respect, comme si elle ne l'avait jamais rencontré auparavant.

Avec cette voix grave, le commandant américain doit être grand et costaud. Dans son uniforme bardé de médailles de bravoure, il est sans doute intimidant. Si en plus il est coiffé de son chapeau de ranger — pire, d'un haut-de-forme —, il doit en imposer. Et si c'était le contraire ; un maigrelet à l'uniforme déboutonné et aux bottes crottées comme celles des autres soldats ! Non, car le major Cooperfield ne le traiterait pas avec autant de respect. Que j'ai hâte de dire à James à quel point il m'a manqué !

Le colonel James Livingston se rassit à son bureau de travail, l'air inquiet. Il regardait vaguement en direction du chenal, lissant méticuleusement ses longs favoris, et tentait d'analyser le récit de Clément Gosselin, qui venait de lui relater les péripéties de la mort de son cousin, le général Montgomery, lors de la fameuse défaite de l'armée américaine, le soir du 31 décembre 1775, à Québec. Comme il connaissait bien le tracé de la rue Champlain qui ceinturait la falaise du Cap Diamant, Gosselin avait servi de guide au général, avec un de ses amis de l'île d'Orléans.

Gosselin pensait se réfugier un temps à Berthier, avant de retourner dans sa famille à l'île d'Orléans.

Âgé de vingt-neuf ans, Gosselin avait épousé la cause révolutionnaire américaine au début de la guerre en sol canadien. Il venait de parcourir les diverses paroisses de la rive sud du fleuve, afin de recruter par la force si nécessaire des miliciens pour les troupes des insurgés. Son loyalisme à la cause américaine et son efficacité féroce à exécuter les ordres de ses supérieurs l'avaient rendu antipathique auprès de ses compatriotes. Comme le vent de la guerre semblait tourner en faveur des Anglais, il lui fallait absolument fuir sa région natale.

Le beau colonel américain âgé de vingt-huit ans se leva subitement. Il paraissait tracassé, pire, attristé par ce qu'il venait d'entendre.

— *Thank you for your help, mister Gosselin.* L'armée des patriotes souhaite maintenant que vous recrutiez de nouveaux miliciens bénévoles. Vous allez le faire de chez vous, à l'île d'Orléans et sur la côte sud. Le général Arnold est impatient de les accueillir à Québec. Rompez! Quelqu'un m'attend à la réception.

James Livingston claqua des talons en faisant le salut militaire à Gosselin, en guise de conclusion à son entretien avec le sympathisant, qui n'avait pas incité suffisamment le général Montgomery à la prudence, près des barricades de Québec.

Intimidé, Gosselin tripota son bonnet de laine et répondit:

— Le gouverneur anglais cherchera à m'arrêter. Comme l'armée anglaise connaît bien la paroisse Sainte-Famille, d'où je viens, autant me cacher loin de chez moi. Alors, j'ai pensé qu'à Berthier…

Étant donné que l'armée américaine manquait d'effectifs, le colonel jugea bon de donner une seconde chance à Clément Gosselin, en l'employant comme recruteur de miliciens.

— Je compte sur vous pour recruter autant de miliciens que possible, et rapidement. Et si vous découvrez la cachette de James Cuthbert, nous l'arrêterons aussitôt. Les Anglais n'ont pas hésité à assassiner mon cousin Montgomery, *you know what I mean? OK, so you'll be staying in Berthier from now on. I'll see you later. Your mission starts right now,* s'empressa d'ajouter le colonel.

Quand Gosselin quitta la pièce, le colonel s'avança alors vers Christine, qu'il venait de reconnaître. Un frisson lui électrisa le cœur.

Christine! Elle est plus belle que jamais. Moi qui me demandais si je devais la recontacter, et voici qu'elle s'amène vers moi. C'est sûrement le coup du destin. Comment résister?

James tendit la main à Christine en la gratifiant de son plus beau sourire.

— Colonel James Livingston, commandant de cette base militaire.

Délaissant la fiction pour la réalité, sous le charme, Christine se plut à contempler le colonel; elle l'enveloppa d'un tendre regard admiratif. Comme elle n'arrêtait pas de regarder le militaire, envoûtée par sa prestance, celui-ci répéta, avec un sourire éclatant, toujours la main tendue, dans une mise en scène qui n'éveillerait pas les soupçons de ses compagnons d'armes:

— Colonel James Livingston.

— Christine Comtois. Je viens présenter mes qualifications pour le poste d'interprète.

Le colonel continua en Anglais.

— Vraiment? Allons discuter dans mon bureau. Comme il est situé dans la bibliothèque du seigneur James Cuthbert, je vais vous laisser me guider, puisqu'apparemment, vous connaissez bien les lieux.

Le major Copperfield avait pu lui donner cette information. Christine prit la mesure de la vive intelligence du haut gradé, en se disant qu'il avait en plus le charme et la distinction. Christine fit la révérence au colonel et, tout en replaçant sa coiffe, prit allègrement le corridor en sens inverse, se dirigeant vers la pièce qui avait servi de bibliothèque à James Cuthbert, suivie par le colonel.

En passant devant le bureau du major Copperfield, celui-ci la gratifia d'un sourire équivoque. Elle avait pleinement conscience qu'elle subissait son premier test de crédibilité devant l'aide de camp du colonel.

Christine répéta mentalement plusieurs fois le nom du marquis de La Fayette, afin de ne pas l'oublier dans son rapport à James Cuthbert. Sa mission d'espionne lui parut troublante, car elle répugnait à trahir la confiance du plus bel homme qu'elle n'eut jamais rencontré, et dont elle était tombée amoureuse.

Après une œillade complice, le colonel fit exprès pour laisser la porte de son bureau ouverte. Il craignait que le major Cooperfield ne soit un espion à la solde du général Arnold. Il commença son entretien d'embauche.

James Livingston parut satisfait des réponses de Christine. Il s'informa de la condition des censitaires de Berthier et surtout de l'opinion qu'ils avaient des soldats américains. Il demanda à la postulante de parler de sa famille de l'île Saint-Ignace. Christine s'empressa de nommer son oncle Jacques Cotnoir, un chaud partisan de la cause américaine.

Le colonel demanda aussi à Christine si elle était apparentée aux capitaines de milice Guilbault. Pour bien marquer le sérieux de l'interrogatoire, il insista.

— Tout ce qui se dit ici doit y rester, par souci de confidentialité : secrets militaires obligent. Pas seulement dans mon bureau, mais aussi au manoir devenu mon quartier général. En conséquence, vous logerez dorénavant au manoir, dans l'aile des domestiques. L'une d'elles vous indiquera votre cellule. Ne craignez rien, personne ne vous troublera. Si l'un de mes soldats tourne trop de l'œil, vous n'aurez qu'à m'en aviser, et il sera puni. Celui qui osera attenter à votre pudeur passera en cour martiale. Jugé coupable, il sera exécuté. Vous serez sous ma protection.

Christine parut surprise. Elle ne s'était pas attendue à cette réclusion. Elle pensa à sa tante Marie-Ange qui ferait neuvaine sur neuvaine, à la croix du chemin. Par mimique, James demanda à Christine de simuler à haute voix la surprise.

En prenant conscience de l'ampleur du bourbier où elle s'était mise les pieds, Christine se mit à regretter amèrement sa promesse faite aux autorités anglaises d'espionner l'état-major américain.

— Et ma famille, je ne pourrai plus la voir ?

— Bien sûr que oui. Nous irons la chercher chaque dimanche à l'île Saint-Ignace, et vous pourrez échanger avec les vôtres en toute quiétude, il en va de soi, car la famille Cotnoir a toute notre estime. Comme votre sécurité nous importe, nous préférons vous protéger ici. Je ferai informer votre oncle de ces dispositions.

Il importait plus à Christine de se retrouver près de James et d'attendre sa déclaration d'amour, qu'il ne semblait pas si pressé d'exprimer. Le moment tant souhaité arriva quand James se rendit compte que le major Cooperfield montait à l'étage. Il s'empressa alors de fermer la porte et de se précipiter vers Christine pour l'embrasser passionnément.

— Que tu m'as manqué ! J'ai cru que je ne te reverrais plus !

Les baisers de James étaient si intenses que Christine en perdait le souffle ; il la pressait sur son cœur avec une telle vigueur, qu'elle avait l'impression que leurs cœurs battaient à l'unisson.

— Avoir su que tu postulerais pour ce poste d'interprète, je l'aurais doté bien avant. Dorénavant, tu ne me quitteras plus jamais. Tu seras ma prisonnière et je serai ton geôlier, ou le contraire, si tu préfères.

— Oh oui, James. Être à tout jamais à tes côtés sera ma plus grande destinée. Si tu savais combien de fois j'ai rêvé me retrouver dans tes bras comme maintenant.

James avait commencé à cajoler Christine qui se laissait faire, tant la passion du moment était intense. Le colonel déboutonna le corsage de la jeune fille, et commença à la caresser. Haletante, Christine cherchait les lèvres de James tout en goûtant à l'excitation de son désir viril qui se manifestait. James allait retrousser les jupes de Christine, quand les deux tourtereaux entendirent frapper à la porte violemment.

— Colonel, un émissaire du Massachusetts vient d'arriver. Il demande que vous le receviez de toute urgence.

La voix haute perchée du major Cooperfield brisa le premier moment passionnel de Christine et de James. Se ressaisissant, ce dernier affirma, tout en regardant Christine d'un air désolé :

— Dites-lui que j'arrive dans la minute. Tenez-lui compagnie, en attendant.

Sans mot dire, les amants replacèrent leurs vêtements et leur coiffure.

— Nous nous verrons sous peu et terminerons cette passionnante conversation, lança James d'un air narquois.

Christine se lança alors dans les bras de James pour lui réclamer un dernier baiser. La spontanéité de la jeune fille désarçonna le général. Puis, James griffonna un petit mot.

— Tu remettras ça à mon aide de camp Cooperfield. Il te reconduira à ta chambre.

— Je connais le chemin.

— Tut, tut. En temps de guerre, il faut obéir à son état-major. C'est un ordre.

Christine fit le salut militaire par boutade et sortit en même temps que James. Le major Cooperfield la regarda de manière suspecte.

Christine apprit plus tard que le 17 mars, l'armée américaine sur les hauteurs de la fortification Dorchester (Dorchester Heights) dominant la baie et la ville de Boston avait réussi, sous le commandement du général Georges Washington, à faire retraiter vers Halifax les soldats britanniques dirigés par le général William Howe. Cette action militaire donna confiance aux Treize Colonies dans leur quête d'indépendance vis-à-vis de la Grande-Bretagne. Christine mémorisa cette information précieuse à transmettre au gouverneur, en se disant qu'une attaque américaine comparable sur le sol canadien était possible.

Torturée entre son amour pour James et son devoir envers le gouverneur Carleton, Christine se demandait bien de quelle manière elle pourrait communiquer ses informations secrètes à son oncle Louis-Daniel et à son cousin Corbin, et aviser sa tante Marie-Ange de sa réclusion au manoir. Puis elle se dit qu'elle demanderait subtilement à Angélique de transmettre ses messages à l'état-major anglais. Pour ça, il lui fallait informer sa cousine de son rôle d'espionne et obtenir sa collaboration.

Comme Christine avait demandé d'assister à la messe à l'église de Sainte-Geneviève de Berthier, le dimanche, et comme il était interdit aux soldats américains protestants de pénétrer dans la nef, Christine usa du stratagème simple et efficace de transmettre verbalement à sa cousine Angélique, au moment du sermon, les informations qui lui apparaissaient dignes de mention, pour que cette dernière les communique à son oncle et à son cousin Guilbault.

À sa grande surprise, avant que Christine ne lui explique brièvement les risques du métier, Angélique se proposa comme courrier.

— Comme ça, tu le savais ? Réalises-tu le danger que tu cours, sans penser à la peine que tu pourrais faire à Renée et à Jacques s'ils l'apprenaient ? s'indigna Christine.

— Rencontres-tu en privé le beau colonel Livingston ? demanda narquoisement Angélique.

— Que vas-tu chercher là ? Il sait qui je suis, sans plus. C'est un homme tellement occupé.

Angélique regardait sa cousine, sceptique.

— Tu mens, Christine Comtois. Tu mens toujours quand tu te mets la bouche en cœur. Je te connais depuis si longtemps. L'as-tu embrassé ?

— Tu ne comprendras jamais que je n'accomplis que mon devoir de citoyenne. Le travail d'espionne, c'est du sérieux.

— Moi, à ta place, je ne jouerais pas à l'égérie, et si j'avais à faire un choix, eh bien, je me laisserais choir dans les bras du beau colonel, marié ou pas !

Le mot *marié* frappa Christine de plein fouet.

— Ça paraît que tu n'es pas à ma place, car je ne m'intéresse pas aux hommes mariés.

— Tu as la mémoire courte, Christine Comtois. Je t'ai entendu dire le contraire plusieurs fois.

— Marié, en plus d'être l'ennemi numéro un à Berthier… Me crois-tu folle ? D'ailleurs, es-tu si certaine qu'il soit marié ?

— C'est ce que ma mère a su. La rumeur court à la ronde. Tu es bien la seule à ne pas l'avoir appris ! Évidemment, il n'y a pas pire sourde que celle qui se promène en se bouchant les oreilles.

— Angélique Houle, je ne veux plus jamais te parler, tu entends ? Jamais !

Au fil des semaines, le beau colonel Livingston s'intéressa de plus en plus à Christine, mais ne la reçut pas en privé, même si elle avait partagé sa table à Pâques plutôt que celle des domestiques, aux côtés des officiers de l'état-major. Christine avait pu apprendre, lors de leurs libations, que d'autres généraux américains allaient unir leurs forces pour attaquer Québec. Ils attendaient que la navigation sur le fleuve soit possible.

Christine s'en inquiéta, d'autant plus que sa dernière conversation avec Angélique l'avait fait réfléchir. Si le colonel Livingston la négligeait, alors elle n'avait pas d'autre choix que d'accomplir sa mission d'espionne. Christine s'était empressée de communiquer l'information stratégique à sa cousine Angélique Houle, le lendemain, à la messe. Se penchant vers elle, Christine chuchota :

— Tu transmettras ces renseignements à mon amie Geneviève Faribault. Celle-ci s'occupera de le dire à son père qui le communiquera au seigneur Cuthbert. Et si ça concerne mon oncle Louis-Daniel, elle sait où il demeure.

— Elle en a de la chance, je ne suis même pas au courant… Et puis, s'est-il passé quelque chose entre le colonel et toi ? demanda Angélique.

— Chut ! Comment oses-tu ? Ce n'est pas parce qu'il est bel homme que je me donnerais à lui, même si…

— Tu en avais envie, n'est-ce pas ?

— Angélique ! Je ne suis pas une fille de régiment !

James Cuthbert put prévenir à temps le gouverneur Carleton à Québec des intentions de l'état-major américain.

Un soir, après le souper, James Livingston demanda à Christine de le suivre dans son bureau. Après avoir fermé la porte, il se rapprocha d'elle et lui dit, de manière plus intime :

— J'ai le goût de t'embrasser. Tu m'as tellement manqué ! Je sais que je t'ai négligée, mais ce n'était pas par manque d'intérêt pour toi. Oh, combien de fois j'ai pensé à toi, pensé à aller te retrouver dans ta chambre… mais je n'ai pas osé. Te faire venir plus souvent à mon bureau aurait paru étrange aux yeux de mon état-major, car pour l'instant, il n'y a pas encore de motifs suffisants, tu comprends ?

Christine se lança dans les bras de l'homme qu'elle aimait éperdument.

— Je t'aime, James. Simplement nous embrasser aurait été un motif suffisant, non ?

Le colonel parut désarmé devant la remarque.

— Tu as raison : pourquoi ne pas profiter de ces tendres moments, alors que nous sommes si près l'un de l'autre ?

— Si je te disais que depuis ton retour, nous ne nous sommes pas vus plus souvent qu'avant ton départ, ça t'étonnerait ?

Gêné par l'observation, James formula l'excuse classique.

— Mon devoir de commandant du poste de Berthier prend tout mon temps.

Christine aperçut alors une lettre parfumée qui traînait sur le bureau. Son sang ne fit qu'un tour.

— Ne serait-ce pas plutôt celle qui t'a écrit cette lettre qui retient ton attention ?

Cette réaction de jalousie déstabilisa James. Il n'avait jamais pensé que Christine ait pu ressentir une telle frustration. Il répondit timidement :

— Une lettre d'une résistante pro-rebelle, sans plus. Il ne faut pas t'inquiéter.

Ne serait-ce pas plutôt sa femme qui lui dit que ses enfants s'inquiètent pour lui ? Si je lui demande, il me répondra sans doute : « Ne crains rien : si nous maintenons des rapports cordiaux, ma femme et moi, il n'y a plus de réel amour entre nous. C'est toi que j'aime ! »

James enlaça Christine et l'embrassa passionnément. Celle-ci répondit avec ardeur à ces avances, mais réfléchissait au fait étrange que James avait peut-être délibérément laissé cette lettre à la vue. *A-t-il fait exprès pour me rendre jalouse?* se demanda-t-elle.

— J'aurai bientôt à te confier une mission qui me tient très à cœur. Pour ça, tu auras à traverser les lignes ennemies. Le pourrais-tu?

Christine sentit ses jambes se ramollir. Ainsi, c'était vrai, elle avait toute la confiance de l'état-major américain. Elle travaillerait comme espionne. En même temps, elle réalisa qu'elle travaillait déjà pour le gouvernement anglais.

Agent double! Qu'est-ce qui me prend? Ce n'est pas possible de renier la confiance du gouverneur Carleton! se dit-elle, émue.

Comme Christine demanda de s'asseoir, Livingston crut que la perspective de risquer sa vie la paniquait.

— Évidemment, tu n'es pas soldate. Ce n'est pas le devoir d'une Canadienne de risquer sa vie pour la Nouvelle-Angleterre. Si je te l'ai proposé, c'est parce que je ne vois que toi qui puisses réussir! Enfin, nous verrons plus tard.

Puis, se rapprochant de Christine, James Livingston lui susurra à l'oreille:

— J'aimerais que tu restes ici, cette nuit. Est-ce possible?

Christine allait de surprise en émoi. Son cœur battit la chamade. Tout se bousculait dans sa tête. Le commandant américain lui demandait de devenir sa maîtresse. N'attendant pas que Christine lui réponde, déjà James lui avait pris la main et l'avait portée à sa bouche pour l'embrasser. La jeune femme avait frémi. Elle se sentait coupable à l'idée qu'elle puisse s'abandonner dans les bras du beau militaire américain, en lui prouvant son amour, alors qu'elle avait promis au gouverneur Carleton d'espionner l'ennemi, pour servir la Couronne d'Angleterre.

Le cœur de Christine battait à tout rompre. Elle éprouvait ce sentiment si excitant appelé *amour*, dont elle avait palabré maintes fois avec sa cousine Angélique. En même temps, elle ne voulait pas laisser libre cours à son épanchement et risquer de tromper ceux qui lui faisaient confiance.

Christine avait des sentiments partagés. Elle appréhendait ce moment depuis des semaines, car elle savait qu'en disant oui au colonel, elle encourrait l'opprobre de la population de Berthier, même des neutres et des sympathisants à la cause des Bostonnais, si on apprenait qu'une concitoyenne canadienne-française partageait le lit du colonel américain. Et pourtant, Christine attendait fébrilement au plus profond de son être cette invitation à partager l'intimité du beau colonel, à se blottir dans ses bras et à s'abandonner à l'extase quand il lui demanderait, afin de lui procurer le plaisir de l'amour.

Christine se mit à s'interroger sur sa mission au profit de l'Angleterre, et à se demander pourquoi elle l'avait l'acceptée si spontanément, alors qu'elle souhaitait rencontrer ce beau militaire américain, directement impliqué dans la cause des Bostonnais. Elle se remémora sa dernière discussion avec sa cousine, et se souvint de la mise en garde de sa tante Marie-Ange. C'était sa rencontre avec Charles-Louis de Lanaudière qui avait décidé de son destin en la rangeant politiquement du côté du seigneur Cuthbert, alors qu'elle n'avait été que la gardienne de ses fils.

Moi qui voulais tomber amoureuse d'un patriote, je n'aurais pu en espérer un plus beau, et commandant de la région de Berthier, de surcroît ! pensa-t-elle.

Or, Christine se rendit compte qu'elle ne pouvait pas laisser libre cours à son sentiment impunément, et que sa position était réellement inconfortable. En acceptant l'invitation du colonel, elle pourrait lui soutirer toute l'information utile au régime anglais. Pour cela, il ne fallait pas qu'elle se sente coupable de le trahir.

Elle aurait tant voulu redevenir la jeune fille ingénue qui rêvait à l'amour innocent, alors qu'elle se voyait investie d'une mission double d'espionnage qui lui apparaissait pour le moment au-dessus des forces. Elle se mit à envisager son avenir avec James Livingston.

Si les Américains perdaient la bataille de Québec et fuyaient vers la Nouvelle-Angleterre, James n'aurait d'autre choix que de fuir lui aussi avec les troupes. Ce n'était qu'une question de temps.

Comme espionne, je pourrais connaître ses intentions concernant son départ. Par ailleurs, si je tiens à lui, aussi bien me demander maintenant si je suis prête à tout laisser pour le suivre, pourvu que cela soit aussi son intention, se dit-elle.

Autant d'incertitudes rendaient sa prise de décision infernale. Elle savait bien que le colonel la trouvait séduisante, mais c'était la première fois qu'il lui signifiait autant son intérêt. Oh, il lui était bien arrivé d'adresser à Christine des regards admiratifs sur sa beauté, voire des propos galants, mais jamais il n'avait été aussi explicite dans ses intentions. Christine se rappela les recommandations de sa tante Marie-Ange.

***

— Ne va surtout pas t'amouracher d'un Américain sous prétexte de servir à la défense du pays. Nos miliciens sont là pour se battre : ce n'est pas le rôle des femmes. Nous donnons la vie, mais ne la détruisons pas... À propos, si jamais tu te rends compte que tu as un penchant pour le colonel, et que celui-ci partage cet intérêt, demande-lui s'il est marié. À sa réponse, tu sauras si ses intentions sont honnêtes...

Christine avait trouvé étrange que sa tante lui fasse cette mise en garde.

— Mais, je ne le connais pas encore. D'ailleurs, il doit être vieux et bedonnant.

— Quoi ? Personne ne t'a encore dit à qui tu aurais affaire, et tu ne t'en es pas encore informée ?

— Devrais-je me méfier de son allure et de son apparence ?

Marie-Ange se surprit à sourire malgré elle.

— Je ne me moque pas de toi, au contraire...

Devant l'air inquiet de Christine, elle s'empressa d'ajouter :

— Parce que j'ai entendu dire que le colonel était séduisant. Trop séduisant, paraît-il, pour laisser les jeunes filles indifférentes.

— Qui vous a dit ça ? Vous ne sortez jamais.

— Tout se sait... C'est la femme du notaire Faribault. Elle demeure en face du manoir.

— Geneviève a dû le voir, ce beau colonel. Pourquoi ne pas m'en avoir parlé ?

Christine resta perplexe. Il ne lui était pas encore venu à l'esprit de s'informer des risques sentimentaux du rôle d'espionne.

— L'on dit qu'il est marié.

— Je n'ai rien à craindre de lui, alors !

Marie-Ange s'approcha de sa nièce et, de ses mains craquelées par l'eau de lessive et les manchons de charrue, la prit par les épaules et la regarda bien en face, tout en dodelinant de la tête.

— Pauvre petite fille. Si belle, encore si naïve. Ce n'est pas lui que je crains, mais toi.

Comme Christine ne comprenait pas vraiment le message de sa tante, Marie-Ange clarifia ses propos.

— Bien des hommes mariés sont volages, même si c'est péché. En temps de guerre, c'est encore pire, puisqu'on dirait que le fait d'être soldat leur donne la permission de tout faire avec les filles qui rôdent autour de leur campement. Raison de plus, si une belle jeune fille comme toi se présente au commandant… il sera peut-être tenté de te dévorer à la première occasion.

— Personne ne l'a fait jusqu'à maintenant ; je saurai me défendre. Et puis, les Américains cherchent l'appui de la population locale ; ils n'oseraient pas avoir un tel comportement.

— Les miliciens de par ici connaissent ton oncle Louis-Daniel et ton cousin Corbin, et n'oseraient rien, car sinon gare à eux. Tandis que les soldats américains sont maîtres des lieux. S'ils gagnent la guerre, ils feront leur loi ; s'ils la perdent, ça pourrait être encore pire, en pillant et en violant…

Christine était bouche bée. Marie-Ange précisa.

— Dans ton cas, si le colonel apprenait que tu es une espionne à la solde du seigneur Cuthbert, il n'hésiterait pas à te donner en pâture à ses soldats.

— Comment pourrait-il l'apprendre ?

Marie-Ange haussa les épaules.

— Pauvre Christine ! Toute information confidentielle et stratégique qui se rendra à la connaissance de James Cuthbert aura été forcément communiquée par un délateur ou un espion. Le colonel soupçonnera tout le monde, et rapidement, ton tour viendra, puisque tu seras son interprète… Je te trouve bien jeune pour risquer ta vie à ce jeu-là.

— Pour le moment, vous n'avez rien à craindre, puisque je ne serai qu'interprète. D'ailleurs, le gouverneur Carleton ne me demande que de tendre l'oreille, pas plus.

***

— Êtes-vous marié, colonel Livingston ?

Le ton frondeur de la question posée par Christine, glaça le colonel. Il s'attendait au moins à un sourire approbateur de la part de la jeune femme, ou au mieux, à un élan d'effusion. À la place, plutôt que de saisir la balle au bond et de partager le lit du militaire, la belle qu'il convoitait lui renvoyait le spectre de ses responsabilités familiales, que la campagne militaire lui avait fait oublier.

James Livingston desserra son étreinte, et tout en regardant Christine directement dans les yeux, se distança. Il répondit avec froideur :

— Je suis mariée avec une ravissante jeune femme. Elizabeth m'a déjà donné deux adorables enfants, dont je m'ennuie et que j'ai très hâte de revoir... Vous savez, la guerre divise bien souvent les familles, hélas. Ça n'a pas été facile pour ma femme. J'espère qu'il n'est pas trop tard pour nous deux. Enfin ! soupira le colonel, en repensant aux discussions avec sa femme.

Christine avait blêmi. Elle ressentit une forte douleur à la poitrine. Elle se dit qu'elle s'était sans doute méprise sur la manière de connaître les véritables sentiments du colonel à son égard, et qu'elle avait perdu toutes ses chances de se rapprocher de lui. Le souffle coupé par la révélation de James, elle craignit de s'évanouir. La voyant dans cet état, James Livingston la prit par le bras et la pria d'aller s'asseoir sur le fauteuil.

Christine y vit l'occasion rêvée de se reprendre. Elle feignit de défaillir. James la prit alors dans ses bras pour la déposer sur le canapé. Christine se laissa porter par le beau militaire. Quand celui-ci se leva pour aller sonner son aide de camp, les yeux mi-ouverts, Christine sut qu'elle devait lui signifier son rétablissement, afin de pouvoir continuer ce moment d'intimité. Elle toussota quelque peu. James récupéra un peu d'eau fraîche de la carafe, en imbiba son mouchoir d'apparat, et lui appliqua la compresse avec délicatesse.

— Est-ce que ça va mieux, maintenant ? C'est probablement l'humidité de cette pièce qui a provoqué ton malaise... Tiens, la compresse va te permettre de reprendre rapidement tes esprits.

L'inconfort de Christine avait fait place à une respiration haletante, qu'elle contrôlait à peine. Elle se disait : *Résiste, il faut que tu lui résistes.* Le feu de la passion lui rongeait les entrailles. *Voyons, Christine, ressaisis-toi ! Il vient à peine de te dire qu'il avait épousé une femme merveilleuse.*

Faisant mine de s'affaiblir, Christine glissa lentement sur le canapé, tentant de s'agripper au bras du colonel. Celui-ci la prit plus fermement par la taille et tenta de la soulever. Christine saisit alors l'occasion de se blottir sur le torse du militaire, tout en approchant ses lèvres des siennes. James Livingston sentit la chaleur enivrante de l'haleine de Christine et il en fut troublé. N'écoutant que son désir, il appliqua un baiser ardent sur sa bouche. Lorsque le colonel commença à déboutonner le corsage de Christine, la peur la prit. Elle se dégagea de son étreinte, se leva prestement et déclara :

— Non… non. Pas ça. C'est trop vite…

Puis reprenant son aplomb, elle replaça ses cheveux.

— Je ne pourrai pas accepter ton invitation à rester ici pour la nuit, James.

James Livingston ne sembla pas comprendre. Ou plutôt, il comprenait trop bien la tournure de l'événement. Il s'était épris d'une petite Canadienne scrupuleuse, et s'était mépris sur ses véritables intentions, au point de mordre la poussière et de perdre la face. Le colonel se leva à son tour, replaça sa veste d'uniforme, lissa ses moustaches.

— Fort bien, n'en parlons plus. Pardonne-moi, j'ai eu un moment de faiblesse, ça n'arrivera plus. Tu peux retourner à ta chambre.

Christine resta bouche bée devant le stoïcisme du colonel. Elle se mit à regretter son attitude pudibonde. Elle s'approcha de James Livingston, en le fixant dans les yeux.

— Mais…

Le colonel comprit la valse-hésitation des sentiments de la jeune femme. Plutôt que de la rabrouer, il lui mit délicatement le doigt sur la bouche.

— N'en dis pas plus et restons-en là. Ce n'est pas nécessaire d'en rajouter… Bonne nuit, Christine.

Au ton employé par le militaire, Christine comprit qu'elle ne lui était pas indifférente, même s'il avait avoué avoir fait une entorse à son code d'honneur. Elle se sentait tellement idiote d'avoir perdu, par sa propre faute, l'occasion d'exprimer son amour à l'homme de sa vie.

Prise de remords, Christine hésita à quitter la pièce, espérant qu'il la retiendrait ou lui exprimerait son désir de la revoir bientôt. Tel ne fut pas le cas.

Par dépit, Christine continua à informer sa cousine des rumeurs entendues au manoir concernant la défaite américaine probable, sans en avoir eu des informations précises, jusqu'au départ précipité du régiment du colonel Livingston vers Trois-Rivières.

Chapitre XXII
La déroute

Le général Arnold avait continué d'attaquer la ville de Québec, en la canonnant à partir de Pointe-Lévis durant le mois d'avril. Trop peu, trop tard. Le siège dura jusqu'au 5 mai, même si le Congrès américain avait expédié deux mille cinq cents hommes dirigés par le général Thomas qui devait prendre la tête des opérations. Arrivé le 1er mai, Thomas jugea qu'il serait incapable de se rendre maître de la forteresse. Le même jour de l'avant-garde, la venue des renforts britanniques dans la rade de Québec modifia ses plans. Les jours suivants, les généraux Thomas et Arnold décidèrent de lever le camp et de fuir. Le siège de Québec, qui avait duré six mois, venait de se terminer.

Le 15 mai, en route vers Sorel, où le général Sullivan avait établi son quartier général afin de surveiller les allées et venues de l'armée britannique, les généraux Thomas et Arnold reprenaient la garnison de Trois-Rivières et confiaient six cents soldats malades aux bons soins des religieuses hospitalières de l'Hôtel-Dieu de la place. Le général Arnold continua sa route jusqu'à Montréal.

À Québec, les renforts britanniques espérés par le gouverneur Carleton arrivèrent enfin.

Le 27 mai, l'arrivée de quatre mille trois cents auxiliaires allemands sous les ordres du général Friedrich Von Riedesel, et le 1er juin, de cinq mille soldats commandés par le général en chef John Burgoyne, allait permettre au gouverneur Carleton de déloger les Américains du sol canadien.

Le gouverneur Carleton nomma aussitôt le baron Riedesel responsable d'un corps expéditionnaire imposant de cinq bataillons d'Allemands, d'Écossais, de Canadiens et d'Amérindiens, secondé par les lieutenants-colonels Von Speth et Fraser. L'offensive avait pour but de déloger l'ennemi de Trois-Rivières, de Sorel et de Montréal, et de s'y rendre à la fois par voie de terre et de mer. Dans les jours qui suivirent, Riedesel se dépêcha d'occuper Trois-Rivières.

Entre-temps, les soldats américains qui occupaient les garnisons de Montréal, de Saint-Jean et de Chambly avaient été démoralisés par la maladie, le manque d'approvisionnements pour soutenir le siège et la haine de la population canadienne. Poursuivi par l'armée britannique, le général vaincu Benedict Arnold dut retourner à Montréal, ce qui mina davantage le moral des troupes.

Le 5 juin, le général américain Sullivan, successeur du général Thomas comme responsable de la garnison de Sorel, arrivait avec des renforts du fort Ticonderoga-Carillon. Il apprit rapidement par de mauvaises sources que la garnison de Trois-Rivières était défendue par trois cent cinquante soldats anglais commandés par le lieutenant-colonel Simon Fraser. Le général Sullivan envoya aussitôt le brigadier-général Thompson aux commandes de dix-huit cents soldats pour prendre Trois-Rivières d'assaut, en traversant le lac Saint-Pierre à bord de vingt bateaux, à partir de Saint-François-du-Lac. Ils débarquèrent à Yamachiche dans la nuit du 7 au 8 juin. Les Américains devaient être guidés jusqu'à Pointe-du-Lac par deux pro-rebelles, le capitaine de milice de Rivière-du-Loup, François Guillot, dit Larose, et Pierre Dupaul, cabaretier à Yamachiche.

Le 5 juin, le colonel Livingston reçut aussi l'ordre de marcher sur le chemin du Roy, avec son premier régiment de miliciens canadiens cantonnés à Berthier en direction de Yamachiche, afin de faire la jonction avec les troupes de Thompson. Le mauvais état de la route retarda son arrivée.

Les soldats américains du brigadier-général Thompson s'arrêtèrent à Yamachiche chez Antoine Gauthier, le beau-frère de Dupaul, l'un des pro-rebelles, et le forcèrent à les guider jusqu'à Trois-Rivières. Gauthier eut pour astuce de se dire sympathisant des Américains et de les faire passer par l'arrière-pays sur le chemin Sainte-Marguerite, où il demeurait, plutôt que par Pointe-du-Lac, sur le chemin du Roy, le long du fleuve, moins praticable en cette saison. Ce détour avait retardé de quelques heures l'arrivée des troupes américaines à Trois-Rivières, mais avait garanti la sécurité de leur trajet.

Autorisé à rentrer chez lui pour s'habiller plus chaudement, Antoine Gauthier demanda à sa femme, Marie-Josephte Girard, d'aller prévenir le capitaine de la milice de Pointe-du-Lac, Guay dit Landron, qui habitait à un mille de là. Ce dernier se dépêcha de se rendre à Trois-Rivières par un raccourci. Avant que le jour ne se lève, le capitaine de milice avisa le lieutenant-colonel Simon Fraser de l'approche de l'armée américaine.

Après avoir appris par un sympathisant le départ des Américains vers Trois-Rivières, James Cuthbert et son capitaine de milice en chef, Louis Olivier, sortirent de leur cachette. Plutôt que de guerroyer avec les sentinelles américaines supposément restées au manoir, il tardait à James Cuthbert de se rendre à Trois-Rivières, même au péril de sa vie, et de sauver la garnison anglaise du lieutenant-colonel Fraser par une action d'éclat. James Cuthbert avait appris que sept vaisseaux anglais mouillaient dans la rade de Trois-Rivières et que sept cents à huit cents soldats attendaient d'engager le combat maritime avec la flotte américaine. James Cuthbert savait aussi que les Américains cantonnés à Sorel préparaient le gros coup de s'emparer de Trois-Rivières.

James Cuthbert alla derechef gréer son petit voilier camouflé dans les branchages aux abords de la rivière Bayonne et, avec quelques compagnons, s'engagea rapidement sur les eaux du fleuve à la sortie des chenaux, à temps pour voir le convoi d'embarcations américaines quitter Sorel. Les prenant de vitesse, le voilier fila à vive allure vers Trois-Rivières, afin de prévenir Simon Fraser du combat maritime, en profitant du vent favorable au milieu du fleuve, malgré les risques de croiser l'ennemi. De fait, de l'autre côté, vis-à-vis la rivière du Loup, le voilier essuya la fusillade d'un navire de guerre américain qui traversait le fleuve.

Quand, au péril de sa vie, James Cuthbert avisa Simon Fraser du danger à venir, celui-ci l'informa que ses troupes attendraient l'ennemi sur le littoral et que ses navires se prépareraient à livrer une bataille maritime, s'il le fallait. Le lieutenant-colonel invita

James Cuthbert et ses compagnons d'armes de rejoindre le gros de ses troupes. Simon Fraser informa James Cuthbert que le régiment américain parti de Sorel longerait le littoral. Cuthbert reprit son voilier, en route vers Pointe-du-Lac. De là, il espérait couper la voie au régiment du colonel Livingston. Il en avait à découdre avec ce diable d'homme.

Fraser avait eu le temps de préparer la défense de la ville. Bien postés à la pointe du coteau Saint-Louis, onze cents soldats attendirent les Américains de pied ferme.

Entre-temps, le brigadier-général Thompson se douta qu'il avait été trompé par Antoine Gauthier. Il ordonna à une partie de ses soldats de rejoindre le chemin du Roy par les champs. Les militaires s'embourbèrent rapidement dans les terres marécageuses. Lorsqu'ils parvinrent à en sortir et qu'ils cheminèrent au sec, ils furent obligés de retourner se mettre à l'abri des navires britanniques qui les canonnaient dans les mêmes marécages. Malheureusement, le colonel Livingston n'a pu faire la jonction avec les troupes du brigadier-général Thompson à ce moment-là, car le commandant de Berthier qui connaissait bien les marécages des abords de Trois-Rivières n'aurait pas été dupe de l'astuce de Gauthier et aurait prévenu son collègue du danger.

Prise de panique, la colonne américaine se dispersa alors en petits groupes et erra à travers champs. Il y eut quelques escarmouches entre ennemis. Le capitaine de milice de Trois-Rivières, Joseph-Claude Boucher de Niverville, détenteur de la croix de Saint-Louis, et ses miliciens surprirent quelques soldats américains qui avaient pris Antoine Gauthier comme otage. Ces soldats furent faits prisonniers.

Vers huit heures, le général Thompson tenta de regrouper ses hommes et d'attaquer en force, puisque le premier régiment canadien du colonel Livingston arrivait enfin pour combattre, en même temps que le gouverneur Carleton et son aide de camp Lanaudière se présentaient en renfort, du côté des Britanniques. La bataille dura deux heures et fut disputée âprement. Le brigadier-général Thompson et son état-major furent faits prisonniers.

Dès la fin de la bataille, le colonel Livingston apprit par un de ses miliciens pro-rebelles, Joseph Casavant, qui avait été soigné par les Ursulines à Trois-Rivières, que Lanaudière, l'aide de camp du gouverneur Carleton, avait adopté Chesapeake, le chien de son cousin décédé, le général Richard Montgomery, et que l'animal l'accompagnait au combat.

Joseph Casavant, dit « la débauche », était forgeron à Saint-Charles-sur-Richelieu. Il avait été recruté par le colonel Livingston afin de se joindre au premier régiment canadien, sous la bannière étoilée de la Nouvelle-Angleterre. Comme la majorité des habitants des rives de la rivière Richelieu, Casavant haïssait le joug anglais, rêvant du jour où la nation canadienne-française s'en affranchirait. L'occasion fournie par l'avocat américain de Sorel lui apparut comme le signe de la libération de son peuple. Depuis, les deux hommes pratiquement du même âge se reconnurent dans l'action patriotique militaire. Toutefois, Casavant fut blessé grièvement à l'oreille dans un combat corps à corps, lors de la reprise de la garnison de Trois-Rivières par les Anglais en mai, et laissé pour agonisant par son assaillant, qui fut terrifié par le sang qui pissait de son oreille. Heureusement pour lui, l'hémorragie fut arrêtée par une femme d'habitant de Pointe-du-Lac qui avait un don de guérisseuse, et Casavant fut soigné par les religieuses de l'Hôtel-Dieu.

En restant caché dans la région, Casavant préféra reprendre le combat aux côtés des insurgés. Il se terra près de l'étable d'une ferme à Pointe-du-Lac, en attendant le retour des insurgés, nourrissant de lait de vache un chaton nouveau-né qui avait été abandonné par sa mère pour un motif mystérieux.

Fou de rage, sans se préoccuper du sort de ses miliciens, Livingston prit aussitôt la tête d'un commando comprenant quelques intrépides francs-tireurs, dont le forgeron Joseph Casavant, afin de forcer les lignes ennemies et de récupérer Chesapeake.

Livrés à eux-mêmes dans la déroute, sans leur premier officier pour les commander, les miliciens de Livingston s'enfuirent vers Berthier à travers bois, en longeant le littoral, en passant à l'intérieur des terres des seigneuries de Rivière-du-Loup, de Maskinongé et de Berthier-en-Haut, ou en se faufilant entre les îles de l'archipel du lac Saint-Pierre, jusqu'à l'île Saint-Ignace. La fuite des miliciens du régiment canadien de James Livingston dura plusieurs jours. Si certains miliciens originaires de la vallée du Richelieu rejoignirent le gros des troupes américaines à Sorel, les autres avaient décidé de rallier le colonel Livingston au manoir, en espérant qu'il soit de retour à Berthier.

Après avoir récupéré le chien, le colonel Livingston préféra prendre place avec son groupe d'élite dans des embarcations de fortune réquisitionnées aux habitants de Pointe-du-Lac, quitte à affronter les courants qui déferlaient sur le lac Saint-Pierre, ainsi que la canonnade des navires ennemis du général Beckwith qui patrouillaient dans le fleuve jusqu'à Sorel. Navré de la tournure des événements, le colonel Livingston voulait regrouper son régiment au plus vite, avant qu'il ne s'éparpille complètement.

Par un heureux concours de circonstances, les Américains arraisonnèrent le voilier aux armoiries de la famille Cuthbert, sans que les tirs échangés aient blessé les combattants. Le colonel Livingston reconnut facilement le seigneur de Berthier et Louis Olivier, pour les avoir vus au rassemblement du pont Jouette. James Cuthbert et ses compagnons furent aussitôt faits prisonniers. Cependant, l'heure ne fut pas aux civilités. James Livingston se dépêcha de ramener ses captifs, en compagnie de Joseph Casavant et Clément Gosselin. Le colonel arriva au manoir de Berthier dans la même soirée, bien avant le gros de ses troupes.

Comme Casavant souffrait encore de sa blessure, le colonel Livingston incita son valeureux milicien à retourner dans sa famille à Saint-Charles, afin de se rétablir complètement. James Cuthbert et Louis Olivier furent emprisonnés dans la maison des domestiques et des fermiers, transformée en geôle. Enchaînés, les compagnons d'infortune de James Cuthbert furent jetés dans le caveau humide, sur la terre battue.

Lorsque James Livingston se présenta à James Cuthbert, ce dernier se rappela vite avoir déjà fait affaire avec le père du colonel.

— Comme officier militaire écossais — et gentilhomme, de surcroît —, vous auriez dû me traiter avec plus d'égard, jeune homme. Votre père avait plus de manières. Je l'ai connu. Il avait un grand sens des affaires. Quant à vous, j'ai entendu dire que vous aviez été un avocat apprécié à Sorel. Soyez certain que je vous empêcherai d'y retourner à tout jamais. J'ai entrevu le saccage que vous avez fait subir à mon manoir. Je ne doute plus désormais que les Américains soient des salauds. Vous vous dites Fils de la Liberté, mais vous êtes plutôt des *Sons of Bitches*.

James Cuthbert jeta aussitôt un regard de mépris sur l'uniforme de l'officier américain.

Stoïque, le colonel Livingston laissa dire le seigneur de Berthier. Il ajouta seulement :

— Vous venez de snober l'uniforme de l'armée de George Washington, et c'est impardonnable. Sachez que vous ne viendrez aux États-Unis qu'avec les chaînes aux pieds. Et comme la guerre finira bien un jour, jamais n'aurez-vous la possibilité de fouler le sol américain comme civil.

— Nous verrons bien. Et ma famille ? demanda James Cuthbert en narguant son vis-à-vis.

— L'Amérique respecte les droits et les libertés de tout un chacun qui adhère à ses principes.

— Nous verrons bien.

***

La bataille du 8 juin 1776 à Trois-Rivières marqua le début de la contre-offensive canadienne et britannique. En perdant ce combat, les Américains avaient perdu de ce fait la guerre sur le sol canadien. Les troupes du général en chef anglais Bourgoyne avaient mis en déroute dix-huit mille rebelles américains. Le 10 juin, le lieutenant-colonel Simon Fraser, le héros de Trois-Rivières, fut promu brigadier-général par le gouverneur Carleton.

Le 14 juin au soir, la flotte britannique des généraux Bourgoyne et Riedesel jeta l'ancre dans la rade de Sorel. Le lieutenant-colonel Von Speth avait reçu l'ordre de mettre le cap sur Montréal, où s'était cantonné le général Arnold, afin de reconquérir la ville. Le 15 juin, les Anglais reprenaient possession de Montréal.

Chapitre XXIII
Chesapeake

Dans la soirée du 14 juin, à peine de retour de leur campagne militaire à Trois-Rivières, les soldats américains s'affairèrent de façon inhabituelle au manoir. Christine comprit que l'armée d'occupation s'apprêtait de nouveau à déguerpir. Elle l'apprit de façon officielle quand le commandant Livingston la fit demander.

Enfin, je vais revoir James. Ce n'est pas trop tôt. Je me suis fait tellement de mauvais sang pour lui. Lorsque l'on dit que l'absence renforce l'amour, je crois que dans mon cas, le terme n'est pas assez fort. J'espère que cette fois-ci, il ne partira plus.

Christine n'avait pas été informée qu'une estafette, arrivant de Sorel de la part du général Sullivan, demandait au colonel Livingston de rallier les troupes américaines dans la nuit.

Christine ne savait pas à quel accueil s'attendre depuis sa rebuffade administrée à James. Lorsqu'elle arriva dans son bureau, elle eut la surprise d'y trouver le notaire Faribault. Celui-ci la salua d'un imperceptible sourire complice, qui échappa au colonel. Un magnifique golden retriever était assis aux pieds du colonel. Le militaire se leva et invita poliment Christine à s'asseoir, en lui adressant un sourire protocolaire, sans plus.

Si la jeune fille s'attendait à tout comme accueil, elle fut néanmoins attristée du peu d'intéressement de James. Celui-ci flatta plutôt l'encolure de Chesapeake. En guise de remerciement, le chien frétillait de la queue et regardait son nouveau maître avec reconnaissance.

D'entrée de jeu, le colonel James Livingston avisa le notaire que ses soldats avaient arrêté James Cuthbert et son capitaine de milice, Louis Olivier, et que les deux se portaient à merveille. Le colonel remercia le notaire pour sa sympathie et son appui durant l'occupation.

— Vous voyez bien, notaire, que tout s'obtient plus facilement par la douceur que par la violence.

Comme Christine resta sidérée par cette nouvelle, elle demanda :

— Où sont-ils ?

Le colonel lui répondit froidement :

— C'est un secret militaire, mademoiselle Comtois. Je ne ferai pas arrêter votre oncle et votre cousin Guilbault. L'heure n'est pas à la vengeance, même si James Cuthbert doit payer pour notre défaite de Trois-Rivières. Nous allons partir, et nous l'amènerons prisonnier en Nouvelle-Angleterre.

Devant la surprise du notaire Faribault, le colonel Livingston continua :

— Je demande au notaire de remplacer Cuthbert et de gérer la seigneurie de Berthier, afin de démontrer notre gratitude à nos amis citoyens de Berthier qui nous ont supportés, ce qui comprend aussi les neutres, dont vous refusiez vous prétendre le chef. Nous reviendrons, un jour. Les Canadiens seront débarrassés des loyalistes, une fois pour toutes. Notaire Faribault, je vous remets les clés du manoir de Berthier dont vous prendrez le commandement dès demain.

Tellement heureux de ne pas avoir été fait prisonnier et être amené en Nouvelle-Angleterre, le notaire approuva de la tête. Le colonel se tourna alors vers Christine. Celle-ci comprit qu'il lui demanderait dans quel camp elle se trouvait. Comme elle ne réagissait pas, il lui dit :

— Le travail d'espion ne convient pas à un aussi joli minois. N'eut été mon intercession, le major Copperfield vous aurait exécutée depuis longtemps, puisque nous avons découvert votre petit manège à l'église, le dimanche. Vous n'aurez pas toujours cette chance. Nous savons que c'est James Cuthbert qui vous a enrôlée et que vous étiez en contact avec Lanaudière, l'aide de camp de Carleton.

L'information saisit le notaire Faribault qui regarda Christine avec admiration, les yeux ébahis.

— Cachez-vous d'abord chez le notaire, et dès que vous aurez le champ libre, rejoignez votre famille, où qu'elle soit. Je ne pourrai pas toujours contrôler mes soldats. Je n'en ai pas encore fini avec vous. Le notaire n'y verra pas d'objection, n'est-ce pas?

Le notaire fit signe que non. Le colonel le remercia d'un signe de tête.

Si le colonel comprit le désarroi de Christine, celle-ci perçut dans la prunelle des yeux du militaire une immense tendresse à son égard. James Livingston claqua des mains dans un geste vif, pour ordonner à son aide de camp de reconduire le notaire.

Christine avait les larmes aux yeux et attendait sa sentence. Non seulement elle venait d'être débusquée, mais elle apprenait le départ de celui qu'elle aimait. Le colonel James Livingston referma la lourde porte de chêne derrière lui et prit quelques secondes en silence pour fixer le visage de celle qu'il désirait. Le cœur de Christine se mit à battre la chamade. Elle ressentait la fièvre lui traverser le corps. Elle était prête à s'abandonner dans les bras de son geôlier pour lui exprimer son amour, s'il le lui proposait.

C'est alors que Christine s'écria: « James! » Le colonel s'avança vers elle et lui tendit les bras. Cette fois-ci, non seulement Christine ne refusa pas l'invitation, mais elle s'élança vers lui.

Alors que James se penchait à son oreille, Christine lui réclama un baiser. L'offre déconcentra l'homme, qui saisit l'occasion présentée. N'écoutant que son désir, James coucha Christine sur le sofa et commença à la caresser. Excités par leurs sens, attisés par le désir, les deux amants passionnés, l'un empêtré dans les jupes, et l'autre malhabile à déboutonner l'uniforme galonné de l'officier, se dépêchaient à débarrasser leur partenaire de ses vêtements, pour se retrouver l'un sur l'autre, nus sur le canapé. Devant l'insistance de sa complice charnelle à lui faire oublier sa condition matrimoniale, James perdit tout contrôle de ses sens, et trouva l'extase dans les bras de celle à qui il avait confié son secret. Seul Chesapeake fut témoin de cet échange passionnel entre eux.

Nourris par la fureur de leur désir, le bel officier américain et la jeune Canadienne aux idéaux patriotiques s'échangeaient des mots doux enflammés et des serments éternels.

Les amants assouvirent leurs instincts plusieurs fois, dans une cavalcade endiablée, jusqu'à l'épuisement total.

Leurs corps ruisselants de sueur, Christine et James savourèrent leurs longs baisers langoureux, intercalés d'*I love you* à répétition de la part de Christine. James passait ses longues et fines mains sur les courbes de Christine, tandis que celle-ci caquetait de plaisir, frissonnant sous les mains expertes de son partenaire.

Pendant que son amant reposait sur elle, cherchant à retrouver ses esprits, Christine se mit à s'en vouloir d'avoir succombé à James Livingston aussi rapidement et facilement. Elle craignait qu'il considère cet acte d'amour comme un moyen de se racheter contre services rendus à la cause anglaise. Elle attendit que son amant, toujours haletant, lui fasse une déclaration d'amour. La laissant à son émoi, James caressait sa tignasse de braise. De temps en temps, il lui embrassait la nuque de ses lèvres charnues, ce qui lui donnait le frisson. Christine se calait dans l'épaule de l'officier, cherchant le réconfort de ce moment intime.

Le bruit de plus en plus saccadé des bottes martelant le plancher de bois franc du couloir fit comprendre à James que ses responsabilités militaires le pressaient d'agir. Il se leva et tenta de se rhabiller. Comme Christine tentait de l'en dissuader, il lui minauda suavement à l'oreille :

— Avec une femme aussi passionnée, j'aurais bien envie de poursuivre cette extase pendant toute la nuit, mais je dois donner mes ordres. Laisse-moi me vêtir, mon amour, sinon je serai rétrogradé.

— Je veux passer la nuit avec toi ! Notre première nuit d'amour.

— C'est impossible. Je viens de recevoir mes ordres du général Sullivan. Nous devons quitter Berthier.

— Pour aller où ?

— À Sorel et en Nouvelle-Angleterre.

— Je veux y aller avec toi.

— Tu sais bien que c'est impossible.

— Quand nous reverrons-nous ? Tu disais au notaire que les Américains reviendraient un jour. Je ne sais encore rien de toi. En tout cas, pas assez, à part que…

James regarda Christine avec autorité, le regard plus dur. Il s'approcha d'elle et l'embrassa longuement.

— Nous avons passé un moment extraordinaire, *darling*.

— Ce n'était pas assez long. Pas assez long pour que je conserve un souvenir de toi à mon goût.

James regarda celle dont il avait été l'amant d'un soir, et qui se comportait désormais comme une petite fille capricieuse.

— Rhabille-toi, sinon je vais être obligé de te faire reconduire par le major Cooperfield dans ta tenue d'Ève.

Christine comprit. Pendant qu'elle se rhabillait, James l'aida avec tendresse à reboutonner ses vêtements et à ajuster son corsage. En se rendant compte que Christine portait un chemisier semblable à celui de sa femme, l'homme eut l'instant d'un remords. Il revit en pensée le visage d'Elizabeth ruisselant de larmes, au moment de son départ pour le front.

Quand Christine chaussa ses escarpins, James alla récupérer la laisse de Chesapeake et la lui remit.

— Je tiens à ce que tu adoptes Chesapeake, le fidèle compagnon de mon cousin, le général Montgomery, avec la promesse que tu vas le chérir et en prendre soin. Et surtout, ne jamais le remettre à quiconque, surtout à ce Lanaudière, l'aide de camp de Carleton. Promets-le par amour pour moi.

Déjà, Chesapeake fixait ses yeux langoureux dans ceux de sa nouvelle maîtresse, en pleurant de devoir quitter le colonel.

— Je te le promets, mon amour. Nous reverrons-nous ?

James l'embrassa tendrement sur le front, en versant une larme. Quand Christine le devança, la laisse du chien en main, Chesapeake aboya à son maître, en guise d'adieu. Christine se retourna alors aussitôt et sauta au cou du colonel, l'embrassant une dernière fois, devant l'aide de camp Cooperfield, estomaqué.

— Va, où tu sais, et sois sans crainte : il ne t'arrivera rien, conclut James.

Des sanglots nouèrent la gorge de la jeune femme et des larmes inondèrent ses yeux bleus. Elle eut la certitude que jamais plus elle ne reverrait le bel officier américain, celui qu'elle avait vu en rêve et dont elle était tombée éperdument amoureuse.

Une fois ressaisie, Christine se dirigea vers la sortie du manoir. Elle traversa la place publique et s'orienta vers la résidence du notaire. Quand Christine frappa, les larmes coulant comme un torrent sur ses joues, c'est Geneviève qui vint répondre à la porte.

— Christine, qu'est-ce que tu as ? Un soldat t'a blessée ?

— Oui, mais c'est pire que ça.

— Pas violée ? ! hurla Geneviève.

Christine fit signe que non.

— Je suis tombée éperdument amoureuse de lui, alors qu'il quitte Berthier, ce soir, à jamais.

— Il reviendra te chercher, voyons.

— C'est impossible. Je ne peux pas te dire pourquoi.

Geneviève resta estomaquée par cette révélation.

— As-tu... ?

Christine lui fit signe que oui et s'effondra dans les bras de son amie, alors que Chesapeake cherchait à entrer dans la maison.

— C'est à qui, ce chien ?

— À moi, maintenant. C'est le souvenir que m'a laissé mon fiancé.

— Un chien ! dit Geneviève, espérant que l'animal soit le seul souvenir laissé.

— Et comment s'appelle-t-il ?

— Chesapeake.

— Avec un nom aussi américain, vaut mieux le franciser, si tu veux qu'il reste en vie.

— Non. Il continuera à s'appeler Chesapeake.

— À ta guise. C'est toi qui dois en prendre soin désormais, répliqua Geneviève.

Chapitre XXIV
L'incendie

15 juin 1776

Le lendemain dès l'aube, couché sur le petit tapis près de la porte d'entrée, Chesapeake aboya fortement.

— Réveillez-vous, le manoir est en feu ! hurla Marie-Catherine Faribault, une des filles du notaire, qui s'était rendue au chevet du chien pour le sécuriser et pour lui donner à manger.

Curieuse, elle avait remarqué par la fenêtre une lueur inusitée venant du côté de la rivière Bayonne, lorsqu'elle entendit dire par un badaud, de l'autre côté du tertre donnant sur la place publique, en face de la maison du notaire, qu'un incendie venait de se déclarer au manoir.

Le cri se répandit au petit matin comme une traînée de poudre. Aussitôt, la maisonnée courut aux fenêtres. En robe de nuit, le notaire Faribault ordonna à ses enfants :

— Ne sortez pas la tête par la fenêtre : je ne serais pas surpris qu'il y ait une explosion. Il y a une soute à munitions près du manoir. Cet incendie est criminel. Le commandant Livingston nous avait prévenus à demi-mot, Christine et moi.

Le cœur de Christine se serra. Jamais elle ne permettrait à quiconque d'insinuer que le beau colonel Livingston, si doux envers elle et si amoureux, puisse avoir ordonné cet incendie comme châtiment. James avait trop de distinction et d'élégance pour agir de la sorte. Elle se rapprocha de Chesapeake et le flatta. Le chien se colla à elle. À lui aussi, le colonel manquait.

Si James n'y est pour rien, il y a un risque qu'il soit lui aussi coincé dans le brasier, incapable de se soustraire aux flammes de cet enfer! se dit Christine, apeurée, le cœur déchiré.

Déjà, les autres voyaient les soldats emprunter les bacs et les chaloupes en direction du fleuve afin de rejoindre les bateaux qui les attendaient, alors que quelques domestiques cherchaient un asile. Dans l'aube naissante, Christine tenta désespérément de reconnaître des silhouettes connues éclairées par les flammes dévastatrices et dévorantes, attisées par la brise. Le spectre enflammé de James Livingston lui torturait l'esprit, comme s'il était le seul être à risquer sa vie dans cet incendie.

Soudain, le regard de Christine fut attiré par la course claudicante de la cuisinière, une femme dans la cinquantaine.

— C'est miss Perry. Nous devrions aller la chercher.

La suggestion de Christine eut l'effet d'une bombe.

— Que personne ne bouge jusqu'à nouvel ordre! C'est trop dangereux!

La femme du notaire, Catherine-Antoinette Véronneau, encore en bonnet et en robe de nuit, s'imposa:

— Je ne crois pas que ce soit une bonne idée, Barthélémy. La charité chrétienne nous incite à donner assistance à notre prochain, même s'il est protestant.

— Même si c'est risqué?

— La brave femme risque bien plus que nous. Je la connais, elle n'a pas une once de méchanceté.

— Peut-être bien, mais qui ira la chercher? Pas moi.

— En ce cas, j'y vais. Tu vois bien: elle se fera écraser par un cheval fou.

Christine avait écouté malgré elle la conversation. Elle réagit aussitôt:

— C'est moi qui irai. Après tout, elle me connaît bien, elle me suivra.

Christine avait dans la tête de s'informer si son commandant américain avait déjà quitté les lieux, dans l'espoir de le revoir.

Après avoir enfilé rapidement ses vêtements, Christine se précipita dans la rue déjà encombrée par les badauds venus observer l'incendie. Arrivée près de miss Perry, elle la tira par le bras.

Apeurée, la cuisinière reconnut Christine. Quand celle-ci l'invita à la suivre, miss Perry s'opposa, en paniquant :

— Jamais je n'abandonnerai mon bébé !

Miss Perry indiqua de la main la dépendance où se trouvait le chien. N'écoutant que son courage, Christine s'élança vers l'endroit menacé par les flammes, et revint avec le chiot sous le bras, qu'elle remit à la cuisinière. L'animal s'empressa de lécher sa propriétaire, alors que celle-ci, larmoyante, n'en finissait pas de remercier son héroïne et d'embrasser le cocker spaniel.

Christine aperçut Isidore Desmarais, le palefrenier, qui s'était empressé de faire sortir les bêtes paniquées de leur enclos, déjà incommodées par la fumée intense, meuglant de panique. Les chevaux, pour leur part, hennissant et ruant d'effroi, étaient déjà dans l'eau glacée du chenal jusqu'au canon, résistant au courant printanier. En reconnaissant Christine, le palefrenier cracha sa peine et son désarroi devant le brasier intense.

— Je suis heureux que vous ayez pu sortir à temps de ce brasier, mademoiselle Comtois, et que vous soyez saine et sauve. Mes bêtes aussi ont eu de la chance. Quand on pense que personne, pas un soldat, n'a cherché à éteindre l'incendie, et qu'ils ont tous préféré fuir, sans exception, leur commandant en tête. C'est tout comme s'ils avaient fait exprès pour allumer le feu eux-mêmes.

— Comme ça, le commandant américain a quitté les lieux avec les autres soldats ? Vous en êtes sûr ? demanda Christine, alors que son cœur battait à tout rompre.

— Pas *avec*, *avant* les autres ! Comme un lâche, je vous dis. J'imagine la tristesse du seigneur Cuthbert. J'ai entendu dire que le commandant américain l'avait amené en captivité, comme un criminel. Je dois vous laisser : je vois un veau sur le point de se noyer, là-bas !

Avec l'énergie du désespoir, Isidore Desmarais courait en direction de l'animal, risquant sa vie à franchir les débris incandescents des bâtiments de ferme qui tombaient les uns sur les autres dans une flambée monstrueuse d'étincelles, digne de la géhenne. Il arriva enfin comme une torche humaine vivante près du chenal et se jeta à l'eau. Le temps d'éteindre les flammes qui consumaient ses vêtements, il sauva la vie du veau. Le jeune animal beuglait de peur plus que de douleur.

Christine le suivit des yeux et admira son courage. Au loin, à travers l'épaisse fumée, elle aperçut la queue de la cohorte de soldats américains qui fuyaient vers l'île Saint-Ignace.

C'est bien vrai ce que vient de dire l'homme d'écurie. Je ne peux pas le croire de mon amour ! Il n'aurait jamais fait ça ! dit Christine à mi-voix, avec tristesse.

Confidente de Christine et au fait de ses amours secrètes, Geneviève fut la seule à comprendre l'allusion au commandant James Livingston.

Quand Christine et Geneviève revinrent à la maison du notaire avec miss Perry, le manoir était complètement la proie des flammes. Déjà, le deuxième étage s'était écroulé et les murs embrasés s'affaissaient comme un château de cartes.

Le notaire Faribault expliqua que par considération pour l'accueil et la solidarité fournie par quelques citoyens, les Américains les avaient remerciés à leur façon, en incendiant seulement le manoir de James Cuthbert, alors que les Anglais avaient la réputation de tout brûler sur leur passage. La vieille dame s'en offusqua intérieurement. Elle comprenait suffisamment la langue française pour douter de l'explication du notaire.

Lorsque les derniers soldats eurent quitté les lieux avec leur prisonnier James Cuthbert, le manoir du seigneur de Berthier n'était plus qu'un amas de cendres fumantes. Christine imagina la fureur et le désespoir de l'ancien officier britannique en voyant la destruction complète de son château. Christine et Geneviève décidèrent de se rendre sur le lieu de l'incendie, afin de sauver quelques objets ou de pouvoir prêter main-forte à d'autres résidents du manoir, tels que miss Perry.

Marie-Catherine, une jeune fille pleine d'audace, aurait bien voulu accompagner Christine et sa sœur Geneviève, mais sa mère s'y opposa.

— Tu n'as que onze ans. Tu restes ici. Déjà que notre condition est précaire. Occupe-toi plutôt de ce chien, c'est plus de ton âge. Ce cabot est apeuré et il est constamment en train de geindre. Flatte-le, ça le réconfortera.

— Geneviève y va bien, elle ! De plus, Chesapeake est le chien de Christine.

Le ton offusqué de la jeune fille venait de faire pleurer Joseph-Édouard, le dernier né de la famille.

— Comment oses-tu contester ! De plus, tu viens de faire peur à ton petit frère. Continue et c'est au notaire que tu auras affaire. Geneviève est plus vieille que toi, et c'est la grande amie de Christine.

La femme du notaire Faribault jeta un coup d'œil courroucé à son brin de fille qui démontrait déjà un caractère affirmé.

— Ne trouves-tu pas, Barthélemy, que c'est de l'effronterie ? Si nous voulons marier Marie-Catherine à un jeune homme de bonne famille canadienne-française, il est grandement temps d'adoucir son caractère, sinon Dieu sait seul ce qui pourrait lui arriver. Elle pourrait tomber amoureuse d'un Anglais, pire, d'un protestant !

— Cela n'arrivera à aucune de mes filles, même si elles voulaient épouser les fils de James Cuthbert. Les Faribault ont leur fierté. De toute manière, je te fais confiance pour les ramener à la raison, si cela se produit.

Catherine-Antoinette savait que son mari lui donnait toujours raison lorsqu'il s'agissait de l'éducation de leurs enfants. Elle se tourna vers son mari pour qu'il approuve son interdiction. Ce dernier n'était déjà plus là. Elle se dit qu'il faudrait bientôt qu'ils discutent de l'amitié de leur fille Geneviève avec Christine Comtois, une jeune femme trop épivardée à son goût.

Barthélemy l'aime bien Christine. À ses yeux, elle a autant de mérite à la défense de notre pays que Madeleine Jarret de Verchères. C'est vrai que risquer sa vie en héroïne face à l'ennemi demande une bravoure à toute épreuve… Si elle avait été élevée par sa mère, plutôt que d'avoir été partagée entre l'île Saint-Ignace et Berthier, Christine aurait sans doute plus de tenue et de manière. Hélas, on ne change pas le sort d'une orpheline. Malgré ses atours, Christine ressemble à une fille de régiment. Sa tante Marie-Ange, malgré sa bonne volonté, lui a tout laissé passer. Il faut l'excuser : les familles Rémillard et Guilbault de Saint-Cuthbert ne sont pas de l'aristocratie. Ce n'est pas à fréquenter des capitaines de milice qu'une fille deviendra une dame de distinction comme notre Geneviève, qui attire déjà les regards des garçons des meilleures familles.

La population de Berthier et des environs était déjà sur place. Désemparés par le sinistre et enthousiastes du départ de l'armée américaine, quelques-uns se réjouissaient de la capture et de l'exil de James Cuthbert. Deux de ceux-là, Joseph Merlet et Conrad

Pigeon, discouraient avec Clément Gosselin. Les deux jeunes filles s'approchèrent, le capuchon de leur vareuse sur la tête pour ne pas être remarquées.

— Le colonel Livingston veut se servir de Cuthbert et de Louis Olivier comme monnaie d'échange de prisonniers avec les Anglais. Que diriez-vous si l'on profitait de la situation pour capturer le notaire et encourager la population de Berthier à la révolte ? proposa Gosselin.

— Nous avons déjà allumé cet incendie criminel ! Que fais-tu des capitaines de milice Guilbault ?

— Tuons-les ! trancha Gosselin.

— Et Christine Comtois ?

Merlet et Gosselin réfléchissaient.

— Laissez-la en vie. Elle nous servira, conclut Merlet.

Tout à la surprise d'avoir entendu les trois révolutionnaires annoncer leur crime et fomenter leur complot, Christine et Geneviève se regardèrent, ahuries et paniquées.

Je sais maintenant que ce n'est pas le colonel James Livingston qui a ordonné de mettre le feu au manoir ! se dit Christine.

Cette révélation mit un peu de baume sur sa peur.

Christine fit signe à Geneviève de déguerpir, laissant la population de Berthier à son émoi devant les ruines fumantes du manoir et de ses dépendances qui servaient d'étable, d'écurie et de grange. Elles se dépêchèrent de rapporter au notaire la nouvelle du complot.

Le notaire Faribault décida sur-le-champ d'amener sa famille à Saint-Sulpice, là où il avait déjà une petite étude notariale autorisée par le gouvernement. Il pressa Christine d'aviser son oncle Louis-Daniel et son cousin Corbin Guilbault de fuir vers d'autres cieux, et de se réfugier le plus loin possible avec leurs familles, car leur vie était menacée.

Au même moment, une immense gerbe de flammes et de tisons incandescents illumina la nuit non loin du manoir incendié, en direction de la rivière Bayonne.

— Oh mon Dieu ! s'écria Christine. C'est notre maison qui brûle. Personne n'avait le droit de faire ça. Je lui en voudrai toute ma vie, si tante Marie-Ange et oncle Louis-Daniel…

Folle de douleur et de peur pour sa tante et son oncle, Christine se jeta aussitôt dans les bras de Geneviève, en pleurant. Celle-ci tenta de la réconforter du mieux qu'elle le put.

— C'est sûrement Joseph Merlet et ce Gosselin de Québec. Nous les avons entendus proférer des menaces de mort.

Christine se ressaisit bien vite.

— Rien ne me sert de pleurer. Il faut que je me rende sur place leur porter secours, s'ils sont là et s'il est encore temps ! Un attelage. Il me faut un attelage ! Pourvu qu'ils n'aient pas aussi mis le feu à l'écurie… Émilion ! Non, pas Émilion !

Le cri de désespoir de Christine décida le notaire à se porter volontaire pour raccompagner la jeune femme.

— J'y vais aussi, père ! s'exclama Geneviève.

Les larmes qui coulèrent des yeux de Christine exprimaient toute la reconnaissance qu'elle vouait à son amie. Les deux jeunes femmes se jetèrent dans les bras l'une de l'autre, tandis que le notaire précisait d'un ton péremptoire :

— Chaque seconde compte ! Allons-y ! Hia !

Plutôt que d'emprunter le chemin en direction de Saint-Sulpice, la calèche du notaire bifurqua à gauche, en zigzaguant à toute vitesse entre les voitures stationnées le long de la rue bordée de peupliers. La chaleur de l'air ambiant et la fumée et la suie qui flottaient dans un nuage opaque manquèrent de faire suffoquer l'attelage. Il tardait aux passagers, le mouchoir sur le nez, d'arriver à temps pour sauver les Guilbault.

Comme l'horizon obscurci par la fumée opaque amenuisait considérablement le champ de vision, le notaire évita de justesse un accident ou une embardée, en passant près de percuter un boghey devant l'entrée de la maison incendiée. Les chevaux des deux attelages hennirent. Secouée par la manœuvre rapide de freinage du notaire, Christine reconnut tout de même le timbre caractéristique du hennissement de son cheval Émilion. Elle sauta aussitôt de sa voiture et s'avança en claudiquant vers son cheval. Piaffant d'abord de peur, Émilion reconnut Christine malgré son énervement, et se calma. Christine embrassa son étalon sur le chanfrein. L'animal parut rassuré.

C'est alors que Christine crut entendre les pleurs d'une voix familière. Se rapprochant de l'habitation, elle reconnut le visage de sa marraine à travers la fumée.

— Tante Marie-Ange ! Vous n'êtes pas blessée, j'espère !

Christine prit aussitôt sa tante dans ses bras ; elle gémissait.

— Nous sommes arrivés ce matin, quand on nous a appris que le feu ravageait le manoir et que les soldats américains quittaient Berthier. Nous voulions revenir à la maison une fois pour toutes. Ils ont tout détruit; il ne nous reste plus rien.

Heureuse de constater que sa tante Marie-Ange était saine et sauve, Christine lui susurra à l'oreille:

— Oncle Louis-Daniel est avec vous?

Toute bouleversée, Marie-Ange prit sa filleule par le bras.

— Que je suis heureuse que tu sois en vie, Christine! Tôt ce matin, nous avons appris l'incendie du manoir par des passants qui venaient de rencontrer les soldats américains logés à Saint-Cuthbert, qui se dépêchaient de se rendre aux îles. Nous avons su qu'il y avait eu des morts. Imagine-toi mon inquiétude. Aussitôt, ton oncle a voulu venir aux nouvelles. Il craignait que les Américains s'en prennent à notre maison, à notre ferme. Il avait bien raison, sauf que je lui disais que son idée était bien dangereuse. Arrivés plus tôt, nous aurions peut-être péri, brûlés vifs. Heureusement que les animaux paissaient dans le pré de la Commune, sinon le feu les tuait à l'étable... Nous allons fleurir la croix du chemin et prierons pour rendre grâce à Dieu.

— Les soldats américains ont amené le seigneur Cuthbert et le capitaine Olivier en Nouvelle-Angleterre... Vous n'aviez pas à vous inquiéter pour moi, tout s'est bien passé.

À ce moment, Christine entendit son oncle Louis-Daniel dire avec violence:

— Pas si vite, Marie-Ange, avec tes prières. S'il reste un Américain par ici, je lui ferai sauter la cervelle. Ce ne sont que des lâches. Ils auraient pu s'enfuir, sans tout saccager.

Sur les entrefaites, après le départ du notaire, Corbin Guilbault et sa femme Ursule arrivèrent sur les lieux pour s'enquérir de leurs parents.

Christine expliqua qu'un soulèvement était prévu et qu'il leur fallait fuir au plus vite, car les rebelles voulaient mettre la main au collet des capitaines de milice Guilbault. Consterné, l'oncle Louis-Daniel toisa le regard de sa femme Marie-Ange, afin d'obtenir son approbation, et suggéra:

— Nous ne pouvons plus retourner à la maison du cousin Piet: les rebelles vont finir par nous retrouver et nous estropier. La cabane à sucre de Pierre-Simon ne serait pas une mauvaise idée.

Marie-Ange sourit à la proposition.

— Le beau temps est commencé, l'été s'en vient. Nous y serons bien. Qu'en penses-tu, Corbin ?

Corbin sembla réticent aux premiers abords. Il regarda sa femme Ursule Desrosiers. Elle cligna des yeux en guise d'approbation.

Corbin ajouta :

— Pour ma part, je ne permettrai pas à ces forbans d'inciter la population à s'entretuer. Il n'y aura pas de guerre civile à Berthier. Il faut que je reste ici aviser nos miliciens de se tenir prêts à tout. Le meunier du moulin de Pointe-Esther possède une cabane, de l'autre versant de la rivière Bayonne, pratiquement en face du moulin, pas tellement loin du pont Jouette. Personne ne se doutera qu'elle soit habitée clandestinement.

— C'est là que je vais faire moudre mon grain, chez le meunier Bonin. Les habitants du rang Saint-Esprit descendent la falaise et passent au pied de la cabane, avant de traverser la rivière à gué. La cabane est assez grande pour loger trois personnes. Je resterai avec Corbin.

— Non. Père ira avec la famille à Sainte-Élizabeth… répondit Corbin d'un ton autoritaire.

— Qui te préparera tes repas ? Ce n'est quand même pas le meunier Bonin, un vieux garçon, s'inquiéta Ursule.

Voyant qu'il perdait toutes ses chances de rester proche de l'action, le vieux milicien se risqua à suggérer :

— Il faudra bien que quelqu'un se rende à Québec aviser les Anglais du prochain soulèvement. J'irai. Si j'arrive à temps, non seulement les soldats anglais stopperont l'insurrection, mais ils feront le tour des paroisses pour arrêter ceux qui auront aidé les rebelles.

La réaction de Corbin ne se fit pas attendre.

— Voyons, père ! Vous n'avez jamais mis les pieds plus loin que Saint-Cuthbert et l'île Saint-Ignace. Vous ne connaissez pas Québec et ne parlez pas anglais. De plus, vous passerez par le fief Chicot, le coin de Merlet et des Hénault. Si vous êtes pris…

Louis-Daniel Guilbault grimaça. Il savait que s'il était pris, il ne reverrait plus sa famille. Il chercha alors à se donner bonne image.

— Christine est bien capable de tirer un bon coup. Elle saura vous défendre en cas d'attaque. Moi, j'aimerais accompagner Corbin à Québec. À nous deux, nous saurons réussir cette mission.

— Il n'est pas question que tu te rendes à Québec, s'opposa Marie-Ange, avec vigueur.

— Corbin non plus, s'écria Ursule, tremblant d'effroi.

Ce fut l'occasion que choisit Christine pour aviser sa tante de ses intentions.

— Je connais l'aide de camp du gouverneur Carleton, Charles-Louis Tarieu de Lanaudière. Je... je me rendrai à Trois-Rivières lui expliquer la situation et demander du renfort.

— Que Dieu te protège, prononça Marie-Ange en se signant.

— Je serai de retour dans quelques jours.

— Penses-tu être capable de te défendre toute seule ? Sinon, je t'accompagnerai. Trois-Rivières n'est pas si loin, demanda timidement Louis-Daniel à Christine.

Surprise par la proposition, Christine comprit que la permission devait venir de sa tante. Elle tourna la tête en direction de la vieille dame. Celle-ci leva les yeux au ciel pour l'implorer. Puis elle avisa son mari.

— Tu es trop vieux pour cette mission-là.

Louis-Daniel Guilbault se renfrogna.

— Et toi, Corbin, le pourrais-tu ? Si tu le veux, bien entendu, demanda timidement Christine, se tournant vers Ursule.

La perspective sourit à Corbin.

— À mon souvenir, il y a une paillasse au grenier où je pourrai coucher. J'ai déjà chassé le canard noir à cet endroit au printemps. Qu'en penses-tu, Ursule ? Je demanderais bien à Bonin de m'héberger, mais je doute qu'il ait encouragé les neutres. Par ailleurs, je ne demanderai pas à un vieux garçon d'héberger une jeune femme...

— Corbin ! s'indigna Ursule.

Penaud, Corbin se reprit.

— Parce que Romuald Bonin vit dans son moulin. Il couche à l'étage, là où une petite lucarne voisine l'éolienne. Il n'y a de place que pour lui. C'est pour ça qu'il est resté vieux garçon.

— Il n'a jamais pensé à convertir sa cabane en maisonnette, ce meunier-là ? Ça aurait pu attirer le regard féminin, à défaut de jugeote... ajouta Ursule sur un ton affecté.

— Si Christine veut bien me faire la cuisine, je n'ai pas d'objection. Après tout, nous sommes cousin-cousine. Même plus, frère-sœur !

Marie-Ange toisa sa bru, en s'inquiétant de la promiscuité des lieux pour un homme d'âge mûr et une jeune femme, furent-ils du même sang. Elle connaissait le caractère affirmé d'Ursule.

Christine se demandait bien quelle serait la réaction d'Ursule. Elle n'attendit pas longtemps.

— Tu n'iras pas à Trois-Rivières, non plus. Ta place est avec ta femme et tes enfants.

Christine comprit qu'elle se rendrait seule rencontrer Charles-Louis Tarieu de Lanaudière.

Marie-Ange chercha dans la sacoche en cuir de la berline. Christine croyait qu'elle voulait ramener un scapulaire ou une médaille. À la place, Marie-Ange sortit un pistolet en acier trempé.

— Tiens, c'est ton grand-père qui l'avait forgé dans le temps. C'est mon héritage. Depuis que les Américains ont commencé à rôder à Berthier, je l'ai toujours gardé près de moi, même à l'insu de ton oncle.

Louis-Daniel enleva le pistolet des mains de Marie-Ange et se mit à le soupeser avec admiration.

— Il peut faire mouche à tout coup. C'est un pistolet de précision. Bien entendu, il faut avoir le poignet pour ça. Je me demande si Christine… demanda le capitaine de milice, déçu de ne pas avoir obtenu l'approbation de sa femme. Il n'insista pas, lorsqu'il vit Marie-Ange lui faire de gros yeux.

La perspective de se rendre à Trois-Rivières paniquait Christine tout autant qu'elle la réjouissait. La dernière fois, Christine avait quitté Lanaudière au chenal qui séparait l'île Saint-Ignace de l'île Dupas, en pleine nuit, alors qu'elle lui avait permis avec le gouverneur Carleton de sillonner le lacet des îles de Berthier à travers les lignes ennemies. Son cousin Corbin l'avait accompagnée dans cette mission. Maintenant, elle aurait à le rencontrer seule, comme jadis quand elle avait eu le cran de s'avancer vers le noble prisonnier de Joseph Merlet à Saint-Cuthbert, et lui demanderait la tutelle de la seigneurie de Berthier.

***

Le 15 juin, le général américain Sullivan abandonna son chef-lieu de Sorel. Passant outre au fort Chambly, il s'arrêta un temps au fort Saint-Jean et battit en retraite jusqu'au fort

Saratoga-Carillon, au lac Champlain. Le colonel Livingston et son premier régiment canadien pro-rebelle, aminci des miliciens qui avaient déserté pour retourner chez eux à Chambly et à Saint-Jean en risquant l'opprobre de la population locale, accompagnaient l'armée américaine.

Le 15 juin, en quittant la garnison de Montréal, par rage au cœur, l'autre général américain, Arnold, ordonna d'incendier la ville. Dans les campagnes environnantes, les officiers et les soldats américains s'adonnèrent aux pires excès, en pillant les fermes et en maltraitant les habitants. Quand les Anglais arrivèrent à Montréal, le 18 juin, ils apprirent que les Américains venaient d'abandonner les forts Chambly et Saint-Jean dans le chaos.

Comme ils le firent pour le général Sullivan, les généraux anglais Bourgoyne et Riedesel le pourchassèrent en direction du lac Champlain.

En cette fin de printemps, quand le fleuve redevint enfin apte à la navigation et que les migrants ailés eurent sillonné le ciel et égayé les îles de leurs cris, l'armée britannique du gouverneur Carleton mit fin à l'invasion américaine en sol canadien.

Le départ précipité du colonel Livingston avait laissé Christine le cœur brisé. En espérant secrètement recevoir un message d'amour de son amant d'un jour, la jeune femme cherchait à tout prix à effacer James de son esprit. Désormais, seule sa mission, celle qu'elle menait auprès de Lanaudière, serait mue par son seul esprit patriotique. C'était sa façon de se réhabiliter à ses yeux.

Chapitre XXV
Pointe-Esther

Marie-Ange et Ursule Guilbault avaient souhaité visiter la cabane du meunier Bonin, afin de vérifier dans quelles conditions Christine et Corbin seraient logés. Corbin avait finalement réussi à convaincre sa femme Ursule de le laisser vivre quelque temps à Pointe-Esther ! Corbin se rendit donc rencontrer le meunier à son moulin.

En ce temps de guerre et de disette, puisque l'armée américaine avait confisqué la plupart des récoltes des habitants de la seigneurie de Berthier, l'emploi du temps du meunier Bonin avait été chambardé. Les paroissiens préféraient se rendre tout de même au stationnement du moulin pour courir aux nouvelles plutôt que de se rassembler sur le parvis de l'église, où ils avaient peur des représailles, malgré leur serment de neutralité et la bonne attitude du commandant américain qui venait d'ordonner l'exil de James Cuthbert et l'incendie de son manoir.

Lorsque l'attelage des Guilbault bifurqua aux trois fourches menant au manoir, Corbin dut plus d'une fois informer les gens du coin de l'incendie du manoir, ainsi que de la fuite des Américains avec leur prisonnier de marque. Si la plupart faisaient partie des neutres, ils reconnaissaient toutefois les chefs de la milice Guilbault comme d'honnêtes hommes qui gagnaient leur vie avant tout, et dont la responsabilité première était de nourrir et de protéger leur famille. Et puis, Louis-Daniel Guilbault avait bien épousé une fille Rémillard, de Saint-Cuthbert, le village des récalcitrants, tandis qu'Ursule Desrosiers, la femme de Corbin, était, elle, issue d'une famille respectable de Berthier.

Corbin entendit ces observations :

— J'ai ouï-dire que c'est le notaire Faribault qui va diriger la seigneurie. Mais d'autres ont aussi avancé que ce pourrait être le curé Pouget.

— À moins que ce soit le gros Louis Olivier, le premier chef de la milice, l'ami du seigneur Cuthbert.

— Impossible : il a été arrêté lui aussi. Ça ne peut être que les Guilbault.

Corbin dut demander aux citoyens de se terrer chez eux en attendant que le gouverneur Carleton de Québec se décide à agir, ce qui ne devait pas tarder. En se faufilant vers le moulin, Corbin avisa son père qu'il pressait de se cacher à Sainte-Élizabeth.

Corbin ne se souvenait pas d'avoir déjà rencontré le meunier habillé comme un habitant, sans sa vareuse inondée de farine et de débris d'épis de blé et d'avoine. C'est avec consternation qu'il le vit endimanché en ce milieu de semaine, le visage poupin et l'air de se demander quel audacieux cultivateur bravait la recommandation de la police.

Quand Bonin reconnut Guilbault à travers l'œil-de-bœuf de la lourde porte du moulin, il hésita à ouvrir, croyant avoir été pris en défaut d'obéissance à la loi. Quand il se rendit compte que Corbin ne portait pas de fusil en bandoulière, il fit lentement grincer les pentures.

Corbin ne se rappelait pas être venu au moulin sans entendre le tintamarre de la force motrice qui faisait tourner la grosse meule, dont on pouvait entendre l'écho résonner bien loin sur la rivière Bayonne. Cette fois-ci, ce silence pesant signifiait potentiellement l'arrêt de mort de la vie économique de la seigneurie de Berthier.

— Maudite guerre ! marmonna Corbin entre ses dents.

— Quoi, les Américains sont encore là ? demanda le meunier, d'une voix vacillante.

Pour toute réponse, en guise de réconfort, mais aussi pour se rassurer lui-même, Corbin prit le meunier solidement par les deux épaules et resta silencieux pendant quelques secondes, son regard bien planté dans celui du meunier.

— Ils sont partis en emmenant James Cuthbert et Louis Olivier prisonniers. Avant, ils ont incendié le manoir ainsi que la maison familiale des Guilbault. Les rebelles veulent nous assassiner, mon père et moi…

Romuald Bonin gardait le silence. Corbin eut alors la bonne idée de lui demander, sans trop d'égard :

— De quel bord es-tu, Romulo ? Si tu es dans leur camp, je t'arrête immédiatement pour sédition ! Les menottes, où sont les menottes ? !

Romulo était le prénom moqueur dont les capitaines de milice affublaient le meunier, pour s'en faire craindre, lors des exercices de tir, en dérision de *Romulus,* nom du fondateur païen légendaire de la ville de Rome.

Corbin fit semblant de fouiller dans son froc. Apeuré, le meunier ne prit pas de temps pour répondre :

— Tu sais bien que je suis l'employé du seigneur Cuthbert. Les rebelles voudraient m'enrôler que je leur tirerais dessus.

Corbin savait que le coup de fusil du meunier n'avait pas bonne réputation. Sinon, il n'y aurait pas autant de chasseurs le long des berges de la Bayonne, au printemps.

— Pourtant, il y a eu des rumeurs à l'automne dernier, comme quoi que tu étais sympathique à la cause des neutres.

— Ce sont tous des clients ! Sans leur blé, le moulin ne pourrait pas tourner.

Corbin comprit que la seigneurie ne pourrait pas prospérer. Sa grimace confirma au meunier qu'il avait répondu correctement.

— Es-tu certain de ça ? Tu n'aurais pas été conquis par le discours de la petite rousse déguisée en garçon ?

— Je la verrais que je ne la reconnaîtrais même pas !

Romuald mentait. Il rêvait depuis l'automne de revoir la belle amazone et vivre avec elle dans sa cabane afin d'élever avec elle une ribambelle de têtes rousselées qui porteraient son nom.

— Je me demandais si je pouvais me cacher dans ta cabane, le temps nécessaire à ce que l'armée anglaise reprenne le contrôle de la seigneurie. Bien entendu, si tu l'occupes, il n'en est pas question.

— On pourrait la partager, le temps qu'il te faudra, entre hommes !

— Justement, je ne serai pas seul. Ma cousine se cachera avec moi.

Le visage gras et poupin du meunier devint écarlate. Il connaissait la famille d'Ursule Desrosiers, la femme de Corbin, et savait celui-ci père de famille. Même que le gendre de Corbin, Louis Champagne, se permettait à l'occasion d'aller lui donner un coup de main.

Corbin se rendit compte de l'inconfort de Bonin. Il tenta de clarifier la situation.

— Ma cousine est de l'âge d'une de mes filles. Elle m'aidera dans mes fonctions policières, alors que toute notre famille se cachera ailleurs. Je ne te dis pas où, pour ta propre sécurité, advenant qu'il y ait délation. Ma mère et ma femme attendent en haut. Elles veulent vérifier l'état de ta cabane.

Le gros meunier transpirait.

— Je n'y ai pas mis les pieds depuis plusieurs semaines. Qu'elles ne regardent pas au rangement. Le pont branlant au-dessus de la rivière était aussi mal en point. Je ne recommande pas aux dames de le franchir avec leurs bottillons.

— Viens avec nous, et passons par le pont Jouette... Ce n'est pas la clientèle qui pourrait t'en empêcher, n'est-ce pas ?

Romuald Bonin comprit qu'il devait sortir de sa tanière et faire visiter sa cabane. Quand il reconnut Christine avec sa tignasse rousse, il crut défaillir. Celle qui meublait ses rêves était bien là devant lui, en chair et en os. Les présentations furent brèves, car le temps pressait d'aller se terrer loin des terroristes du fief Chicot. Christine trouva amusante la tenue endimanchée du gros garçon.

Les femmes Guilbault firent sitôt le tour de la cabane du meunier, une maisonnette enchâssée dans les énormes branches d'un orme, comme sur pilotis géants, d'une seule pièce avec son âtre, son évier avec gargouille, sa table et sa commode ainsi que son grenier qui servirait de chambre à coucher pour un des occupants. Une petite dépense froide faisait office de garde-manger. La particularité de la cabane était sa grande fenêtre en façade qui donnait juste au-dessus de la rivière Bayonne. Le meunier pouvait ainsi observer au loin son moulin à Pointe-Esther, de même que la circulation de la clientèle garée tôt sur l'île Lestage. La porte d'entrée jouxtait le pont branlant d'une cinquantaine de pieds sur le versant. Bien malin l'étranger qui aurait pu deviner son existence. C'est la raison pour laquelle Corbin avait jugé la cachette digne d'intérêt.

Quand Marie-Ange et Ursule parurent satisfaites de ce qu'elles avaient vu, Corbin se tourna vers sa colocataire.

— Et puis, la cuisine?

— La lucarne du grenier permet de voir venir toute personne indésirable au loin. C'est ce qu'il nous faut.

C'est la réponse qu'attendait Christine. Corbin aurait aimé entendre dire que le confort de la maison permettrait à la cuisinière de lui mijoter ses plats favoris, comme sa femme Ursule le faisait, mais ce n'était pas la préoccupation de Christine.

La mimique que fit Corbin n'échappa pas à sa femme qui réagit aussitôt.

— Je reste avec mon mari: ma place est auprès de lui. Les enfants s'en iront avec leurs grands-parents vous savez où.

L'initiative parut soulager Marie-Ange, qui voyait d'un bien mauvais œil qu'une jeune femme de dix-huit ans, fût-elle sa cousine et sa sœur d'adoption, fasse vie commune, même brièvement, avec son Corbin. Intérieurement, elle se mit à réciter des invocations. L'honneur des Guilbault serait ainsi préservé, car Marie-Ange connaissait trop la nature exubérante de Christine pour ne pas la savoir provocante.

Le soir venu, de retour à son moulin, le meunier, étendu sur sa paillasse, se permit de rêver à Christine, celle qu'il souhaitait comme compagne de vie.

Pourvu que j'aie le courage de lui demander de la courtiser, se dit-il.

Chapitre XXVI
Lanaudière

Christine s'endormit en pensant à sa prochaine rencontre avec Charles-Louis Tarieu de Lanaudière. Elle avait déjà hâte à son accueil chaleureux et imaginait son enthousiasme de venir en aide à ses parents et à la population de la seigneurie de Berthier. Les nuits de la mi-juin s'étaient radoucies et elle avait laissé son cheval Émilion brouter près du moulin, sachant que le meunicr lui laisserait bien une ration d'avoine. Christine s'était rendu compte qu'elle n'avait pas laissé le meunier indifférent ; malheureusement pour lui, il était aux antipodes de ce qu'elle espérait d'un homme.

Dès le lever du soleil, Christine traversa le petit pont suspendu au-dessus des eaux encore turbulentes de la rivière Bayonne. Elle avait décidé de monter son cheval en amazone, pour éviter de s'embourber dans les sentiers encore boueux de juin en conduisant une calèche, fût-elle légère. Le meunier s'était déjà occupé de sa monture. De plus, il lui remit dans une besace deux pains de blé cuits la veille dans le four jouxtant le moulin, ainsi qu'une ration supplémentaire d'avoine pour Émilion. Christine avait déjà avec elle de la viande cuite de rat musqué et du canard pris la veille au filet par Corbin. La saison de chasse battait son plein le long de la rivière. Cependant, le chef de la milice ne voulait surtout pas que l'on repère leur cachette.

— Tenez, c'est pour votre cheval et vous ! Avec ça, vous ne crèverez pas de faim.

Le meunier n'aurait pas pu en dire davantage, tant sa voix qui avait entamé un decrescendo devenait inaudible de timidité. Christine s'en rendit compte. Elle eut de la reconnaissance pour ce vieux garçon au tournant de la quarantaine qui réagissait comme un adolescent à la vue de sa première flamme. Elle, qui venait de faire tourner la tête du commandant américain, et qui se préparait à rencontrer Charles-Louis de Lanaudière, considéré par ses compatriotes comme l'un des plus beaux hommes de la colonie, ne put répondre à cet homme gauche autrement que par un baiser délicatement posé sur sa grosse joue.

Le fard naturel qui apparut sur le visage du meunier remplaça tous les hommages de courtisan que Christine aurait pu recevoir. Pour camoufler sa candeur, Romuald Bonin s'approcha d'Émilion et présenta sa grosse main pour que Christine y dépose le pied en guise d'étrier. Le cheval hennit et la belle cavalière emprunta le sentier qui menait au pont Jouette. À cette heure matinale, il n'y avait que les chasseurs qui auraient pu trouver ennuyeux le martèlement des sabots sur les madriers.

Christine avait décidé de couper par le rang Saint-Esprit, pour se rendre à Saint-Cuthbert. De là, le chemin du Roy lui apparut le plus rapide afin d'atteindre Trois-Rivières. En route, elle prit bien soin d'éviter d'être repérée. Par chance, jusqu'à Maskinongé, seuls les hérons, les bernaches et les tourtes auraient pu signaler sa présence.

Le vieux cheval de Christine dut parcourir les trente-cinq milles en huit heures. Elle dut à plusieurs reprises se mettre à couvert avec sa monture, pour ne pas être la cible de miliciens canadiens toujours à la recherche de soldats américains (qui auraient préféré rester dans les environs, plutôt que de fuir vers le lac Champlain avec leurs troupes déchues). Christine voyait l'inquiétude d'Émilion se refléter dans son regard hagard. Elle touchait alors son cou et caressait son chanfrein, et le cheval la remerciait d'un faible hennissement.

Elle fit une première halte à Rivière-du-Loup, le temps de donner au cheval sa ration d'avoine et d'attaquer son casse-croûte. Lorsqu'à Pointe-du-Lac, Christine vit se profiler au loin les toitures des trois cents maisons, le clocher de l'église, les beffrois du séminaire des Récollets et du couvent des Ursulines de Trois-Rivières, son cœur battit fort. Pendant qu'Émilion reprenait son souffle, Christine s'informa des mouvements de troupes auprès d'un couple de colons qui se rendaient tranquillement en charrette à Trois-Rivières par le chemin du Roy

— On voit bien que vous êtes une étrangère, ma p'tite mam'zelle. En héros, Antoine Gauthier, de par ici, a fourvoyé les généraux américains en les entraînant dans les marécages par un détour. Les Anglais ont pu se préparer à l'arrivée des Américains.

— C'est plutôt sa femme, la commère Girard, qui a permis au général anglais Fraser de faire cent cinquante prisonniers américains. Depuis que Trois-Rivières a été reprise par les Anglais, la vie suit son cours normalement, et aucun convoi militaire n'a été vu depuis les dernières semaines sur le lac Saint-Pierre et sur le fleuve aux abords de la ville. Sauf que les blessés américains prennent toute la place à l'hôpital, et que nous autres, pauvres colons, nous mourrons sans avoir été soignés.

La femme cracha par terre, admirée par son mari qui en fit autant.

— Vous venez d'où?

— De Berthier... Avez-vous entendu parler du colonel Livingston?

L'homme et sa femme restèrent figés. Celle-ci brisa le silence devenu pesant en s'adressant à son mari.

— C'est normal qu'elle s'intéresse à cet officier américain, puisqu'elle vient de Berthier et qu'il menait un régiment de sympathisants du coin.

Puis, se tournant vers Christine, elle ajouta:

— Un bien brave garçon, qui s'est battu pour récupérer le chien de son cousin, le général Montgomery. Nous lui avons fourni de l'eau fraîche à la ferme. Il nous l'avait demandé si gentiment. Un gentilhomme, qui s'est conduit de façon correcte avec moi et les autres femmes de la côte. Bel homme aussi, et raffiné. Je me demande pourquoi il ne s'est pas battu du côté des Anglais, plutôt que des Américains, puisqu'on le dit de Sorel. J'imagine que les jeunes femmes de Berthier ont pu s'en rendre compte?

En entendant autant d'éloges concernant son amour impossible, Christine eut envie de pleurer en pensant qu'elle ne le reverrait plus jamais.

— Ça suffit, Germaine! À t'entendre, on dirait que tu es du bord des Américains. Si vous cherchez à rencontrer ce colonel, vous feriez mieux de retourner à Berthier, là où il est reparti avec le chien, maugréa l'homme.

— Les Américains sont repartis chez eux. Je suis venue rencontrer l'aide de camp Charles-Louis Tarieu de Lanaudière, se dépêcha à dire Christine pour ne pas paraître suspecte.

— J'aime mieux ça. Pour vous rendre à Trois-Rivières, rien de plus simple : continuez sur cette route, en évitant les marécages. Tenez, montez avec nous, en attachant votre cheval à la charrette. Personne ne vous importunera, mam'zelle, foi d'Étienne Gélinas et de Germaine Bellemare.

Reconnaissante de l'associer à son pouvoir de chef de famille, Germaine sourit à son mari. Christine put apercevoir les chicots jaunis de la quinquagénaire ridée. À cet instant, la dame demanda :

— Quel est ton nom, la p'tite ?

— Christine Comtois.

— Comtois… de la famille des Gilbert, dit Comtois ?

— Je suis la fille de Ferréol Gilbert, dit Comtois.

Étienne Gélinas se tourna vers sa femme, pour conclure :

— Je ne connais pas ce Comtois-là… Avez-vous déjà rencontré monsieur Tarieu de Lanaudière ?

— Deux fois, à Berthier, dont l'une en présence du gouverneur Carleton et du chevalier de Niverville, et l'autre en présence du seigneur Godefroy de Tonnancour.

Confondu, Étienne regarda Germaine.

— Ces Gilbert, dit Comtois, sont de la noblesse. Nous allons vous reconduire aux portes de Trois-Rivières, mam'zelle. Vous direz à monsieur de Lanaudière que les gens de Machiche, les Gélinas, les Bellemare et les Lacourse, n'ont jamais collaboré avec les Américains. Tout le contraire, hein, Germaine ?

Rendu à Trois-Rivières, Étienne Gélinas pointa l'horizon.

— Vous voyez ces trois bâtisses reliées, en moellon et pierre de taille ? Celle de droite appartient au seigneur Tonnancour ; celle du centre, à monsieur de Lanaudière ; et celle de gauche, au commissaire François Baby.

— Comment vous remercier pour tant de gentillesse ?

— En arrêtant nous saluer à Machiche, un de ces jours !

Christine apprit par des sentinelles postées à l'entrée de la résidence de Lanaudière que le gouverneur Carleton se trouvait en compagnie de Charles-Louis Tarieu de Lanaudière, à la garnison. Trois-Rivières grouillait de soldats sur le qui-vive qui patrouillaient dans la ville en cas d'attaque, comme si l'état-major anglais n'était pas au courant de la fuite de l'armée américaine.

Christine s'empressa de se rendre à la bâtisse de l'administration du gouvernement de la ville et demanda à parler à l'aide de camp du gouverneur, en mentionnant à l'officier ses états de service. Celui-ci la prit de haut, en la regardant de manière étrange.

— Monsieur de Lanaudière et son épouse sont de haute noblesse. Il n'est pas dans les habitudes de monsieur de Lanaudière de recevoir de la compagnie galante. Encore moins si elle est crottée, puante, sale et mal fagotée.

Dans sa hâte de rencontrer le grand homme, Christine n'avait pas constaté l'état lamentable de sa tenue. Elle sortit l'enveloppe décorée d'un nuage qu'elle avait reçue de Lanaudière, et qu'elle n'avait qu'à produire en cas de difficulté d'accès.

Le militaire cogna à la porte pour annoncer une visite inattendue, puis remit l'enveloppe codée à Charles-Louis de Lanaudière, qui était en train de répondre au courrier du gouverneur. L'aide de camp faisait aussi office de secrétaire. Il appliqua son buvard sur la dernière missive et remit sa plume dans l'encrier. Il prit l'enveloppe affranchie d'un nuage et reconnut aussitôt le nom de code.

— Cette visite impromptue est étrange. Certainement des nouvelles inquiétantes concernant James Cuthbert, marmonna Lanaudière.

— Elle est d'un abord assez peu présentable, monseigneur.

— Nous sommes en temps de guerre : faites-la entrer !

Étonné de cette visite, Lanaudière se leva et reçut Christine avec courtoisie. Il l'invita à s'asseoir de façon protocolaire, de sorte que la jeune femme se sentit inconfortable dans ses vêtements frustes et sa tenue de cavalière campagnarde : elle aurait voulu mieux paraître devant l'élégant officier.

Pour se donner bonne contenance, après avoir souri avec gêne à Lanaudière, Christine se mit à observer le décor militaire dénudé d'ostentation du petit cabinet faisant office de bureau. Ce lieu consacré aux affaires militaires était austère.

Sur un secrétaire maculé de taches d'encre, une pile de papier en désordre montrait le peu de soin consacré au meuble. Une grande carte géographique jalonnée de repaires militaires épinglée au mur faisait foi de la présence des troupes ennemies ou bien de la préparation d'une prochaine campagne. Accrochées au mur d'en face, deux rapières d'un autre âge encadraient une vieille horloge au tic tac assourdissant. Un divan était rapproché de l'âtre, où quelques bûches au charbon brûlant réussissaient à chasser l'humidité froide du mois de juin près du fleuve. Au centre du salon, près d'un crucifix, trônaient les portraits du roi d'Angleterre George III et du gouverneur Guy Carleton. Enfin, un gros meuble de bois ouvré avec deux portes aux carreaux vitrés et crochets à motifs forgés servait de portemanteau.

Lanaudière semblait gêné du manque de caractère de son bureau, où la décoration se résumait à quelques armes anciennes accrochées aux murs. Lanaudière expliqua à Christine avec une certaine préciosité :

— Ah, si le régime français à Québec avait su mettre en valeur ses arts et ses lettres comme la France sait le faire, où les plus simples forteresses ressemblent à des musées ! Tout au contraire : même les lieux de culte du Canada ont le raffinement d'une caserne militaire.

Le noble canadien portait de manière altière le rouge de l'uniforme de l'officier anglais. Les talons rouges de ses bottes signifiaient qu'il était un haut gradé. De fait, Charles-Louis Tarieu de Lanaudière faisait office d'aide de camp du gouverneur Carleton. Le fait que son père fut conseiller législatif et que sa grand-mère Madeleine, la seigneuresse de La Pérade, fut l'héroïne de Verchères joua tout autant que les qualités particulières de Charles-Louis, qui parlait anglais et allemand.

Son nez droit, long et légèrement busqué, ses lèvres charnues et son crâne en forme d'ogive avaient une certaine parenté avec le profil bourbon des monarques français et espagnols. Son air nobiliaire lui avait permis d'avoir été reçu par la cour de Versailles. À Londres, rue Saint-James, Lanaudière était perçu comme un dandy. Il n'avait pas besoin de porter la perruque. Il préférait la tenue sobre de l'officier de l'état-major anglais, qui plaisait à son excellence le gouverneur Carleton.

Lorsque Christine informa Lanaudière du fait que James Cuthbert avait été fait prisonnier, et insista qu'il urgeait que la seigneurie de Berthier, menacée par l'action terroriste de têtes fortes qui avaient l'intention de se débarrasser de son oncle Louis-Daniel et de son cousin Corbin, soit prise en tutelle par l'armée anglaise, Lanaudière eut des propos sévères à l'égard de James Cuthbert.

— Le seigneur Cuthbert n'a jamais vraiment persuadé ses censitaires du danger que représentait leur sympathie à la cause américaine, malgré son air revêche et son attitude pompeuse. De plus, il aurait pu être plus combatif envers ce colonel Livingston, ce renégat qui m'a volé mon chien, plutôt que de se terrer comme un évadé de prison.

Christine se pinça les lèvres en pensant à James Livingston, dont le souvenir lui crevait toujours le cœur. Elle cherchait à retenir ses larmes. Les tremblements de son visage n'échappèrent pas à Lanaudière qui crut percevoir de la contrariété chez elle. Il voulut se racheter.

— Si vous saviez à quel point votre héroïsme — celui de votre cousin Guilbault et le vôtre — a été méritoire pour notre victoire. Le gouverneur Carleton vous en sait gré, croyez-moi. Vous dites que la vie de votre oncle est menacée. C'est regrettable, mais n'est-ce pas le lot quotidien d'un chef de la milice, surtout en temps de guerre ? Il saura se défendre, croyez-moi, surtout avec son fils à ses côtés.

Christine reçut la réponse comme un coup bas à l'estomac. Il fallait qu'elle trouve le bon argument pour retourner la situation problématique à son avantage.

— Sauf votre respect, la guerre est à l'avantage des Anglais, monsieur Lanaudière. Votre flotte est dans la rade de Sorel, je ne vous apprends rien ! Mon oncle et mon cousin se cachent au fond des bois parce que des activistes du fief Chicot commettent de lâches assassinats depuis que le régiment du colonel Livingston est parti de Berthier. C'est l'anarchie, les règlements de compte, pire, la guerre civile. Mes parents Guilbault n'ont pas pu rassembler le nombre de miliciens capables de résister à ce désordre. Je vous demande au nom de la loyauté de ma famille à la Couronne britannique de demander au gouverneur Carleton d'intervenir. Quant à la situation de James Cuthbert…

— James Cuthbert a bien couru après ses malheurs. C'est une grande-gueule qui cherche tous les honneurs. Le gouverneur n'a pas beaucoup d'estime pour cet Écossais. La captivité le corrigera sans doute ; du moins, je l'espère.

Christine resta bouche bée devant le peu de compassion de son interlocuteur. Celui-ci l'examinait des pieds à la tête. Christine comprit que ce n'était pas sa tenue qui supporterait la persuasion de son plaidoyer. Elle se sentit soudainement débraillée, sale, honteuse. Sa vareuse à la garçonne était maculée de boue. Sa coiffure était désordonnée. Elle réalisa soudainement que le noble avait toujours été entouré de femmes habillées à la mode de Paris, qui étaient davantage habituées à fréquenter les salons que les casernes et les champs de bataille.

— Désolé de ne pas pouvoir vous aider davantage. Je ne m'occupe plus de recrutement de miliciens. Je serais bien mal avisé actuellement d'influencer de quelque façon le gouverneur Carleton. C'est lui le grand stratège qui a vaincu les armées américaines à Québec. D'ailleurs, nous partirons bientôt pour une expédition au fort Saint-Jean, rejoindre l'armée du général Bourgoyne et nos nouvelles troupes allemandes du duc de Brunswick, du landgrave de Hesse-Kassel et du comte de Hanau, puisqu'il n'y a pas assez de soldats britanniques en Amérique, afin de repousser les Américains chez eux.

Lanaudière réalisa qu'il venait d'éventer la stratégie militaire anglaise. Il se rappela soudain qu'il l'avait choisie comme espionne auprès du commandant américain de Berthier, James Livingston.

— Mais quoi ! La flotte anglaise ne restera pas stationnée à Sorel à perpétuité.

Lanaudière reprit son souffle et continua de manière plus paisible.

— La reine d'Angleterre est aussi une princesse allemande, alors que Sa Majesté George III est électeur de Hanovre. Je pourchasserai les Américains chez eux, surtout ce colonel Livingston. Je ne leur pardonnerai jamais le tort qu'ils ont causé à ma seigneurie de Sainte-Anne-de-la-Pérade. Encore une fois, je suis désolé pour vos parents. Je dois vous reconduire. Le gouverneur m'attend.

Christine venait d'essuyer un cuisant échec. Il ne lui restait que quelques secondes devant elle pour trouver une issue à ce cul-de-sac diplomatique. La grand-mère de Christine, Gertrude Rémillard, lui avait enseigné à refuser l'échec dès son bas âge.

— Sauf votre respect, monsieur Lanaudière, il doit bien y avoir quelqu'un d'autre que vous qui ait l'oreille du gouverneur ?

Christine vit le noble sursauter. Ses yeux charmeurs et doucereux se transformèrent en pointe d'épée acérée.

— Mais je fais toujours partie de son entourage immédiat. Le gouverneur Carleton est un ami, presque un père pour moi. Si je l'entretiens de votre requête, il m'écoutera, soyez-en certaine.

Charles-Louis venait de se faire piéger par cette campagnarde. Son attitude changea du tout au tout. Il se mit à regarder la rousse, non plus avec curiosité, mais avec défiance.

Pour s'éloigner du climat de guerre, sa femme Geneviève-Élizabeth de La Corne venait de partir pour Nicolet, de l'autre côté du lac Saint-Pierre. Cette destination ne souriait guère à Lanaudière puisqu'il y avait mordu la poussière, l'année précédente, lorsqu'il était responsable du recrutement des miliciens canadiens. Il en avait fait part à sa femme, qui avait préféré ignorer la recommandation de son mari. Il lui en voulait d'avoir pris la décision de le quitter pour l'été, alors qu'il partirait probablement pour le fort Saint-Jean en août. La requête de Christine Comtois lui ouvrait soudainement la porte.

Christine était sur le qui-vive, attendant une réaction positive. Il lui semblait qu'elle venait de percer une brèche dans la cuirasse de son interlocuteur. Elle regardait Lanaudière d'un air de pitié, presque suppliant.

Le noble s'en rendit aussitôt compte et décida d'agir. Lanaudière changea aussitôt d'attitude. Il sourit à Christine, en exerçant le charme qui lui avait toujours permis de conquérir têtes couronnées et jolis minois féminins.

— Je vous ai dit que je pouvais informer le gouverneur de votre requête ; alors, je vous promets de le faire. Vous n'aurez pas fait autant de distance à cheval et bravé les dangers d'une galopade à travers les rangs des terroristes sans mériter d'égards, surtout lorsqu'il s'agit de sauver la vie de loyaux serviteurs du roi d'Angleterre, comme le sont les capitaines de milice Guilbault…

Christine se détendit. Elle sourit à Lanaudière avec confiance. Ainsi, celui qui l'avait reçue protocolairement revenait à de meilleurs sentiments. Elle se demandait si le gouverneur Carleton la reconnaîtrait et quels seraient les mots à dire convenablement pour introduire sa requête. Elle attendait patiemment la consigne du noble.

— Cependant, il faut comprendre que votre visite est inopinée, et que le gouverneur prépare une action militaire déterminante. Aucune requête ne devrait lui être soumise aujourd'hui. Je me suis engagé, et je m'engage toujours à vous appuyer dès demain, à notre rencontre au moment du *breakfast*. Il vous faudra rester à Trois-Rivières jusqu'à demain. Serez-vous logée quelque part ?

La question prit Christine de court. Dans la hâte de son départ, elle avait imaginé revenir à la rivière Bayonne le même jour. Elle se dit que si elle ne revenait pas le soir même, Corbin imaginerait le pire. Toutefois, elle ne voulait pas laisser passer la chance de s'adresser au gouverneur, pour sauver la seigneurie de Berthier de la guerre civile. Elle se souvint subitement d'avoir entendu parler dans sa famille du couvent des Ursulines de Trois-Rivières.

— Je pourrais demander aux Ursulines de m'héberger pour un soir. On m'a dit que c'était tout à côté. Sinon, la famille d'Étienne Gélinas, de Yamachiche, va m'accueillir. Elle me l'a offert aujourd'hui. De plus, je ne demande qu'une paillasse pour la nuit. J'ai quelques sous qui sauront persuader.

La réponse de Christine dérangeait Lanaudière. Il avait d'autres visées pour sa visiteuse rousse.

— Je pourrais le demander pour vous. Les Trifluviens se feront un plaisir de vous accueillir. Quant aux Ursulines, elles sont fort occupées actuellement à aider les Augustines à soigner les malades. Quant aux Récollets, je ne les tenterais pas en leur proposant d'héberger une si jolie jeune femme, fussent-ils protégés du péché par l'onction divine… J'ai une proposition à vous faire, Christine. Nous pourrons vous accueillir à la résidence de François Baby, le commissaire du transport militaire mandaté par le gouverneur Carleton pour enquêter sur la collaboration des Canadiens avec les Américains dans les paroisses… Madame Baby vous y accueillera. Je n'ose vous proposer de loger chez moi, puisque mon épouse Geneviève-Élisabeth est actuellement partie pour Nicolet.

Christine resta de glace. Lanaudière ne savait si c'était par pudeur, ou si la jeune femme avait figé en entendant parler de l'enquête de collaboration. Lanaudière se permit une mise au point.

— Mon ami Baby enquête du côté est de Trois-Rivières. Avoir su que vous veniez, je vous certifie que j'aurais recommandé au gouverneur de commencer à l'ouest, à Berthier. Tout ça est bien regrettable… En rencontrant demain le gouverneur, vous pourriez le faire changer de plan. Que pensez-vous de ma proposition ? D'ailleurs, nous serons voisins, puisque mon logis jouxte celui du commissaire Baby. À cet effet, j'aimerais vous inviter à ma table pour dîner, oh, pardon, pour souper. Est-ce possible ? Sinon, je ferai porter un goûter à la table des Baby.

Christine retint la possibilité de ce face à face avec le gouverneur Carleton. Elle était sur le point de réussir sa mission de prévenir une guerre civile à Berthier. Elle n'allait pas décevoir le gentilhomme.

— Regardez ma vareuse de campagne militaire et mes bottes crottées ! Même le soldat dans sa tranchée ne pourrait pas être moins présentable. Je ne voudrais surtout pas faire offense à votre courtoisie et à votre hospitalité aristocratique ni à celles de vos amis Baby.

Lanaudière s'esclaffa. Il eut l'impression de faire la cour à une mondaine de Paris dans des vêtements de campagnarde. Décidément, la jeune femme ne le laissait pas indifférent. Il avait pour le moment mis de côté ses années de bonheur conjugal avec l'un des plus beaux partis de la province de Québec, Geneviève-Élizabeth, la fille du chevalier Luc de La Corne, décoré de l'ordre royal et militaire de Saint-Louis, et de Marie-Anne Hervieux. Le père de Marie-Anne, Léonard Hervieux, avait fait fortune dans le commerce du blé à Saint-Sulpice, à Lavaltrie et à Québec. Sa mère, Catherine Magnan, était la fille d'un tailleur de Laprairie. Elle avait été de son temps reconnue pour sa grande beauté. L'autre grand-mère de Geneviève-Élizabeth était une Pécaudy de Contrecœur, de la noblesse canadienne.

— Rien ne me ferait plus plaisir que de vous voir accepter mon invitation. Il faut que nous prenions le temps de bavarder pour apprendre à nous connaître davantage. Je compte beaucoup sur vous. Madame Baby a sans doute des vêtements qui vous conviendront.

Surprise, Christine se rendit compte du changement d'attitude du noble. Lui, si distant, voilà qu'il voulait se rapprocher davantage d'elle, lui faire des confidences. Christine se rappela la recommandation de sa tante Marie-Ange, soit de ne se fier à personne sinon qu'à sa propre conscience. Or, dans ce cas-ci, se rapprocher de Lanaudière lui permettrait une rencontre avec le gouverneur Carleton, ce qui ramènerait l'ordre à Berthier et sauverait ainsi la vie de son oncle et son cousin.

Avec le rose aux joues, Christine répondit au galant :

— Faire davantage votre connaissance serait pour moi un plaisir et un grand honneur.

Souriant, Lanaudière se leva et appela une domestique. Puis, après avoir fait le baisemain à Christine, il lui dit :

— À tout à l'heure. Quelqu'un ira vous chercher chez les Baby.

Lanaudière avait réussi à trouver des vêtements féminins. La robe bleu poudre au profond décolleté que portait Christine était du dernier cri parisien, conformément à la mode lancée par la reine de France, Marie-Antoinette, dans le but de s'afficher plus française que les Françaises, elle que l'on méprisait en l'appelant vulgairement l'« Autrichienne ». Christine se dit que Lanaudière avait dû puiser dans l'élégante garde-robe de son épouse. La jeune femme de dix-neuf ans se trouvait gauche dans cette tenue aristocratique, puisque c'était la première fois qu'elle était habillée de manière aussi élégante. Elle se serait facilement débarrassée du ruban qui lui serrait le cou au point de l'étouffer, ainsi que de la perruque poudrée agrémentée d'un peigne en nacre. Le seul avantage à sa toilette était sa couleur tendre, qui s'agençait parfaitement au bleu irisé de ses yeux envoûtants.

Pour sa part, Christine trouva Lanaudière encore plus charmant dans ses habits civils. Grand, racé, le noble était vêtu d'une redingote noire, d'un jabot et de bas de satin blanc. Avec ses mains gantées, il tenait dans sa main droite sa canne à pommeau.

Christine ne s'attendait pas à trouver une table si garnie à Trois-Rivières, encore moins en temps de guerre. Nappes de dentelle jusqu'au ras du sol ; ustensiles, couverts et chandeliers en argenterie ; verrerie en cristal accueillait les victuailles les plus succulentes : viandes, volatiles rôtis, et pâtés en croûte voisinaient les charcuteries du terroir. Un flacon contenant un whisky à la couleur ambre reposait sur un coussin d'apparat dont le vert mettait en valeur l'agencement des couleurs. Une élégante bouteille de vin au rubis chatoyant faisait miroiter deux verres de cristal géométriquement déposés devant les couverts. La flamme des chandelles du lustre en fer forgé suspendu au bois vermoulu du plafond scintillait avec éclat dans cette féerie étoilée.

Christine n'avait jamais vu une telle abondance chez le commandant américain James Livingston.

Lorsque Christine s'étonna du faste, Lanaudière lui sourit.

— C'est notre héritage français. Même à Londres, la table royale est plus modeste... Le gouverneur Carleton, pour sa part, préfère partager la pitance de ses soldats, lorsqu'il n'est pas en représentation officielle. Ma mère a apprécié jadis les attraits de la table de l'intendant Bigot. Les Tarieu de Lanaudière ont toujours bien reçu leurs invités de marque.

— Et ces livres, les avez-vous tous lus ? Je n'en ai jamais vu d'aussi près et d'aussi beaux.

Christine contemplait l'impressionnante bibliothèque aux bouquins à la frange dorée et à la reliure de cuir maroquin aux teintes royales. Rouge pour les Anglais, bleu pour les Français. Parmi les livres français, il y avait les ouvrages traitant de philosophie et de politique de Voltaire, de Montesquieu, de l'abbé Raynal et quelques-uns des trente-cinq tomes de l'*Encyclopédie* de Diderot et d'Alembert.

Lanaudière trouva la question candide. Il rit de bon cœur. Il retira un bouquin et le présenta à Christine.

— Tenez, voici le traité politique en faveur de la démocratie écrit par monsieur Jean-Jacques Rousseau, que j'ai bien connu lors de mes années d'exil en France. *Du contrat social* ! De la vraie dynamite qui affirme que le peuple devrait décider de son sort et que le gouvernement n'en est que le délégataire. Vous avez ici son dernier roman, *La nouvelle Éloïse.*

— Éloïse ! C'est mon deuxième prénom.

— Vraiment ? Une belle histoire d'amour qui vous plairait sans doute.

Lanaudière prit le livre relié et le remit à Christine. Puis, il passa les doigts sur le cuir du dos des autres ouvrages, comme s'il pianotait sur un piano-forte.

— Vous comprendrez que le gouverneur Carleton ne les a jamais lus. S'il savait ! En fait, comme madame Carleton a été élevée à Versailles, il tolère certaines gratitudes de l'ancien régime français, pour lui faire plaisir. Comme ce vin de grand cru, retrouvé dans le cellier du palais de l'intendant Bigot. Bien entendu, les gouverneurs anglais qui se sont succédé ont conservé intacte la cave à vin du château Saint-Louis.

Lanaudière venait de faire tinter le verre de qualité de la bouteille avec une petite cuiller.

Charles-Louis avait décidé de faire lui-même le service. Entre chaque plat, il regardait de manière intense la jeune femme afin d'analyser à qui il avait vraiment affaire. Si elle avait déjà pressenti qu'elle intriguait Lanaudière, cette fois-ci, Christine eut l'impression que le militaire haut gradé fouillait son âme. Sur la défensive, Christine ne savait plus si elle devait faire confiance à son hôte. Elle avait la nette impression que celui-ci cherchait à gagner du temps.

Une fois le repas bien amorcé, Charles-Louis lui demanda de lui parler de nouveau de la situation qui régnait à Berthier. Christine lui décrit le départ des Américains, l'incendie du manoir et de la maison de son oncle, ainsi que de la décision du commandant Livingston de confier la gestion de la seigneurie au notaire Faribault qui avait parlé de se cacher à Saint-Sulpice, plutôt que de risquer la sécurité de sa famille à Berthier. Christine insista de nouveau sur sa volonté de rencontrer le gouverneur Carleton.

— Je sais. Et je vous ai promis que cela aurait lieu : vous pouvez compter sur moi. Cependant, je voudrais vous entretenir d'un sujet très délicat qui mérite la plus grande discrétion. Avant de vous en faire part, je tiens à connaître le fond de votre pensée…

Christine se dit que c'était ce que Lanaudière cherchait lorsqu'il la dévisageait. Elle se demandait bien ce que voulait lui dire le gentilhomme.

— Quelle a été votre réaction, lorsque les Américains sont partis de Berthier ?

La question inquiéta Christine. Se pouvait-il que son chagrin d'amour concernant le commandant américain ait pu venir aux oreilles de l'aide de camp ? Qui aurait pu le lui révéler, alors que Christine avait toujours été loyale au gouverneur Carleton, lorsqu'il lui avait demandé d'espionner James Livingston au profit du gouvernement anglais ? Christine se souvint avoir été favorable au mouvement patriotique des gens de Berthier mené par le notaire

Faribault et le curé Pouget, mais c'était sa rencontre avec Lanaudière qui l'avait convaincue de se ranger du côté de ses parents, des capitaines de milice Guilbault et du gouvernement.

— J'ai eu peur pour la vie de mon oncle Louis-Daniel et de mon cousin Corbin, alors que des terroristes ont incendié la maison de mon oncle et menacé leur vie. C'est la raison de ma venue à Trois-Rivières : pour demander leur protection ainsi que celle des citoyens de Berthier.

Lanaudière grimaça. Décidément, Christine ne répondait pas de la manière qu'il souhaitait.

— Je vois que vous êtes une personne pour qui la famille compte. C'est normal que vous les aimiez autant, puisque vous n'avez jamais connu vos parents. Je me souviens de notre conversation quand nous avons parlé de leur destin tragique. Ma femme a perdu un oncle et des cousins. La colonie a vu périr sa fine fleur, dont le chevalier Louis-Joseph de La Vérendrye, le fils cadet du grand explorateur. Aimez-vous votre patrie, Christine ? C'est-à-dire le Canada français tel que votre famille l'a connu jadis ! Quand je vous ai rencontrée la première fois, vous m'aviez dit vouloir sauver notre race. Me trompai-je ?

Christine n'aurait pas su répondre à cette question, puisqu'elle était née au moment où le régime français cédait sa place au régime anglais. Cependant, elle se souvenait du pugilat entre Charles-Louis de Lanaudière et Joseph Merlet, du fief Chicot.

— C'est mon vœu le plus cher. Comme la France a abandonné notre pays et que celui-ci est passé aux mains des Anglais, je croyais bien faire en me rangeant du bord des Américains. Vous pourriez me convaincre du contraire. Je voudrais que mon pays retrouver sa fierté et son indépendance.

Christine blêmit. Elle eut soudainement peur que le militaire appelle les gardes pour l'arrêter et la faire exécuter. Elle était certaine qu'elle venait de signer son arrêt de mort. L'expression de son patriotisme venait de la trahir

Ce que Lanaudière venait d'entendre était de la douce musique à ses oreilles. Ému, il se leva et s'approcha vers elle.

— Si nous allions prendre le café sur le sofa : nous serions plus à l'aise pour continuer cette conversation.

C'est en clopinant dans des souliers trop étroits pour elle que Christine se leva à son tour et faillit choir dans les bras de

Lanaudière. Celui-ci la retint *in extremis*, tout en prenant sa main ; constatant le malaise de Christine, il eut la délicatesse de la lui rendre. Il resta néanmoins près de Christine, au point où elle pouvait percevoir son haleine haletante.

— Il faut que je vous fasse une révélation. Celle que j'aurais eu le goût de vous dire dès la première fois où nous nous sommes rencontrés. Je ne le pouvais pas, à ce moment-là, ça aurait été trop risqué. L'instant est historique, c'est pourquoi j'aimerais vous le confier très confidentiellement. Les murs ont des oreilles, spécialement ici.

Christine se demandait bien pourquoi le gentilhomme prenait autant de détours. Alors, tout doucement, presque imperceptiblement, il annonça :

— Moi aussi, je suis un fervent patriote à la cause canadienne-française !

Les mots étaient finalement lâchés. Surprise et sceptique, Christine se tourna vers lui. Libéré de son secret, le gentilhomme de haute naissance canadienne-française laissa libre cours à son destin.

— Je suis plus que ça. J'ai été pressenti par Michel Chartier de Lotbinière, qui souhaite que la France reprenne possession de son ancienne colonie. Comme il s'est brouillé avec le gouverneur Carleton, en étant le chef de file des seigneurs canadiens voulant rétablir la primauté du seigneur, Lotbinière projette de devenir le prochain gouverneur du Canada. Bientôt, la France attaquera les Anglais à Québec. Le Marquis de La Fayette franchira la frontière américaine avec ses armées pour reprendre le Canada. C'est une question de quelques mois ou de quelques années. Mon travail consisterait à préparer l'invasion. Si tel était le cas, j'aurais besoin de vous.

En 1774, le marquis de Lotbinière participa au débat des parlementaires britanniques concernant l'Acte de Québec. Il réussit à les convaincre de conserver en vigueur les droits fondamentaux des Canadiens sous l'ancien régime concernant la Coutume de Paris comme système judiciaire, le maintien de l'usage de la langue française et de la pratique de la religion catholique.

Christine resta sidérée par la révélation. Elle haussa subitement la voix.

— Pourquoi feriez-vous cela ? N'êtes-vous pas l'aide de camp du gouverneur Carleton ? Mon oncle Louis-Daniel croit que les colons américains s'empresseraient d'enlever tous les droits au peuple canadien, plutôt que de permettre à la France de reprendre le Canada.

— Chut ! On pourrait nous entendre… Oui, et c'est pour ça qu'il est fort improbable que je sois soupçonné de sédition. Ma famille est très près du gouvernement anglais, mais nous sommes attachés à notre patrie. Cependant, je suis le seul concerné pour le moment et personne d'autre que vous ne connaît mes activités.

— Même pas votre femme ?

Lanaudière trouva déplacée la question de Christine dans les circonstances. Pour toute réponse, il grimaça. Il n'était pas certain que sa femme approuverait sa mission, alors que le couple vivait confortablement leur existence, collé au pouvoir anglais.

— Je suis bien vu du roi George III. D'être au cœur du pouvoir me permettra d'informer Versailles des intentions des Anglais. Pour le moment, c'est mon rôle. Mais je devrai aussi veiller à trouver des personnes fiables qui sauront affaiblir le pouvoir anglais. J'ai pensé à vous pour Berthier. Notamment pour relancer le mouvement patriotique.

— Vous m'avez demandé le contraire, l'an passé, en espionnant les Américains au profit des Anglais. Dans quel camp êtes-vous réellement, monsieur Lanaudière ? Ne serait-ce pas un piège que vous me tendez ? J'ai besoin d'une preuve supplémentaire de votre sincérité. Le risque que vous me demandez de prendre est énorme.

Abasourdi, le teint de monsieur Lanaudière devint blafard. Il venait de prendre conscience de l'énormité de sa confidence livrée à une personne à peine connue. Il se leva avec dignité, indiquant à son interlocutrice que l'échange était clos. Il fixa intensément Christine dans les yeux, fouillant les intentions de celle-ci du regard.

— Vous avez raison : ce que je vous demande est hautement risqué, alors que vous êtes venue à Trois-Rivières réclamer la protection de votre famille auprès du gouvernement anglais. Oublions ce discours séditieux, alors que nous aurions tout à perdre, s'il venait aux oreilles d'autres personnes. Me suis-je fait bien comprendre ? Demain, une cohorte partira maintenir l'ordre à Berthier pendant quelque temps et débarrasser votre seigneurie des terroristes patriotes, car ce n'est pas de cette façon que l'on construit un pays.

Christine sourit. Sa démarche avait été exaucée. Fronçant les sourcils, Lanaudière continua :

— Selon vous, en attendant la fin de la guerre et le retour de captivité de James Cuthbert, qui pourra tempérer les ardeurs de censitaires des seigneuries de James Cuthbert ? Son beau-frère, Alexander Cairns, nous a fait savoir qu'il ne remettrait plus les pieds à Berthier tant que James Cuthbert ne serait pas revenu et que le climat social ne serait pas assaini.

Christine réfléchissait. Elle ne voyait que deux personnes pouvant réfréner les passions des censitaires.

— Le notaire Faribault et le curé Pouget. Or, le notaire vient de se réfugier à la seigneurie de Saint-Sulpice, et le curé Pouget est curé de la mission du Sault-au-Récollet.

Lanaudière n'eut pas à fouiller longtemps dans ses souvenirs pour se rappeler son arrestation injustifiée au fief Chicot.

— Bien sûr, le curé Pouget. Un pacificateur à qui je dois la vie… Je vais écrire au prélat, monseigneur Briand, et lui demander de rappeler le cher curé à Berthier dès que cela sera possible. Quant au notaire Barthélemy Faribault, je vais vous confier la mission d'aller lui remettre, dans les meilleurs délais, une lettre estampillée du sceau du gouverneur Carleton.

Christine perçut que Lanaudière voulait ajouter autre chose.

— Je lui proposerai de vous embaucher comme assistante administrative pour les affaires de la seigneurie pendant l'intérim, à la solde du gouvernement, bien entendu. Quand James Cuthbert reviendra, c'est lui qui décidera de votre sort. Cela vous convient-il, en récompense pour votre collaboration et… votre silence ?

Christine n'en attendait pas tant. Elle sourit de gratitude. Elle n'aurait surtout pas souhaité que Lanaudière soit au courant qu'elle était désormais la propriétaire de Chesapeake.

— Ne vous inquiétez pas pour vos parents, ainsi que pour les capitaines de milice Guilbault. Quand j'aurai réglé mon compte avec Joseph Merlet, je ferai nommer votre cousin Corbin, capitaine en chef des milices, à la place de Louis Olivier, captif des Américains lui aussi.

Avant de se retirer, Lanaudière confia à Christine :

— Vous m'avez ouvert les yeux : j'étais en train de faire une grande gaffe. Le patriotisme canadien-français revendiquera ses droits par son action politique plutôt que par un combat militaire, comme me le dit si bien mon beau-père, le conseiller législatif Luc de La Corne Saint-Luc.

Chapitre XXVII
La réconciliation

Lorsque l'armée d'occupation britannique cantonnée à Berthier eut calmé l'ardeur révolutionnaire des sympathisants à la cause américaine et que les habitants eurent tôt fait de procéder aux semailles, Louis-Daniel et Corbin Guilbault projetèrent de rebâtir la ferme familiale incendiée. Avec l'aide de leurs voisins et de leurs amis disponibles, ils commencèrent à dégager les ruines encore fumantes des bâtisses. La tâche apparaissait ardue et Louis-Daniel désespérait d'y arriver, car les forces lui manquaient.

Il s'en était confié à sa femme Marie-Ange, un soir après la prière, alors qu'il allait fumer sa dernière pipée de la journée.

— Ce n'est plus tellement de mon âge, et Corbin est bien occupé avec ses responsabilités de capitaine en chef de la milice. Mais ça me désole de nous voir quêter notre gîte. La cabane à sucre de ton frère, Pierre-Simon, n'est qu'une cachette temporaire, bonne pour faire bouillir l'eau et faire du sirop d'érable. Nous avons besoin de plus de bras. Je me sens las, Marie-Ange.

Après avoir fait un signe de croix, celle-ci se leva et alla passer affectueusement la main dans les cheveux de son mari.

— Pourquoi dis-tu ça ? Tu n'es pas si vieux que ça. Tu passes une mauvaise ripe ; ça va se replacer.

— Et si je tombais malade ? À soixante-quinze ans, j'ai fait mon tour de piste.

— Tu parles comme si tu étais Émilion. Je te fais remarquer que tu es encore en bonne santé et que tu manges autant de lard qu'avant.

— C'est le tabac qui m'aide à digérer. Quand tu fumes du bon tabac, la santé suit, j'ai pour mon dire. J'ai appris ça chez les Sauvages dans l'Ouest, dans le temps. Mais je ne serai pas éternel... J'ai pensé...

Marie-Ange se rendit compte que son mari était bien tracassé. Elle crut comprendre que le moment était venu de rendre visite au notaire Faribault.

— Il n'y a pas de faute à se donner maintenant. À notre âge! Il s'agit de savoir à qui et quand. Après, nous prendrons rendez-vous chez le notaire.

La proposition intrigua Louis-Daniel. Marie-Ange précisa:

— Nous demeurerions soit avec Corbin et Ursule, soit avec Christine.

— Logiquement, ça devrait être chez Corbin. C'est le fils aîné. Christine n'est que notre nièce et notre filleule.

Marie-Ange opina, mais ajouta une précision.

— La maison de Corbin est petite. Nous aimons bien nos petits-enfants, mais ils sont nombreux. Nous venons de le constater. Tandis qu'avec Christine, étant seule, elle prendra soin de nous plus facilement. Elle n'a que dix-huit ans.

— Lorsqu'elle se mariera et qu'elle aura sa famille? Et si son mari ne veut pas de nous? Le contrat notarié ne garantit pas l'harmonie des vifs. Tandis que nous connaissons Ursule.

— La connaissant, nous serons morts et enterrés depuis belle lurette avant qu'elle ne se marie. Et puis, tu n'arrêtais pas de critiquer les agissements d'Ursule Desrosiers, il n'y a pas si longtemps.

— Ouais... J'aborderai la question avec Corbin, le moment venu. C'est quand même lui le fils de la famille.

— N'attends pas trop. Je ne voudrais quand même pas que Christine demande l'avis de son mari, le cas échéant.

La remarque ironique de Marie-Ange fit prendre conscience à son mari que la situation pouvait devenir pressante.

***

La réponse de Corbin fut catégorique.

— Nous serons heureux de vous accueillir, Ursule et les enfants, mais nous resterons dans notre maison actuelle. Cependant, je la ferai agrandir d'une chambre pour maman et vous, sans plus. Sinon, demandez-le à Christine. C'est quand même elle votre bâton de vieillesse… De toute façon, je vous reconstruirai la maison familiale avec l'écurie, je vous le promets.

La réponse de Corbin laissa son père pantois. Après discussion, Marie-Ange et Louis-Daniel décidèrent d'aborder la question avec Christine. Celle-ci avait commencé à travailler chez le notaire et résidait chez lui au même titre qu'un membre de la famille. Geneviève Faribault était enchantée d'accueillir sa grande amie et sa complice.

Marie-Ange trouva Christine fatiguée, les traits amaigris.

— Il faudra que ton oncle aborde la question avec le notaire. Ton nouveau travail est trop exigeant : regarde-toi, tu es amaigrie.

— Comme le notaire est très affairé, c'est moi qui ai la responsabilité de répondre aux plaintes des censitaires qui demandent à être dédommagés pour les dégâts causés par l'occupation américaine. Personne n'a été épargné ou presque. Si leurs revendications sont légitimes, leurs remarques grossières me sont adressées directement. Ça me donne des haut-le-cœur la plupart du temps. J'en ai perdu l'appétit.

— C'est bien ce que je pensais… Ton oncle et moi nous nous demandions si tu accepterais que l'on se donne à toi.

La question surprit Christine.

— Et Corbin ?

— Nous lui avons déjà demandé et ses conditions nous amènent à te le proposer. C'est la coutume de se donner, soit à l'aîné, soit au cadet.

— Nous irions vivre où ? Nous n'avons plus de maison.

— Corbin va en bâtir une autre. Ce sera une question de quelques semaines ou de quelques mois, selon la main-d'œuvre disponible. Nous serions tous les trois à l'habiter, comme avant l'incendie.

Pour toute réponse, Christine se lança dans les bras de Marie-Ange.

— C'est un honneur que vous me faites. Vous savez bien que je prendrai soin de vous deux jusqu'à la fin.

Réalisant l'expression qu'elle venait d'employer, Christine se mit à pleurer.

— Il faut bien mourir un jour, mais ton oncle et moi ne sommes pas pressés.

Marie-Ange observait les larmes coulées sur les joues de sa filleule.

— Tu travailles trop, Rosine ! dit-elle.

Elle se rendit compte que l'expression affectueuse enfantine remontait à une décennie. Elle revit en pensée son père, Edgar Rémillard, tenant la menotte de sa petite Rosine. Ce flash lui rappela qu'elle n'avait pas eu de nouvelles de sa sœur Renée depuis l'automne. Elle se signa, remerciant le Sacré-Cœur pour l'apparition de son père.

— As-tu eu des nouvelles de ta tante Renée et de ton oncle Jacques ?

Christine prit son temps pour répondre, afin de jauger l'humeur de sa tante.

— Mon oncle Jacques est venu rencontrer le notaire pour être dédommagé. Comme il a su que je travaillais à l'étude, il s'est informé de vous, en espérant vous revoir.

— Comment vont-ils à la maison ?

— Tante Renée s'ennuie de la famille.

Marie-Ange sourit. Christine l'entendit murmurer de manière presque inaudible :

— Merci papa.

Puis, elle s'adressa directement à Christine.

— Les beaux jours vont arriver et la maison sera toute reconstruite, ou presque. Lorsque nous pendrons la crémaillère, nous inviterons les Cotnoir.

— C'est trop loin, pourquoi pas avant ?

— C'est vrai, pourquoi pas avant ! Si la maison a été incendiée, le potager, lui, est resté intact. Je vais proposer à Renée de faire un jardin communautaire.

Lorsque Corbin proposa à son père d'inviter Jacques Cotnoir à les aider à rebâtir la maison, le vieux capitaine de milice trouva l'idée excellente.

— Que Jacques vienne avec ses résistants de l'île Saint-Ignace. Nous aurons alors l'occasion de passer l'éponge.

— Ils craindront peut-être les soldats du régiment de Trois-Rivières ?

— Pourquoi, si personne ne les dénonce ? Et comme chef de la police, c'est toi, Corbin, qui fait respecter la loi.

Lorsque Renée et Jacques Cotnoir se présentèrent à la croisée de la rivière Bayonne et du chenal du Nord, Marie-Ange et Renée se sourirent de façon complice et s'embrassèrent de joie, tandis que Louis-Daniel et Jacques, après s'être serré la main, se dépêchèrent à s'entretenir de l'organisation des travaux de construction.

— Il nous faut du bois de charpente et des planches. Nous pourrions les empiler de ce côté à l'abri des envieux. Qui, penses-tu, pourrait te les fournir ? demanda Jacques.

— Bastien et Gervais sont scieurs de long, tandis qu'en haut de la rivière Bayonne, le bois franc ne manque pas. Le transport fluvial serait plus facile.

— Pour ma part, je ne suis pas si bon pour scier, mais je peux le mesurer ton bois, Louis-Daniel.

Les deux sœurs regardaient leurs maris enthousiastes, sachant bien que c'était la réconciliation qui les animait, plutôt que le transport des planches et des poutres.

— Viens voir le jardin, Renée, et dis-moi ce que tu en penses.

— Un bon hersage et il est près à être semé.

— Oui… Que vas-tu semer comme fleurs, désormais ?

La question de Marie-Ange saisit Renée. Les deux sœurs se rappelèrent leur enfance à Saint-Cuthbert, alors que leur père Edgar enseignait à ses enfants le langage des plantes et des fleurs. Les petites filles Rémillard s'amusaient entre elles à exprimer leurs sentiments en identifiant une fleur qui situait l'émotion désirée. Beaucoup plus tard, à l'enterrement de leur père, elles avaient déposé sur sa tombe un bouquet de chrysanthèmes, pour lui exprimer leur amour éternel.

Plus tard, alors que Rosine demeurait chez ses grands-parents, Edgar Rémillard avait pu se procurer à Trois-Rivières, chez le grand vicaire Saint-Onge, le premier des deux volumes du système de classement des plantes, *Species Plantarum*, de Carl von Linné. Le vieil homme commença à préparer des mixtures et des infusions à partir des sucs médicinaux des plantes. Cette nouvelle passion lui valut d'être appelé *sorcier*, et non plus seulement *sourcier*, par les gens de la seigneurie de Berthier. Ses concitoyens le consultaient pour toutes sortes de maladies, de la fièvre à la fracture, qu'il soignait avec cataplasme pour l'une et avec éclisse, comme ramancheux, pour l'autre, à tel point que le docteur Boucher menaça Edgar de le poursuivre en justice pour charlatanisme.

Renée trouva l'idée excellente d'énoncer à demi-mot ce qui lui aurait été difficile de verbaliser. Auparavant, en jetant un coup d'œil en direction de la maison incendiée où se trouvaient son mari et son beau-frère, elle aperçut un arbrisseau sauvage, où de belles pivoines rouges se gorgeaient de soleil. Le 19 juin, à Berthier, les pivoines vermeilles étaient au zénith de leur magnificence. Renée se dépêcha d'aller en chercher une gerbe et de l'offrir à sa sœur.

— La pivoine ?! Mais de quoi as-tu donc honte ? Oh, mais non, Renée, tu n'as pas à rougir d'avoir été sympathisante de la cause américaine, voyons. Tu as suivi ton mari, qui croyait défendre les intérêts des Canadiens de la meilleure façon possible.

Stimulée par le geste de sa sœur, Marie-Ange alla quérir un brin de muguet qui se reposait à l'ombre d'une souche, et le remit à Renée, en guise de réponse.

— Raccommodons-nous !

— Bien entendu, Marie-Ange, c'est mon vœu le plus cher.

Les deux sœurs s'embrassèrent avec effusion, le temps d'entendre Louis-Daniel dire à sa femme :

— Vous rattrapez votre jour de l'An, vous deux ? Il nous semblait que nous étions ici pour reconstruire et non pour fêter.

D'abord surprise, Renée Cotnoir prit son beau-frère au mot et lui répondit, du tac au tac :

— Vous devriez en faire autant, vous deux. Nous avons perdu un jour de l'An, rattrapons-le et n'en perdons pas un autre ; la vie est trop courte. Allez, donnez-vous l'accolade en guise de réconciliation familiale, en espérant que la division soit terminée à jamais dans les familles canadiennes.

Comme les deux beaux-frères hésitaient, par pudeur, Renée les exhorta de nouveau :

— Comment voulez-vous que nous devenions une nation forte si nous ne nous montrons pas notre cohésion, notre patriotisme, autrement qu'en prenant les armes pour l'un ou l'autre des conquérants ? Dans un tel cas, nous ne prendrons jamais notre destin en main !

Le serment de foi patriotique de Renée étonna les autres, restés muets quelques instants.

En guise de solidarité fraternelle, pour afficher son espoir de voir arriver le jour où les Canadiens français seraient maîtres chez eux, Marie-Ange affirma, au grand étonnement de son mari :

— Je planterai des hémérocalles pour symboliser la persévérance, et des pivoines et des tulipes pour ramener l'espoir de réussite. Et pour confirmer notre amour commun pour notre patrie, Louis-Daniel, nous planterons un lilas mauve.

— Un lilas mauve ? Où vais-je le prendre ?

— Sur la terre de nos parents, à Saint-Cuthbert, le long de la rivière Chicot. Il doit y en avoir encore.

Marie-Ange regarda Renée, qui confirma cette suggestion. Elle ajouta :

— Jacques ira avec toi, si tu le veux bien.

Se tournant du côté de son beau-frère, Louis-Daniel vit la main tendue de Jacques Cotnoir. Transcendant son éducation, qui l'empêchait habituellement d'extérioriser ses émotions, Louis-Daniel Guilbault préféra plutôt donner l'accolade à son beau-frère.

Marie-Ange dit alors à Renée :

— Papa avait raison : l'amour des fleurs nous procure bien des surprises. Qui aurait cru que ces deux hommes-là auraient pu se réconcilier aussi rapidement ?

Renée regarda Marie-Ange et fit le constat suivant :

— Nos maris ont arraché de la bourrache et du chiendent toute leur vie pour nous assurer un avenir meilleur. Leur persévérance et leur amour pour la patrie n'ont jamais fait aucun doute. Certains ont cru dernièrement prendre un raccourci pour accéder à l'indépendance de leur pays. Jacques et moi avons été de ceux-là. Je me rends compte que c'est plutôt en misant sur notre jeunesse, nos enfants, ainsi que sur l'harmonie dans nos familles, que nous allons y arriver.

Marie-Ange opina.

— Nous n'avons pas eu de nouvelles de Christine depuis longtemps ; comment va-t-elle ? Angélique s'ennuie de sa cousine. Tu comprends, elle l'a prise comme un modèle de débrouillardise.

— La dernière année de Christine a été bien mouvementée, à l'image de celle du pays. Elle va réussir à faire sa marque, je n'ai pas d'inquiétude pour elle. En plus d'avoir côtoyé la famille de James Cuthbert, elle a eu l'occasion de rencontrer le gouverneur. Elle m'a dit qu'on lui avait prêté un corset baleiné et une robe à la française à volants et garnie de dentelles jusqu'aux poignets, ainsi que des bijoux, pour être plus présentable. Comme la reine Marie-Antoinette, je te dis…

Renée parut bien impressionnée par cette affirmation. Fière de son effet, Marie-Ange continua :

— L'emploi qu'on lui a donné chez le notaire Faribault témoigne d'une grande marque de confiance. Puis, elle vient d'accepter d'être notre bâton de vieillesse. La maison lui reviendra.

— Elle n'est pas encore mariée et loin de l'être, puisque son fiancé, François Fafard, est mort.

Marie-Ange devint songeuse.

— Je crois qu'elle ne s'est pas encore remise de son deuil. Elle devrait être heureuse de sa situation chez le notaire, pourtant… Christine est devenue une jeune femme secrète, alors qu'elle n'était que joie de vivre et spontanéité. La guerre l'a marquée, elle a bien vieilli.

Renée paraissait désolée d'apprendre cela.

— Pourquoi ne viendriez-vous pas quelques jours à l'île Saint-Ignace avec Christine ? Ça nous remettra tous d'équerre, et nous serions tous tellement heureux de vous voir, Angélique, Jacques et moi.

— Il faudra que j'en parle à Louis-Daniel.

— J'ai une meilleure idée. Si vous veniez résider à l'île Saint-Ignace, le temps de finir de rebâtir ?

Marie-Ange sourit. La suggestion lui plut. Elle s'adressa à son mari.

— Seulement le temps de la construction ! L'île Saint-Ignace, c'est quand même moins loin que là où nous sommes. Et puis, c'est plus tranquille chez Renée que chez Corbin. L'été, sur l'île, l'air frais du fleuve c'est un antidote à la canicule. Et puis, j'aimerais voir Christine plus souvent. Elle nous cache quelque chose, celle-là ! Je l'ai trouvée bizarre.

— C'est une femme maintenant.

— Justement, une jeune femme non mariée n'est pas encore une femme. Elle a encore besoin de directives, et c'est notre rôle de l'encadrer.

Louis-Daniel tira une bouffée de fumée de sa pipe, en jonglant.

— Christine a rencontré le gouverneur Carleton et son aide de camp Lanaudière, le curé Pouget, sans parler de sa mission auprès du commandant américain, de sa rencontre avec le seigneur

Cuthbert, et maintenant de son travail chez le notaire Faribault. Je me demande qui pourrait encore l'impressionner, et si nous sommes encore en mesure de lui dicter sa conduite !

— Si nous ne le faisons pas, elle ira à la dérive sans mari. Ça lui prendrait un bon mari, solide.

— Le malheur, à Berthier, c'est que ce type de prétendants est rarissime, voire inexistant en ce moment. Ceux qui auraient le calibre sont en captivité à Albany avec le seigneur Cuthbert et Louis Olivier.

— Elle n'a que dix-neuf ans, elle a encore le temps !

CHAPITRE XXVIII
LE SECRET

Même si les patriotes américains cantonnés à Berthier avaient fui le Canada, la guerre continuait en territoire américain. À Berthier, les soldats rebelles avaient laissé des traces de leur passage. Dans les ruines du manoir, des pièces de monnaie de bronze noirci jalonnaient les décombres. Les numismates improvisés avaient pu identifier celles de la Virginie, frappées aux Bermudes en 1612, reconnaissables à leur avers montrant un porc, et leur revers, un navire à voiles tirant le canon. On y trouva d'autres pièces plus récentes, frappées au Massachusetts en 1652.

Afin de remonter le moral de la population locale, le notaire Faribault proposa à Christine d'organiser une grande fête.

— La population de Berthier a besoin d'oublier les derniers tourments de la guerre. Que diriez-vous d'allumer des feux de joie à la place publique ? Nos habitants et leurs familles pourraient danser et s'amuser. Revenir à nos traditions serait un bon remède pour leur tristesse. J'avais pensé aux feux de la Saint-Jean.

Christine ne se sentait pas en forme. D'ordinaire enthousiaste, elle voyait d'un mauvais œil la suggestion du notaire.

— C'est beaucoup trop tôt. Les ruines du manoir fument encore, comme celles de la maison de mon oncle. Il y a eu aussi d'autres fermes incendiées ou pillées. Cette année, de tels feux de joie feraient remonter trop de souvenirs de l'occupation. De plus, je ne crois pas que ce soit une bonne idée, car nous ne pourrions pas organiser adéquatement cette fête dans de si brefs délais.

C'était la première fois que Christine condamnait ouvertement l'occupation américaine à Berthier, malgré le fait qu'elle ait été espionne à la solde du gouvernement britannique et qu'elle s'informait quotidiennement de la poursuite des hostilités le long du Richelieu vers le lac Champlain. Ce changement d'attitude n'échappa pas au notaire qui s'en confia à sa fille Geneviève.

— Les Américains ont été chassés du pays. Pourquoi Christine s'inquiète-t-elle autant de leur sort ? Elle m'a paru bien émue lorsque nous avons appris que le régiment du colonel Livingston était assigné à Pointe-à-la-Chevelure. Mais en aucun cas ne m'a-t-elle demandé de renseignement au sujet du seigneur James Cuthbert ou de Louis Olivier. C'est étrange, n'est-ce pas ?

Comme Geneviève ne répondait pas, le notaire y alla de suppositions.

— Elle manque d'entrain à son travail. Je peux comprendre que les censitaires soient exigeants et parfois grossiers, mais il doit y avoir autre chose. Je me demande si elle aime ce travail.

— Christine m'inquiète aussi. Il ne faut pas lui en vouloir. Laissez-moi lui en parler. Mais je peux vous assurer qu'elle aime son travail, même si elle le trouve exigeant. Je crois qu'elle est fatiguée, avoua Geneviève à son père.

— À son âge ?! Peut-être bien… Parle-lui et essayez de trouver une solution pour la fête. J'avais pensé aussi la faire le 26 juillet, le jour de la fête de la bonne Sainte-Anne, mais les habitants travailleront aux champs à faire les foins.

Geneviève partageait sa chambre avec Christine. Le soir même, Geneviève trouva son amie en pleurs. Elle s'approcha d'elle et commença à lui éponger le visage.

— Puis-je savoir ce qui te fait autant de peine, pour que tu pleures autant ? Tout va mieux maintenant pour toi, non ? Personne de votre famille n'a été tué, et tu me disais que vous vous étiez réconciliés. Alors ?

Souriant timidement à Geneviève, Christine lui fit cette confidence.

— Je vis un chagrin d'amour. J'ai perdu mon amoureux à tout jamais. Je suis si malheureuse, et je n'y peux rien.

Geneviève se confondit en excuses.

— Pardonne-moi. Je ne te savais pas si amoureuse de François…

Christine se leva prestement sur un coude.

— Je suis attristée par la mort de François Fafard, c'est vrai, mais je n'étais pas si attachée à lui que ça.

La répartie vive de Christine abasourdit Geneviève.

— Alors, de qui es-tu si amoureuse, pour que tu sois aussi triste ?

Christine resta muette.

— Tu ne peux pas le dire ?

Christine fit signe que non. Geneviève comprit qu'un immense malaise empoisonnait l'existence de son amie.

— Même pas à ta meilleure amie ? À moins que je ne sois pas ta meilleure amie ?

— Je vis le pire cauchemar, Geneviève.

— Au moins, en te confiant, ça permettrait de t'en libérer.

— M'en libérer, oui, mais pas d'y trouver une solution. Mon problème est insoluble.

— Essayons quand même. À deux, nous y verrons sans doute plus clair.

Christine décida de confier son lourd secret.

— Je suis amoureuse du colonel Livingston, un homme marié. Il est parti combattre au lac Champlain. Sa femme et ses enfants vivent à Montréal.

Geneviève resta sous le choc. Elle prit la main de son amie et la serra pour exprimer sa compassion.

— C'est lui qui t'a confié Chesapeake en souvenir ?

— Oui, c'est le chien de son cousin, le général Montgomery, mort au combat. Mais… il y a autre chose…

Christine avait pris son temps pour ajouter *il y a autre chose*. Geneviève blêmit.

— Tu serais tombée enceinte ?

Le regard embué, Christine approuva de la tête.

— C'est impossible d'en être certaine maintenant, car ça ne fait qu'un mois, mais je retarde… et c'est déjà un symptôme. J'ai immensément peur de l'être, tu me comprends ? Voilà d'où vient mon manque d'entrain.

— Suis-je la seule à qui tu en as parlé ?

Christine fit signe que oui. Geneviève tenta de la rassurer.

— Avant de paniquer, il faut que tu sois certaine, et c'est trop tôt pour ça. La peur, la nervosité peuvent retarder les règles. Ça peut arriver à toutes les femmes pour toutes sortes de raisons. Attends encore quelques semaines avant de t'énerver.

— Pourquoi ? Pour constater mon malheur ? Quelques mois de plus seront trop tard pour me trouver un mari. Puisque je te dis que j'ai la profonde conviction d'être enceinte de l'homme le plus merveilleux qu'il m'a été donné de rencontrer, alors que je ne pourrai jamais l'épouser. Que vais-je faire ? Il me faut trouver au plus vite un père à mon bâtard…

Geneviève n'avait jamais vu Christine dans un tel désarroi. Pour la sortir de cette morosité, elle lui proposa quelque chose.

— Il faut te changer les idées, sinon tu vas devenir folle d'inquiétude, sans savoir réellement ce que la vie te réserve. Mon père t'a suggéré d'organiser une fête pour les colons.

— Il avait pensé aux feux de la Saint-Jean, mais c'est dans quelques jours à peine. Il voulait une fête traditionnelle pour remonter le moral des colons et pour raviver leur fibre patriotique, je pense. Le 26 juillet, le jour de la fête de Sainte-Anne, c'est en plein dans le temps des foins : personne ne viendra.

Geneviève sourit, à la grande surprise de Christine.

— Nous n'aurons qu'à faire coïncider la fête avec la fin des récoltes. Tiens, pour la fête de L'Assomption de la Vierge.

— Ça tombe un jeudi.

— Nous n'aurons qu'à reporter la fête, le dimanche suivant, le 18 août. Nous l'annoncerons comme la fête de la dernière gerbe de blé, et nous commencerons une nouvelle tradition à Berthier. Comme ce sera un dimanche, personne ne pourra s'opposer à y venir… Tiens, pourquoi ne pas l'appeler la fête du froment ? Nous demanderons au meunier Bonin, ce gros ours, de prendre place dans le premier banc pour la circonstance.

Christine sursauta. Elle se rappela soudain l'effet qu'elle avait déjà créé chez le meunier, l'automne dernier, et il y avait à peine quelques semaines, avant qu'elle ne se rende à Trois-Rivières, rencontrer Lanaudière.

— Pourquoi te moques-tu de ce brave homme ?

La remarque faite avec autorité figea Geneviève.

— C'est toi-même qui me disais qu'il était balourd.

— Ce n'est pas une raison pour se moquer de lui !

Geneviève réalisa sa bévue. Elle se rendait compte que Christine était devenue soupe au lait.

— Je m'en excuse… Nous pourrions demander plutôt au curé Papin de jumeler, pour cette année, la fête du Sacré-Cœur à la fête de la gerbe de blé, car il n'acceptera jamais cette fête trop païenne à ses yeux. Que dirait-il de terminer la procession du Sacré-Cœur dans les rues de Berthier, par le Salut du Très-Saint-Sacrement ? J'ai bonne idée que ça plairait à nos gens, comme l'avait demandé au pape, la reine Marie, de notre regretté bon roi Louis. En plus, la paroisse de Berthier pourrait commémorer le départ des Américains en chantant pendant la procession le psaume du prophète Jérémie : « Seigneur, à mon aide ! Viens à mon secours ! »

Sous le règne de Louis XV, sa reine Marie Leckzinska suggéra, en 1751, l'adoration perpétuelle du Sacré-Cœur dans le Saint-Sacrement. Le 17 juillet 1765, elle obtint du pape Clément XIII que soit célébrée la fête du Sacré-Cœur dans tous les diocèses de France.

En entendant ces dernières paroles, Christine éclata en sanglots.

— Fais-tu par exprès pour empirer mon sort ? Ne compte pas sur moi pour me réjouir du départ de James, en chantant un psaume ! dit Christine, en hoquetant.

Geneviève comprit sa maladresse.

— Pardonne-moi. Que je suis sotte ! Je ne voulais pas te faire de peine. D'ailleurs, ce psaume n'est pas très réjouissant. Nous laisserons le curé décider de sa liturgie. Nous nous consacrerons aux festivités.

Christine reprit vite ses esprits.

— Cette idée de la fête en ce 18 août est excellente, en fait. Alors… accepterais-tu m'aider à l'organiser ?

Le sourire était maintenant revenu sur les lèvres de Christine. Le contraste amusa son amie.

— Je ne sais pas ce que tu mijotes, mais si ça peut te rendre heureuse, je ferai équipe avec toi.

Le notaire Faribault trouva l'idée bonne, mais laissa la responsabilité de la décision au curé Papin. Comme l'avait pressenti Geneviève, l'ecclésiastique refusa catégoriquement d'associer une fête païenne à la procession du Sacré-Cœur. Il accepta toutefois de demander la permission au grand vicaire Saint-Onge de remettre exceptionnellement la procession au dimanche, 18 août. Ce dernier donna son accord, parce que le dimanche 18 août, c'était la vigile de la fête mariale de L'Assomption du 15 août, et que le prélat de Québec, monseigneur Briand, avait considéré qu'en réunissant les fêtes du Sacré-Cœur et de Marie, cela symboliserait la réconciliation des familles canadiennes déchirées par la guerre fratricide.

Christine et Geneviève se mirent aux préparatifs culinaires de la fête. La mère de Geneviève et quelques autres femmes de Berthier prêtèrent main-forte aux jeunes filles. Corbin Guilbault fut chargé d'organiser l'immense feu de joie qui aurait lieu dans la soirée à la place publique, en face de l'ancien manoir, dont on avait pris soin de déblayer les ruines.

Chapitre XXIX
Le messager

Si Christine tentait de se montrer enthousiaste dans la préparation du grand événement du 18 août, elle n'avait vraiment pas le cœur à la fête. Plus les semaines avançaient, plus l'angoisse lui donnait des crampes. Elle n'aurait pas su dire si cette anxiété était causée par sa crainte d'être enceinte et d'être victime de l'opprobre associé à la condition de mère célibataire, ou parce qu'elle n'était pas en mesure d'avoir d'information au sujet de la guerre qui continuait dorénavant au lac Champlain. Elle demanda à quelques reprises au notaire s'il avait eu des nouvelles du seigneur Cuthbert, et s'il savait comment se déroulaient les combats se poursuivant en sol américain, mais celui-ci répondit qu'il était encore trop tôt pour en être informé. Il se réjouit néanmoins de l'intérêt de Christine pour la captivité du seigneur de Berthier.

La rumeur voulait cependant que les troupes allemandes du baron Riedesel, du comté de Hesse-Hanau, fussent chargées de surveiller la vallée du Richelieu afin de stopper la fuite des miliciens pro-rebelles, alors que les soldats du général Bourgoyne pourchassaient les Américains au lac Champlain. Les soldats allemands logeaient chez l'habitant, deux à trois par maison.

Afin d'oublier la nervosité qui la rongeait, lorsqu'elle le pouvait, Christine allait donner un coup de main à ses tantes, qui s'occupaient à faire produire le potager, près de la nouvelle maison des Guilbault. Elle aurait été tellement libérée de chanter à sa tante

Marie-Ange : « Ah, vous dirais-je, maman, ce qui cause mon tourment… » Mais elle ne le pouvait. Elle se dit qu'elle n'aurait pu se confier à sa vraie mère, Antoinette, si elle avait été encore vivante, même si celle-ci était passée par un tourment semblable.

En cet avant-midi du jour de la fête de Sainte-Anne, le 26 juillet, Christine était seule à l'étude notariale. Le notaire Faribault était parti en reconnaissance dans la seigneurie, afin d'évaluer les besoins des censitaires. Certains habitants n'avaient pas pu semer, tant leur sol agreste avait été piétiné par le passage des soldats. Les insurgés américains avaient laissé des vestiges dans les champs et le long des berges des rivières, comme des insignes en métal de l'armée rebelle, des cartouches, des tessons de bouteilles fabriquées à Boston, des milliers de pipes de plâtre et même des boulets de canon encore intacts, comme à la rivière Bayonne, près du pont Jouette.

Christine classait ses dossiers en priorisant ceux que le notaire lui avait indiqués comme étant les plus urgents et… en se mouchant, car la pauvre pleurait un peu. L'obsession d'apprendre un jour ou l'autre une triste nouvelle venant du front au sujet du colonel James Livingston lui tenaillait les entrailles. À moins que cela n'ait été l'autre nouvelle inquiétante qui lui donnait des nausées persistantes depuis les derniers jours.

Christine fut dérangée dans ses pensées sombres, lorsqu'elle entendit, plutôt que l'habituel tintement sonore de la clochette de porte que tous les habitants de Berthier possédaient, cogner à la porte. Une voix inconnue tonitrua.

— Y a quelqu'un ?

Qui cela peut-il bien être ? se dit-elle. Elle utilisa un carton en guise de signet, pour bien marquer où elle était rendue dans son classement, puis elle alla ouvrir.

Un homme vêtu d'un uniforme militaire en guenilles se présenta. Christine ne reconnaissait pas l'individu puisqu'il était étranger à Berthier. Le cœur de Christine battait à tout rompre, lorsque l'étranger lui demanda, en sourdine :

— Je m'appelle Joseph Casavant et je reviens du fort Saint-Jean. Je recherche mademoiselle Christine Comtois. En fait, j'ai fui avec un ami de Saint-Denis. Nous avons dû faire des dizaines de lieues sur les berges du Richelieu, à nous cacher des soldats anglais et des délateurs.

Christine resta songeuse pendant quelques secondes, qui parurent des siècles. Puis elle prit sur elle et sortit de sa frayeur.

— C'est moi, Christine Comtois. Que me voulez-vous, Joseph Casavant ? Je ne vous connais pas, demanda-t-elle, inquiète.

Joseph Casavant sourit. Christine ne douta pas un instant qu'il revenait réellement du front, car il semblait réellement marqué par la guerre. Il avait à peine trente ans, mais il portait une barbe de plusieurs mois et son visage émacié, creusé de sillons témoignait des souffrances, des épreuves, des ravages des combats et de la privation qu'il avait vécus. Christine remarqua qu'il avait l'oreille gauche déchiquetée ; elle supposa qu'elle l'avait été par la lame échancrée d'une baïonnette. Elle n'osa pas le questionner à ce sujet, car elle soupçonnait que le déserteur venait à elle pour un autre motif.

— C'est plausible, car à Berthier, seuls les miliciens du colonel Livingston m'ont vu et pourraient me reconnaître : je n'y suis resté qu'à peine une journée avant de repartir chez moi à Saint-Charles.

Christine crut défaillir en entendant prononcer le nom de son amour. Se pourrait-il que James ait pensé à elle, malgré les tribulations du front et la fuite des Américains en Nouvelle-Angleterre ?

Casavant sortit de sa besace un papier fripé. Quelques tâches délayaient l'encre de l'écriture. Christine comprit aussitôt qu'une lettre lui était destinée. Avant de la lui remettre, Casavant continua son récit.

— Saviez-vous que sans le colonel Livingston, il n'y aurait pas eu d'expédition américaine au Canada ? C'est lui qui a convaincu le général Schuyler que les Canadiens du Richelieu l'aideraient s'il envahissait notre territoire. J'ai fait partie des trois cents Canadiens qui se sont enrôlés dans son régiment. Quel soldat ! Quand j'ai su que les troupes américaines retournaient au lac Champlain, j'ai eu l'intuition que le colonel s'arrêterait à la hauteur de Pointe-Olivier[5], là où l'on s'était enrôlés. Nous avons continué notre route jusqu'au fort Saint-Jean, où nous avons tenté de stopper l'armée anglaise. Mais le colonel Livingston reçut aussitôt l'ordre de se rendre à Pointe-à-la-Chevelure[6]. Moi et d'autres Canadiens de la vallée du Richelieu, comme mon ami Jean-Michel Archambault de Saint-

---

5. Aujourd'hui Saint-Mathias-sur-Richelieu.
6. Aujourd'hui Crown Point.

Denis, sommes restés à Saint-Jean. Le colonel nous dit que ça inquiéterait moins nos familles. C'est un vrai gentilhomme…

Christine fixait toujours intensément le parchemin, se demandant bien quand Casavant le lui remettrait, si il lui était bien destiné. Elle commençait à en douter.

— Est-ce que le colonel est toujours à Pointe-à-la-Chevelure ? Est-il en bonne santé ? Vous saviez que je l'ai servi comme interprète ?

— Il m'a dit qu'il avait beaucoup de considération pour vous. Avant de déserter le fort Saint-Jean, j'ai appris que le colonel Livingston avait été affecté au fort Carillon. Il n'a pas été blessé.

Érigé en 1755, le fort Carillon était devenu le fort Ticonderoga en 1759, lorsque les Britanniques gagnèrent la guerre de Sept Ans. Le nom de *Ticonderoga* provient d'un mot iroquois qui veut dire « à la jonction de deux cours d'eau » .

— Le colonel m'a fait parvenir cette lettre du front pour vous, en me demandant de vous la remettre coûte que coûte.

Le milicien pro-rebelle remit le parchemin à Christine, espérant que celle-ci en fasse la lecture devant lui. Mal lui en prit, car Christine fourra la lettre dans la poche de sa robe, préférant la lire ultérieurement.

Casavant s'attendait à un merci qui ne vint pas.

— Bon, j'ai accompli ma dernière mission. Maintenant, je vais retourner chez moi, à Saint-Charles. Le colonel Livingston a insisté pour que j'aille retrouver les miens et que je me fasse discret, en attendant la fin de la guerre. Il m'a dit que les Américains ne s'avoueraient jamais vaincus, même s'ils avaient été refoulés chez eux, et qu'un jour, ils reviendraient aider les Canadiens d'expression française, les fils des Français du Canada. Je me préparerai à ce jour… À votre avis, quand croyez-vous que cela se produira ?

Christine n'avait qu'une hâte : lire la lettre qui lui était destinée, sitôt le messager parti. Elle sourit timidement. Casavant comprit qu'il ne tirerait plus rien de sa conversation. Il lança à tout hasard :

— Je me cherche une barque solide pour traverser le fleuve. Vous connaissez quelqu'un qui pourrait m'aider ?

Pour remercier le visiteur, Christine lui dit :

— Mon oncle Jacques Cotnoir, à l'île Saint-Ignace, en possède une. Il est pro-rebelle : je crois que ça lui ferait plaisir d'aller vous reconduire à Sorel.

— Si je lui achetais ? J'ai assez d'argent pour le dédommager, et grassement. Regardez ces pièces. Elles sortent tout droit de la fonderie, et je m'y connais, croyez-moi.

Joseph Casavant sortit de son sac des pièces sonnantes qu'il fit tinter devant Christine. Depuis la Déclaration d'indépendance des États-Unis, le 4 juillet 1776, le Congrès avait fait frapper de nouvelles pièces de monnaie en argent, où étaient gravés les noms des treize premiers États confédérés.

— C'est le colonel Livingston qui me les a remises...

Casavant souriait à Christine tout en tournant les yeux vers les pièces d'argent.

— Vous êtes riche, désormais, monsieur.

Cependant, si j'étais vous, je le cacherais mieux que ça. L'argent des insurgés ne sera pas bien vu par ici.

Casavant ne tint pas compte de la remarque.

— Avez-vous eu des nouvelles des prisonniers de guerre, le seigneur James Cuthbert et le capitaine Louis Olivier ?

— Ils sont déjà rendus à Albany, dans l'État de New York. Le colonel me disait que selon certaines rumeurs, ils avaient été emprisonnés en Angleterre. Que des rumeurs, cependant.

Christine opina.

— Attendez, je vais vous remettre un petit mot pour vous introduire auprès de mon oncle Jacques. Nul doute qu'il sera heureux de vous rendre ce service. Vous rencontrerez bien un habitant qui vous mènera dans sa charrette jusqu'à lui. Mon oncle est bien connu sur l'île Saint-Ignace.

— Je le souhaite, mademoiselle.

— Attendez, moi aussi, j'aimerais vous remercier. Et je vais suivre votre conseil.

Christine partit à sa chambre, en prenant soin de cacher la lettre sous son oreiller, au cas où quelqu'un arriverait à l'improviste, et revint ensuite de la cuisine avec un gros morceau de fromage de chèvre et une miche de pain.

Vous aurez au moins ça pour vous sustenter jusqu'à Saint-Charles.

L'homme sourit à cette prodigalité.

— Ça ne sera pas de refus. Merci ben, mademoiselle Comtois !

Lorsque Joseph Casavant fut parti, Christine se dépêcha d'inscrire à l'écriteau de l'étude notariale : *De retour au début de l'après-midi.* Elle monta à sa chambre, le cœur battant, et, couchée à plat ventre sur le lit, elle se mit à déchiffrer l'écriture de James. Heureusement, la lettre avait été rédigée en français. Elle l'embrassa, puis la porta sur son cœur en murmurant :

— Mon amour ! Si tu savais comme je t'aime, avant même de te lire.

Christine adorée,

Je te fais remettre cette lettre par un milicien de confiance, un vrai combattant patriote qui m'a rejoint en cours de route sur le Richelieu, en direction du lac Champlain. C'est lui qui a ramené de Trois-Rivières Chesapeake, le chien de mon cousin, dont je t'ai confié le bien-être, ton chien désormais. Joseph Casavant a risqué sa vie pour ce chien, en gage de loyauté à ses convictions. Tu pourras toujours compter sur lui un jour, comme moi je l'ai fait.

Je t'écris du fort Ticonderoga. Entre deux attaques ennemies, voici une petite trêve, qui permet à mon régiment de prendre un peu de répit. Les Britanniques n'ont de cesse de nous harceler. Après mon départ de Berthier, qui s'est fait beaucoup trop rapidement à mon goût, moi qui aurais tant voulu rester plus longtemps auprès de toi…

Christine échappa une larme qu'elle laissa couler sur sa joue. La douce sensation de tristesse berçait sa nostalgie du moment.

… Mon régiment a été cantonné au fort Saint-Jean. Par ailleurs, Moses Hazen hérita du commandement, tandis que je fus assigné à obéir à ses ordres. Il décida de laisser des miliciens canadiens-français au fort Saint-Jean, alors que nos supérieurs nous affectèrent au fort Crown Point. Nous y avons livré une terrible bataille contre les Anglais. Le général Burgoyne nous a tendu un piège en nous incitant à combattre en rase campagne. Les soldats anglais, plus disciplinés que les nôtres, serrèrent les rangs, alors que nos valeureux miliciens voulurent démontrer leur bravoure en tirant de façon désordonnée, bien souvent sans toucher la cible. Ils tombèrent comme des mouches sous le feu nourri de l'ennemi. J'ai eu beau donner des ordres pour le corps à corps à la baïonnette, mais ce fut le sauve-qui-peut devant l'ennemi.

Lorsque nous sommes retournés chercher nos blessés et nos morts, le champ de bataille n'était pas joli à voir! Ventres transpercés par les baïonnettes laissant apparaître les entrailles des mourants, mâchoires fracassées, crânes transpercés par les balles, sans parler de tous les estropiés qui eurent le malheur d'être dans le sillage de boulets de canon et qui ont dû continuer à gémir longtemps après l'affrontement. Notre seule solution fut de retourner en catastrophe au fort Crown Point, refuge que nous n'aurions jamais dû abandonner, car il était bien protégé par des défenses naturelles; là, nous aurions évité des morts inutiles. Je ne suis pas blessé pour le moment, si ce n'est dans mon orgueil de combattant et d'officier. Je n'ai eu de cesse de repenser à nos moments d'intimité amoureuse…

Moi aussi, si tu savais, mon amour! pleurnicha Christine, qui savourait chaque mot, lisant entre les lignes.

S'il n'en avait tenu qu'à moi, j'aurais déjà déserté l'armée, et c'est moi qui t'aurais susurré à l'oreille tous les mots d'amour que le vocabulaire nous permet d'exprimer, et plus encore…

Je le savais que cet homme-là m'aimait et que ce n'était pas qu'une passade, dit Christine à mi-voix.

Mais je suis un officier de l'armée des États-Unis, en qui ses généraux ont confiance… Et un homme marié et un père de famille que ses petits garçons adorent, et qui les adore en retour. Je ne voudrais pas les perdre, pas plus que je ne voudrais qu'ils apprennent avoir été abandonnés par un père lâche. Tu me comprends? De plus, ma femme ne comprendrait pas non plus que je la laisse, alors que nous avons toujours eu une bonne entente. Elle m'a appuyé dans mon idéal patriotique, sans mot dire ou presque, par amour et par devoir. Je lui en serai toujours reconnaissant. Je sais qu'elle attend patiemment mon retour: c'est ce qu'elle me dit dans ses lettres passionnées…

Christine aurait reçu un coup sur la tête que le choc aurait été moindre que celui qu'elle recevait en lisant ces mots. Elle cala sa tête dans l'oreiller pour étouffer ses pleurs. Christine était catatonique, et les pensées macabres assaillaient son esprit, comme des diables lui proposant de s'enlever la vie. Elle cria à plein poumon dans son oreiller :

James ! Pourquoi me fais-tu ça ! James, mon amour, pourquoi !

Christine sombra sans doute dans un coma momentané, car lorsqu'elle sortit des limbes, la position du soleil avait changé. Sitôt, le cauchemar de la lettre lui revint à l'esprit. Soudain, elle se sentait manquer d'air. Seuls ses pleurs lui permirent de dissoudre sa peine et de continuer sa lecture. Elle eut du mal cependant à le faire, car le papier était tout trempé de ses larmes.

Je te supplie de m'oublier, car je ne reviendrai jamais te voir. Je ne remettrai plus les pieds d'ailleurs ni à Sorel ni à Chambly. Ma vie est aux États-Unis. Mais la tienne sera plus belle sans moi, crois-moi…

Qu'en sais-tu, colonel James Livingston ? pensa Christine, frustrée par la certitude arrogante de James.

Je suis désolé d'insister, en te demandant d'effacer mon souvenir… En espérant qu'il n'y ait pas de conséquences tragiques, à la suite de notre brève, si brève liaison. En ce cas, je te demanderai de prendre la décision qui te conviendra, car je ne tiens pas à te dicter ta ligne de conduite…

C'est ça, tu t'en laves déjà les mains ! Facile à dire pour un homme, quand c'est la femme qui reste avec le problème, ragea Christine.

Je te demande de me pardonner. J'aurais préféré que ça se passe autrement, mais je n'ai vraiment pas le choix. Je sais qu'à la longue, tu comprendras.

Avec ta permission, je t'embrasse une dernière fois, me consolant à l'idée que je conserverai toujours en mémoire le moment délicieux que nous avons partagé.

James

Catastrophée, Christine retomba sur l'oreiller, la tête lourde des conséquences qu'elle appréhendait.

Mes nausées ne sont pas causées uniquement par la nervosité de préparer cette fête. Mon Dieu, que vais-je faire ? Que vais-je dire à mes tantes ?

Christine revenait tranquillement à elle lorsque Geneviève l'interpella. Celle-ci s'était inquiétée de trouver le secrétariat de l'étude notariale encore fermé en plein milieu de l'après-midi. Après avoir interrogé sa mère, elle eut l'intuition de monter à sa chambre. Elle vit Christine qui dormait sur le lit. Une lettre trônait sur l'oreiller près de sa tête. Lorsqu'elle vit les yeux rougis et les traits creusés de Christine, Geneviève comprit que seule une très mauvaise nouvelle avait pu influencer sa conduite.

— Ça vient de cette lettre ?

Christine opina, muette de chagrin.

— Tu peux m'en dire davantage ?

Christine se remit à pleurer de plus belle, en remettant la lettre à Geneviève qui en fit la lecture. Consternée, elle eut tellement de peine pour son amie que des larmes apparurent également dans ses yeux. Mais elle se ressaisit aussitôt, sachant qu'une telle attitude ne consolerait pas son amie Christine. Elle prit plutôt sa main. Christine lui demanda, en désespoir de cause :

— Qu'en penses-tu ? Me reste-t-il encore une infime raison d'espérer ?

Geneviève comprit encore mieux tout le tourment qui habitait Christine depuis tout ce temps. Elle décida de lui faire entendre raison, plutôt que de lui laisser cultiver son mince espoir.

— Il semble résolu, et sa décision, immuable. Il choisit de rester auprès de sa femme et de ses enfants. Je sais que c'est plus facile à dire qu'à faire, mais il te faudra l'oublier... Tu savais qu'il était marié et tu as pris le risque de l'aimer quand même. Il faut vivre avec, maintenant.

À ces mots, Christine se leva carrée sur le lit en hurlant à la face de Geneviève :

— Tu ne peux pas le savoir ! Tu n'as jamais été amoureuse d'un homme ! Si tu savais à quel point James est un être d'exception. Il a si fière allure et il est si intelligent !

Geneviève allait rétorquer que cet être si intelligent avait manqué de jugement en profitant d'elle et en trichant sa femme, mais elle se retint. Christine avait assez mal comme ça, sans ajouter de l'huile sur le feu qui la consumait. Elle préféra ajouter :

— Ta peine va t'estomper. On dit qu'avec le temps, la douleur devient moins cinglante. En attendant, il te faut de la distraction, et l'organisation de la fête des moissons tombe à pic.

Christine n'avait pas le cœur à la fête. Plongée dans son profond désarroi, elle appréhendait les pires moments de sa vie.

— Et si je suis enceinte ? Comment vais-je me sortir de cette abominable situation ? Il ne me reste plus qu'à me blesser, pour provoquer une fausse-couche ou à m'avorter avec des aiguilles à tricoter.

Geneviève parut effrayée.

— Ne fais pas ça, tu risques de te tuer. Et tu irais droit en enfer !

Christine fit une moue, comme si elle s'en fichait.

— Alors, ce sera une sauvagesse qui le fera. Il y en a une, dit-on, en haut de la rivière Chicot, qui fait passer régulièrement des petits anges.

— L'avortement est puni de la peine de mort, tu le sais bien.

— De toute façon, si l'enfant vit, ce sera mon oncle Louis-Daniel qui va me tuer.

— Pas si ta tante Marie-Ange lui fait entendre raison. Elle t'aime tellement.

Christine se mit à trembler.

— J'ai peur, Geneviève. J'aimerais mieux me confier à ta mère. Elle est plus jeune et me semble si compréhensive avec tout le monde. Elle est la mère que j'aurais aimé avoir. Tu en as de la chance.

— C'est vrai, mais tes tantes sont toutes aussi capables de te comprendre et de te conseiller. Nous verrons en temps et lieu. Rien ne sert de mettre la charrue devant les bœufs.

La remarque fit sourire Christine qui se moucha. Elle apparut réconfortée.

Inquiète pour son amie, Geneviève se dit que si Christine avait pris le temps de réfléchir plutôt que de se comporter avec frivolité, elle ne vivrait pas ce cauchemar funeste.

Chapitre XXX

La fête du froment

À Berthier, le curé Papin avait invité le grand vicaire Saint-Onge à présider une mémorable Procession du Saint-Sacrement à travers les rues de la paroisse. Christine avait pour sa part lancé l'invitation à Charles-Louis Tarieu de Lanaudière, comme représentant du gouverneur. L'aide de camp de Carleton et le grand vicaire firent le trajet de Trois-Rivières à Berthier en empruntant le chemin du Roy.

C'est avec les honneurs dus à leur rang que les gens de Berthier accueillirent les dignitaires. Le notaire avait demandé à Christine d'être l'hôtesse de Lanaudière, lui qui l'avait précédemment rencontrée à deux reprises. Arrivé à l'étude du notaire Faribault, le représentant du gouverneur demanda à rencontrer le capitaine de milice Corbin Guilbault afin de le remercier pour son aide, au nom du gouverneur, lors de la traversée en pleine nuit des îles de Berthier. Pour sa part, le grand vicaire alla bénir les ruines du manoir incendié de James Cuthbert.

Tout heureuse de cette demande, Christine s'empressa de conduire Lanaudière vers la maison toute neuve de son oncle, près de la rivière Bayonne. Le noble insista pour entrer dans la maison, si les heureux propriétaires y consentaient. Comme il se devait, Christine frappa à la porte et entra, afin d'aviser sa tante et son oncle de la venue du grand homme. Ce dernier se tenait à quelques pas derrière Christine. Corbin était venu rendre visite à ses parents.

Un événement inattendu et cocasse mit Christine dans l'embarras. Une fois celle-ci entrée, Chesapeake se mit à aboyer de manière inaccoutumée. Non pas de méfiance à l'égard d'un inconnu, mais de joie, en reconnaissant un être familier et apprécié. Le chien se faufila et alla retrouver son ancien maître, en lui manifestant des marques d'estime. Lanaudière reconnut aussitôt Chesapeake et le flatta, en lui disant :

— Bon chien, bon chien !

Satisfait, le chien alla aussitôt se placer près de Christine, haletant, la langue pendante, satisfait que son ancien maître le reconnaisse toujours.

— C'est mon chien, on me l'a volé. J'ai ouï-dire que des soldats américains l'avaient kidnappé. Comment se fait-il qu'il soit rendu ici ? demanda Lanaudière.

Christine était dans de beaux draps. Louis-Daniel, Marie-Ange et Corbin savaient peu de choses à propos du chien, à part son nom américain, qu'ils détestaient. Christine leur avait simplement dit que le chien avait été abandonné par les soldats bostonnais et qu'il rôdait malheureux autour des ruines du manoir.

Christine se remémora les paroles du colonel James Livingston, lorsqu'il lui avait demandé de prendre soin du chien.

Et surtout, ne jamais le remettre à Lanaudière. Promets-le-moi, par amour.

À ce souvenir douloureux, Christine eut un pincement au cœur. Elle tiendrait sa promesse, davantage par amour pour le chien que pour celui de l'homme qui lui avait demandé de l'oublier.

— Il rôdait près du manoir encore fumant. Christine a décidé de l'adopter, répondit Louis-Daniel.

Lanaudière sourit à Christine.

— Bien, très bien. Et comment l'appelez-vous ?

— *Ramezay* ! répondit spontanément Christine, au grand étonnement de son oncle et de sa tante.

Le chien jappa.

— Toute une coïncidence ! L'ancien gouverneur Ramezay fut un grand homme pour notre pays. Mon père et mon beau-père m'en ont toujours parlé en grand bien. À bien y penser, ce n'est peut-être même pas une coïncidence. Les grands personnages laissent leur empreinte dans l'imaginaire de leurs concitoyens. C'est tout à votre honneur que vous ayez choisi ce nom. Le gouverneur Murray avait eu beaucoup de considération pour son vis-à-vis, et le gouverneur Carleton a suivi dans la même voie.

Gênée de son mensonge, Christine cherchait à faire bifurquer la conversation. Elle interpella le chien.

— Ramezay, viens ici !

À ce nom, l'animal se leva et alla rejoindre... son ancien maître. Celui-ci regarda ses hôtes.

— C'est étonnant à quel point un chien a de la mémoire. C'est un chien exceptionnel. Prenez-en grand soin. Il porte un nom prestigieux.

Lanaudière remercia officiellement Corbin Guilbault pour son acte d'héroïsme et pour avoir risqué sa vie afin de guider le gouverneur Carleton à travers le lacet d'îles.

— Il faut plutôt féliciter ma cousine Christine : c'est elle, la véritable héroïne, puisqu'elle a identifié les insurgés de l'île Saint-Ignace. Sans son ouïe fine, des coups de feu auraient été tirés de part et d'autre et auraient attiré la riposte des soldats américains établis un peu plus loin.

— Donc, mademoiselle Comtois aurait sauvé la vie du gouverneur et la nôtre, par le fait même ?

— Sans aucun doute dans mon esprit.

Lanaudière se tourna vers Christine et lui fit la révérence.

— Merci, mademoiselle, du fond du cœur.

Christine rougit. Corbin présenta ses parents à Lanaudière.

— J'ai remplacé mon père, le capitaine de milice Louis-Daniel Guilbault, qui aurait sans doute réalisé un exploit de guerre à la hauteur de sa réputation de capitaine de milice.

Lanaudière dit à Louis-Daniel, en lui serrant la main :

— Vraiment, monsieur Guilbault ? Au nom du gouverneur Carleton, je vous nomme capitaine émérite de la milice de Berthier, avec les honneurs et la pension qui accompagnent la consécration de votre carrière. Vous recevrez une médaille étampée à l'effigie du roi d'Angleterre.

— Merci, monsieur, balbutia Louis-Daniel.

— Et voici ma mère Marie-Ange, continua Corbin.

Lanaudière fit le baisemain à la maîtresse de la maison.

— Permettez-moi, madame Guilbault, de vous féliciter d'avoir pris soin d'une famille aussi exemplaire pour notre nation canadienne. Puis-je connaître votre secret ?

Marie-Ange répondit spontanément :

— La récitation du rosaire, monsieur.

Lanaudière fut pris de court. Il se tourna vers le grand vicaire Saint-Onge, qui sourit narquoisement au noble.

— Évidemment, notre bonne religion catholique, le ciment de nos seigneuries, bien au-delà de l'argile de notre sous-sol ! Tenez, vicaire général, c'est à votre tour de protéger vos ouailles.

Comme il l'avait fait pour la maison et l'étude du notaire, le vicaire général tint à bénir la maison Guilbault, pour la protéger de toute malédiction et lui assurer la pérennité par une longue descendance.

— Notre tour est passé, monsieur le grand vicaire Saint-Onge. C'est notre Corbin qui assure maintenant la continuité du nom de famille Guilbault. Cependant, Corbin, Ursule sa femme et leurs enfants n'habiteront pas ici.

— Et votre fille, Christine ?

Marie-Ange rougit.

— Christine est notre nièce et notre filleule. Nous nous donnerons à elle et à son époux, lorsqu'elle se mariera.

— Alors, je vais bénir Christine pour qu'elle prenne mari rapidement et que les cris de leurs petits égayent cette coquette maison, dès que Dieu le voudra. Votre Christine nous a fait vraiment honneur par sa bravoure et sa droiture durant ces longs mois d'occupation américaine.

Lanaudière approuva de la tête.

Christine tressaillit. Elle pensa à l'enfant de James Livingston qu'elle portait peut-être dans son sein, et qui s'était probablement manifesté. Un bâtard dont seule Geneviève Faribault connaîtrait l'identité du père, puisque Christine s'était juré d'en parler à quiconque, pas même au curé au confessionnal. Sa tante Marie-Ange la pointa du regard, lui enjoignant de s'agenouiller.

— Je vous bénis tous dans cette magnifique maison, pour que vous y viviez heureux le plus longtemps possible. *In nomine Patris, Filii et Spiritus Sanctis.*

— *Amen* ! répondit la petite assistance.

Sous un grand dais porté par quatre notables de la place (les capitaines Louis-Daniel et Corbin Guilbault, le notaire Barthélemy Faribault et Jacques Cotnoir), le grand vicaire marchait pour concrétiser la réconciliation des familles de Berthier et de ses îles. Le choix des notables avait suscité une vive discussion au presbytère, alors que les quatre marguilliers en poste, Pierre Généreux, Jean-Baptiste Piet, Pierre Dostalaire et le nouveau de l'année 1776, Prisque Ferland, virent d'un mauvais œil d'être supplantés devant les représentants du gouverneur et de l'évêque par des intrigants. L'âge avançant, sachant que sa santé déclinait et qu'il devrait quitter sa cure de Berthier à terme, l'ecclésiastique Papin voulut remettre le change aux marguilliers qui s'ingéraient dans l'administration quotidienne de la fabrique, en imposant son veto dans l'organisation religieuse de la paroisse.

Le curé Papin suivait le cortège, encensoir en main laissant échapper un nuage épais et odorant, devant Lanaudière. Suivaient les enfants de la paroisse de Berthier, qui portaient dans des paniers d'osier des gerbes de mil, d'avoine, de seigle et de blé.

À la file, dans l'ordre de préséance, les hommes, les femmes et les jeunes célibataires murmuraient les refrains des cantiques louangeurs entonnés par le notaire Faribault de sa voix juste. Il était, hélas le seul laïc de Berthier, exception faite de Lanaudière pour la circonstance, à pouvoir comprendre et prononcer sans faute les mots en latin des hymnes. Dans ses habits sacerdotaux brodés d'or, le grand vicaire Saint-Onge avait entonné le *Tantum ergo*, l'ostensoir à bout de bras, pour remercier Dieu de sa protection durant l'occupation américaine.

Tantum ergo, Sacramentum;
Veneremur cernui:
Et antiquum documentum;
Novo cedat ritui:
Praestet fides suplementum;
Sensuum defectui[7].

La procession finit à l'église par le Salut du Saint-Sacrement qu'officia le grand vicaire bien fatigué de sa journée, secondé par le curé Papin. Le notaire Faribault interpréta le chant suivant:

7. Adorons donc, prosternés, un si grand Sacrement; que l'ancien rite cède la place à ce nouveau mystère; que la foi supplée à la faiblesse de nos sens.

O salutaris Hostia;
Quae caeli pandis ostium:
Bella premunt hostilia;
Da robur, fer auxilium[8].

Le grand vicaire Garaut, dit Saint-Onge, harangua les paroissiens de Berthier en leur enjoignant de resserrer au plus vite leurs liens familiaux…

— …comme l'ont fait le roi de France Louis XVI et sa reine Marie-Antoinette, après le décès de notre bien aimé roi Louis XV. N'oubliez pas que la pierre d'assise de la nation canadienne est l'attachement du colon à sa terre, et que le secret de la grandeur du peuple canadien est son amour pour son Dieu, sa famille et sa patrie.

Marie-Ange et Renée Rémillard, assises dans le même banc, toutes à leur dévotion à la Vierge et au Sacré-Cœur, se regardèrent et se sourirent de façon complice. Elles savaient qu'elles avaient été les artisanes de la réconciliation de leur famille.

Pour sa part, assis dans le banc du premier dignitaire, celui que James Cuthbert aurait dû occuper avec sa famille, Lanaudière ne réagit pas au discours du vicaire général. Il paraissait même satisfait, quoiqu'étonné, d'un tel enthousiasme patriotique de la part de celui qui, il n'y avait pas si longtemps, avait exhorté avec véhémence les Canadiens à soutenir l'effort de guerre britannique, d'après les instructions de l'évêque de Québec, monseigneur Briand. Il se fit la réflexion que le grand vicaire du diocèse de Québec, aumônier des Ursulines des Trois-Rivières, conservait un amour profond pour ses racines françaises, malgré son dévouement à la cause du roi d'Angleterre.

Christine regardait Lanaudière du coin de l'œil. Elle se demandait si ce noble, issu de l'élite de la colonie canadienne, dont l'instinct de survie lui avait dicté d'aller se coller au pouvoir anglais afin de récolter privilèges et honneur, continuerait longtemps à s'allier à l'élite anglaise, alors que son beau-père, le conseiller législatif La Corne Saint-Luc, incarnait la lutte de son

8. Ô, réconfortante hostie, qui nous ouvre les portes du ciel, les armées ennemies nous poursuivent, donne-nous la force, porte-nous secours.

peuple dans l'affirmation de ses droits à travers les institutions britanniques établies, et non par la sédition armée.

Le grand vicaire se fit un devoir de bénir les colons au nom de leur évêque, et termina la cérémonie avec cette supplique mariale :

Virgo Maria, tuos clementius aspice natos,
Exaudi famulos, Virgo Maria, tuos[9].

Christine avait demandé à son cousin Corbin d'inviter le meunier Romuald Bonin à assister au Salut du Saint-Sacrement dans le banc des Guilbault, derrière celui des marguilliers, et à participer à la fête de la soirée, en apportant une grosse gerbe de blé. Quelle ne fut pas la surprise du meunier d'assister à la cérémonie religieuse aux côtés de la jolie rouquine qui l'avait enflammé quelques semaines auparavant ! Par timidité, ce dernier n'osait jeter un coup d'œil à Christine, de crainte de mal paraître en rougissant.

Geneviève Faribault assistait à la cérémonie religieuse du banc de son père, du côté de l'Évangile. Surprise de la présence du meunier dans le banc des Guilbault, elle en fit mention à son amie sur le perron de l'église.

— Toi et moi voulions que ce soit la fête du froment. C'était tout naturel d'impliquer le meunier de la seigneurie. C'est ce que Corbin lui a donné comme argument, car autrement, je ne crois pas que Romulo Bonin aurait été des nôtres aujourd'hui.

Geneviève sursauta en entendant le surnom du meunier. Elle ne voulut pas questionner Christine quant à cette familiarité.

Sans contredire son amie, Geneviève se dit que Christine aurait dû l'aviser de la présence du meunier.

Les paroissiens firent honneur au festin préparé par les bénévoles de Berthier. Viandes de gibier à poil et à plume ainsi que poissons à chair savoureuse des eaux des îles furent servis avec les légumes frais du potager local. Le notaire avait convaincu la fabrique de tuer deux moutons et autant de porcelets, que l'on fit rôtir sur la broche, au grand délice des participants. Toutefois, tous convinrent que les festins offerts par le seigneur Cuthbert

---

9. Vierge Marie, regardez vos fils avec clémence, exaucez vos serviteurs, Vierge Marie.

étaient incomparables, tant par sa table garnie que par sa cave à vin et spiritueux, ouverte à tous.

Après le festin, Christine demanda au meunier de remettre la gerbe de blé à Lanaudière, puisqu'il était le représentant du gouverneur. Dans les familles, habituellement cet honneur revenait au vieux père. Lanaudière accueillit la gerbe et demanda au vicaire général de la bénir. Par la suite, le meunier fut invité avec fierté à la récupérer. Il revint du promontoire vers Christine, le visage aussi rouge que le soleil couchant. Corbin et Louis-Daniel Guilbault ainsi que le forgeron de Berthier tirèrent une salve d'honneur

Le feu de joie préparé par Corbin Guilbault fut allumé conjointement par Lanaudière et le notaire Faribault, qui agissait comme seigneur suppléant de Berthier. Tous attendaient ce moment excitant, représentatif de la fête de la Saint-Jean. Pour la circonstance, les notables de Berthier accompagnaient le grand vicaire Saint-Onge, rompu après une journée bien chargée de célébrations religieuses, ainsi que l'aide de camp Lanaudière. Une fanfare composée de tambourineurs, flûtistes et carillonneurs attendait le moment de se manifester.

Le notaire Faribault avait voulu laisser la parole au prélat, mais l'ecclésiastique considérait ce moment de réjouissances de responsabilité civile ; autrement dit, il se contenterait de bénir une dernière fois ses ouailles et de laisser le représentant du gouverneur Carleton s'adresser au peuple.

Avant de remercier Lanaudière et de lui demander d'adresser quelques mots aux gens de Berthier, le notaire en profita pour exhorter son peuple à ne pas oublier leurs racines françaises, même si c'était aux Britanniques que l'on devait d'avoir repoussé les Américains hors de chez eux.

— Mes amis de la seigneurie de Berthier et des environs, monsieur le vicaire général Garaut, dit Saint-Onge, et l'honorable Charles-Louis Tarieu de Lanaudière nous ont fait le grand honneur d'être des nôtres, et je voudrais au nom de la population de Berthier les remercier.

Le directeur de la fanfare en profita pour faire entendre le premier éclat sonore des instruments de percussion. Le prélat opina de la tête, afin de remercier dignement ses fidèles. Lanaudière, pour sa part, resta droit comme un piquet, comme sa noblesse lui avait enseigné.

— Comme le représentant de monseigneur Briand le mentionnait si éloquemment au moment de son sermon, nous n'avons pas seulement louangé aujourd'hui notre Dieu pour les bienfaits de nos récoltes… Nous fêtons aussi la réconciliation de nos familles, qui ont été malheureusement déchirées par l'idéologie de la guerre, au nom de l'espoir d'une vie meilleure. Alors, je vous demande de vous rapprocher, gens de la même famille, que vous soyez des îles ou du long des rivières, et de vous serrer la main, même de vous embrasser, pour bien démontrer à tous que le moment de la grande réconciliation est arrivé à Berthier.

Certains se dirent que le bon notaire avait sans doute abusé du bon vin de la table pour inciter ses concitoyens à un tel épanchement, lui qui était d'un ordinaire plutôt distant. Sa femme lui lançait des œillades de reproches, car elle ne le reconnaissait plus dans ses propos. Cependant, comme le festin avait été bien arrosé, tout un chacun — pro-rebelle, pro-britannique ou neutre — se rapprocha pour enterrer officiellement et définitivement la hache de guerre, les familles Cotnoir et Guilbault donnant l'exemple aux autres.

Pour accompagner ces retrouvailles historiques, la fanfare égrena quelques sons plaintifs de moins en moins audibles, les musiciens abandonnant momentanément leurs instruments afin de rejoindre à leur tour leur famille.

Le notaire laissait le curé Papin converser avec le prélat, profitant d'une longue pause avant de dire une parole historique qui marquerait sa destinée à Berthier. Lanaudière semblait inquiet.

— Ce moment sera encore plus fort pour nous, Canadiens, si nous restons fermement attachés à cette terre, à nos coutumes françaises… à notre patrie canadienne-française, comme le disait le grand vicaire.

Un murmure se répandit dans la foule, qui prit de plus en plus de force. Cette clameur échauffa les idées du notaire et l'enhardit à continuer à plaider son attachement au patriotisme.

— Sous l'œil bienveillant et compréhensif de notre évêque et de notre gouverneur, la trinité du cultivateur canadien-français restera toujours sa famille, sa religion et sa patrie. N'oublions pas cependant nos racines terriennes, si nous voulons bâtir un monde meilleur pour nos enfants et nos petits-enfants…

Une clameur plus forte réussit à dominer le son de la fanfare qui jouait maintenant de manière cacophonique. Les ecclésiastiques avaient grimacé, lorsque le notaire avait abordé la comparaison identitaire avec la religion. Le vicaire général avait une raison de plus de se méfier des conséquences du discours nationaliste du notaire, car suivant les instructions de monseigneur Briand, il avait ordonné ses curés et officié lui-même des Processions et des Saluts du Saint-Sacrement, comme en ce jour à Berthier, pour que le Canada se débarrasse du poison patriotique de la cause des insurgés américains au profit du gouvernement anglais.

— Soyons fiers de notre patrie et ne laissons pas à des étrangers le soin de décider de notre destin, même si leur discours sonne bien à nos oreilles.

— Hourra ! s'écria la foule.

Lanaudière grimaça.

— Restons sous la protection de saint Jean-Baptiste, notre saint patron, et allumons maintenant ce feu pour célébrer notre patriotisme ! Vive le Canada ! Et vive le Canada français !

— Vive le Canada français ! scanda la foule.

— Maintenant, je demande à notre dignitaire de marque, le représentant du gouvernement, l'aide de camp du gouverneur Carleton, l'honorable Charles-Louis Tarieu de Lanaudière, de prononcer l'allocution qui précédera le feu de joie de cette journée de la fête des moissons à Berthier.

Charles-Louis Tarieu de Lanaudière cligna des yeux. La conclusion du notaire Faribault avait été pour le moins équivoque. Faisait-il allusion au discours indépendantiste américain ou à la conquête du Canada par les Britanniques aux mains des Français ? Cependant, comme représentant du gouvernement, il ne pouvait laisser passer sous silence ce cri de ralliement patriotique. Ayant été dans les confidences de Lanaudière lors de son récent voyage à Trois-Rivières, Christine se demandait bien de quelle façon ce dernier allait réagir. Elle remarqua que Lanaudière tenait en main un petit sac de toile.

— Mes amis de Berthier. Je dois vous dire que le gouverneur Carleton serait venu à cette fête en personne, s'il l'avait pu. Je considère donc comme un privilège de pouvoir le remplacer aujourd'hui… auprès des miens, de mon peuple… Ce que notre pays vient de vivre — l'occupation américaine et la victoire sur le Mal — me confirme que la patrie canadienne est forte, et que les Canadiens ont pu se regrouper en force pour chasser les Américains hors du Canada. Certains ont souffert davantage que d'autres, car ils se sont impliqués dans cette guerre en combattant au front, devant le tir nourri de l'ennemi…

— Certainement pas l'aide de camp du gouverneur Carleton dans ses habits d'apparat, ironisa un badaud ou un pro-rebelle.

Quelques fêtards éméchés s'esclaffèrent. Ce fut le moment qu'attendait Lanaudière pour sortir un chapeau de militaire troué par l'impact d'une balle et le lever à bout de bras. Les gens des premiers rangs émirent un *oh!* admiratif.

— Seuls ceux qui se sont battus au front auraient pu faire trouer leur couvre-chef de la sorte. Ce gibus appartenait à l'un de nos vaillants miliciens compatriotes morts au combat, lors de la bataille de Trois-Rivières. Je ne crois pas, monsieur le plaisantin, que vous auriez eu ce courage-là!

Un silence respectueux envahit la foule. Lanaudière continua:

— J'accompagnerai de nouveau le gouverneur Carleton la semaine prochaine, au fort Saint-Jean, afin de déloger les miliciens pro-rebelles, en espérant que cette fois l'ennemi ne vise pas plus bas.

Pour sa part, Christine se dit que Joseph Casavant avait pris la meilleure décision de déserter le fort Saint-Jean. Lorsqu'elle se rappela que Casavant était le messager du colonel James Livingston, le mal de vivre la reprit.

— *Et dire que je lui ai recommandé de se rendre à l'île Saint-Ignace. Je comprends que mon oncle Jacques et ma tante Renée veuillent tellement me parler!* se dit Christine.

Fier d'avoir pu clouer le bec au badaud, Lanaudière reprit son sérieux.

— Le temps est venu de soigner nos blessures, celles de l'âme autant que celles du corps, et de continuer à vivre harmonieusement ensemble, que nous ayons été pro-rebelles, pro-britanniques ou neutres, peu importe nos divergences, que nous soyons Anglais ou Français du Canada, car nous formons tous une grande famille canadienne… Gens de Berthier et des îles, plus particulièrement vous, de race canadienne-française, comme moi…

À ces mots, une salve d'applaudissements fusa.

— Comme moi et comme ma femme, — dont le père, et non le moindre, puisqu'il s'agit de La Corne Saint-Luc — devons se serrer les coudes et se jurer que notre peuple ne sera jamais assimilé à un autre peuple, et que dans un futur pas si lointain, nous serons les maîtres de notre propre destinée.

Applaudissements nourris. Lanaudière se sentit galvanisé par la réaction populaire.

— C'est en travaillant de concert, main dans la main, que nous atteindrons notre but.

Le notaire prit la torche que lui avait tendue Corbin et la tendit à son tour à Lanaudière pour qu'il la jette sur le tas de sapinages. Il la prit avec vigueur, et, plutôt que de la projeter avec force sur l'immense amas de branches, il prit la main du notaire pour qu'il empoigne avec lui la torche, et ensemble, ils allumèrent le feu de la Saint-Jean.

Aussitôt, une flambée d'étincelles et de flammes jaillit du brasier et s'élança vers le ciel, illuminant la place publique. La foule se distança, alors que les musiciens commençaient à jouer des airs de la vieille France et des danseurs, à faire la démonstration de leur savoir-faire. Contrairement aux fêtes organisées par le seigneur Cuthbert, où l'on remarquait l'importante présence de cornemuse dans la musique, en ce jour, les citoyens d'origine britannique durent se contenter de folklore français.

Le notaire n'était cependant pas responsable de cet oubli. Il apostropha sa fille Geneviève et lui en fit le reproche. Christine était à leurs côtés.

Lorsque Lanaudière s'aperçut que le notaire accusait sa fille de la bévue, il intervint :

— Allons, notaire Faribault ! Qui pourrait bien s'en soucier ? Je n'en vois qu'un : c'est James Cuthbert, et il est en route pour l'Angleterre. C'est moi qui ai négocié son échange de prisonniers.

— Pourquoi n'est-il pas revenu plutôt dans sa seigneurie de Berthier ?

Lanaudière réfléchit à réponse.

— James Cuthbert a clamé à tout venant que c'était lui qui avait sauvé Trois-Rivières, par un acte d'héroïsme sur le lac Saint-Pierre, alors que le gouvernement de Londres vient de décorer le brigadier-général Simon Fraser pour son acte de bravoure. Le gouverneur Carleton a fait enquêter sur cette affaire. Il paraîtrait que James Cuthbert se terrait ou presque dans ses terres, au moment de la bataille de Trois-Rivières, et que l'occupant de son manoir, le colonel américain James Livingston, se préparait à quitter Berthier. Londres a voulu entendre de vive voix le témoignage de James Cuthbert, alors que le général Fraser se bat aux côtés du général Burgoyne au lac Champlain. Avant que Londres entende le témoignage de Simon Fraser à son tour, il faudrait que la guerre finisse rapidement. Alors, le son de la flûte française remplacera pour un temps indéterminé celui de la cornemuse à Berthier.

Le notaire sourit. Il se rendait compte que le patriotisme canadien-français côtoyait le pouvoir anglais. Ainsi, son discours n'avait pas été trop exalté.

Tandis que la population de Berthier était en liesse, ayant apparemment pansé ses blessures et retrouvé la joie de vivre, Christine s'était rapprochée du meunier, l'ayant même incité à exécuter quelques pas de danse bien maladroits.

Pas si mal pour un vieux garçon ! se fit-elle comme réflexion.

Quand vint le temps de regagner leurs foyers respectifs, alors que Christine logeait maintenant dans la maison toute neuve de son oncle Louis-Daniel Guilbault, celle-ci lança une invitation inattendue à Romuald Bonin.

— Nous allons pendre la crémaillère, dimanche prochain. J'aimerais que vous soyez des nôtres. Le pourrez-vous ?

Le meunier rougit. Comme il restait muet, Christine tint pour acquis que son silence valait une réponse affirmative.

— Ma tante attendra les invités après la messe. Nous nous retrouverons sur le perron de l'église, mais je devrai me rendre vite à la maison les accueillir. Vous viendrez nous rejoindre, après avoir fumé avec les autres hommes ?

— Je ne fume que très rarement, mademoiselle Christine. S'il fallait que le feu prenne dans la paille du blé moulu, mon moulin passerait au feu dans le temps de le dire, et moi avec, possiblement.

— Comme Geneviève viendra nous aider, mes tantes et moi, vous pourriez nous accompagner ? Il y aura certainement du mobilier et des caisses de victuailles à transporter.

Christine jeta un regard sur les biceps impressionnants du meunier et parut convaincue de sa suggestion.

— Avec plaisir, mademoiselle Christine, répondit le meunier en rougissant.

Christine prit le meunier par surprise.

— Pourquoi ne pas nous appeler par nos prénoms ? Qu'en dites-vous, Romuald ?

— J'en serais ravie, Christine.

Le lendemain, avant que le grand vicaire Saint-Onge et Lanaudière ne reprennent la route vers Trois-Rivières par le chemin du Roy, l'aide de camp du gouverneur Carleton s'adressa discrètement à Christine :

— Nous tenons à vous remercier pour l'organisation de cette fête ainsi que pour votre accueil chaleureux et hospitalier. Je vous l'ai peut-être dit : le grand vicaire Saint-Onge se veut reconnaissant envers votre population. Il plaidera le retour de votre messire Pouget auprès de notre prélat. Le bon curé Papin mérite de se reposer. Je ferai savoir à Jean-Noël Baptiste Pouget que vous avez encore su rendre service au gouverneur Carleton et qu'il serait souhaitable qu'il vous prenne sous son aile. Vous pourrez toujours compter sur mon support, et moi, sur votre discrétion. Continuez à bien épauler le notaire Faribault, un gentilhomme, et à prendre bien soin de Ramezay, mon chien.

Christine fit la révérence à Lanaudière. Son aventure avec le colonel James Livingston lui apparut comme une lâcheté, malgré tout l'amour qu'elle avait encore pour le militaire américain.

De retour à l'étude notariale, elle avisa Geneviève.

— Nous pendons la crémaillère, dimanche prochain. Pourrions-nous compter sur ton aide ?

— Seulement à la condition que tu me dises ce que tu mijotes ! Tout le monde t'a vue assise aux côtés de Romuald Bonin au Salut du Saint-Sacrement. Et voilà que vous avez dansé ensemble autour du feu de joie. Il n'en faut pas plus aux gens pour se faire des idées et partir des rumeurs.

Christine pointa Geneviève du regard.

— Et que dit-on ?

— Les gens trouvent ça louche qu'une belle fille comme toi s'intéresse à un tel vieux garçon balourd. Ils n'en reviennent tout simplement pas. Il y a anguille sous roche. Que tu ne te soit pas encore remise de la mort de François… ou…

— Ou quoi ?

Geneviève laissa tomber. Christine répliqua :

— Vous devrez vous habituer à me voir aux côtés de Romuald Bonin, car je l'ai invité à pendre la crémaillère, dimanche.

Étonnée, Geneviève resta bouche bée. C'est alors que Christine s'effondra en pleurs dans ses bras.

— Geneviève, je suis si malheureuse ! Je ne sais plus quoi faire ! Le meunier est ma planche de salut.

— Tu penses que…

Christine fit signe que oui et redoubla ses pleurs, en hoquetant.

— Je ne vois pas d'autres solutions : soit me marier avec le meunier, soit me rendre à Montréal.

— Tu voudrais remettre l'enfant à la femme du colonel Livingston ?

— Es-tu folle ?! Jamais. Elle l'assassinerait. Je me rendrais à Montréal demander l'aide de la seigneuresse Catherine, en espérant qu'elle l'adopte. Par la suite, je reviendrais à Berthier.

Geneviève trouva cette solution tirée par les cheveux.

— Tu n'as pas imaginé que la seigneuresse pourrait revenir à Berthier avec son mari revenu de captivité ? Tu aurais le cœur brisé le restant de tes jours, en sachant que son enfant est en fait le tien. De plus, il faudrait qu'elle en parle au seigneur Cuthbert. Je doute qu'il souhaite devenir le père adoptif du fils adultérin de son pire ennemi, celui qui l'a traîné en captivité.

Comprenant le volet tragique de cette possibilité, Geneviève conclut :

— À moins que tu ne le donnes aux religieuses. Elles sauront le faire adopter.

— Et si elles n'y parviennent pas, mon enfant aura une vie de domestique, pire, d'esclave… Même si je le garde et l'élève seule, mon enfant sera toujours moins considéré que les autres. Il faudrait que mon cousin Corbin l'élève comme si c'était le sien et que sa femme Ursule accepte cette fausse maternité.

— Toi, tu as bien été élevée par tes grands-parents et par la suite tes tantes ?

— Oui, mais mes parents étaient mariés. J'étais orpheline, pas bâtarde ! À moins que ta mère…

— Lorsque mon père saura que ton enfant est celui du colonel américain, il refusera. Et j'aurai le devoir de lui mentionner… Promets-moi, Christine, d'aviser le meunier que l'enfant n'est pas de lui, si jamais il accepte de t'épouser.

— Parce que tu auras le devoir de l'en informer ?

— Ce n'est pas pareil. En ce cas, ton enfant ne deviendra pas mon frère !

Christine se força à sourire.

— Si c'est une petite fille, elle pourrait être ta filleule.

La proposition alla tout droit au cœur de Geneviève.

— Es-tu sérieuse ?

— Très sérieuse. Tu sais que la marraine a le choix du prénom, après la mère ?

— Comme ça, elle pourrait se prénommer Violette ?

— Alors, tu acceptes ?

— Pourvu que tu reçoives une demande en mariage du meunier.

Le sourire était revenu sur les lèvres de Christine. Elle venait de prendre une décision déterminante.

Fronçant les sourcils, elle annonça fièrement, comme pour se convaincre :

— Mariage ou pas, tu seras la marraine de Violette.

Mais sa détermination lui pesait déjà lourd. Comme Geneviève regardait Christine avec le sourire, celle-ci ajouta :

— Romuald Bonin n'aura pas le choix de me marier.

— À ce jeu, tu pourrais perdre ton pari ; si tes retards menstruels ne sont que temporaires, tu le regretteras. Tu devrais avoir au moins la décence de l'estimer, même si ce n'est pas de l'amour fou…

— Je sais que c'est un drame et que tu es la seule à le vivre aussi rudement. Cependant, de te lancer dans une autre aventure ne pourrait qu'aggraver ton cas. Rien ne presse de faire père un homme que tu n'aimes pas. Tu te le reprocherais jusqu'à ta mort. Rien ne t'assure que tu ne rencontreras jamais un autre homme désireux d'adopter ton enfant, un homme que tu aimeras et qui vous prendrait tous les deux. Réfléchis bien. Si tu leur demandais, tes tantes seraient de bon conseil, j'en suis certaine. Elles t'aiment tellement.

Christine épancha ses larmes, tout en réfléchissant.

— C'est vrai, mais elles vont réagir comme des femmes de leur âge. Sans me le dire nécessairement, elles ne pourront pas passer outre leurs préjugés.

— Tu as peur qu'elles en parlent aux autres ?

— Pas nécessairement, mais au curé, au moment de la visite de la paroisse ou au confessionnal. Malgré son obligation de respecter le secret, le curé pourrait me priver des sacrements ou quelque chose comme ça.

Geneviève réfléchissait.

— Avant de t'imaginer le pire, tu devrais consulter une sage-femme de confiance. En connais-tu une ?

— Mes tantes ont une cousine au rang croche de la Grande-Côte. Marie-Andrée Boucher. J'ai confiance en ses compétences et en sa discrétion. Geneviève s'approcha de Christine et la prit dans ses bras.

— Tu sais que je serai toujours là pour t'écouter, t'aider et te consoler, n'est-ce pas ? Puisque tu crois porter ma filleule, autant m'occuper d'elle et de sa maman dès maintenant.

L'amitié de Geneviève fit apparaître le sourire de Christine, qui répondit :

— Autant commencer à préparer cette pendaison de crémaillère. Ça me changera les idées.

Chapitre XXXI
La pendaison de crémaillère

La femme de Corbin Guilbault, Ursule Desrosiers, avait une tante, Angélique Desrosiers Fleury, épouse d'Amable Fleury, de l'île Dupas, qui était sur le point d'accoucher. Puisque l'île Dupas n'avait plus de curé résident et que leur curé desservant nouvellement ordonné, monsieur Pierre René Martel, résidait à Sorel et ne venait à l'île Dupas qu'environ une fois par mois, Christine eut l'idée de suggérer à Amable Fleury, par l'intermédiaire de Corbin, de faire baptiser le nouveau-né par le curé Papin après la grand-messe, à l'église de Berthier.

Si l'idée plut au curé Papin, puisqu'il avait toujours à cœur la réconciliation des gens des îles Dupas et Saint-Ignace et de la seigneurie de Berthier, elle sourit autant à Amable Fleury qui redoutait de traverser les eaux du fleuve avec son nouveau-né. Le petit Ignace Fleury naquit le mardi 20 août. Christine et Ursule réussirent à persuader Louis-Daniel Guilbault d'inviter les gens des îles chez lui à pendre la crémaillère.

Le dimanche suivant, après le baptême du petit Ignace, le crieur invitait les paroissiens de Berthier et des îles à venir à la nouvelle résidence des Guilbault.

L'encanteur en profita aussi pour informer les curieux que le capitaine de milice voulait vendre à prix très réduit une charrue et une herse ébréchées, ainsi qu'une charrette à fumier, un tombereau pour le transport des troncs d'arbre et un tonneau à purin.

Le ténor finit la criée en proposant la licitation du matériel de pâturage de la Commune, à l'île Randin, appartenant aux censitaires de la seigneurie de Berthier-en-Haut, qui avait été endommagé lors de l'incendie du manoir et de sa grange.

En entendant cette dernière annonce, Marie-Ange dit à son mari:

— Tu parles d'une tartine! Le bien commun est censé être vendu plus tard. À vouloir tout dire en même temps, les gens seront confus et ne viendront pas pendre la crémaillère chez nous.

— Ne t'en fais pas: ma charrue et ma herse valent bien plus que le paquet de clochettes à vache tordues par le feu. Il n'y aura pas grand-chose à tirer de ça. Déjà que le gros du butin de la Commune a été volé par je ne sais qui!

— Je ne veux surtout pas d'odeur de fumier et de paille dans ma maison neuve. N'oublie pas de mettre le tapis de crin de cheval sur le seuil de la porte, pour que les gens s'essuient les pieds. Tout d'un coup que certains auraient l'idée de visiter la grange avant la maison! Que dirait monsieur le curé Papin!

Au prône, le curé Papin avait souligné de nouveau à ses paroissiens leur devoir de réconciliation avec les insulaires; ainsi, plutôt que de retourner chez eux après la messe, les habitants avec leur famille se dirigèrent nombreux chez les Guilbault.

Au lieu d'assister au baptême, Christine, sa cousine Angélique, Geneviève Faribault et le meunier Romuald Bonin s'occupèrent des derniers préparatifs. Les sœurs Marie-Ange et Renée Rémillard s'employèrent à cuisiner, alors que la femme du notaire y vit une belle occasion de montrer que la famille Faribault avait à cœur la réconciliation de la population. Pour sa part, Romuald se démenait pour transporter le mobilier lourd et les caisses de victuailles, désireux de plaire à Christine, la rousse flamboyante qui lui avait fait l'immense honneur de l'entraîner sur la piste de danse et qui l'avait invité à sa pendaison de crémaillère.

Quand les attelages se présentèrent chez les Guilbault, celui du curé Papin en premier, Christine demanda à Romuald de se placer à ses côtés, au moment de la bénédiction du curé. Marie-Ange avait été prise de court quand le vicaire général avait béni la maison et ses résidents, et souhaitait que le curé de Berthier le fasse à nouveau, mais selon le cérémonial liturgique.

— Tu n'exagères pas un peu avec tes bondieuseries ? Si quelqu'un la bénissait une troisième fois, notre nouvelle maison risquerait de se transformer en chapelle, dit Louis-Daniel, sarcastique.

— Tant que tu feras tes Pâques de renard et ton dimanche pascal à la Quasimodo, la double protection de Dieu ne sera pas de trop, crois-moi, avait immédiatement rétorqué Marie-Ange, piquée au vif.

Sur une table habillée d'une nappe blanche, Christine avait placé un rameau, un bol d'eau faisant office de bénitier, un crucifix, ainsi qu'une image de la Vierge Marie. Le curé Papin demanda à l'assemblée de s'agenouiller, avant de prendre parole.

— Jésus demandait à ses disciples de souhaiter la paix aux occupants dès qu'ils entraient dans une maison. Aujourd'hui, je vais bénir cette maison et ceux qui y résident, ainsi que tous ceux qui l'habiteront et la visiteront un jour, comme nous actuellement, afin qu'ils vivent dans la paix et la grâce de Dieu. Auparavant, je vais bénir cette eau, source purificatrice de toute vie.

L'ecclésiastique endossa son étole, celle qu'il venait de revêtir pour le baptême d'Ignace Fleury, et, avec recueillement, par le signe de la croix, fit de l'eau du bol une eau bénite. Par la suite, suivi de Marie-Ange et de Louis-Daniel Guilbault, l'officiant entra dans chaque pièce de la maison et aspergea de son goupillon l'eau bénite avec solennité, tout en disant des prières à voix basse en latin. Lorsqu'il revint, le curé Papin termina la recommandation de la maison à la protection de Dieu, en bénissant les fidèles présents.

— *In nomine Patris, et Filii, et Spiritus Sancti.*

« *Amen* ! », répondirent les fidèles qui venaient d'assister consécutivement à la grand-messe, au baptême et à la bénédiction de la maison, et que la faim tenaillait de plus en plus en reniflant la bonne odeur de pain fraîchement sorti du four.

Si Christine, comme fille de la maison, accueillit les invités avec la courtoisie et le dynamisme qu'elle lui connaissait, sa tante Renée remarqua qu'elle paraissait soucieuse.

— Tu es bien pâle, toi. Quelque chose ne va pas ?

— C'est la chaleur. Autant de monde par cette journée de canicule rend l'air irrespirable.

— Pourtant, c'est Marie-Ange et moi qui nous sommes déménées à côté du poêle en fonte et qui sommes en droit de nous plaindre !

Renée parut insatisfaite de la réponse de Christine. Elle se tourna vers Marie-Ange et dit :

— Je la trouve changée, notre Rosine. As-tu cette impression ?

— Je la trouve pâlotte aussi. Ce que je trouve curieux, c'est sa manière d'être aux petits soins pour le gros meunier. Même si Corbin me dit que c'est un bon meunier, honnête et travaillant, c'est tout de même étrange que Christine lui accorde autant d'attention. Il est quand même plus vieux qu'elle !

— Angélique croit qu'elle ne s'est pas encore remise de la mort de François Fafard.

— Je pense plutôt qu'il y a autre chose. Ses nerfs sont à bout. Le gouvernement anglais l'a trop fait travailler. Autant de responsabilités, ce n'était pas de son âge. As-tu remarqué, aussi, l'attention que monsieur Lanaudière lui accordait ?

— Ça m'a paru bien étrange, en effet. Tu m'intrigues, Marie-Ange. Quel était ce travail si important ?

— Christine a fait de l'espionnage. C'est comme ça que Corbin lui a présenté le meunier.

— Elle a espionné le meunier ?

— Tu veux rire ! Christine espionnait les Américains et les pro-rebelles.

— Hein ? Christine est venue espionner à l'île Saint-Ignace ?

— L'an passé, avec Louis-Daniel. C'est ce que je sais.

Renée se renfrogna.

— Moi qui l'ai traitée comme ma fille ! s'offusqua Renée, en prenant son air combatif.

Marie-Ange se rendit compte de sa bévue.

— Avoir su, jamais je ne te l'aurais dit... Mais j'y pense ! Angélique le savait. Elle a même collaboré à l'espionnage de Christine.

— Quoi ? Ma propre fille aurait espionné ses parents ?

— Quelque chose comme ça. Mais n'oublie pas la grande réconciliation dans les familles. Ce ne sont pas des paroles en l'air.

— Tout de même ! Si Christine nous a espionnés, Jacques et moi, comme agent double, elle a pu vous jouer dans les cheveux aussi !

Horrifiée par l'hypothèse, Marie-Ange mit en doute le propos de sa sœur.

— Elle a travaillé seulement comme interprète au manoir auprès du colonel américain.

— Jacques m'a dit qu'il était séduisant. Elle a peut-être hérité du tempérament de notre sœur Antoinette avec son beau Ferréol, le père de Christine ! Elle serait donc en chagrin d'amour.

Marie-Ange resta songeuse.

— Alors, pourquoi faire autant de finesses à Romuald Bonin ?

— Christine n'a pas fini de nous surprendre, Marie-Ange. Oh non !

Renée avait raison. Christine passa le restant de la fête avec Romuald. Encore une fois, elle l'invita sur le plancher de danse sous le regard bienveillant du curé Papin qui souhaitait maintenant bénir le mariage d'un couple de Berthier et, le plus rapidement possible, procéder au baptême de leur premier enfant — il comptait leur suggérer le prénom de Marie-Réconciliation, si le poupon était une petite fille.

La coutume voulait qu'au Canada ce soit le garçon qui propose le mariage à sa dulcinée, après de brèves fréquentations. Le curé Papin avait compté les fois où il avait vu Christine Comtois et Romuald Bonin ensemble à l'église.

La fête de la pendaison de crémaillère dura jusqu'après le souper. Quand vint le moment de partir, le vin aidant, le meunier demanda à Christine :

— J'aimerais te parler en privé.

Feignant la surprise, puisque Christine souhaitait que Romuald lui demande de la revoir, celle-ci l'amena à la sauvette dans la petite cuisine, prétextant auprès de sa tante Marie-Ange de vérifier s'il restait encore des jarres de vin à ramener pour les invités, avant leur départ. Voyant que le meunier accompagnait sa filleule, Marie-Ange fit un air de désolation à sa sœur Renée, laquelle haussa les épaules de dépit.

Dans la dépense, Christine se rendit compte que Romuald avait le visage rougi. Il restait là, sans mot dire. Pour lui donner le temps de ressaisir, Christine simula qu'elle n'avait pas compris.

— Il ne nous reste pas beaucoup de vin, seulement cette jarre presque vide. Dire que mon Pépère Égard appelait ce gros vase jaspé, une *amphore*. Il a dû apprendre ce mot dans son encyclopédie des plantes. Regarde, c'est plein de dessins bariolés sur la terre cuite. Il me disait que les anciens Grecs y conservaient leur huile et leur vin. Ah, mais je la reconnais: c'est la sienne, c'est son amphore! J'imagine qu'elle est ici parce que ma tante Marie-Ange en a hérité. Ça ne te sera pas difficile à transporter, Romuald. Tiens, je vais le faire moi-même, tellement le récipient est léger.

Romuald Bonin parut dérouté par le langage de Christine. Elle lui semblait si instruite, comparativement à lui. Et sa famille était si bien vue des autorités. Il craignait qu'elle se moque de ses gaucheries. Alors que Christine s'apprêtait à soulever le vase, Romuald l'en empêcha.

— Ce n'est pas un travail pour une belle et délicate jeune femme. Comme meunier, je ne compte plus les minots de blé que j'ai transportés d'une main. Sans parler de la grosse meule de pierre que je dois à l'occasion bouger, pour la nettoyer.

Par mégarde, Romuald avait glissé la menotte de Christine dans sa grosse main calleuse. Christine fixa alors son regard azur dans celui de Romuald. Le contact de l'épiderme de la jeune fille et son regard pénétrant lui firent perdre ses moyens, au point qu'il faillit échapper la jarre. Il la récupéra *in extremis*. Le meunier suffoquait, tant il était gêné de sa maladresse. Christine le rassura, en lui disant:

— Plus de peur que de mal! Allons, ne t'en fais pas: ça aurait pu être bien pire.

L'aplomb de la jeune fille redonna confiance au meunier. Il voulut lui reprendre la main, mais sa timidité l'en empêcha. Il s'empressa plutôt de lui faire sa demande, fixant le plancher plutôt que le regard de Christine.

— Je... heu... Crois-tu que ce soit possible de se revoir?

Christine voulut jouer au chat et à la souris, afin que Romuald soit plus précis.

— On se voit déjà à la messe, non?

— C'est que... je ne peux pas aller à la messe chaque dimanche: parfois les habitants attendent depuis des heures pour faire moudre leur blé, et je dois être au moulin. J'aimerais te voir... à un autre moment. Qu'on soit seuls, tous les deux.

Christine fixa de nouveau le meunier.

— Je comprends que tu voudrais me fréquenter pour le bon motif?

Libéré, Romuald resta sans voix. Il approuva de la tête.

— Le bon motif, c'est très sérieux. Il faut vraiment trouver la personne bien à son goût, et que ce sentiment soit partagé, n'est-ce pas ?

Le meunier pinça les lèvres.

— Je ne te demande pas de m'aimer autant que je t'aime, mais seulement d'essayer un peu… Est-ce possible ? demanda-t-il.

Romuald Bonin venait de faire sa déclaration d'amour. Jamais Christine ne s'attendait à un aveu aussi rapide, même si elle avait fait en sorte d'attirer le meunier dans ses filets.

— Comme je travaille à l'étude du notaire et que je dois aider ma tante, le soir, il n'y a que le dimanche après-midi où je puisse te retrouver au salon. Pourrais-tu venir ? Évidemment, nous serions chaperonnés.

Romuald était ravi de cette réponse aussi surprenante qu'excitante.

— Comme ça, je pourrais venir dimanche prochain ?

— Pourvu que mon oncle Louis-Daniel t'en donne la permission. Viens le lui demander demain, en même temps que tu lui apporteras sa farine.

Le visage du meunier s'éclaira. Il avait bien l'intention de doubler le nombre de sacs de farine du capitaine de milice pour le même prix. Comme il était fort dans le négoce, il saurait bien arracher la permission à Louis-Daniel Guilbault — à l'usure s'il le fallait, et quitte à demander du renfort à son ami Corbin.

La vie du meunier semblait prendre un nouveau tournant, alors que Christine semblait motivée à gagner du temps. Il fallait maintenant attendre le moment de consulter la sage-femme, au cas où son état de santé se détériorerait.

Chapitre XXXII

Le pain bénit

Partagé à la Chandeleur, fêté dans le calendrier liturgique quarante jours après la naissance du Christ ou le dimanche le plus près du 2 février, le pain bénit était considéré comme le symbole de l'unité de la paroisse desservie par le curé. Il remplaçait l'hostie de la sainte communion. Puisque monseigneur de Saint-Vallier avait spécifié dans son catéchisme publié en 1702 que la première communion devait se faire vers l'âge de douze ans, les enfants ne pouvaient bénéficier des grâces de la Sainte-Eucharistie.

Les dimanches, chaque famille fournissait à tour de rôle le pain fait de froment, le séparait en petits morceaux et l'apportait dans une corbeille à la balustrade. Au début de la messe, le prêtre bénissait le pain et le faisait distribuer chaque membre de la famille présente. Chacun en prenait un morceau, puis le père de famille ramenait le pain à la maison, afin de le remettre aux enfants et autres membres de la famille qui n'avaient pas pu venir à la messe.

Le 9 juillet 1721, l'intendant Bégon avait émis une ordonnance, à la demande du curé de l'île Dupas, obligeant les habitants de Berthier et de Sorel à apporter (sous peine d'amende s'ils l'oubliaient) le pain bénit à l'île Dupas, où ils sont desservis, et ce, en rotation parmi les paroissiens de la place. Cette pratique ne dura que huit ans, puisque l'église de Berthier fut bénie le 17 novembre 1729. Celle de Lanoraie fut construite peu après.

N'ayant plus sa raison d'être, l'église située à l'extrémité ouest de l'île Dupas fut remplacée par un nouveau temple, érigé au milieu de la partie de l'île, au nord du marais, et dont la façade est orientée vers le nord-ouest.

Amable Fleury n'avait pas daigné demander l'autorisation au jeune curé Pierre René Martel de faire baptiser son nouveau-né, Ignace, par le curé Papin, alors que ce dernier avait omis d'en aviser le curé desservant l'île Dupas. Le jeune curé en prit ombrage et menaça son confrère de Berthier de représailles, en recourant à la même pratique de la rotation du pain bénit à l'île Dupas que celle instaurée par l'intendant Bégon cinquante-cinq ans auparavant. Sinon, il serait dans l'obligation de refuser l'hospitalité de son église aux paroissiens de Sainte-Geneviève de Berthier.

Atterré par la nouvelle, le curé Papin se rendit aussitôt demander conseil à son ami, le notaire Faribault. Celui-ci recommanda au curé de réunir ses marguilliers, puisque la menace concernait les paroissiens de tous les rangs de la seigneurie. Le marguillier Louis-Daniel Guilbault proposa au curé de tenir la réunion chez lui, le dimanche suivant, après la messe, en présence du desservant Martel et d'un de ses paroissiens, Jacques Cotnoir, de l'île Saint-Ignace.

Christine avait revu sa cousine Angélique, le dimanche précédent, lors de la pendaison de crémaillère, et cette dernière s'était étonnée de son intérêt pour le meunier. Plutôt que lui en donner les raisons, Christine avait préféré élaguer la question, en répondant :

— Que veux-tu, j'aime les hommes aux cheveux blonds, et Romuald est le célibataire disponible aujourd'hui qui les ait !

Angélique avait répondu, laconique :

— Alors, dépêche-toi, car à son âge, il ne conservera pas ses rares cheveux blonds bien longtemps !

Connaissant bien Christine, Angélique se fit la remarque que sa cousine devait cacher un très lourd secret, car sinon, elle lui aurait déjà tout dit. Lorsqu'elle entendit la rumeur que le meunier fréquenterait Christine, Angélique saisit la première occasion pour interpeller sa cousine, dès que celle-ci arriva pour dîner avec ses parents chez les Guilbault.

— Est-ce vrai ce que ma tante Marie-Ange a dit à ma mère à propos du meunier ?

Christine feignit de ne pas comprendre.

— Peux-tu me dire ce qui ne va pas, Christine Comtois, pour que tu sois si secrète avec moi ? Il me semblait que l'on s'était déjà juré de tout se dire ! Va-t-il venir te fréquenter ou pas ?

Christine reconnut qu'elle avait négligé Angélique ces derniers temps, et elle décida de remédier à la situation. Elle prétexta aller au potager avec sa cousine pour chercher quelques légumes à préparer en salade.

— J'ai accepté que Romuald Bonin me fréquente. Nous nous sommes vus quelques fois et…

— Arrête ton boniment, Christine ! C'est plutôt toi qui l'aurais excité pour qu'il se fasse des idées à ton endroit. C'est un vieux garçon : il ne parle jamais aux femmes. C'est ça que je ne comprends pas. Qu'est-ce que tu lui trouves tant ? Jolie comme tu l'es, tu pourrais espérer un bien meilleur parti, et plus jeune de surcroît. Pourquoi te dépêcher tant ? Tu n'as pas encore tes vingt ans ! Est-ce le deuil de la mort de François Fafard qui te bouleverse encore ?

Christine s'était penchée pour ramasser quelques concombres et radis. Elle se releva lentement, se demandant si elle devait se confier à Angélique, comme elle l'avait fait avec Geneviève Faribault, en prenant le risque que sa cousine évente son secret à sa tante Renée.

— Je n'aurai peut-être pas le choix de me marier. Alors, c'est aussi bien pour moi d'intéresser un homme qui me prendra dans l'état où je serai.

Angélique prit quelques secondes pour analyser la réponse déroutante de Christine. Soudain, elle saisit l'allusion. Elle vérifia l'information, en suggérant une analogie.

— Comme la Vierge Marie ?

Christine approuva de la tête.

— En es-tu certaine ?

— Pas encore, mais presque.

Angélique fit un calcul rapide.

— Ton beau colonel américain, n'est-ce pas ?

Pour toute réponse, des larmes mouillèrent les yeux de Christine. Angélique comprit le drame complexe de Christine d'être enceinte d'un colonel ennemi qui, parce qu'il y était banni à vie, ne reviendrait jamais à Berthier ou à Sorel. Elle s'approcha de Christine et tenta de la consoler.

— En as-tu parlé avec ma tante Marie-Ange?

Christine fit signe que non, tout en cherchant à refouler ses pleurs.

— Le meunier le sait-il?

Christine émit un faible: «Pas encore».

— En quoi puis-je t'aider? demanda Angélique, décontenancée par la révélation du secret de Christine.

Les sanglots étranglaient la gorge de la pauvre femme. Pour toute réponse, elle mit le doigt sur la bouche de sa cousine, lui demandant de garder le silence.

— La tombe. Tu peux compter sur ma discrétion, dit Angélique. Maintenant, sèche tes pleurs, pour que les autres ne remarquent rien. Allons dans ta chambre; je vais t'aider à refaire ton maquillage. Tu seras toujours la plus belle, tu sais.

La discussion était encore animée, quand Romuald Bonin fut reçu par Christine.

Le curé Papin n'en revenait pas qu'un jeune blanc-bec puisse détruire sa mission de réconciliation entre les citoyens de Berthier et des îles, simplement par orgueil. Du salon, les deux célibataires pouvaient entendre les points de vue opposés des participants.

— Cher confrère, la charité chrétienne a permis aux familles de nos paroisses respectives de se réconcilier.

Louis-Daniel Guilbault et Jacques Cotnoir opinèrent. Fort de cet appui, le curé Papin continua.

— Vous devriez me pardonner cette bévue de préséance; j'ai agi en toute bonne foi, soyez-en convaincu. Je vous prie de recevoir mes plus sincères excuses. J'ai péché par excès de zèle et non par égoïsme. Il vous faut le comprendre. Si vous le désirez, je m'excuserai en chaire devant tous mes paroissiens, et aussi les vôtres, qui seront toujours bienvenus à Berthier.

Le curé Papin venait de faire acte d'humilité. Il ne pouvait pas consentir à davantage. Cependant, Pierre René Martel était aussi rigoriste que le curé Papin était tolérant et accommodant.

— Messire Papin, faire amende honorable est facile, quand le mal est fait. Vous avez humilié le curé desservant les habitants de l'île Dupas, eux qui souffrent déjà depuis dix ans de l'absence d'un curé permanent. En m'humiliant, vous les avez humiliés aussi.

Le curé Papin était rouge de colère. Tellement que ses marguilliers craignirent qu'ils fassent une attaque. Le notaire Faribault crut bon d'intervenir.

— Ce différend de juridiction concerne le grand vicaire Saint-Onge à Trois-Rivières. Avant d'en arriver là, ça ne doit pas être si difficile de mettre de l'eau dans votre vin, messire Martel.

Comme un coq fringant, le jeune curé monta sur ses ergots.

— Je vous défends d'insulter la Sainte-Eucharistie, notaire, car c'est un blasphème qui pourrait aller jusqu'à l'excommunication, croyez-moi ! Je pourrais en informer le Vatican !

Le curé Martel avait toujours souhaité professer dans la Congrégation de Jésus, mais les Anglais avaient chassé les membres de cette communauté au moment de la Conquête. Le notaire Faribault le savait. Il se doutait que le jeune arrogant ferait des pieds et des mains pour entacher sa réputation. Serait-il capable d'outrepasser la juridiction du vicaire général et même de l'évêque de Québec ? Le curé Papin le craignait.

Un silence plana dans la cuisine où se tenait la réunion. Le curé Martel ne voulait pas faire de concession. La menace du notaire Faribault lui coulait sur le dos, comme l'eau sur les plumes d'un canard. Pierre René Martel tenait la dragée haute à ses vis-à-vis de Berthier.

Louis-Daniel Guilbault tenta à son tour d'amadouer le jeune curé.

— J'ai été élevé à l'île Dupas et j'y ai encore de la parenté, comme à l'île Saint-Ignace. Pourquoi êtes-vous si intransigeant ? Marie-Ange et moi aimons parfois aller à l'église de l'île Dupas, comme vos paroissiens aiment venir à Berthier. La visite de la famille passe par l'église.

— Sauf votre respect, votre argument sent la bonasserie, monsieur Guilbault. C'est indigne d'un capitaine de milice.

Louis-Daniel vit rouge. Il tenta de faire craquer l'insolent ecclésiastique qui avait insulté son statut de chef de police, en bluffant sur le lieu de résidence du commandant américain.

— Sauf votre respect, monsieur Martel, comment osez-vous nous faire la leçon, alors que ce diable de colonel Livingston, celui qui a incendié le manoir et fait prisonnier le seigneur James Cuthbert, habitait dans votre paroisse ? Ce monstre américain a détruit nos familles, ici comme à l'île Dupas, comme personne ne le fera jamais.

Jacques Cotnoir grimaça. Le notaire s'en aperçut.

En entendant son oncle qualifier le colonel Livingston de diable et de monstre, Christine crut défaillir, tant elle eut mal au ventre. Elle eut l'impression que son bébé voulait sortir de son sein, même si elle n'avait pas encore la certitude qu'il y était. Elle aurait voulu crier à son oncle qu'elle aimait James Livingston à la folie, mais que son amour était impossible, comme le lui avait dit son amant. Le cœur brisé, plutôt que de pleurer comme elle en avait envie, Christine glissa sur le banc, évanouie. Elle allait tomber par terre quand Romuald la récupéra en la prenant dans ses bras. Ne sachant plus quoi faire, il se dirigea vers la cuisine afin d'appeler à l'aide.

Louis-Daniel resta livide alors que le curé Martel se leva. Le curé Papin et le notaire Faribault se regardèrent, tout surpris de l'attitude du meunier.

— Votre nièce s'est évanouie, monsieur Guilbault. Il faudrait sans doute l'étendre sur son lit.

Le capitaine de police se leva aussitôt, prit Christine des bras du meunier, et alla retrouver sa femme Marie-Ange. Celle-ci était encore en train de faire visiter la maison à sa sœur Renée et à sa nièce Angélique.

En entendant les cris et les exclamations des deux tantes de Christine, Romuald sut qu'elles s'en occuperaient. Aussitôt, Marie-Ange alla chercher des sels et Christine reprit ses esprits, au grand soulagement de tous. Louis-Daniel Guilbault attendit que Christine se remette de ses émotions. Quand il revint à la réunion, il expliqua que sa nièce avait eu un léger malaise sans conséquence. Indigné, le curé Martel demanda à Romuald, à la consternation des autres devant son manque total de compassion :

— Qui êtes-vous, polisson, pour venir déranger cette réunion de la plus haute importance, pour si peu ?

Romuald vit le rictus de mépris du curé. L'injure avait été droit au cœur de Romuald Bonin. Il n'allait pas se faire insulter deux fois par ce blanc-bec. L'amour lui donnait des ailes, comme celles de son moulin. Même s'il se rappelait qu'il avait jadis empoigné Léo Coderre et lui avait enjoint de mettre le trouble ailleurs, il savait que cela n'était pas possible avec des ecclésiastiques. Bonin prit une profonde respiration, avant de rétorquer :

— Romuald Bonin. Je suis le cavalier de mademoiselle Christine Comtois, la nièce de messieurs Guilbault et Cotnoir, ici présents.

Le curé Martel sursauta. Personne ne lui avait dit que Louis-Daniel Guilbault et Jacques Cotnoir étaient beaux-frères. Romuald profita de cette surprise pour reprendre son souffle. Il venait de faire un effort surhumain, en s'adressant de la sorte à un ministre du culte.

— Je suis aussi depuis plusieurs années le meunier de Berthier. Et aussi de l'île Dupas et de l'île Saint-Ignace. C'est à mon moulin que tous vos paroissiens viennent faire moudre leur grain.

Pierre René Martel parut aussi surpris par cette information.

— Je vous annonce, messire Martel, que dorénavant, je ne moudrai plus le blé de vos paroissiens, à moins qu'ils ne soient apparentés à Christine, comme les Guilbault et les Cotnoir. Pas de blé, pas de petit pain bénit, vous comprenez ça ? Vos paroissiens viendront en chercher à l'église de Berthier, où ils pourront faire leurs dévotions. Je recommencerai à moudre leur grain quand vous abandonnerez cette idée saugrenue de rotation du pain bénit. Moi aussi, je suis capable d'être inflexible.

Les laïcs du groupe regardaient, hébétés, le meunier, alors que le curé Papin s'exclama :

— Monsieur Romuald Bonin est un paroissien respecté de Berthier, en plus d'être un bon catholique. C'est grâce à de tels citoyens que Berthier va de l'avant, en l'absence de son seigneur, n'est-ce pas, notaire Faribault ?

Interpellé, le notaire sortit de sa surprise.

— J'allais le dire, monsieur le curé. Monsieur Bonin est éligible à la fonction de marguillier.

— Tout juste. Il sera proposé comme marguillier, à la prochaine vacance de la fonction.

Devant l'enthousiasme des notables de Berthier, le curé Martel abdiqua. Se levant de sa chaise, s'apprêtant à partir, il déclara, hautain :

— Mieux vaut ne pas informer le vicaire général Saint-Onge de nos pourparlers, car pour ma part, cet incident est clos, messire Papin. Vos paroissiens de Sainte-Geneviève et de Berthier sont les bienvenus à l'église de l'île Dupas, en espérant que vous continuiez à moudre leur blé à votre moulin banal. Maintenant, j'aimerais retourner auprès de mes fidèles.

Fier de sa victoire, sans être arrogant, le curé Papin remercia son jeune émule de s'être déplacé à Berthier.

Jacques Cotnoir s'offrit pour aller reconduire le curé Martel. Celui-ci déclina la proposition.

— Non, merci. Restez en famille, puisque nous sommes tous pour la réconciliation, après ces temps si difficiles. J'irai à pied: cet exercice stimule la spiritualité. Si en chemin, un bon samaritain des îles veut bien me faire la charité du transport, je ne dirai pas non.

Comme Jacques Cotnoir insistait quand même, Pierre René Martel trancha.

— Uniquement si vous êtes sur votre départ.

En la saluant, Angélique confia à Christine qu'elle serait toujours sa confidente, alors que Renée conseilla à sa nièce:

— Tu as toujours ta place à l'île Saint-Ignace. L'air du fleuve te fera le plus grand bien. Quand on pense qu'à l'automne passé, les Américains nous envahissaient. Il faut maintenant penser à l'avenir.

Angélique se rendit aussitôt compte de l'immense tristesse dans le regard de Christine.

Elle qui voulait tomber amoureuse d'un bel officier américain! La voilà dans de beaux draps maintenant!

Le curé Papin annonça qu'il quittait les lieux à son tour, non sans avoir béni Christine et remercié encore une fois le meunier. Pour leur part, Marie-Ange et Louis-Daniel Guilbault insistèrent pour que Romuald partage leur repas du soir. Au moment du bénédicité, Marie-Ange jeta un coup d'œil critique pour jauger la dévotion du meunier.

Quand vint le temps pour Romuald de retourner à son moulin de Pointe-Esther, Louis-Daniel Guilbault s'empressa de mentionner:

— Je suis bien occupé, par les temps qui courent, avec les exercices militaires et tout ça... Je me demande si j'aurai le temps d'aller chercher mon froment cette semaine. Crois-tu, Romuald, que tu pourrais me l' apporter dimanche prochain après la messe? Comme ça, tu resterais à dîner avec nous. Et quant à ça, pourquoi ne pas venir assister à la messe dans notre banc: nous repartirions de l'église ensemble.

Le meunier sourit, alors que Christine avait grimacé. Marie-Ange donna un coup de coude à son mari.

À son départ, avant qu'il ne demande à Christine s'il pouvait espérer la revoir, celle-ci le remercia encore une fois pour son acte d'héroïsme.

— Je suis comme ça, mamzelle Christine. Je me battrai toujours bec et ongles pour défendre ceux que j'aime. Vous n'avez pas à me remercier, je défendrai toujours la cause de la veuve et de l'orphelin.

Émue, Christine eut l'impression que son fœtus avait tressailli, en lui demandant d'avoir un père, comme tous les autres enfants. Elle se sentait comme une veuve de guerre dont le mari et le père de ses enfants ne reviendraient plus jamais. Elle connaissait la veuve Cailla, de l'île Dupas, dont le mari s'était fait tuer lors de la bataille de Trois-Rivières. Ludivine Cailla, avec ses quatre enfants, verrait sans doute d'un bon œil de se remarier avec un bon parti comme le meunier. Juste à se le figurer, Christine se sentit en compétition. Et puis la veuve Cailla n'était pas la seule. La veuve Lanouette, du petit rang Bonaventure, irait elle-même faire moudre son blé, puisque son mari était mort quelques années avant la guerre.

— J'aimerais que tu reviennes me voir dimanche prochain, Romuald. Après la messe, comme mon oncle le disait. Nous pourrions dîner et aller faire un tour en barque autour des îles, pendant qu'il fait encore chaud.

Si l'invitation plut à Romuald, sa réponse se fit attendre.

— As-tu changé d'idée, Romuald? demanda Christine, inquiète que son prétendant ait jeté son dévolu sur une autre.

— C'est que… j'ai peur de l'eau. Je ne navigue même pas sur la Bayonne. Même que je préfère vivre en haut de mon moulin que dans ma cabane, de l'autre côté de la rivière. Et puis, le pont de corde me donne le vertige.

Christine respira d'aise. À première vue, il n'y avait pas d'autres motifs de se méfier de son silence.

— Alors, nous pourrions seulement aller faire un tour le long du sentier longeant le chenal. Il n'y a aucun risque de tomber à l'eau, crois-moi.

Tout heureux de la perspective de peut-être tenir la main de la belle rousse pendant la balade, Romuald sourit. Il déchanta un peu quand Christine ajouta:

— Ma tante Marie-Ange tient absolument à nous chaperonner. Pour les convenances, tu comprends. Elle nous accompagnerait.

Le soir même, dans leur chambre, Marie-Ange apostropha son mari.

— Que sont ces histoires d'exercices militaires ? La guerre est finie. Je sais que tu l'aimes bien, Romuald, mais c'est Christine qu'il veut fréquenter, pas nous ! C'est à elle de le réinviter.

— Mais il m'a demandé s'il pouvait venir veiller au salon !

— Pour la première fois, oui. Pour la prochaine, ça aurait dû être à Christine de faire l'invitation. Tu vois, tu l'as peut-être forcée à le revoir.

Louis-Daniel détestait perdre la face.

— Christine n'aura qu'à prétexter une sortie, ou quoi que ce soit d'autre. De toute manière, c'était pour remercier Romuald d'avoir fait mordre la poussière à ce jeune blanc-bec de curé Martel.

Marie-Ange haussa les épaules, en se disant qu'elle ne réussirait pas à changer son mari, depuis le temps.

Chapitre XXXIII

La sage-femme

Le début du mois de septembre 1776 fut radieux, comme celui de l'année précédente. Cependant, Christine vivait des jours sombres. De gros nuages noirs se profilaient au-dessus de son existence. Elle se rappela qu'à peine quelques années auparavant, elle n'était qu'une petite fille qui rêvait du grand amour ; aujourd'hui, elle était aux prises avec une situation pratiquement insoluble. Plutôt que de vivre la passion amoureuse, elle se retrouvait possiblement enceinte d'un officier de l'armée américaine qui combattait en Nouvelle-Angleterre, de surcroît marié et père de famille, qui lui avait demandé de l'oublier à tout jamais. Elle ne voyait que deux portes de sortie à cette situation : l'avortement ou le mariage avec le meunier.

Romuald Bonin était venu de façon assidue, les dimanches après-midi. Christine s'attendait à ce qu'il se présente de la même façon, la prochaine fois, et qu'il fasse sa grande demande à son oncle Louis-Daniel, car c'était la coutume à la campagne de demander la main de sa dulcinée après quatre rencontres. Les curés de paroisse le recommandaient fortement, afin d'éviter les naissances prénuptiales. Christine pensait que dans son cas, les choses se passeraient comme la tradition l'exige. Mais ce ne fut pas le cas, avec le meunier. Elle pouvait toujours demander à son oncle de retarder sa réponse, le temps d'être plus certaine de sa condition. Comme elle croyait être enceinte depuis trois mois, elle décida, selon la suggestion de son amie Geneviève, de consulter la sage-femme Boucher.

Fille de médecin, Marie-Andrée Boucher vivait à la Grande-Côte. Dans sa famille, on pratiquait le métier de sage-femme depuis des générations. Son aïeule, Marguerite Pelletier, de Rivière-du-Loup, avait été jadis une sage-femme réputée, de Trois-Rivières jusqu'à Montréal et Québec. Lorsque Christine se rendit chez elle pour lui demander de l'aider à repasser les vêtements sacerdotaux du curé Papin, aucun indice ne laissait présager à la sage-femme — pas même la silhouette de Christine — qu'elle venait en fait pour elle-même. Or, Marie-Andrée Boucher eut tôt fait de comprendre que Christine Comtois avait besoin d'assistance particulière.

À la campagne, la parturiente accouchait habituellement à la maison, souvent dans son lit, secondée par la sage-femme. Quand la famille était trop nombreuse, la sage-femme invitait la future maman à venir accoucher chez elle, dans une chambre organisée exprès pour la délivrance.

Marie-Andrée invita Christine à visiter sa chambre de maternité. Elle accepta d'abord, par curiosité, pour se rendre compte que Marie-Andrée avait saisi le véritable motif de sa visite.

Dans la chambrette collée à la cheminée du rez-de-chaussée où régnait une odeur d'éther, le lit prenait toute la place. Un gros traversin faisait office d'oreiller : celui-ci était placé dans le dos des mères, qui accouchaient assises. Christine vit un chaudron. Marie-Andrée lui expliqua qu'au moment de l'accouchement, on le réchauffait et la parturiente s'asseyait au-dessus ; la chaleur avait pour effet d'aider la dilatation du col de l'utérus. Après l'accouchement, on remplissait le récipient d'eau chaude et il servait à faire la toilette du nouveau-né et de la maman. Christine parut intriguée en voyant une chaise percée assez basse.

— C'est la chaise d'expulsion de l'enfant, pour les cas de siège ou d'accouchement difficile où la maman ne le pourrait pas.

Christine remarqua aussi des instruments chirurgicaux, lancettes, bistouris, clystères et poires à lavement. Quelques bouteilles d'éther trônaient, dégageant un air d'hôpital. Elle grimaça. La sage-femme sourit.

— Les lancettes et les bistouris ne sont employés que par le médecin ou le chirurgien, lorsque je les fais appeler d'urgence.

Notre confrérie des sages-femmes nous défend formellement de les utiliser. L'éther sert à les nettoyer.

— Comme on dit, le toucher est la boussole de la sage-femme... Mais notre savoir-faire est aussi beaucoup ici.

Marie-Andrée martelait maintenant son front.

— La prudence et la rapidité de décision sont les ingrédients d'une carrière fructueuse.

Christine comprit vite que le jugement de la sage-femme valait autant que son habileté manuelle.

— J'aurais pu être fortement rémunérée si j'avais travaillé dans les grandes villes de Québec et de Montréal, où la demande est forte. On me le demande encore régulièrement. Mais ici, à Berthier, l'habitant sur sa terre arrive à peine à joindre les deux bouts. Nous nous entraidons entre femmes. Je ne demande que le gîte et le couvert, quand je me rends chez l'habitant. Et si j'offre mes services ici, c'est gratuit. Je reçois quand même quelques poules, parfois un mouton, du poisson et surtout des conserves. Une fois, un habitant de Lanoraie a voulu me payer en tabac à pipe. J'ai refusé tout net en lui disant que j'accepterais quand ce serait lui qui accoucherait ! Il est revenu m'offrir la robe blanche de mariée de sa femme. Je l'ai acceptée et je l'ai remise à ma fille. Enfin un qui a compris que nous pouvons avoir des goûts différents de nos maris, en dépit de la loi !

Christine était reconnaissante de la franchise de la sage-femme réputée.

— J'ai un gros doute, Christine, que tu n'es pas venue pour me demander de faire du repassage. Tu es trop futée pour ça.

La question prit Christine de court.

— Heu... Vous avez raison, madame Boucher. J'ai une amie qui croit être enceinte de trois mois, et qui se demande comment faire pour en être certaine. Elle m'a déléguée auprès de vous.

— Car cette amie est soit une fille de notable qui craint de se faire reconnaître, soit une jeune fille célibataire si embarrassée qu'elle ne pourrait pas me poser la question directement.

Christine devint écarlate. La sage-femme l'avait piégée. Elle restait silencieuse.

— Est-ce Geneviève Faribault ?

— Non, bien entendu, répondit aussitôt Christine.

Marie-Andrée Boucher sourit.

— Donc, ce serait plutôt la seconde option : une jeune femme célibataire qui tente de contourner le motif réel de sa visite en me demandant de repasser la soutane du curé Papin, c'est bien ça ?

Marie-Andrée avait vu juste. Christine s'était couverte de ridicule.

— Tu as un gros problème sur les bras, ma fille, n'est-ce pas ?

Christine éclata en sanglots.

— Viens à la cuisine. Mon mari est aux champs, il ne reviendra que pour le souper. Nous avons le temps. Je te demande de te confier à moi, comme si j'étais ta mère. Tu as perdu la tienne toute jeune, n'est-ce pas ?

Christine opina, tout en refoulant ses larmes.

— Pleure un bon coup, ça te soulagera. Tiens, prends mon mouchoir. Il est tout propre. Ici, le linge doit être toujours immaculé. Alors, raconte-moi tout. Par ailleurs, pour éviter d'être accusée de commérage, je ne veux pas savoir qui pourrait être le père.

Christine raconta qu'elle était tombée amoureuse d'un homme extraordinaire. Cependant, il était marié avec enfants. Par une lettre, il lui avait demandé de l'oublier.

— Un soldat, pour sûr, qui doit être en train de combattre au lac Champlain.

Christine ne répondit pas. Marie-Andrée comprit qu'elle dérogeait elle-même à ses directives. Elle pinça les lèvres.

— Te l'avait-il dit avant ou si tu l'as su après qu'il était marié ?

— Je le savais.

— Honnête envers toi, pas envers sa femme. C'est déjà ça de gagné. Enfin, ça ne change rien au problème. Donc, tu voudrais savoir si tu portes ce problème, n'est-ce pas ?

Christine approuva.

— Je te préviens, je ne le ferai pas passer, cet enfant, si tu le portes. Cependant, je pourrais être de bon conseil. Es-tu régulière d'habitude ?

— Comme une horloge.

— Je vois. As-tu eu des nausées — ça veut dire des haut-le-cœur — ou des vomissements ?

— Oui.

— Régulièrement.

Christine approuva.

— As-tu l'impression d'entendre l'enfant tressaillir ?

— Oh oui !

— Ce n'est peut-être que de la nervosité. Certaines femmes font des grossesses nerveuses, car elles veulent trop être enceintes. Ça s'est déjà vu à Berthier, du côté de ma famille. Ce n'était que du vent.

— Si c'était ça, j'en serais si heureuse.

— Je comprends. Toutefois, il faut que tu me jures qu'en cas contraire, tu ne le haïras pas, cet enfant de Dieu.

Christine ne répondit pas. Marie-Andrée insista.

— Il faut te forcer à l'aimer, même si ce n'est pas pour les bonnes raisons.

— Que voulez-vous dire ?

— Si le père est aussi beau que toi-même peux être jolie, il vous ressemblera. C'est déjà une grande consolation. Et si tu te mariais obligée, ton mari fondra à la vue de l'enfant, fille ou garçon. À plus forte raison, si tu mariais un vieux garçon. Comme le meunier, par exemple.

— Pourquoi dites-vous ça ?

— Parce que je vous ai vu à la messe, côte à côte, dans le banc des Guilbault, en train de papoter comme des gamins, et que le bruit court qu'il te fréquente assidûment. Or, comme il n'a pas le genre à sauter la clôture, en te voyant entrer, je me suis doutée que…

Christine prit quelques secondes pour demander un conseil.

— Pensez-vous que c'est une bonne décision que d'épouser cet homme pour sauver les apparences ?

— À la condition que tu lui expliques ta condition, le cas échéant. Tu perdras sur tous les plans, si tu lui joues dans le dos. S'il accepte, alors tu auras été honnête avec lui.

— Et l'amour dans le mariage ?

Marie-Andrée Boucher parut songeuse, comme si elle filtrait les souvenirs de sa propre vie amoureuse.

— Si tu ne rebutes pas à dormir avec le meunier, l'amour viendra avec le temps. La plupart des femmes que j'accouche n'ont jamais ressenti de plaisir à faire l'acte. Et pourtant, elles font de bons ménages. C'est l'homme qui doit se servir en premier. La femme a d'autres consolations, comme l'amour de ses enfants.

Comme Christine semblait douter de l'explication de la sage-femme, celle-ci la toisa avec un demi-sourire.

— Tu as connu mieux, on dirait ! Et tu trouves que je parle comme le curé Papin ! C'est la femme, avec son bagage et son vécu, qui t'a livré son expérience.

Les deux femmes se sourirent, puis il y eut un moment de silence.

— Suis-moi dans la pièce d'à côté. J'ai peut-être babillé tout ça pour rien.

La sage-femme procéda d'abord à un examen gynécologique, puis elle palpa les seins de Christine.

— À te palper, je constate que tes tétons sont fermes et que ton utérus est légèrement gonflé. Je crois que tu es enceinte. En plus, tes symptômes apparents vont dans le même sens. Ça m'est déjà arrivé de me tromper, mais c'est plutôt rare. Je peux te recommander une visite au médecin des Trois-Rivières. Mais il sera obligé de le déclarer au grand vicaire Saint-Onge, qui en informera ta famille.

Christine faillit s'évanouir. Marie-Andrée alla chercher les sels pour la réanimer, au cas où.

— Ça cogne dur, mais au moins tu peux savoir à quoi t'en tenir. En tout cas, ce n'est pas une grossesse nerveuse. Je ne crois pas que ton ventre soit gonflé de « vent ». Tu pourrais toujours aller voir le médecin à Montréal.

Christine pensa à Elizabeth Livingston.

— Non, pas Montréal.

— Sorel ? Les eaux du fleuve sont déjà froides, c'est dangereux pour ta santé, autant que pour celle du bébé.

Le seul nom de Sorel donna la nausée à Christine.

— Le bébé ne semble pas aimer Sorel, on dirait ! Nous pouvons toujours attendre un autre mois pour en être certaines.

— Si je me mariais sous peu, ça serait un petit cinq mois.

— Tant que ton ventre n'est pas apparent, personne ne jasera. Et quand l'enfant viendra au monde, Romuald et toi n'aurez qu'à dire que vous aviez fait la chose à sa cabane, en face de Pointe-Esther, ni vus ni connus.

— Corbin nous a présentés l'un à l'autre en automne dernier, et Romuald et moi nous sommes revus depuis.

Christine se souvint qu'à cette même époque, quelqu'un aurait pu l'avoir vue essayer de prendre la main d'un homme, possiblement le meunier, et les voir emprunter le petit pont suspendu, en direction de la cabane. Autant de possibilités de commérage sur l'identité du géniteur de l'enfant. Cette perspective lui donna le frisson. Que cette grossesse lui semblait compliquée.

— Donc, des témoins pourraient confirmer que cela fait déjà un certain temps que vous vous connaissez, n'est-ce pas ? C'est à toi de persuader le meunier de vous marier rapidement.

— Donc, je pourrais attendre encore un mois.

— Le curé ne marie plus après le commencement de l'avent, et le 1er décembre, tu seras déjà grosse.

La sage-femme avait livré non seulement son expertise professionnelle, mais aussi des conseils sensés à Christine.

Celle-ci attendrait donc la prochaine visite du meunier pour décider de son sort.

Chapitre XXXIV
La grande demande

Le dimanche suivant, après le dîner, le meunier se présenta chez Christine. Il était revêtu de ses plus beaux habits et portait même de souliers neufs, qu'il avait dû fabriquer lui-même dans ses rares moments de loisir.

Lorsque Romuald s'avança vers la porte d'entrée, Christine remarqua qu'au lieu de son bonnet pointu, il portait son vieux tricorne au feutre usé, chapeau des grandes occasions. Il avait en main une grosse gerbe de blé.

C'est étrange. Ça ne fait même pas un mois que nous avons fêté la gerbe de blé, et voilà qu'il s'amène avec une autre gerbe. Qu'est-ce qu'il lui prend?

À peine accueilli par Christine, Romuald se justifia:

— C'est pour monsieur Guilbault, dit le meunier en rougissant.

Christine comprit que le meunier était venu faire sa grande demande au vieux capitaine de police, qu'il considérait comme le père adoptif de sa dulcinée.

— Tu t'es mis sur ton trente-six! D'ordinaire, mon parrain n'est pas si regardant sur l'accoutrement des gens. Peu importe: moi, je te trouve bien beau comme ça!

De rouge qu'il était, le visage de Romuald devint écarlate.

— Parce que c'est plutôt pour toi que je suis mis dans mes plus beaux atours. Parce qu'avant de parler à monsieur Guilbault, il faut que j'aie ton accord sur quelque chose, tu comprends.

Comme Christine restait coite, Romuald déroula la gerbe de blé. Il y puisa un bouquet de violettes séchées qu'il remit à la jeune fille.

— C'est pour que tu saches que… que je me suis beaucoup attaché à toi, et que…

Le meunier bafouillait, bégayait, tant ce qu'il avait à dire à Christine l'étranglait. Celle-ci l'invita à s'asseoir sur le sofa et à boire un peu d'eau fraîche. Rien n'y fit. Il continua à fixer le plancher, en déboutonnant son col pour mieux respirer.

— Qu'elles sont belles ! Un gros merci, Romuald.

Christine en profita pour embrasser pudiquement le meunier sur la joue. Christine se rappela sa conversation avec Geneviève Faribault, qui avait souhaité être la marraine de la fillette de Christine, et de la prénommer Violette. Christine en fut très émue. Elle crut que sa mère et sa grand-mère lui envoyaient un signe, du haut du ciel. Christine en profita pour aller chercher un vase. En revenant, sa tante Marie-Ange lui demanda à voix basse :

— Il doit bien y avoir quelque chose de spécial pour que ton Romuald soit vêtu comme un notable. Et pourquoi ce vase ?

Christine mit le doigt sur sa bouche signifiant à sa tante que Romuald pouvait tout entendre.

— Il n'a rien dit encore ! Il vient de m'apporter un bouquet de violettes, chuchota Christine.

— Des fleurs !

Étonnée, Marie-Ange haussa les épaules, signifiant que le meunier n'était pas pressé de s'exprimer.

— Qu'il n'attende pas à la dernière minute pour que Louis-Daniel soit parti aux bâtiments… Ah oui, ne l'invite pas à souper, s'il n'a pas fait sa grande demande. Un bon pot au feu, ça se mérite.

— Voyons ma tante ! C'est vous qui l'inviterez.

— J'aime autant ça.

Lorsqu'elle revint avec le vase, le meunier avait vidé son verre d'eau.

— Avoir su, je n'aurais pas bu toute l'eau.

— Voyons, ce sont des fleurs séchées : elles ne reviendront pas à la vie ! Ces violettes sont magnifiques. Toutes tristes et toutes contentes à la fois. D'ailleurs, je les aime mieux séchées. Elles resteront ici aussi longtemps que tu reviendras me voir, dit Christine, plaçant les fleurs séchées dans le vase et installant le bouquet sur le guéridon près du sofa.

— Est-ce que nous pourrons les ramener ensemble au moulin ? lâcha Romuald, ragaillardi par la réaction de Christine.

Celle-ci se retourna vivement vers Romuald. Les deux tourtereaux se regardèrent dans les yeux.

— J'aimerais faire ma grande demande à ton oncle aujourd'hui. Seulement, ce n'est pas avec lui que je veux me marier, mais avec toi. Il me faut ton assentiment d'abord. Christine, voudrais-tu devenir ma femme ?

Émue, en silence, Christine ressassait sa réflexion des derniers jours, ses conversations avec son amie Geneviève et la sage-femme Boucher. Elle en était venue à la conclusion que la demande en mariage du meunier serait la meilleure issue possible. Cependant, elle se devait de lui dire la vérité sur sa grossesse et sur ses propres sentiments.

— Oh, je sais bien que je suis un vieux garçon qui n'a pas l'habitude de courtiser les femmes !

Des larmes mouillèrent ses yeux. Christine décida de saisir la balle au bond.

— Est-ce que ton cœur est assez grand pour aimer pour deux ?

La question surprit Romuald. Il ne croyait pas avoir fait si bonne impression à Christine. Un sourire radieux illumina son visage poupin.

— Trois, quatre, douze, si tu le veux. Tu es jeune et en santé. Tu es encore loin de ton retour d'âge.

Cette fois, des sanglots prirent le relais des larmes de Christine.

— Pardonne-moi ! Je n'ai aucun droit d'exiger une telle charge.

Christine pencha la tête sur l'épaule de Romuald. Ce dernier perçut la tendresse que Christine avait pour lui. Il en ressentit une impression de bien-être. Lentement, elle prit sa grosse main calleuse et la serra très fort.

— Tu n'as pas compris, Romuald. Ce que j'ai à te dire m'est bien pénible.

Romuald retint son souffle. Il crut que Christine avait un autre amoureux. Ce fut difficile, mais il parvint à dire :

— Parce que François Fafard est mort, et que tu m'as invité au banc du capitaine de milice à l'église, j'ai cru que j'avais mes chances…

— C'est moi qui me demande si j'aurai encore des chances de te plaire après t'avoir dit ce que j'ai à te dire...

Le meunier se retourna sec.

— Romuald... si nous nous mariions, nous serions bientôt trois à la maison.

Le meunier ne voulait pas comprendre.

— Ton oncle et ta tante sont bien vivants, je les ai vus par la fenêtre, en entrant, et tu n'es pas une veuve avec un enfant !

— Oui, c'est ce que je veux te faire réaliser. Certes, je ne suis pas veuve. Mais... je suis enceinte, Romuald.

Le hoquet des sanglots de Christine vibrait sur l'épaule du meunier. Ce dernier restait là, hébété par le choc de la révélation. Il laissa Christine lui caresser la paume de la main. De temps à autre, elle essuyait ses pleurs avec son mouchoir.

Des tas de questions assaillirent Romuald. Il décida de tirer la situation au clair.

— As-tu un autre amoureux, Christine ? Un autre qui t'aurait déclaré son amour ou que tu aimerais en silence ?

Christine savait qu'elle jouait son avenir à Berthier. La double question méritait-elle une double réponse ? Elle répondit simplement :

— Rien de tel. Tu as le champ libre.

Romuald parut satisfait.

— Est-ce que le père vient de Berthier et des îles ? Parce qu'un jour, il va sans doute rebondir.

— Ni d'ici ni du canton. Il ne le sait pas et ne le saura jamais.

— J'aime mieux ça. Est-ce l'enfant de François Fafard ?

Embarrassée, Christine ne s'attendait pas à devoir livrer son secret si vite.

— Je peux te rassurer : François et moi n'avons eu que des amours anodines.

— Parfait, parce que je le trouvais fantasque, ce garçon-là. Si son enfant avait eu son caractère...

Secrètement, Christine égrenait le chapelet qu'elle avait dans sa poche de jupe. Intérieurement, elle priait la Vierge. Le moment était capital : en quelques secondes, sa vie pouvait redevenir le même cauchemar qu'il était depuis ces dernières semaines.

Je sais que ce n'a pas été très catholique, mais cet enfant a été conçu dans l'amour, même si James n'aurait pas dû. Si Romuald est prêt à aimer ma petite Violette, je l'aimerai d'autant plus, mon mari. Et Jésus, le fruit de vos entrailles est béni. Faites que le mien le soit aussi, bonne Sainte Vierge !

— Tu es enceinte de combien de mois ?

— Bientôt quatre.

Le meunier fit ses calculs.

— Alors, il est grand temps que le curé nous marie en octobre.

— C'est oui ? demanda nerveusement Christine.

— C'est oui !

— Que je suis heureuse ! Je suis prête à te donner le nombre d'enfants que Dieu désire, s'exclama Christine, qui prit le meunier par le cou et l'embrassa sur la bouche, à sa grande surprise.

Puis elle lui demanda :

— Puisque tu m'as apporté des violettes, j'aimerais que notre enfant, si c'est une fille s'appelle Violette. Si c'est un garçon, le choix du prénom te reviendra.

— Violette est un prénom merveilleux. Maintenant, il me reste à faire ma grande demande au capitaine Guilbault.

— Faisons les choses selon les traditions.

Entre-temps, Ramezay était venu se coucher aux pieds de Christine. Romuald commença à lui flatter l'encolure, en disant tout heureux :

— Bon chien ! Tu verras comme tu seras heureux à Pointe-Esther.

Marie-Ange écoutait aux portes. Lorsqu'elle entendit le cri de joie de Christine, elle interpella son mari, qui lui reprochait d'écornifler.

— Qu'est-ce qui lui prend à Christine de sauter de joie ? Elle représente un bien plus beau parti que lui. Il y a quelque chose de louche là-dessous, je te dis.

— Elle est à l'âge de se marier et Romuald est un bon gars. Elle va le dégrossir, ne crains rien, après quelques nuits. Ça me rappelle ma nuit de noces.

— Arrête donc avec tes grossièretés. Si les amoureux nous entendaient… Voudrais-tu dire que j'étais délurée ? Tu sauras Louis-Daniel Guilbault que tu m'as prise vierge.

— Ce n'est pas l'impression que j'ai eue.

Horrifiée d'entendre cette stupidité, Marie-Ange rétorqua :

— Pourtant, tu étais bien placé pour le savoir, puisque tu courrais l'allumette chaque nuit dans les Pays-d'en-Haut, m'a-t-on dit.

Marie-Ange éclata en pleurs. Comprenant qu'il lui avait fait de la peine, Louis-Daniel s'approcha d'elle et la prit dans ses bras.

— Tu vois à quel point je suis maladroit et méchant. Je sais bien que j'ai marié une jeune fille ingénue, la plus belle de Saint-Cuthbert et la plus honnête aussi. Tu l'as toujours été. Oublie les racontars des engagés de la fourrure. Nous étions surveillés par Lamothe-Cadillac à Michilimakinac, autant que nous l'aurions été par le curé Papin, s'il avait été là.

Le vieux couple était toujours collé l'un sur l'autre, quand Christine entra dans la cuisine.

— On dirait ben que vous fêtez déjà la grande nouvelle. Romuald veut faire sa grande demande en mariage… Je lui ai déjà dit oui.

— Ne crains rien, ce n'est pas moi qui vais m'opposer ni ta tante non plus. Dis-lui de venir.

Marie-Ange sauta au cou de Christine.

— Que je suis contente pour toi ! Tu le trouves à ton goût, au moins ? Parce que tu peux prendre plus que quatre semaines pour te décider, s'inquiéta Marie-Ange.

Christine avait déjà pesé le pour et le contre de sa situation, et le meunier la tirait d'embarras. Elle s'était fiée à ses symptômes et au diagnostic de la sage-femme Boucher. Sa décision était prise. Elle vivrait avec le meunier, même si elle perdait son enfant ou n'était pas enceinte.

— Je veux devenir sa femme.

Marie-Ange perçut de la tristesse dans les yeux de Christine, alors qu'elle aurait dû rayonner de bonheur.

— Tu ne nous caches rien, toi ?

Deux larmes coulèrent sur les joues de Christine.

— Je veux devenir madame Romuald Bonin.

— Doux Jésus, je m'en doutais…

Après avoir demandé à son mari d'aller chercher la bouteille de vin de Madère des grandes occasions, Marie-Ange prit à part Christine. Elle s'était rapprochée de sa filleule, pour lui parler discrètement de façon maternelle, en tenant sa main.

— Comme ça, tu serais enceinte.

Des larmes mouillèrent les yeux de Christine. Elle surmonta son désarroi, en avouant:

— Oui.

Même si elle s'en attendait, Marie-Ange resta stupéfaite. Elle pressa tendrement la main de Christine.

— Il est toujours temps de réfléchir et d'en discuter, si tu le veux. Nous remplaçons tes parents et nous te considérons comme notre propre fille. Nous étions là quand Antoinette, ta mère, et ton père... Tu me comprends, n'est-ce pas?

— Je vais devenir sa femme.

Un silence de quelques secondes s'instaura entre tante et nièce. Marie-Ange regardait Christine, ne comprenant pas pourquoi celle-ci ne lui avait pas confié son tourment. Elle vit qu'il était trop tard pour la faire changer d'avis. Elle eut l'idée d'en informer son mari, mais elle craignait de sa part une violente réaction.

— Est-ce que Romuald Bonin le sait? Et l'accepte?

Christine opina.

— Sait-il qui est le père?

Christine fit signe que non.

— Et toi?

Christine regarda sa tante, ahurie.

— Ma tante, comment osez-vous!

— Des fois... Pourvu que ton mari ne l'exige pas.

— Romuald ne souhaite pas le savoir.

— Alors, tant mieux. Car nous l'aurions élevé, ce petit. Mais, si c'est ce que tu veux, il te manque la bénédiction de ton oncle, et celle du curé Papin dans les meilleurs délais, si j'ai bien saisi. Nous paierons la dispense des bans, pour que le mariage soit béni le plus vite possible.

— Merci, ma tante.

Les deux femmes s'embrassèrent, alors que Christine continuait à pleurer, en se disant qu'elle aurait peut-être dû en parler à sa famille. Maintenant, il était trop tard.

Voyant les deux femmes occupées à s'entretenir à mi-voix, alors que Christine pleurait, Louis-Daniel lança:

— Alors, Romuald va-t-il se décider à la faire, sa grande demande? À voir vos têtes d'enterrement, on dirait qu'on se prépare pour des funérailles.

Christine se moucha et s'apprêta à aller chercher Romuald. En entrant dans le salon, elle figea, en se disant qu'il n'était pas encore trop tard pour réfléchir encore. Sa tante Marie-Ange lui disait qu'elle serait prête à l'aider à élever l'enfant. Mais pour combien de temps ? Son oncle et sa tante ne se faisaient plus jeunes. Quant à sa tante Renée et à son oncle Jacques, l'avenir d'Angélique les préoccuperait sans doute davantage.

— Tu pleures ?

— De joie.

— Ton oncle est-il prêt ? demanda Romuald, la gerbe de blé en main.

Christine franchit son Rubicon, comme Jules César l'avait fait en transgressant le droit romain, défendant à tout général de franchir le fleuve avec une armée. Elle vivrait avec les conséquences de sa décision.

— Mon oncle t'attend.

Romuald Bonin arriva dans la cuisine et offrit sa grosse gerbe de blé au capitaine Louis-Daniel Guilbault.

— Ça prend bien un meunier pour m'amadouer avec une gerbe de blé. On aura tout vu, depuis cette maudite guerre.

— Je vous demande la main de votre nièce Christine, ainsi que votre bénédiction. Nous voulons nous marier au plus vite.

Louis-Daniel regarda Christine et lui demanda :

— Est-ce bien ce que tu souhaites, ma fille ?

Des larmes perlèrent aux yeux de Christine. À sa souvenance, c'était la première fois que son parrain l'appelait *ma fille*. Celle-ci regarda à son tour sa marraine Marie-Ange qui, par un haussement des sourcils et des yeux rieurs, lui signifiait que le vieux capitaine de milice était capable de sentiments, même si la plupart du temps, il se conduisait comme un ours mal léché.

Christine se tourna alors vers Romuald, lui prit la main, et répondit :

— Oui, mon oncle, je veux me marier avec Romuald.

— C'est bien ce que je souhaitais pour ton bien. Romuald est un bon parti. Un gars qui a du cœur et de l'argent de côté, j'imagine ?

Interpellé, le meunier répondit avec empressement, malgré une nervosité évidente :

— Mes affaires au moulin vont bien. Je pense un jour y scier du bois et peut-être même à y carder la laine. Le notaire m'a assuré que je continuerais à servir la clientèle de Berthier et des environs.

Devant l'étonnement de Louis-Daniel, Christine craignit qu'il ne s'oppose à la demande en mariage.

— Alors, vous allez nous bénir ? s'empressa à demander Christine.

— Pas si vite ! Avant, j'ai des questions pour Romuald et des recommandations à lui faire.

Christine crut à son mauvais pressentiment, alors que le meunier fut surpris de la réaction du capitaine de milice. Il croyait que sa grande demande était chose faite, et qu'il allait illico se rendre au presbytère.

— Où sera votre logis ?

— Ben, en haut de mon moulin, c't'affaire !

Un rictus de frustration apparut sur le visage de Louis-Daniel.

— Pas de mors aux dents ni d'épouvante… Je veux m'assurer que Christine puisse être la plus heureuse possible. Pour ça, il faut qu'elle ait les meilleures commodités. Ton logis ne peut convenir que pour une seule personne. Christine ne respirera pas la poussière du froment qui règne dans le moulin. Elle n'a pas l'habitude comme toi.

— Si c'est comme ça, nous irons nous loger dans ma cabane, de l'autre côté de la rivière.

Louis-Daniel se tourna vers sa femme.

— Qu'en penses-tu, Marie-Ange ? Tu l'as déjà visitée la cabane, il me semble.

Avec plusieurs années de vie commune, Marie-Ange devinait où son mari voulait en venir.

— Ça peut aller, au début. Mais plus tard, avec un enfant, il faudra l'agrandir. D'autant plus que la passerelle est mal en point, dangereuse même, répondit Marie-Ange, soucieuse.

Satisfait, Louis-Daniel s'adressa au meunier :

— Tu as entendu ? Dès le prochain printemps, il faudra agrandir ta cabane, car les sauvages peuvent passer plus vite qu'on pense. Aussi, ton pont suspendu doit être réparé. Émilion resterait ici, le temps que tu agrandisses ton écurie : il mérite d'être bien logé.

Un silence mortuaire plana dans la pièce.

— Qu'est-ce que j'ai dit de si affreux ? Ils se rendront vite compte de la réalité, spécifia Louis-Daniel à Marie-Ange.

— Ça devient compliqué tout ça pour Christine. Beaucoup de chambardements en peu de temps. Pour lui faciliter la vie, si on proposait à Romuald de vivre ici, du moins jusqu'à l'été prochain ?

Marie-Ange avait regardé Christine avec tendresse. Celle-ci décida de s'en remettre au jugement de sa marraine. À leur grand étonnement, Louis-Daniel renforça cette suggestion, en s'adressant au meunier.

— Pourquoi pas ? La maison est grande. D'ailleurs, comme nous nous sommes donnés à Christine et comme c'est elle qui héritera de la maison, autant que tu habites ici après votre mariage. Comme les ailes de ton moulin arrêtent de tourner après les premières neiges, tu pourrais nous aider à entretenir les routes, Corbin et moi. Et au printemps, à labourer. Et puis moi, je pourrai t'aider au moulin, plus tard dans la saison. Qu'en penses-tu ?

Le meunier calculait le trajet qu'il aurait à faire pour se rendre de Berthier à son moulin de Pointe-Esther. Il tourna la tête vers Christine, cherchant son approbation.

— J'aimerais mieux que Christine habite ma cabane, les étés. Mes journées sont longues : je travaille souvent du matin tôt au soir très tard, dépendant du vent. Les habitants du pont Jouette peuvent entendre siffler les ailes de mon moulin, même tard dans la nuit.

Christine approuva de la tête.

— C'est convenu, pourvu que tu fasses agrandir ta cabane, et réparer la passerelle. Émilion restera ici. Il n'est plus d'âge à se fracturer une jambe à franchir la rivière à gué. Bon, les bans ?

Christine sauta sur l'occasion, pour répondre :

— Il faudra payer la dispense des deux derniers bans, si le curé Papin le veut. Comme nous ne sommes pas apparentés…

— Ça coûte cher. J'ai bien un peu d'économies, mais j'aimerais investir cet argent à agrandir ma cabane, précisa le meunier qui pointait le capitaine de milice.

Christine se rendit compte qu'elle marierait un homme chiche. Marie-Ange s'en aperçut.

— Marie-Ange et moi avons investi l'argent de nos vieux jours dans la reconstruction de la maison. À ce compte-là, vous attendrez deux semaines de plus pour vous marier. Ce n'est pas le délai qui changera quoi que ce soit.

Romuald était pris entre deux feux. Il hésitait à sortir son argent de sa tirelire. Christine grimaça. Marie-Ange se dépêcha à dire :

— Je défraierai le montant de la dispense. Ce sera mon cadeau de noces.

Courroucé, Louis-Daniel regarda sa femme. Craignant une rebuffade, Marie-Ange se dépêcha de révéler un petit secret qu'elle gardait depuis longtemps à l'oreille de son mari.

— C'est l'héritage de Christine que ma mère, sur son lit de mort, m'a demandé de garder pour le jour de ses noces. Je ne pouvais pas t'en parler. Oh, ce n'est pas grand-chose, mais ça va nous tirer d'embarras.

— Comment ça, *d'embarras* ? s'inquiéta Louis-Daniel.

— Heu… Je me suis mal exprimée. Je voulais dire que c'est préférable de célébrer la noce avant la première neige. Tu te rappelles, l'an passé, nous avons eu la première tempête, le 14 octobre. Les choux et les navets ont gelé au sol, sans parler des courges qui n'étaient pas mangeables.

Louis-Daniel chuchota alors à sa femme :

— Tu as raison. En plus, il faut qu'on les marie au plus vite si l'on veut que nos invités puissent traverser le fleuve et les chenaux en sécurité.

Puis, se tournant vers les futurs mariés, Louis-Daniel s'exclama :

— Mes enfants, c'est un grand honneur pour Marie-Ange comme pour moi de vous bénir.

Christine et Romuald s'agenouillèrent. Louis-Daniel se leva, fit un signe de la croix à grand déploiement, tout en murmurant quelque chose avec des finales en latin. Puis, il termina son incantation inintelligible par :

— Je vous bénis, au nom du Père, du Fils et du Saint-Esprit.

Romuald regarda Christine amoureusement, alors que celle-ci lui sourit avec tendresse. Pour sa part, Marie-Ange avait été impressionnée par la prestation de son mari. S'en rendant compte, Louis-Daniel lui dit :

— Quarante ans comme chef de la milice, ça développe une autorité certaine. Le métier des armes nous apprend à connaître la nature humaine.

Marie-Ange sourit à la fanfaronnade de son mari, en se demandant bien comment il réagirait en apprenant la grossesse précoce de Christine.

Il fut convenu que le mariage aurait lieu le lundi 12 octobre. Marie-Ange avait dit à Christine :

— Une semaine de plus ne fera pas de différence. Trop vouloir hâter la date paraîtrait louche au curé. Le 12 octobre fera son affaire, crois-moi. Romuald aura fini sa saison. Le samedi chez le notaire, le dimanche à fricoter la boustifaille, et puis la noce le lundi. D'ici là, tu ne verras pas le temps passer. Après...

Christine avait le cœur gros. Elle avait peine à retenir ses larmes. Marie-Ange s'en aperçut.

— Tut, tut, tut, qu'est-ce que cette grosse peine-là ? Romuald est un bon vieux garçon. Avec ton caractère, tu le mettras vite à ta main. Il se laissera faire comme un gros toutou, comme Ramezay.

Christine sourit.

— Et l'enfant ?

— Il l'aimera dès qu'il le verra. Ça sera à toi de faire en sorte qu'il le considère comme son fils.

— Il aimerait une fille.

— Tu vois, il aime déjà l'enfant. Il dit ça parce qu'il est follement amoureux de toi, et qu'il voudrait qu'elle te ressemble. Tiens, mouche-toi.

Christine regarda sa marraine avec un brin de regret.

— J'aurais dû vous en parler avant. Je me sens honteuse... J'ai agi comme une tête folle. Je m'en veux tellement, si vous saviez.

Marie-Ange prit la tête de Christine entre ses mains, la forçant à la regarder droit dans les yeux.

— As-tu agi par amour ?

— À en avoir été aveuglée, si vous saviez. Le véritable coup de foudre. Je comprends maintenant le double sens de cette expression... J'ai fauté et je me suis mise dans de sales draps. Maintenant, c'est Romuald qui paiera pour ma bêtise.

— À l'entendre, il n'est pas parti pour ça !

Christine pouffa. Lorsqu'elle se remit de son fou rire, elle fit une confidence sérieuse à Marie-Ange :

— N'empêche que je me sens responsable d'avoir amené le scandale dans la famille.

— Qui le saura ?

— Geneviève, Angélique, ma tante Renée (si Angélique bavasse) et vous.

— Renée, j'en ferai mon affaire. Et Romuald ?

Marie-Ange tenait à valider encore une fois l'information.

— Il gardera ça pour lui.

Marie-Ange parut rassurée.

— S'il ne veut pas passer pour cocu, il n'a pas avantage à ébruiter cela. Par ailleurs, c'est connu, les hommes éprouvent de la fierté à avoir engrossé leur blonde avant le mariage. Romuald n'est pas différent des autres. Peut-être un peu plus, car un garçon aussi timide fera son coq en fanfaronnant qu'il a été capable de séduire la plus belle fille du canton.

Si l'explication était plausible, Christine restait tout de même triste.

— J'aurai quand même déshonoré la famille Rémillard. Paraîtrait que ma mère Antoinette était assez délurée pour son temps.

— Christine Comtois, je te défends de manquer de respect envers la mémoire de ta mère ! Antoinette était une honnête fille.

— Un peu cervelle d'oiseau, tout de même ! Je ne tiens pas des voisins, semble-t-il.

Marie-Ange regarda sa filleule avec compassion.

— C'est vrai que ta mère était un brin excitée à la vue des garçons. Mais ça n'en faisait pas une fille de joie pour autant. Et puis, si elle s'est mariée enceinte, Ferréol était l'amour de sa vie. De toute façon, Antoinette avait de qui tenir.

Christine resta bouche bée. Marie-Ange appuya son verdict en insistant de la tête.

— Ce que je dis est très vrai. Puisque la révélation pourrait t'aider à te déculpabiliser, laisse-moi te confier un secret. Jure-moi cependant que tu ne le répéteras jamais à personne.

Christine comprit que le secret serait d'envergure. Elle balbutia timidement :

— Pépère Égard ? C'est difficile à croire, lui, un sourcier, un poète si tranquille. Quoiqu'il disait de toujours se méfier de l'eau dormante, comme point de repère pour une nappe d'eau souterraine.

Marie-Ange fit signe que non.

— Quoi ? C'est impossible, voyons !

Marie-Ange lui signifia par une mimique que rien n'est impossible en ce bas monde.

— Mémère Gertrude ?

— Elle-même. Elle n'a pas toujours été vieille, tu sais ! Si Rémillard est le nom de ton grand-père, il est le mien par adoption. Si ça n'avait pas été de ton grand-père, je me serais appelée Aubin. Eugène Aubin serait mort aux Illinois. Ma mère, Gertrude, a convolé aussitôt avec Edgar. Je naissais six mois plus tard. Dix mois après, Marie-Claire venait au monde : ma mère venait de régulariser son problème. Il paraît que ton grand-père était très fier de ma naissance.

— Si j'avais cru ! Est-ce grand-mère qui vous a raconté ça ?

— Plutôt le vieux docteur Boucher, de Saint-Cuthbert. Sa fille est devenue sage-femme à la Grande-Côte. Tel père, telle fille !

Christine ne voulut pas dire à sa tante qu'elle avait consulté Marie-Andrée Boucher.

— Tu vois, tu n'as pas à te considérer la honte de la famille. Chacun a ses histoires secrètes. Ta grand-mère Gertrude a toujours été une femme fière, malgré cet accident de parcours, c'est-à-dire moi.

— Après avoir appris votre provenance, vous n'en avez jamais voulu à grand-mère ?

Marie-Ange plongea dans ses souvenirs.

— Au début, oui. Après en avoir parlé avec tes tantes Marie-Claire et Renée, elles m'ont réconfortée en m'assurant qu'elles me considéraient comme leur vraie sœur. Et puis Louis-Daniel m'a fortement recommandé de mettre tout ça sous le tapis. Maintenant que l'histoire de ma venue au monde est ressortie, j'espère qu'elle servira à ta petite Violette.

Christine regarda Marie-Ange, pantoise.

— Comment avez-vous su ?

Marie-Ange rougit. Christine venait de se rendre compte que sa marraine écoutait aux portes. Pour se disculper, elle s'empressa de lui prodiguer un conseil.

— Je te disais que la naissance de Marie-Claire avait sauvé l'honneur de ta grand-mère, n'est-ce pas ? Cela s'applique aussi à vous. Vous n'aurez qu'à vous dépêcher d'avoir un autre enfant, et le tour sera joué !

Christine resta songeuse. En quelques semaines seulement, sa vie trépidante allait prendre une tournure qu'elle avait du mal à concevoir : elle se marierait sous peu, accoucherait à la mi-février de l'année suivante, et devrait avoir son second enfant, au plus tard, un an après.

Trop heureux de pouvoir démontrer à ses paroissiens que la vie spirituelle avait repris à Berthier, malgré les affres de la guerre anglo-américaine, le curé Papin accepta volontiers les quatre livres pour la dispense des deux bans. Officier le mariage de Christine Comtois, la pupille du capitaine de milice de Berthier, était aussi pour l'ecclésiastique un grand honneur. Personne ne s'opposa au mariage, après l'annonce au prône du mariage prévu le 12 octobre suivant. Au contraire, tout un chacun félicita les fiancés pour leur projet de vie commune.

Aussitôt, Marie-Ange et Christine se mirent à la préparation de la noce. Louis-Daniel lança les invitations à la parenté et aux amis de Berthier et des environs, jusqu'à Sorel. Christine insista pour que le notaire Faribault et sa famille soient du nombre.

Lorsque Christine informa son amie Geneviève de son projet de mariage, comme celle-ci ne l'avait pas revue depuis sa recommandation de consulter une sage-femme, elle lui demanda :

— Comme ça, la sage-femme a été capable de te donner un diagnostic précis.

— Disons qu'elle a été de bon conseil. Et puis je me suis entretenue avec ma tante Marie-Ange.

— Tiens donc ! Paraît-il qu'elle est vieux jeu.

Christine rougit.

— À ce jeu-là, les mères, les tantes et les grand-mères ont eu leur expérience de vie. Ça ressemble pas mal à la mienne, en tout cas. Je n'ai rien inventé ! Elles ne sont pas si vieux jeu que ça. Ma marraine était même prête à élever Violette avec moi.

— Ça m'intrigue, ce que tu dis. Pourrais-tu être plus explicite ?

— Ma vie privée est déjà assez compliquée ; je ne veux pas critiquer celle des autres ou profaner leur mémoire.

Geneviève comprit qu'il ne lui fallait pas insister.

— Et puis, comment a réagi Romuald... à l'annonce de... ? Lui as-tu dit ?

— Je ne lui aurais pas joué dans le dos. Il a déjà hâte de bercer l'enfant. J'espère que toi aussi, puisque tu viendras le voir aussi souvent que tu le voudras.

— Pointe-Esther n'est pas à la porte. Je n'ai pas un cheval, comme toi. Et puis l'hiver, dans les bancs de neige…

— Ce ne sera pas nécessaire, tu n'auras qu'à marcher : nous demeurerons à la nouvelle maison.

Le sourire apparut sur les lèvres de Geneviève.

— Chic alors ! Il faut absolument que tu accouches de Violette. Je vais commencer à lui tricoter des vêtements.

Christine parut heureuse.

— Avant, j'ai une faveur à te demander… Voudrais-tu être une de mes filles d'honneur, avec ma cousine Angélique ?

Geneviève sauta au cou de Christine.

— Cependant, ça implique que l'une des deux attrape le bouquet de la mariée, et qu'elle se marie dans l'année, taquina Christine.

— Je n'ai pas d'amoureux et je ne vois personne à l'horizon, répondit Geneviève, incrédule.

Christine replongea dans ses pensées.

— Le mariage pourrait venir beaucoup plus vite que tu le penses.

— Sans égard à tes origines, n'oublie pas que je suis la fille du notaire Faribault, et que chez nous, on ne marie pas n'importe qui.

Le visage de Christine s'assombrit.

— Pardonne-moi, je n'ai pas voulu te faire de peine.

— Laisse, je comprends. Si je suis l'assistante du notaire de Berthier, c'est toi qui en es la fille… Il doit bien traîner un clerc entre Montréal et Trois-Rivières qui envisage un jour d'acheter l'étude de ton père et s'installer à Berthier, non ?

Enthousiaste à l'idée du mariage, Geneviève ajouta aussitôt :

— Il paraît qu'il y en aurait un qui travaille pour les coseigneurs à Sorel. Si vous pouviez l'inviter…

Le visage de Christine s'assombrit.

— Tu sais, moi, les hommes de loi provenant de Sorel !

Christine éclata en sanglots.

— J'aime tellement James, si tu savais. J'ai le sentiment que cet amour impossible est en train de creuser ma tombe. Et la petite Violette, qui ne saura jamais qui est son véritable père. La vie est si injuste, Geneviève…

Christine repensa à sa conversation avec Marie-Ange.

— Il faudra un jour que je lui dise la vérité.

Attristée, Geneviève avança timidement :

— Que je suis gaffeuse !

— Plutôt moi ! Il n'est pas dit que James Livingston n'apprendra pas qu'il est le père d'un bâtard. Et tant pis si sa femme le sait aussi ! Un juriste a deux fois raison plutôt qu'une de mesurer la conséquence de ses actes, réagit Christine, avec autant de détermination que de frustration.

Geneviève retrouvait là en Christine la jeune femme dynamique, celle qui avait impressionné les têtes dirigeantes des belligérants au point de lui confier des secrets d'État. Puis, craquant de nouveau, Christine demanda à Geneviève, entre deux sanglots :

— Est-ce que ton père a eu des nouvelles du front ?

— La bataille se serait déplacée du fort Crown Point à celui de Ticonderoga. Nos troupes auraient toujours le dessus, mais rien de concluant. Comme tu sais, les Américains ont déclaré leur indépendance, en juillet dernier.

— Et… James ? demanda Christine, craintive du sort du colonel Livingston.

Il est toujours en vie… Son régiment de miliciens canadiens — pour ceux qui restent — combattrait avec héroïsme, puisque les troupes britanniques sont bien supérieures en nombre.

La nouvelle parut apaiser Christine.

— J'aime mieux le savoir toujours en vie… J'ai mes torts, moi aussi. Il n'est pas le seul à porter le chapeau… Bon, nous avons un mariage à préparer. Pensons à mon avenir et à celui de Violette.

Geneviève parut fière de son amitié pour Christine Comtois.

Chapitre XXXV

Le mariage

La moisson avait été bonne. Les potagers avaient fourni assez de légumes pour passer l'hiver sans crainte. En prévision de la saison froide qui s'étirait de la mi-octobre à la mi-mai, les cultivateurs avaient pratiquement tous rentré le fourrage des animaux dans la grange. Les habitants se dépêchaient de finir le battage du grain, pour aller ensuite faire moudre les derniers minots de blé avant le mariage du meunier. Ces minots servaient à payer leur droit de mouture au seigneur et leur dîme au curé.

Romuald Bonin n'avait jamais été de si bonne humeur. Il travaillait de l'aube au crépuscule, en chantonnant :

Der-rièr' chez nous y a-t-un é-tang
Der-rièr' chez nous y a-t-un é-tang
Trois beaux canards s'en vont baignant
J'entends le moulin, tique, tique, tique
J'entends le moulin, tique, taque.

Les clients du meunier le félicitaient de la chance qu'il avait de se marier avec la belle rousse. Il leur répondait de ne pas oublier de se présenter à la noce, et que la famille Guilbault se ferait un devoir de les accueillir. À ceux qui se moquaient de son mariage tardif, il répondait : « Mieux vaut tard que jamais ! »

Si Marie-Ange et Louis-Daniel Guilbault avaient convié une centaine d'invités à la noce, la parenté des deux côtés était attendue chez le notaire Faribault, le samedi précédent. En plus de la famille de Christine, les deux frères jumeaux Honorius et Rosius, qui demeuraient à Sainte-Élizabeth, le long de la rivière Bayonne, sur la côte Saint-Antoine, et la sœur de Romuald, Agathe Bonin Bérard, qui, elle, habitait le long de la rivière La Chaloupe, étaient présents. Ils furent accueillis pour la durée de la noce chez les Guilbault.

Romuald avait invité de plus l'ancien maître-farinier de Lavaltrie, François Caisse ,dit Dragon, maintenant établi sur ses terres à Lanoraie. Avant de s'établir comme meunier à Pointe-Esther, Romuald Bonin avait été apprenti à Lavaltrie. Maître Caisse et son ancien élève avaient maintenu depuis des rapports professionnels et amicaux.

Le lendemain, avant la grand-messe, Christine et Romuald allèrent à la confesse. S'ils avaient déjà attiré la curiosité des paroissiens de Berthier, ceux de l'île Dupas désertèrent leur église, afin d'aller féliciter à l'avance leur meunier. Ainsi, la noce commença le dimanche précédant le mariage, au grand dam de Marie-Ange, qui aurait voulu être plus dispose pour le grand jour. Elle dut réveiller Christine avec le chant du coq, car le curé Papin attendait les futurs mariés à sept heures.

À six heures, Geneviève Faribault arriva chez Christine avec la robe de celle-ci fraîchement repassée. Comme la journée s'annonçait belle mais assez fraîche, elle apportait son étole de vison, celle que sa mère lui avait offerte pour ses vingt ans.

Christine avait les traits tirés: elle s'était couchée tard, malgré les remontrances de Marie-Ange, qui lui avait dit que la journée du mariage serait longue et éreintante.

— Il va te falloir du fard! On dirait que tu as fêté le Mardi gras. Et tes cheveux manquent de corps et d'éclat. Avoir su, je serais arrivée plus tôt. Nous aurons à peine le temps…

— Si Christine s'était couchée plus tôt, aussi, au lieu de jaser avec sa future belle-famille, elle aurait le teint plus clair. On dirait une pêche mal pelée, avec ses plaques de couleur sur le visage. Il ne faudrait pas que ton futur te voie dans cet état-là, sinon il tournerait les talons.

— Il fallait bien que je fasse connaissance! Et puis, quand les reverrai-je! Ils demeurent loin! Et puis, il faudra bien que Romuald s'habitue. Ça ne sera pas tous les jours la noce, répondit Christine.

— Il vaut mieux paraître à son meilleur. La passion est comme une fleur ; elle peut se faner vite.

— Pourquoi dites-vous ça, le matin de mes noces ? J'aurai en plus les yeux rougis par votre faute, pleurnicha Christine

— Voyons, madame Guilbault, ce n'est pas si pire que ça. Tenez, un p'tit coup de *blush*, et ça ne paraît presque plus, temporisa Geneviève, constatant que Marie-Ange Guilbault était plus nerveuse que Christine.

— Excuse-moi. Ça m'énerve, tout ce monde... En parlant de p'tit coup, il faut que j'aille aviser Louis-Daniel de ne pas en servir avant la cérémonie. Surtout pas à Romuald, de peur qu'il oublie l'alliance ici. Je ne voudrais pas non plus que ton parrain titube en se rendant à la Sainte Table. Ton oncle n'a même pas déjeuné.

Geneviève et Angélique, les deux filles d'honneur, firent les retouches nécessaires sur la tenue de Christine, en lui jurant qu'elles n'avaient jamais vu une aussi belle mariée. Angélique avait pris un soin jaloux à la préparation du bouquet de Christine. Lorsque tout fut prêt, les deux filles d'honneur prirent place dans leur calèche en attendant d'escorter la mariée.

Selon la tradition, le futur marié ne doit voir sa fiancée qu'au pied de l'autel. Christine partirait avec son oncle pour arriver à l'église quinze minutes avant la cérémonie.

Marie-Ange finissait de faire le lit prénuptial.

— Le curé Papin s'attend à voir une chambre en ordre et un lit impeccable. Bon, en tant que remplaçante de ta mère Antoinette, je me dois de te faire les recommandations d'usage, comme elle l'aurait fait...

Des larmes coulèrent sur les joues de la vieille dame.

— Voyons, ma tante, c'est moi qui me marie, pas vous.

— C'est que nous t'avons toujours considérée comme notre propre fille, ton oncle et moi.

Marie-Ange cherchait bien maladroitement à s'essuyer le visage avec son mouchoir. Elle continua :

— Je ne te préviendrai pas des choses de la vie ; tu les connais aussi bien que moi. Si tu veux que ton ménage soit heureux longtemps, suis les directives du curé Papin. Un vieux garçon a ses manies. C'est comme une grosse chaloupe verchère. C'est solide dans le courant, mais ça ne se manœuvre pas vite. Tu as compris ?

Christine opina.

— Aussi, si jamais ton jars ou ton paon revenait dans les parages et cherchait à reprendre contact, ça serait bien imprudent de ta part d'accepter. Tu perdrais la confiance de Romuald à tout jamais.

— Même si cela permettait à l'enfant de connaître son père ?

— Ce qu'un enfant ne sait pas ne lui fait pas mal ni ne le trouble.

— Et dans votre cas ?

— J'étais mariée et mère de famille. Parce que j'ai toujours eu ton grand-père comme modèle, jamais je ne l'aurais changé, même pour mon vrai père. Attends que ton enfant soit en âge de comprendre, sinon il te blâmera, surtout si c'est une fille.

— Merci ma tante. Je dois tant à mes oncles et mes tantes.

— Nous ne souhaitons que ton bonheur.

— Alors, pour vous remercier, laissez-moi rafraîchir votre visage et replacer votre chapeau.

Christine s'avança avec sa boîte de maquillage. Marie-Ange lui défendit.

— Laisse ça ! Tu risquerais de tacher ta belle robe de mariée. L'écru est salissant.

Même si Christine avait partagé sa vie entre l'île Saint-Ignace, chez les Cotnoir, et Berthier, le long de la rivière Bayonne, chez les Guilbault, il fut rapidement établi entre Marie-Ange et Renée Rémillard que ce serait son parrain Louis-Daniel Guilbault qui lui servirait de père et de témoin lors de la cérémonie du mariage. Tel était d'ailleurs le vœu de Christine, d'autant plus depuis que son parrain et sa marraine avaient décidé de se donner à elle.

Le choix du témoin de Romuald ne fut pas aussi facilement résolu. Logiquement, comme le père de Romuald, Parfait Bonin, était décédé, c'est à l'un de ses frères que l'honneur de servir de témoin devait revenir. Hélas, comme Honorius et Rosius étaient de vrais jumeaux, les deux se disputaient depuis longtemps le droit d'aînesse. Le différend entre les deux frères empira lorsqu'il en fut question dans la famille Bonin, davantage par le fait que les deux bessons vivaient voisins. Quand Romuald aborda la question avec Christine, afin d'harmoniser le différend, elle suggéra à son fiancé de laisser ses frères régler cela entre eux.

— Ça paraît que tu ne les connais pas encore assez. Quand l'un dit oui, l'autre dit aussitôt non. Nous aurions amplement le temps de mourir avant qu'une décision soit prise à ce sujet, si nous leur laissons la liberté de choix.

— Ils doivent bien s'entendre de temps en temps, puisqu'ils sont voisins. Ils doivent forcément s'entraider.

— Presque voisins, puisqu'il y a la ferme d'un dénommé Lévesque entre les leurs. Ni l'un ni l'autre ne laisserait son jumeau dans le pétrin. Leurs femmes peuvent en témoigner.

— Alors, pourquoi ne pas laisser leurs femmes régler cette épineuse question de préséance?

Le meunier se mit à réfléchir.

— Mauvaise idée. S'ils se chicanent, ils vont se liguer contre elles. Ça leur prend un ennemi commun pour s'entendre et s'épauler. Ils ont toujours été comme ça. Tiens, ils sont en chicane de clôture avec leur voisin Lévesque pour une vétille, depuis des années. Sa vache avait été paître dans le pré de Rosius, en passant par un trou dans la clôture mitoyenne mal réparée. Comme Lévesque se défendait d'avoir rempli ses responsabilités de fermier, Honorius s'en est pris à son tour au vieux Lévesque. Je pourrais toujours demander à mon beau-frère Norbert Bérard, le mari de ma sœur Agathe, mais ils feront front commun contre lui, et ça fera de la chicane dans la famille. Comme je n'ai pas d'autres parents, je suis mal pris. Il y a bien ton cousin Corbin à qui je pourrais demander, puisque c'est un ami…

Christine réfléchit à son tour.

— Je ne crois pas que ce soit une bonne idée non plus. C'est dans ma famille qu'il y aura de la chicane. Mon oncle Jacques Cotnoir en prendrait ombrage… Tiens, j'y pense, pourquoi ne pas le lui demander à Jacques, justement? Je suis certaine qu'il accepterait.

Fière de sa trouvaille, Christine souriait. Elle déchanta vite, quand Romuald s'opposa:

— Je ne peux pas, c'est un pro-rebelle! De plus, je ne l'ai pas vu très souvent faire moudre son grain à mon moulin.

Christine ne voulut pas s'interposer. Romuald avait bien le droit au choix de son témoin.

— Il te faudrait alors un ami, quelqu'un que tu estimes et qui n'a pas eu à prendre position. Un neutre quoi!

— À Berthier et dans les environs, à part ton cousin Corbin, il n'y a que ma famille que je fréquente, et très rarement. Mon travail prend tout mon temps.

— Je l'ai ! Pourquoi ne pas demander à ton ancien maître-farinier, François Caisse ? Tu l'estimes tellement. Et il est déjà invité aux noces, à ce que je sache.

— Je ne connais pas ses opinions politiques !

Christine parut désemparée par la réponse.

— Nous n'allons pas au scrutin pour voter, nous allons nous marier. Les invités n'ont pas été choisis en fonction de leur allégeance politique. La guerre est finie à Berthier, Romuald.

Christine pensa aussitôt à James, dont l'enfant commençait à se manifester dans son sein. Elle aurait eu envie de hurler sa peine cruelle de devoir trouver un autre père au poupon qui naîtrait dans quelques mois.

Pourquoi m'as-tu fait ça, James ? Je t'aime tellement. Je me sens comme un animal qui s'en va à l'abattoir. À la différence que lui ne le sait pas, alors que je fais ce sacrifice pour notre enfant, afin qu'il vienne au monde normalement, comme tous les autres enfants.

Christine prit sur elle et refoula ses larmes.

Ce n'est quand même pas la faute de Romuald, qui, même s'il ne me le dit pas de vive voix m'aime à la folie ! Je préfère un homme franc, même s'il n'est pas très bavard de ses sentiments, qu'un beau parleur qui conte fleurette en trichant sa femme ! Non… je n'ai pas le droit de dire ça de James. J'ai bien couru après mon malheur. James, oh, James, reviens vers moi et ton enfant.

— Le choix de François Caisse est une excellente idée ! Merci de me l'avoir suggéré.

Le regard vague, Christine ne répondit pas. Romuald se reprit avec plus de vigueur.

— Ah oui, François Caisse !… Tu fais un excellent choix, répondit Christine, à l'étonnement de Romuald.

Comme la cérémonie était prévue lundi matin tôt, Romuald était reparti chez lui vers la fin de l'après-midi du dimanche, selon les convenances, laissant les invités de la noce festoyer avant le grand jour. Il voulait nettoyer un peu son logis au moulin et sa cabane, car il s'imaginait bien que Christine et lui souhaiteraient des moments d'intimité, autrement qu'à la maison Guilbault.

Le lendemain matin, s'étant levé à la barre du jour, Romuald revêtit son unique complet du dimanche, une redingote au tissu patiné de couleur marine qu'il avait ressortie la veille de son coffre-bahut contenant son saint-frusquin et qu'il avait pendue sur un cintre fabriqué avec de la broche servant à attacher les grappes de quintaux de blé. Il portait sous cela une vieille chemise blanche jaunie par la poussière de la paille qui s'était infiltrée dans le coffre. Des bas de laine troués attendaient, comme chaque matin, de se tailler une place dans ses gros souliers de bœuf, à la différence que pour le jour de son mariage, le meunier avait pris soin de les laver la veille avec de l'eau odorante. Il s'était acheté des souliers tout neufs chez le cordonnier, plutôt que de chausser ceux qu'il venait de fabriquer lui-même. Il avait jugé que c'était sa grosse dépense pour sa tenue de noces, cela et l'anneau en or qu'il s'était procuré chez un brocanteur de Sorel, et que le marchand Antaya-Pelletier lui avait ramené. Romuald avait demandé à Marie-Ange Guilbault de subtiliser la bague que portait habituellement Christine, celle que sa mère Antoinette lui avait laissée, au cas où il lui arriverait malheur en se rendant en France avec son mari : Romuald pouvait ainsi avoir la bonne mesure du doigt de Christine.

Sur un crochet double servant de patère improvisée dans son appartement, où pendait un petit miroir usé par le temps, Romuald avait installé le chapeau haut de forme à la mode londonienne, le chapeau de noce de son frère Rosius, l'avant-dernier marié de la famille. Les jumeaux Bonin avaient bien voulu se marier le même jour avec les sœurs Pelland, mais Olive, la fiancée de Rosius, mourut subitement quelques semaines avant le mariage. Si Honorius passa l'anneau nuptial à Églantine Pelland, Rosius se maria l'année suivante avec Anémone Magnan, la fille du deuxième voisin du rang Saint-Antoine de Sainte-Élizabeth.

Romuald avait donné rendez-vous à ses frères. Avant d'atteler son cheval et de quitter le moulin pour se rendre à la maison de Louis-Daniel Guilbault, Romuald testa la solidité de son mobilier de cuisine, une petite table et deux chaises, dont l'une était habituellement pour sa clientèle qui venait régler ses comptes. Le meunier s'était promis de confectionner deux autres chaises pendant les mois d'hiver, dans l'atelier de Louis-Daniel.

Romuald se regarda une dernière fois dans le miroir et se dit qu'il avait la fière allure d'un nouveau marié. Il cassa deux œufs dans sa tasse de grès, et les avala d'un trait, en guise de déjeuner. Il savait que le dîner de noces ne commencerait pas avant dix heures. D'un pas leste, il descendit la petite échelle qui menait à la trappe, en se disant qu'il verrait le plus rapidement possible à construire un petit escalier pour le confort de Christine, lors de ses visites. Il y avait une autre raison ; le meunier ne voulait pas que ses clients se pourlèchent les babines en reluquant les jupons de sa femme en train de gravir l'échelle. Romuald jaugea l'espace disponible dans le moulin et jugea en toute prudence que l'escalier en colimaçon serait le modèle le plus adéquat. Satisfait d'avoir pris cette initiative, il cloua sur la porte d'entrée de son moulin une pancarte ou il avait écrit : *Fermé pour le reste de la saison.*

Comme Romuald était nerveux et s'apprêtait à partir, attifé de son chapeau haut de forme, il vit arriver un attelage à deux chevaux dans lequel prenaient place ses frères, les jumeaux Honorius et Rosius, ainsi que ses belles-sœurs. Après les salutations et les félicitations d'usage, Églantine apostropha Romuald.

— Ce n'est pas de cette façon que l'on noue une cravate ! Honorius, voudrais-tu aider ton frère ?

Quant à Anémone, elle s'empressa de passer en revue le complet défraîchi de Romuald.

— Le pli du pantalon est arrondi au genou. La tenue de Romuald va paraître négligée. Nous allons passer pour qui devant la famille de Christine ? Des guenilloux ?

— Il est tard pour repasser ce pantalon. Mon fer est refroidi et le feu de mon âtre est éteint, répondit le meunier, penaud.

Anémone était une jeune femme dynamique et organisée.

— J'ai amené une paire de pantalons en réserve pour Rosius. Comme vous êtes de la même taille, le pantalon conviendra.

— Et la couleur ? Il ne faut pas que sa tenue soit dépareillée, sinon, ça sera un accoutrement, s'opposa Églantine.

Anémone apparut agacée par la remarque d'Églantine. Les deux belles-sœurs s'obstinaient aussi allègrement que leurs jumeaux de mari.

— Le pantalon de rechange est vert olive. Si tu as une meilleure idée…

Romuald sentait la discorde pointer de nouveau dans la famille Bonin. Il ne le voulait surtout pas pour le jour de ses noces.

— Bleu marine et vert olive ne font pas bon ménage, même pas sur un drapeau ! Je préfère mes genoux arrondis.

Honorius voulut étriver son jumeau.

— Le bleu foncé et le gris font bon ménage, habituellement. On l'a vu sur l'uniforme des Américains.

— Ce sont des couleurs qui s'harmonisent, oui. Alors ? Où pouvons-nous trouver un pantalon gris pour Romuald ? demanda Anémone, sceptique.

— Ben, sur la personne de Rosius !

Contrarié, ce dernier regarda son jumeau avec colère ; Honorius riait dans sa barbe. Pour ne pas perdre la face, Anémone enchaîna.

— Ce que vient de dire Honorius est plein de sens. Ouste, allez vous changer !

— Je ne peux quand même pas me marier dans les couleurs de l'armée américaine, alors que j'ai refusé l'oncle pro-rebelle de Christine comme témoin ?

Pour ne pas encourir le courroux d'Anémone, Rosius fit signe à Romuald d'obtempérer. C'est donc dans cet habit de noces à l'américaine que le meunier, pourtant chaud partisan de la cause anglaise, se présenta à la maison de Louis-Daniel Guilbault, pour épouser la filleule du chef honoraire de la police de Berthier. Tout le monde trouva étrange l'accoutrement de Romuald déguisé en pro-rebelle ; Rosius trouva l'explication qui suscitait l'hilarité des invités déjà arrivés.

— Mon frère aime tellement la chasse aux canards qu'il se déguise en colvert pour les attirer !

Une finfinaude ajouta :

— Vous devriez vous-même porter une chemise bleu ciel, monsieur Bonin : comme ça, vous auriez l'air d'un perroquet.

Marie-Ange Guilbault se rendit compte que son mari avait distribué les rasades d'eau-de-vie, malgré son interdiction.

Christine avait tenu à ce que son vieux cheval Émilion la conduise jusqu'à l'église. C'était sa façon d'être accompagnée par ses parents décédés. Le matin même, Louis-Daniel avait pris soin d'étriller le vieil étalon et d'astiquer et décorer la calèche nuptiale.

Le lundi 12 octobre 1716 s'annonçait une journée radieuse. Déjà, le lever du soleil avait fait miroiter ses rayons d'or dans le spectre multicolore de la frondaison des arbres aux teintes de rouge, ocre, jaune et vert émeraude. Christine en fut émue. Elle eut le sentiment profond qu'une vie toute en nuances de bonheur l'attendait. Elle prit la dure décision de se débarrasser du souvenir du visage de James qui la hantait plus que jamais. Soudain, Ramezay s'amena dans sa chambre pour se faire flatter.

— C'est le moment de ta promenade matinale ! Ne t'inquiète pas, je ne me séparerai pas de toi. Tu es le seul souvenir qui me restera de lui avec…

Au moment où elle s'apprêtait à flatter l'animal, Christine éclata en pleurs. Geneviève Faribault entra au même moment, la robe de mariée fraîchement repassée en main.

— Qu'est-ce qui te prend ?

Aussitôt, Christine se jeta dans les bras de son amie.

— Que vais-je répondre ? Dis-moi ce qui serait le plus judicieux de répondre au prêtre : oui ou non ?

Geneviève connaissait assez Christine pour ne pas prendre de décision irrévocable à sa place.

— Ton cœur te le dira au moment fatidique.

— Mon cœur ou ma raison ? Je suis si malheureuse, si tu savais. J'aime tellement James, mais à la fois, je ne veux pas monter un canular à Romuald.

— Il le sait ? demanda Geneviève, qui voulait rassurer son amie.

— Il sait tout, excepté qui est le père.

— Alors, ne lui dis pas. Ça ne sera pas un canular. As-tu pris ta décision strictement en fonction de… tu sais qui ?

Christine prit un certain avant de répondre.

— Je ne veux pas que l'enfant se fasse dire que sa mère est une traînée. La famille Bonin est respectable et Romuald a une bonne situation. De plus, j'hériterai de cette maison. Et nous serons voisines encore longtemps, du moins, je l'espère.

— Le bouquet de la mariée ne me tombera pas dans les mains, crois-moi.

— C'est ce que nous verrons tout à l'heure, s'amusa à dire Christine de meilleure humeur.

— Tu vois, ton choix est déjà fait… Il paraît que tous les postulants au mariage ont la hantise de répondre oui, car ils craignent de se mettre la corde au coup. Curieusement, ils disent tous oui, excepté…

Au même moment, Angélique frappa à la porte.

— Comme fille d'honneur, puis-je entrer ?

Geneviève se dépêcha de repérer la poudrette dans la boîte de maquillage, quand Angélique mit le pied dans la chambre.

— Oh, qu'elle est belle, ta robe de mariée. J'ai tellement hâte que ce soit mon tour.

Geneviève fit un signe à Christine que c'était plutôt vers Angélique qu'elle devrait lancer le bouquet.

— Justement, Ramezay se cherche une âme sœur pour sa promenade. Tu tombes à point.

— Il n'a pas besoin d'une fille d'honneur pour ça : n'importe qui peut le faire.

— Le jour de mes noces, mon chien mérite un traitement spécial, car désormais il devra partager mes câlins. Fais-le pour nous deux, je t'en prie. Je te récompenserai pour ça.

Angélique maugréait, alors que Christine fit un clin d'œil complice à Geneviève.

— J'espère que tu ne me demanderas pas, en plus, de brosser Émilion pour les mêmes raisons ! D'accord, tu as gagné, mais c'est parce que c'est le jour de tes noces. Oh, et ne partez pas sans moi ! Je compte d'ailleurs sur toi pour me trouver un bon danseur pour la noce, car sinon, je t'en voudrai la vie durant.

Angélique revint juste à temps pour monter dans la calèche du notaire Faribault avec Geneviève. Cette dernière, qui avait amené son nécessaire de toilette, refit le maquillage d'Angélique.

— On ne sait jamais, ça serait peut-être bien un jour crucial dans ta vie.

— Pourquoi pas toi aussi ?

— Oh, moi, l'amour ne me réussit pas, répondit Geneviève qui pensa pour elle-même :

Je suis tombée amoureuse d'un cousin qui n'en était pas un, alors que ma meilleure amie me l'a volé, sans pouvoir l'épouser. Que la vie sentimentale est énigmatique et compliquée !

Selon la tradition, la future mariée partait la dernière de la maison paternelle, qu'elle quittait définitivement pour aller vivre chez son époux ou dans la maison de ses beaux-parents. La calèche de Christine, avec ses filles d'honneur, se stationna à la place qui lui était réservée, soit devant l'entrée de l'église, rue Montcalm à Berthier.

Sur le parvis de l'église, Geneviève vérifia le maquillage de Christine, en appliquant de la poudre de riz autour des yeux pour camoufler les rougeurs dues aux larmes. Elle épousseta sa tenue et retoucha sa coiffure. Ensuite, après un clin d'œil attendrissant et réconfortant, elle abaissa la voilette.

— Ne crains rien, tout ira bien. Tu as pris la plus sage décision.

Décidément, Christine vit un moment déchirant. Je lui souhaite tout le bonheur qu'elle mérite; elle est très courageuse, pensa Geneviève.

La musique de l'harmonium au jubé donna le signal du commencement du mariage.

Tenant la main de son parrain Louis-Daniel Guilbault, Christine franchit l'allée qui menait à la balustrade, où l'attendait son promis, aux côtés de son témoin, François Caisse, dit Dragon, sur le premier banc. Sur une patène en étain, les alliances du couple attendaient d'être bénies.

À l'arrivée de Christine, Romuald alla s'agenouiller à la Sainte Table, près de Christine, se tourna vers elle et lui sourit. Sa vie allait prendre un virage inusité. En mariant la plus belle rousse de la seigneurie de Berthier, le vieux garçon de Pointe-Esther deviendrait à la fois le père de l'enfant qu'elle portait en elle. Romuald jeta furtivement un regard vers le tour de taille de Christine. Comme sa robe blanche écrue était plutôt lâche qu'ajustée, rien n'y paraissait. Le meunier se dit que le contraire lui aurait même plu, puisqu'il aurait ainsi cloué le bec aux mesquins qui ont toujours douté de sa capacité de plaire aux femmes.

Christine et son parrain avaient effectué la marche d'un pas lent au son d'un cantique joué à l'harmonium, puisqu'Angélique, l'une de ses filles d'honneur, claudiquait dans ses souliers neufs à la pointure trop petite. Christine eut amplement le temps d'observer les invités et les badauds venus assister à la cérémonie de mariage. L'église était remplie à craquer jusqu'au jubé. Elle sourit à ses tantes, au-devant de la nef. Derrière, la femme du notaire Faribault l'encouragea d'un sourire. Christine remarqua que Catherine-Antoinette Véronneau portait un manteau de drap de Hollande gris avec des boutons d'orfèvrerie. Le notaire était agenouillé à ses côtés.

Christine se rendit compte que le banc des marguilliers était vide.

Tiens, ils rouspètent parce qu'ils ont perdu la face, à la fête du froment. Tant pis, je n'aurai pas leur regard pointé dans le dos! se dit-elle

Christine remarqua, du côté de la famille Bonin, que les jumeaux Honorius et Rosius se suivaient dans l'ordre des bancs. Elle n'aurait pas pu dire lequel était lequel en d'autres temps, puisqu'elle ne pouvait les différencier tant ils se ressemblaient. C'est en voyant Églantine dans le premier banc qu'elle sut qu'Honorius avait revendiqué le rang d'aîné des jumeaux.

Dans le banc suivant étaient agenouillés deux géants, Nicolas et François Bonin, de Lanoraie, respectivement l'oncle et le cousin de Romuald. Ils étaient tous les deux capitaines de milice, comme Louis-Daniel et Corbin Guilbault. Romuald Bonin avait pensé à demander à son oncle Nicolas de lui servir de témoin. Cependant, il craignait de raviver une vieille rancune familiale, à la suite d'une chicane mémorable qui avait alimenté l'enfance des frères et des cousins Bonin entre Parfait, le défunt père de Romuald, et son frère François, un colosse autoritaire, relativement à leur choix respectif de carrière. Romuald ne voulut pas non plus que son mariage soit une cérémonie honorifique de miliciens gradés. Sa passion pour la meunerie l'incita plutôt à opter pour François Caisse comme témoin.

Quand Romuald, agenouillé, avait souri à Christine, celle-ci avait remarqué son blazer bleu marine assorti de son pantalon gris. Elle vit aussitôt la coïncidence avec la couleur de l'uniforme de James. Un coup de poignard lui transperça le cœur. Elle revit le visage basané et les bouclettes brunes du bel officier aux yeux pairs, dont la voix sulfureuse et la prestance avaient produit sur elle l'effet d'un coup de foudre.

Christine ressentit simultanément un coup de pied en son sein.

Ton enfant m'envoie le signal de son désaccord avec ce mariage. Il souhaite que je t'attende. Mais tu m'as dit de ne pas t'attendre. Aurais-je dû te faire savoir que j'étais enceinte de toi? Maintenant, c'est trop tard. Ton enfant portera le nom de son père adoptif.

Christine savait qu'elle allait bientôt consacrer sa vie au bien de son enfant à naître, et ce, avec un homme qu'elle apprendrait à aimer, puisque celui qu'elle aurait souhaité épouser avait choisi de disparaître.

Christine se réfugia dessous sa voilette, afin de camoufler ses yeux larmoyants, avant que le curé Papin monte en chaire. Elle prit le temps d'admirer l'ornementation de l'intérieur de l'église, comme jamais elle le fit auparavant. Elle admira le retable en arc de triomphe à la romaine, où était nichée tout en haut la statue dorée de sainte Geneviève. Le tabernacle doré, orné de motifs floraux, d'entrelacs et de festons, attira particulièrement son attention. Elle remarqua les bas-reliefs avec sa surabondance de motifs décoratifs grecs. Les statues de saint Pierre et de saint Jean trônaient chacune en haut du petit autel d'un transept.

— Bien chers frères et sœurs, aujourd'hui, Dieu unira les destinées de deux êtres qui se sont voué l'un à l'autre un amour éternel, jusqu'à ce que mort s'ensuive. Le plan de Dieu veut que ses enfants dans la foi naissent d'un homme et d'une femme qui lui promettront de se donner corps et âme à cette mission, non pas dans la concupiscence de la chair, mais dans la pudeur et l'observance de ses commandements, car le péché de la chair est le pire qui soit, s'il est commis en infraction avec la volonté divine…

Christine et Romuald se jureront amour et fidélité dans la crainte de Dieu. Ils se multiplieront en accomplissant leur devoir conjugal, en harmonie avec le plan de Dieu, et élèveront leurs nombreux enfants dans la foi chrétienne. Ils se sont déjà confessés.

Ils devront être patients et indulgents, l'un vers l'autre, se soutenir mutuellement et surtout avoir une conduite irréprochable concernant la fidélité et la moralité entre les conjoints. J'ajouterais que l'épouse a l'obligation d'obéir au chef de famille et de lui être soumise en tout temps, comme l'Église l'est au Christ.

Christine songeait alors aux moments d'extase passés dans les bras de James, à l'unisson de leur plaisir charnel, en se disant que ces instants magiques resteraient à jamais gravés dans sa mémoire, même si elle allait jurer amour et fidélité à Romuald en devenant madame Christine Bonin.

Mais non, Christine, tu ne peux pas lui faire ça. Même en pensée, c'est commettre l'adultère, le pire péché qui soit.

Une larme coula doucement sur sa joue, en pensant que James ne s'était pas empêché de le faire.

Que dire à ma petite Violette, si elle me le demande un jour, lorsqu'elle sera grande ? Que sa mère avait accepté de commettre le péché de la chair ? Est-ce péché d'aimer à en devenir folle ?

Le curé Papin continua :

— Le sacrement de l'Eucharistie confirmera leur désir d'être habités et guidés par Dieu, dans cette volonté d'élever une famille chrétienne et d'ajouter leur brique dans l'édification de la nation canadienne-française catholique.

Le notaire Faribault sourcilla. Il n'avait jamais soupçonné le curé Papin d'être un fervent patriote canadien-français. Il se dit qu'au retour de sa captivité, il vaudrait mieux que James Cuthbert n'apprenne jamais la profession de foi patriotique du vieux curé. Furtivement, le notaire jeta un coup d'œil à gauche et à droite, afin de mesurer les réactions de l'assistance. Personne ne réagit au propos du curé, alors qu'aucun fidèle ne semblait sommeiller pendant l'homélie.

— Comme les fiancés ont hâte de commencer leur vie de couple, je vais donc procéder au sacrement de mariage. Je vais demander à Christine et à Romuald de se tenir debout.

Geneviève vit Christine bouger nerveusement sur son prie-Dieu. Elle mit un pied dans l'allée afin de s'approcher de la mariée. Comme le curé Papin vit le geste inusité, Geneviève s'avança vers Christine, afin de retoucher le pli de sa robe légèrement froissée. Christine se retourna légèrement, et l'entendit dire :

— Tu prends la meilleure décision. N'en doute pas. Relève ta voilette.

Christine sourit aussitôt à Geneviève, qui entrevit le visage serein de son amie.

Ouf, j'ai eu peur, se dit Geneviève

— Romuald Bonin, voulez-vous prendre comme légitime épouse Christine Comtois, ici présente, en promettant de l'aimer et de la chérir ?

— Oui, je le veux.

— Et vous, Christine Comtois, voulez-vous Romuald Bonin comme époux, en promettant de l'aimer et de le chérir jusqu'à sa mort, et de lui obéir comme une épouse modèle doit le faire ?

— Oui, je le veux.

— Je vous déclare mari et femme, selon les liens sacrés du mariage.

Le prêtre aspergea l'alliance avec l'eau bénite et invita Romuald à passer l'anneau au doigt de Christine. Celle-ci n'en revint pas de la beauté du bijou qui étincelait sous les rayons azurés qui zébraient le vitrail de la fenêtre. Elle sourit spontanément à Romuald. Elle n'avait jamais reçu un si beau bijou de toute sa vie. Pour sa part, Romuald se sentit transporté d'allégresse. Il avait réussi à arracher un sourire spontané à celle qu'il aimait.

Par la suite, le curé Papin dit la messe nuptiale. Christine remarqua que l'autel, avec ses bas-reliefs antiques, ressemblait plus à un tombeau qu'autre chose. Elle eut peur que cela soit un mauvais présage pour son mariage. Recueillis, les nouveaux mariés communièrent, en entendant, chanté du jubé, l'hymne *Panis Angelicus*, composé par saint Thomas d'Aquin et mis en musique par Henry Du Mont.

Au moment du *Deo Gratias*, l'église s'était presque vidée. Seules les familles des mariés les suivirent jusque sur le parvis, où les attendaient les invités à la noce. Aussitôt sortis, Christine et Romuald furent félicités par des applaudissements nourris et inondés d'une nuée de confettis. Quand le calme fut revenu, Honorius s'écria :

— Que le nouveau marié embrasse sa mariée.

Aussitôt, Romuald releva la voilette que Christine avait replacée après la communion. Geneviève avait présumé que Christine avait encore quelques larmes à pleurer, afin d'évacuer une fois pour toutes l'angoisse ressentie lors des derniers mois.

— Puis-je vous embrasser, madame Bonin ?

Spontanément, Christine s'élança vers Romuald pour l'embrasser.

Geneviève Faribault, Marie-Ange Guilbault et Marie-Anne Boucher, les trois femmes qui connaissaient le secret de Christine, respirèrent d'aise.

À tour de rôle, les demoiselles d'honneur et les familles félicitèrent Christine et Romuald.

— Félicitations, madame Christine Bonin. Je suis si fière pour toi. Maintenant, les nuages sombres sont disparus de ta vie. Tu as été très courageuse, chuchota Geneviève, à l'oreille de son amie.

Pour toute réponse, Christine sourit avec enthousiasme. Ce fut au tour d'Angélique de s'avancer.

— Il ne me reste plus qu'à me faire vieille fille ! Je suis la seule à ne pas avoir de cavalier à mon âge.

— Monsieur Caisse s'est fait accompagner par Benjamin, son fils cadet. L'as-tu remarqué ?

Comme Angélique ne réagissait pas, Christine ajouta, pour la taquiner :

— Tu es bien la seule !

— Christine Comtois !... Euh, Bonin ! Déjà mariée que tu reluques ! Où demeure-t-il ?

— À Lanoraie, chez son père.

— Ah, c'est trop loin. Me vois-tu, la fille des îles, à casser le tabac ?

— Tant pis pour toi, Geneviève l'a remarqué, elle !

Un murmure de contestation parcourut la foule, alors que les gens avaient déjà félicité Romuald.

— Il y en a d'autres qui veulent féliciter la mariée !

Marie-Ange s'approcha en pleurant.

— C'est Antoinette et mémère Gertrude qui seraient fières de toi.

— Et vous, ma tante ?

— Moi aussi, tu le sais bien !

En bon capitaine de milice, Louis-Daniel Guilbault donna les consignes.

— Le curé Papin nous attend au presbytère pour signer les registres. Rejoignez-nous tous à la maison pour la noce. Tout le monde ici présent est invité.

— Hourra !

Les nouveaux mariés et leurs témoins se rendirent à pied au presbytère. Romuald sortit cinq pièces de monnaie de la poche de sa veste pour payer les honoraires du curé. Ensuite, l'on se dirigea au lieu de la noce. Christine prit place aux côtés de Romuald dans sa calèche, alors que le curé Papin et François Caisse accompagnèrent Louis-Daniel Guilbault chez lui dans son boghey.

CHAPITRE XXXVI
LA NOCE

Aussitôt arrivés dans la maison, après s'être embrassés sous les applaudissements, les nouveaux mariés reçurent encore une fois les félicitations de tous. Les hommes avaient déjà un verre à la main, tandis que les femmes ricanaient de tout et de rien, une fois leur première coupe de vin bue.

Honorius Bonin ne se gêna pas pour étriver ses frères.

— J'aurais parié que Rosius aurait été le dernier à se marier, vu que…

— Vu que quoi ? s'écria Anémone Magnan, irritée.

— Vu que c'est le plus jeune de la famille ! s'esclaffa Honorius.

La blague n'eut d'effet que chez la famille Bonin. Même Christine ne la comprit pas.

— Ne fais pas attention à Honorius, il faut le pincer pour qu'il arrête de rire. Hein, Honorius ?

Ce disant, sa femme Églantine Pelland le pinça si fortement qu'il regimba. Elle lui dit à mi-voix :

— Ça t'apprendra à nous faire honte. Ne gâche pas le plus beau jour de la vie de Romuald. Un peu de modération sur le p'tit blanc. Personne ne te demande de vider le cruchon !

Voulant apprécier à son tour l'élixir, le curé Papin proposa aux maîtres de la maison ainsi qu'aux nouveaux mariés et à ceux qui désiraient assister à la cérémonie d'aller bénir le lit nuptial. En entrant dans sa chambre, Christine eut la surprise d'apercevoir un mobilier de chambre tout neuf en noyer, avec un lit aux pieds en torsade.

— Oh !

Christine faillit s'évanouir tant elle fut ébahie. Elle regarda sa marraine Marie-Ange.

— C'est notre cadeau de noce, ton oncle et moi. Nous avons fourni le bois, mais c'est Corbin qui l'a fabriqué. La literie est le résultat des doigts de fée d'Ursule.

— Jeanne-Mance et moi avons cousu la dentelle, s'écria Jeanne d'Arc Guilbault.

Christine lui sourit.

— Mais… le mobilier n'était pas là tout à l'heure, quand nous sommes partis à l'église ! s'étonna-t-elle.

— Corbin et moi sommes partis après le *Deo Gratias*. C'est pour ça que nous n'étions pas là à votre sortie de l'église, dit Ursule.

— Je l'ai fabriqué dans la remise du père, à ton insu. Mon oncle Jacques m'a aidé à transporter le mobilier, ajouta Corbin.

— N'oubliez pas que votre lit de noce sera votre lit de mort. Je le bénis au nom du Père, du Fils et de l'Esprit-Saint. Allez et multipliez-vous ! *In nomine Patris, et Filii, et Spiritu sancti*, murmura le prêtre en aspergeant le lit d'eau bénite le lit.

« *Amen* », répondit l'assistance.

Romuald regarda Christine avec des yeux langoureux. Celle-ci lui sourit. L'échange n'échappa aux tantes de Christine. Renée chuchota à l'oreille de Marie-Ange :

— Même s'ils ne sont pas si bien assortis, ils semblent s'aimer. C'est ça le plus important. Quand on pense qu'il y a des pays où ce sont les familles qui choisissent les conjoints !

— C'est vrai qu'ils semblent bien s'entendre.

— Le test de l'entente viendra à la fin de la journée. Pauvre Rosine. As-tu eu le temps de lui donner quelques recommandations ? Des précautions. Étant donné qu'Antoinette est décédée depuis belle lurette, c'est toi qui l'a suppléé, en tant que marraine.

— Ne t'inquiète pas, Christine saura bien se comporter. Je lui ai dit l'essentiel. Pour le reste, elle a des yeux et des oreilles pour tirer ses propres conclusions.

— Pour ça, oui, elle est bien capable de se débrouiller, même dans ce domaine-là !

À peine la dernière goutte d'eau bénite aspergée et le dernier *amen* prononcé, Louis-Daniel s'écria :

— Ne faisons pas languir les invités : ils doivent avoir soif ! Un p'tit remontant ne leur fera pas de tort. Ça vaut aussi pour vous autres, les nouveaux mariés. Votre nuit de noces ne doit commencer qu'à la fin de la soirée.

Christine et Romuald rougirent, alors que Marie-Ange le réprimanda :

— Ne dis pas de grossièretés devant monsieur le curé. Que va-t-il penser de notre famille ?

— Ne vous en faites pas, madame Guilbault, votre mari dit vrai, répondit le curé Papin, qui se dépêchait d'enlever son étole et de remettre le vêtement sacerdotal, en rangeant son goupillon et son flacon d'eau bénite dans une petite mallette de cuir noir. Une tasse de grès fournie par Marie-Ange avait servi de bénitier.

Dès que la petite assistance fut sortie de la chambre nuptiale, Louis-Daniel lança :

— Du p'tit blanc pour les hommes, du vin de gingembre et de la bière d'épinette pour les créatures, ça vous irait ?

Les verres se remplirent à la ronde. Pendant que Christine et Romuald se promenaient parmi les invités pour les félicitations d'usage, alors que la nouvelle mariée montrait avec fierté son alliance, les femmes mettaient une dernière touche au repas. Vers dix heures trente, Marie-Ange avisa Ursule et Corbin d'informer les invités que le dîner était prêt.

Il fut demandé à Christine de s'asseoir au bout de la table, alors que Romuald, Marie-Ange et Louis-Daniel s'affairèrent à la servir. Agathe Bonin Bérard était assise à côté de sa nouvelle belle-sœur. Agathe souligna les avantages de ce cérémonial.

— Le jour de ses noces, la mariée se laisse gâter. Profites-en, car demain, c'est toi qui vas servir Romuald. Mais je suis convaincue qu'il va t'aider dans le ménage. Toutefois, comme c'est un vieux garçon, il appréciera davantage ta cuisine que toi la sienne !

Louis-Daniel n'avait pas attendu le moment des grandes boucheries. Marie-Ange et lui avaient jugé que la noce de Christine méritait bien de tuer le premier cochon. Lard, charcuterie et cochonnailles attendaient d'être servis aux invités avec les œufs apprêtés de différentes manières. Cependant, Christine avait tenu à ce que l'on serve un menu plus élaboré pour célébrer son mariage. De l'anguille et du saumon fumés furent servis comme entrée avec des tranches de pain de froment parfumées au thym et à la ciboulette. L'épaule de veau comme pièce de résistance, accompagnée de salades et d'olives, fit le ravissement des invités.

Durant le repas, les hommes parlèrent de l'avancée de la guerre, après la *Déclaration unilatérale d'indépendance des Treize Colonies* rédigée par Thomas Jefferson, le 4 juillet 1776. La Nouvelle-Angleterre se séparait alors irrévocablement de la Grande-Bretagne. Cet affront à la Couronne britannique alimenta la guerre impitoyable entre Londres et sa colonie d'Amérique.

Le général George Washington avait repris Boston, aux mains du général Howe, le 17 mars 1776. Ce dernier prit sa revanche, en juin suivant, en prenant la ville de New York et l'État du Rhode Island. Les deux généraux ennemis se battaient maintenant pour la conquête de l'État de New York. La ville de New York fut le théâtre d'âpres combats à Brooklyn et à Harlem. Le 21 septembre, le quart de la ville fut détruit par un incendie.

Pour leur part, le gouverneur Carleton et le général Burgoyne avaient pourchassé le gros des troupes en retraite du général américain Arnold vers le sud du lac Champlain. Cependant, aucune bataille décisive ne s'ensuivit, car Burgoyne projetait de retourner en Angleterre avant les glaces sur le golfe Saint-Laurent, et de revenir faire la jonction avec le général Howe l'année suivante, en s'emparant du fort Ticonderoga. Ce retard allait permettre aux Américains de renforcer leur position, le long du lac Champlain.

— Avez-vous eu des nouvelles de nos prisonniers de guerre, notaire Faribault ?

— J'ai su que James Cuthbert et Louis Olivier étaient retenus à Albany et qu'ils seraient bientôt en route pour l'Angleterre, si ce n'est déjà fait. Ils seraient donc libérés contre un échange de prisonniers. Par ailleurs, la date de leur retour à Berthier m'est inconnue.

Un silence solennel envahit la salle de réjouissances.

— Nous aurons donc la possibilité de voir passer le bateau ?

— J'en douterais, car ils vogueront probablement sur l'Hudson, répondit le notaire.

— Si nous avions pu mettre la main au collet de cet infâme colonel Livingston, ce bourreau des cœurs, nous aurions pu les ravoir plus vite, dit un sympathisant du seigneur Cuthbert.

Un rire se répandit en cascade chez les convives. Geneviève Faribault jeta un regard vers Christine qui s'efforçait à sourire de la remarque, mais le cœur n'y était pas. Elle n'était pas la seule. Renée et Jacques Cotnoir avaient eux aussi le nez dans leur assiette.

— J'espère que les Anglais lui ont fait la peau !

— Aux dernières nouvelles, le régiment du colonel Livingston devait être affecté au fort Ticonderoga.

— Croyez-vous que les Treize Colonies vont s'avouer vaincues ?

— Si elles ont déjà proclamé leur indépendance, c'est le signal qu'elles n'abandonneront jamais la lutte. Cependant, pour être victorieux, ils chercheront l'appui de nations étrangères.

— Est-ce que les Américains reviendront nous courtiser ?

— Permettez-moi d'en douter. Les insurgés américains, comme le gouvernement anglais d'ailleurs, ont été déçus de la neutralité des Canadiens français…

— Nous avions raison. Cette guerre est une querelle entre Britanniques, pas la nôtre !

Le climat devenait tendu. L'humeur joyeuse de la fête était devenue morose. La femme du notaire faisait les gros yeux à son mari, en insistant pour qu'il change de sujet. Réalisant son manque de tact, il fit signe à Corbin qu'il voulait s'adresser officiellement aux convives. Le notaire Faribault dérogeait ainsi à la préséance en prenant la parole avant monsieur le curé.

— Nous ne sommes pas dans une assemblée politique ou dans un conseil de guerre, mais aux noces de notre chère Christine à qui, au nom de ma famille et de ses nombreux amis, je voudrais adresser ces quelques mots…

Le notaire prit le temps de se gourmer, afin de rendre son laïus plus solennel.

— Mon épouse et moi connaissons Christine depuis près de dix ans comme voisine. Notre fille Geneviève et elle sont devenues rapidement de grandes amies. Je dirais même presque deux sœurs, puisque Christine passait pratiquement plus de temps chez nous que chez elle…

Éclats de rire autour de la grande table. La femme du notaire pencha la tête de honte en constatant que son mari était légèrement pompette, alors que Marie-Ange se força à rire du sarcasme.

— Si nous l'avons vue grandir, nous avons surtout eu la chance de la voir s'épanouir… Christine a travaillé cet été comme secrétaire à mon étude notariale, et j'ai pu apprécier son professionnalisme. Comme intendant intérimaire de la seigneurie de Berthier, je lui ai demandé d'organiser les festivités nécessaires aux retrouvailles et à la réconciliation des familles de toutes allégeances politiques…

L'émotion émanait dans la voix de l'orateur qui prit une gorgée d'eau. On aurait pu entendre voler une mouche.

— Christine a eu l'idée d'organiser la fête du froment, de la gerbe de blé, si vous préférez. Aucun censitaire n'est contre une bonne miche de pain de ménage bien chaude, n'est-ce pas, Romuald?

Des rires fusèrent dans la pièce. Caparaçonné dans son blazer marin, le meunier se demandait s'il était de bon ton de rire du trait d'humour.

— La suggestion apparut appropriée à notre curé Papin. Christine s'empressa aussitôt d'inviter les représentants de notre gouverneur et de notre évêque, qui répondirent avec empressement à son appel. Je me suis dit que c'était normal, puisque la seigneurie de Berthier avait déjà fait beaucoup pour le pays.

— Oui, oui, confirmèrent spontanément certains invités.

— Mais, il y avait plus. En rencontrant le haut dignitaire Lanaudière, en août dernier, je me suis vite rendu compte qu'il vouait un profond respect à notre chère Christine. Pourquoi, me demanderez-vous? Parce qu'elle est jolie et attrayante? Je devine que Romuald le pense.

Tous les regards se tournèrent vers Christine qui rougit du compliment.

— Et je me suis rappelé que durant la dernière année, pendant les tristes jours qui ont ébranlé notre communauté, Christine avait servi son pays avec courage. De telle manière qu'elle a suscité l'admiration des grands de ce monde et conquis les cœurs de ses concitoyens. Notre meunier en est sa plus éloquente victime…

Rires. Christine regarda Romuald avec tendresse.

— Si les actes de bravoure discrets de Christine sont ses faits d'armes — elle qui n'a tiré aucun coup de fusil —, ce qui m'impressionne le plus, c'est son amour pour sa patrie… Sans négliger les siens et sans dénigrer la condition des gens de Berthier, elle nous a prouvé que les petites gens, les enfants d'humbles cultivateurs, pouvaient faire de grandes choses pour leur nation…

Un silence monacal avait remplacé l'hilarité des derniers moments. Même Honorius Bonin comprit que ce discours patriotique du notaire resterait gravé à jamais dans l'esprit des gens de Berthier.

— Notre région, notre pays, a vite retrouvé la paix. Vous savez pourquoi ? Est-ce parce que les grands enjeux politiques se sont déplacés sur un autre territoire ? Oui, en partie. Mais c'est l'autre facette de notre solidarité qui m'intéresse aujourd'hui. Celle de notre prise de conscience du fait que nous formons une nation qui se tient debout, et que tous ensemble, nous nous battons pour nos idéaux identitaires qui sont menacés : notre religion, notre langue, notre terre — même si des divergences à première vue irréconciliables peuvent éclater entre nous.

Le notaire prit une autre gorgée d'eau pendant que Louis-Daniel Guilbault et Jacques Cotnoir s'échangeaient des regards contrits, en se demandant ce que voulaient dire l'expression *idéaux identitaires et divergences irréconciliables.*

— C'est ce que j'appelle le véritable patriotisme. À cet égard, Christine nous a prouvé — et nous le prouvera encore, j'en suis persuadée — qu'elle est une grande patriote. Prenons exemple sur elle !

Tonnerre d'applaudissements.

— Trêve de discours politiques — s'il en fut un, ce n'était pas mon intention, veuillez m'en excuser.

Se tournant vers les nouveaux mariés, le notaire reprit.

— Cet éloge à Christine venait du fond du cœur, et ce n'est certainement pas elle qu'il l'exigeait ni même l'espérait. Elle est trop sincère et entière pour ça. Elle préfère sans doute, comme son mari, que l'on fête leurs noces avec gaieté.

Certains convives commencèrent à faire tinter leur verre avec leur cuiller.

— Mais auparavant, fais-nous l'honneur, Christine, de nous adresser quelques mots.

La proposition inusitée imposa rapidement le silence. Surprise, la nouvelle mariée se leva et prit la main de Romuald, surpris et gêné de la situation en constatant que sa jeune épouse possédait un caractère fort et déterminé.

— Chers parents et amis… Je tiens d'abord à remercier son Excellence, le notaire Faribault, mon patron, pour ces mots si élogieux… Si le fait d'être patriote consiste à aimer les gens qui nous entourent et à protéger notre coin de pays, alors vous l'avez été et l'êtes tout autant que moi !

D'aucuns virent le notaire se rengorger de s'être fait appeler *Excellence*. Rapidement, l'atmosphère se réchauffa et les murmures prirent de l'ampleur. Christine continua.

— Romuald et moi tenons à vous remercier d'être venus en aussi grand nombre festoyer à nos noces. J'ai l'impression que les gens de Berthier et des îles, et de Lanoraie, se sont retrouvés en famille pour célébrer notre mariage…

En insistant sur *Lanoraie*, Christine avait jeté un regard révérencieux de côté à l'oncle Nicolas et au cousin François Bonin, ainsi qu'à François et Benjamin Caisse.

— En épousant Romuald, j'ai non seulement la chance de m'unir à un mari exemplaire, mais aussi à une belle-famille respectable, la famille Bonin, que j'aurai l'occasion d'apprécier davantage avec le temps…

Corbin demanda aux membres présents de la famille Bonin, à la droite de Romuald, de se lever.

Enchanté du clin d'œil de sa nouvelle nièce, Nicolas demanda à son fils François de se lever en même temps que lui. Alors que l'assistance admirait la carrure impressionnante des miliciens, les cousins Bonin eurent le sentiment de voir effacée à tout jamais la vieille rancune familiale.

Tandis que les jumeaux Honorius et Rosius Bonin ne se firent pas prier, leur sœur Agathe paraissait trop timide pour le faire. Son mari Norbert Bérard se leva à sa place.

Salve d'applaudissements des convives.

— Je suis certaine que Romuald pourra en faire autant avec la famille Guilbault. J'en profite pour remercier publiquement mon oncle Louis-Daniel et ma tante Marie-Ange, mon parrain et ma marraine, de m'avoir élevée comme leur propre fille, après le décès de mes grands-parents Rémillard. En organisant cette somptueuse noce, ils me prouvent une fois de plus leur affection. S'ils ne m'ont pas donné la vie, ils m'ont donné leur amour inconditionnel, et c'est le plus beau cadeau qui soit. Applaudissons-les !

Christine se tourna alors vers son oncle et sa tante, assis à sa gauche. Corbin supplia alors ses parents de se lever. Christine les embrassa. Romuald fit de même. Ensuite, les nouveaux mariés firent de même du côté de la famille Bonin.

Les applaudissements durèrent de longues secondes. Puis Corbin demanda au curé Papin s'il voulait prendre la parole. Frustré, celui-ci fit signe que non.

— C'est bien beau d'embrasser la parenté, mais si nous demandions aux nouveaux mariés de s'exécuter devant nous ?

— Bonne idée, répondirent en chœur quelques membres de l'assistance, alors que les convives frappaient leur cuiller sur leur verre en guise de sonnaille.

Pudiquement, Romuald fit la bise à Christine.

— Tu as encore des choses à apprendre, mon frère ! s'esclaffa Honorius.

— Ce n'était qu'un début, n'est-ce pas ? tempéra Corbin.

— Notre meunier est capable de mieux que ça ! répondit un censitaire.

Romuald appliqua alors un baiser plus franc sur la bouche de Christine. Celle-ci eut un mouvement spontané de recul, mais se ressaisit à temps. Elle avait perdu momentanément sa belle assurance.

Concert de sonnaille sur les verres et les tasses de grès. Quand les nouveaux mariés se furent rassis, Corbin harangua les convives.

— Personne n'est resté sur son appétit ? demanda haut et fort Corbin.

— Non, répondit-on en chœur.

Le sourire était revenu sur le visage de Christine qui s'époumona à répondre aux questions de Corbin.

— Je demandais ça, parce qu'il y a des cuisses de grenouilles, au cas où ! blagua Corbin.

— Ouach !

— Tout le monde a bien bu ?

— Pas assez à notre goût, répondit Honorius Bonin.

— Monsieur Bonin, je vous promets que vous l'aurez votre coup de blanc, pourvu que vous le méritiez !

— Qu'il chante avant !

— Exact. Mais pas avant le tour de chant de nos nouveaux mariés. Je demande donc à Christine de venir nous turluter un air.

Applaudissements pour encourager la mariée. Christine entonna donc *Marianne s'en va-t'au moulin*, au plus grand plaisir des invités.

Pour sa part, Romuald se mit à chanter, à l'intention de son témoin, le maître-farinier François Caisse: « Qu'il fait bon, chez vous, maître François, qu'il fait bon, dans votre moulin… Et chez vous, ça sent bon le grain. » Les trous de mémoire de Romuald étaient dus à sa nervosité.

Rendu à son tour, Honorius se moqua de son frère, en chantant:

Meunier, tu dors, ton moulin bat trop vite;
Romuald, Tudor, son p'tit cœur bat trop fort.

Honorius Bonin avait mimé la couronne et la virilité du roi d'Angleterre Henri VIII, qui avait eu six épouses.

Rires.

— Mérite-t-il son verre?

— Même deux rasades.

Honorius fit cul sec deux fois, en vidant son verre d'un trait, au grand désappointement de sa femme Églantine.

Comme dessert, Geneviève Faribault avait tenu à faire venir de Montréal des poires et des melons, qui furent servis au sirop de sucre. Des pommes, des amandes et des noisettes ainsi que de petits citrons importés des Antilles s'ajoutèrent au plaisir gastronomique des convives. Ursule et Corbin Guilbault réservaient une surprise aux noceurs.

— Des fruits et des noix, même dans le sucre, c'est bon comme dessert, mais ça ne remonte pas le Canayen. Vous méritez mieux que ça. Ursule vous a réservé une petite surprise, s'exprima Corbin.

Étonnées, Marie-Ange et Renée se regardèrent. Christine, elle, regarda Geneviève.

— Des queues de castor!

Consternation.

— Ouach! Tu n'es pas dans la bonne saison, entendit-on.

— Au milieu d'octobre, c'est à la fin de l'été des Indiens, mais ce n'est pas une raison pour nous servir du castor comme dessert!

— Est-ce pour féliciter Christine pour son tour de chant, ou pour lui signifier à quoi s'attendre avec Romuald ? demanda Honorius, qui avait déjà un peu trop bu.

Sa femme Églantine lui asséna discrètement un coup de coude, qui lui fit ravaler ses paroles. Heureusement, Christine n'avait pas prêté attention à ce commentaire.

Pendant que tout le monde se demandait à quoi rimait cette blague, Ursule apporta sur un large plateau des beignets chauds faits de pâte de crêpe et baignant dans du sirop d'érable, et dont l'arôme sucré enivra les narines des convives.

— C'est vrai, les beignets ont la forme de queues de castor !

— C'est mon idée, mais la farine a été spécialement préparée par Romuald.

Étonnée, Christine se tourna vers Romuald.

— Goûtes-y la première, mon amour. Seule Ursule a testé la recette.

— Habituellement, Ursule n'a pas sa pareille pour cuisiner le dessert, répondit Christine, en souriant.

Une queue de castor fut servie à Christine, avec une tasse de café.

— Hum, c'est délicieux ! On dirait le temps des sucres en octobre. Je crois que je me laisser tenter pour une autre.

Renée se pencha à l'oreille de Marie-Ange.

— Il ne faudrait pas que Christine exagère. Elle a déjà pris du bedon cet été, elle habituellement si mince. Ne trouves-tu pas ça étrange ? Combien de temps se sont-ils fréquentés ?

— Depuis la fête du froment.

Renée paraissait songeuse.

— Le meunier doit avoir gavé Christine de froment spécialement préparé pour les queues de castor, pour l'engraisser comme un…

Marie-Ange parut irritée et décida de river le clou à sa sœur.

— Plutôt que de commérer, viens donc m'aider à servir les invités !

Quand les queues de castor eurent sucré le bec de tous les convives, un curieux demanda :

— Quand as-tu eu l'idée de ce dessert, Ursule ?

— Au printemps passé, à la cabane de Pierre-Simon Rémillard, le frère de ma belle-mère, ici présent. Comme il venait de trapper un castor, je me suis dit que, plutôt que rond, carré ou oblong, un beignet pourrait avoir cette forme.

— Comme Pierre-Simon a sa cabane à Sainte-Rose, ses citoyens devraient revendiquer sa découverte.

Un débat s'ensuivit.

— Comme votre emplacement fait partie de la paroisse de Sainte-Geneviève et que la farine provient du moulin de Pointe-Esther, il est tout à fait naturel que Berthier soit le berceau de cette trouvaille.

— Hé, personne ne pense à Ursule ? C'est quand même elle qui l'a créé, ce dessert.

— Les beignets sont le dessert favori des gens de la seigneurie, et les castors habitaient ici bien avant nos ancêtres, même avant les Indiens. Moi, je n'ai fait qu'assembler les deux traditions locales, répondit humblement Ursule.

— Raison de plus pour implanter chez nous le mariage de ces deux traditions en un succulent dessert.

— Pourquoi pas des beignets à la patate, tant qu'à y être ? Il commence à y avoir pas mal d'Irlandais ! lança un plaisantin.

— En parlant de traditions à Berthier, il y en a une autre qui veut que nos mariés dansent. Qu'en pensez-vous ?

— Oui, oui ! Place à la danse !

Les tables furent déplacées afin de laisser l'espace voulu aux danseurs. Un violoneux interpréta une valse. Romuald dansa gauchement, tandis que la grâce de Christine fit bonne impression. Après leur prestation, agissant comme maître de noce, Corbin annonça :

— Danse, musique et jeux de cartes jusqu'au coucher du soleil, jusqu'au souper. Ensuite, ne partez pas, car la veillée de noce commencera. Tout le monde doit rester.

— Ne crains rien, nous avons déjà hâte.

Le repas du soir (composé d'une soupe consistante et de charcuteries, et accompagné de pain de ménage) n'était pas aussitôt complété que l'on frappa à la porte avec fracas. Même si l'on se doutait de qui il s'agissait, on laissa Corbin l'annoncer.

— Quelle surprise ! Ne me dis pas que ce sont les survenants qui viennent nocer !

Aussitôt dit, aussitôt entra une ribambelle de jeunes gens venus danser. Quelques-uns, égrillards, la bouteille d'eau-de-vie à la main, semblaient déjà avoir entamé leurs libations depuis un moment. Un joyeux compère entonna, non sans grossièreté :

On est icitte pour prendr'un coup, pas comme des grenouilles ;
Du p'tit blanc, j'en veux beaucoup, pour pointer ma quenouille.

Corbin le prit par le collet de chemise, et lui dit :

— Écoute, le jeune, c'est une noce de gens respectables, ici. Si tu veux te rincer la dalle, reste à l'extérieur. Si tu gèles — ce qui me surprendrait avec l'alcool que tu as ingurgité —, va coucher dans la niche du chien à Christine ou dans l'écurie, avec son cheval. Quand tu reprendras tes esprits, tu pourras revenir nocer.

Le rigolo fit le salut militaire à Corbin.

— Bien dit, *hic*, monsieur l'agent de police, *hic !*

— Personne n'est en service, ce soir, excepté pour surveiller les plaisantins comme toi.

L'arrivée des survenants eut l'heur de relancer la fête. Les garçons incitèrent les jeunes filles à se réunir au centre de la pièce pour se risquer à danser sur un rythme plus entraînant : soit la contredanse, soit le rigodon, ou, plus populaire à Berthier et introduit au début du siècle par le notaire Martin Casaubon et le seigneur Pierre de Lestage, le saut basque. Garçons et filles, face à face, exécutèrent des sauts saccadés sur place, au son de la sonnaille et du tambourin.

Puis Jean-Baptiste Casaubon, de l'île Dupas, et âgé de seize ans, vint accompagner la danse nommée *fandango*, en jouant simultanément de la xirula, une sorte de petite flûte, et de la soinua, un instrument de percussion à cordes. La famille Casaubon avait conservé ces instruments appartenant à l'ancêtre, le notaire Martin Casaubon, qui s'était installé à la rivière Bayonne, à son arrivée à Berthier, au début du siècle.

Ce fut le moment que choisit Benjamin Caisse, le fils cadet du maître-farinier, François Caisse, dit Dragon, pour s'approcher d'Angélique Houle, la fille du premier lit de Renée Rémillard, et l'inviter à valser. Déjà, les noceurs avaient commencé à claquer des doigts.

Benjamin Caisse était âgé de vingt-six ans. Plutôt rondouillet, il avait le visage glabre. Cependant, une telle douceur émanait de ses yeux bleus qu'Angélique accepta aussitôt son invitation à danser la valse basque. Le couple désira faire plus ample connaissance après la danse. C'est Angélique qui amorça la conversation.

— Exerces-tu le métier de meunier, comme ton père?

— Non, je suis cultivateur au p'tit bois d'Autray. En fait, mon père a acheté quelques terres à Lanoraie pour nous établir, mes frères et moi. C'est l'aîné qui a pris le relais du moulin à Lavaltrie. Moi, je m'occupe de l'une des fermes, et je demeure avec mes vieux parents. En fait, je suis leur bâton de vieillesse, comme mon père s'amuse à le dire. Plus tard, Dieu seul sait quand, j'hériterai de la ferme. Et toi, Angélique?

— Je demeure à l'île Saint-Ignace, avec mes parents. Mon père est cultivateur. Christine, la nouvelle mariée, est ma cousine; c'est pratiquement ma sœur.

— As-tu un cavalier?

La question prit de court Angélique. Si elle répondait non, elle passerait pour vieille fille, ce qu'elle détestait au plus haut point. Si elle disait oui, elle risquait de perdre ses chances d'être courtisée. Or, Lanoraie n'était pas à la porte de l'île Saint-Ignace. Afin de se donner plus de temps de réflexion, Angélique dévia la question.

— Un cotillon! Je n'ai pas dansé cette farandole depuis longtemps.

Avant que Benjamin n'ait eu le temps comprendre ce qui venait de se produire, il était déjà emporté par la musique de la danse endiablée, tenant la main d'Angélique. Au contact de leur épiderme, les deux jeunes gens se regardèrent émus.

Renée aurait bien aimé dire à sa fille de ne pas être trop familière avec son voisin danseur, mais elle se rendit compte que les convenances n'auraient rien changé au plaisir manifeste d'Angélique, qui tenait la main d'un garçon pour la première fois. Les danseurs se frayèrent un chemin entre tables et chaises, traversant les pièces du rez-de-chaussée de la maison, entraînés par de nouveaux venus qui ne connaissaient pas les airs de la maison. Marie-Ange s'en plaignit à sa sœur:

— C'est pire qu'un charivari: un vrai capharnaüm! Je demanderais bien à Corbin d'arrêter la musique, si ce n'était pas que Christine et Romuald semblent apprécier la ronde. Après tout, l'on ne s'amuse vraiment que le jour de ses noces.

— Les curés ont bien raison de se méfier de la danse, même à la noce. Les jeunes gens commencent par se tenir la main, et Dieu sait ce qu'ils peuvent avoir en tête après !

Marie-Ange s'inquiéta de la réaction de sa sœur Renée, d'ordinaire plus tolérante. Elle lui en fit part.

— Tu ne me sembles pas trop d'adon, on dirait ! Peux-tu me dire ce qui te rend aussi à pic ?

Renée regarda Marie-Ange droit dans les yeux.

— Je vais te le dire. Le comportement de Christine me paraît bien étrange, et personne ne veut me tenir au courant. Quand je dis personne, je veux parler de mes deux sœurs, Marie-Claire et Marie-Ange. Christine vous a félicités, Louis-Daniel et toi. C'est touchant, mais elle n'a pas eu de bons mots pour Jacques et moi, alors que nous en avons fait autant pour elle que vous deux…

— Il ne faut pas lui en vouloir, c'est l'émotion !

— Jacques paraissait si malheureux, lui qui a tellement fait pour Christine. Elle n'a pas non plus évoqué Angélique, sa cousine, presque sa sœur.

— Pas plus qu'elle n'a parlé de Corbin, tu remarqueras !

— Coudonc, cherches-tu à la défendre à tout prix ? Cet affront, devant tant de gens, le jour de ses noces, est encore plus insultant. Nous allons passer l'éponge, comme toujours, parce que nous l'aimons nous aussi comme notre fille, mais avoue que nous avons quelques raisons d'être offensés.

Marie-Ange réalisa que Renée avait raison. Elle baissa la tête. Cette attitude encouragea Renée, le vin aidant, à vider son sac.

— Et puis, qu'est-ce que c'est que cette histoire de marier le meunier, à l'épouvante, alors qu'elle est en train de devenir aussi grosse que lui. L'as-tu vue, lorsqu'elle a hésité à embrasser son mari ?

— La timidité. C'est normal pour une oie blanche !

— Christine n'est pas du genre gênée, elle qui a l'habitude de graviter dans le grand monde. Elle l'a bien prouvé par son discours de remerciement bien imparfait. Enfin ! Beaucoup de bizarreries, alors que vous vous êtes donnée à elle, il n'y a pas si longtemps. Lorsque l'on dit que la guerre bouleverse les familles, ce n'est pas seulement à cause de la politique… Et peut-être bien ! Je me demande si vous nous avez réellement pardonné d'avoir appuyé la cause des indépendantistes américains, et si les larmes versées lors de la réconciliation n'étaient pas des larmes de crocodile !

Marie-Ange décida de passer aux aveux. Elle invita Renée à se rendre à la chambre de Christine.

— Ici, personne ne viendra. Comme leur lit est désormais consacré, comme mère de Christine à la place de notre sœur Antoinette — Dieu ait son âme —, tu as droit à la vérité. Enfin, celle que je connais. De grâce, n'en dis rien à ton mari et à ta fille. Chez les Guilbault, je suis la seule à connaître ce que je vais te dire.

Marie-Ange raconta tout ce qu'elle savait à propos du mariage précipité.

— Eh ben ! Toute une histoire !

— Tu comprends que Christine est si préoccupée par la suite des événements qu'elle en oublie des bouts. Il faut lui pardonner !

— Qui pourrait bien être le père ?

— Difficile à dire ! Certainement pas un garçon de son âge. Après le décès de François Fafard, Christine a été prise dans un tourbillon politique, lorsqu'elle a agi en tant qu'espionne au manoir au profit des Anglais.

— Quoi ? Espionne ?

— Ça lui était difficile de dire non, puisque c'est le gouverneur lui-même qui le lui avait demandé.

— Après tout, c'est son secret. Pourvu qu'elle fasse un bon ménage désormais, conclut Renée.

— C'est la grâce que ses deux mères adoptives lui souhaitent, n'est-ce pas ?

Renée sourit à Marie-Ange. Le mariage à la hâte de Christine venait de réconcilier définitivement les deux sœurs.

— Penses-tu qu'Antoinette aurait élevé Christine mieux que maman et nous l'avons fait ? se demanda Marie-Ange.

Renée se perdit dans ses pensées. Le fil des dix années passées se déroula à la vitesse de la lumière.

— Christine est aussi frondeuse et intrépide qu'Antoinette l'était. Ferréol ne donnait pas sa place non plus ! Christine leur aurait donné du fil à retordre, c'est clair. Ferréol vivant, un héros de la bataille de Sainte-Foy, Christine n'aurait pas espionné pour le camp des Anglais !

— Ferréol était le grand ami de Lanaudière, un autre héros de la bataille avec le général Lévis, qui est devenu l'aide de camp du gouverneur Carleton. Ça ne veut rien dire !

— Ça ne prouve rien, en effet. Nous sommes en train de parler politique, comme les hommes… En tout cas, Christine est devenue une charmante jeune femme dont nous sommes fières, et qui sera maman dans quelques mois. Le père adoptif semble très amoureux, c'est ça qui compte. Quant à Christine, nous l'aurons pour nous, plutôt que de la voir espionner à Boston, Philadelphie, Albany, New York ou Dieu sait où ! J'ai déjà hâte de bercer son bébé. Ce n'est pas demain qu'Angélique va me rendre grand-mère !

En disant cela, Renée s'alarma de la proximité de sa fille avec Benjamin Caisse.

— S'il fallait qu'elle aille s'installer à Lanoraie !

— Ce n'est pas pire qu'ailleurs ! Au moins, vous pourriez vous y rendre par le chemin du Roy. Il va falloir que tu enlèves ta fille du dessous de tes jupes, sinon, va savoir comment elle prendra son envol. Peut-être bien de la même façon que Christine…

— Marie-Ange, ne me fais pas peur !

— Une mère avertie en vaut deux. Laisse-lui de la corde à ton Angélique, si tu veux qu'elle gravite autour de toi longtemps. Bon, les noceurs vont s'inquiéter de notre absence. Et surtout, pas un mot de tout ça à quiconque. Quant à notre sœur Marie-Claire, elle n'avait juste qu'à prendre soin de Christine, comme nous.

Quand les sœurs Marie-Ange et Renée Rémillard rejoignirent les fêtards, la noce en était rendue à son point culminant. Corbin prit la parole :

— Avant de partir pour la nuit de noces, Christine va lancer son bouquet de mariée aux demoiselles ici présentes. Je leur demanderais de se rassembler sur la piste de danse. Attention, celle qui attrapera le bouquet aura de fortes chances de se marier dans l'année.

Les jeunes filles se rassemblèrent au centre de la salle à manger. Geneviève Faribault se retrouva aux côtés d'Angélique Houle.

— C'est toi la plus grande, Geneviève. Il te sera facile d'attraper le bouquet.

Quand Christine se retourna et lança le bouquet derrière elle, la trajectoire des fleurs s'orienta vers Angélique et Geneviève. Cette dernière feignit un geste maladroit et le bouquet de fleurs séchées se retrouva entre les mains d'Angélique. Aussitôt, la jeune fille, toute surprise, s'écria :

— Je l'ai eu ! Je me marierai l'année prochaine ! Moi aussi, je vais bercer un enfant, comme Christine !

Se rendant compte de sa bourde, Angélique voulut se rattraper :

— Je veux dire…

Une ombre plana au-dessus des têtes des nouveaux mariés et de celles qui connaissaient le secret. Honorius se dépêcha à clamer haut et fort, ce qui soulagea le propos tendancieux d'Angélique :

— Bien dit ! Les frères Bonin n'ont pas la réputation de chômer sur la bagatelle.

Tout le monde s'esclaffa, excepté Églantine et Anémone, qui haussèrent les épaules, feignant l'indifférence.

Christine et Romuald se rendirent à la chambre nuptiale sous les applaudissements des noceurs.

— La noce continue pendant la nuit durant. Et pour ceux qui voudraient continuer à nocer demain et après demain, nous sommes partants. Musique et danse.

Pendant que les danseurs commençaient à s'activer sur la piste, les flacons d'eau-de-vie se vidaient à la ronde. À minuit, Corbin annonça :

— Vous devez sans doute avoir un p'tit creux comme moi ? Il y a du lard frais et du pain sur le buffet. Et du café pour les femmes.

— Et du p'tit blanc pour les hommes ?

— La réserve des Guilbault n'en manque pas non plus. Un cruchon bien plein attend ceux qui sont encore capables de tenir leur verre, car il est défendu de le boire à même le goulot. Nous ne sommes pas à la caserne.

Christine et Romuald se tenaient par la main lorsqu'ils entrèrent dans la chambre. Une lanterne émettait des lueurs vacillantes. Romuald suait à grosses gouttes. Christine n'aurait pas pu dire si la cause de cette moiteur était la nervosité de se dévêtir devant une femme ou la transpiration due à la danse dans une atmosphère survoltée. Christine récupéra la serviette que Marie-Ange avait disposée près d'un bac d'eau pour sa filleule, et la présenta à son mari.

— Tiens, fais un brin de toilette, pendant que je me déshabille.

Docilement, Romuald alla se cacher derrière le paravent pour s'asperger le torse avec l'eau d'odeur que Marie-Ange avait pris bien soin de mettre à la vue. Christine observait du coin de l'œil le manège de son mari. Elle vit plus de gouttelettes d'eau virevolter en l'air que de vêtements suspendus sur la poutre. Elle se fit la réflexion que son mari avait attendu sa nuit de noces pour se dépuceler. Cette pensée la fit sourire.

Un homme neuf à son âge. Tant mieux. Il y en aura au moins un des deux qui arrivera avec sa virginité. Et dire que la coutume veut que ce soit le contraire.

La perspective de ne pas être obligée de jouer la comédie à son mari la rassura. Quand Romuald revint vers elle, elle s'était déjà glissée sous les draps blancs neufs du lit. Un cadeau de sa tante Renée, qui lui avait dit avant le départ pour la cérémonie à l'église :

— Au cas où Romuald s'interrogerait sur ta virginité, le sang sur les draps en sera la preuve.

Chère tante Renée… Si elle savait !

Lorsqu'elle vit Romuald dans sa combinaison à grandes manches, Christine s'étonna. Elle sourit, lorsqu'elle flaira la fragrance qu'émanait de l'épiderme de Romuald. Elle lui dit :

— Tu sens la rose à plein nez. J'ai toujours pensé qu'un meunier sentait la farine.

— Ce n'est pas de ma faute, si je me suis aspergé avec ce parfum de rose. Le bac était là, je…

Christine riait.

— Allonge-toi près de moi. Je veux sentir la rose de plus près… Enlève-moi cette combinaison.

Romuald hésitait.

— Est-ce que tu seras nue toi aussi ?

La pudeur de son mari fit sourire de Christine.

— Ça, tu le sauras quand tu auras fait les premiers pas. C'est le rôle du mari, tu sais… Tiens, vas-y, je me tourne la tête.

Romuald se dépêcha à se dévêtir, et se glissa sous les couvertures. Christine se revit dans les jardins de son Pépère Égard, à humer toutes les fragrances de la roseraie de Saint-Cuthbert. Cette explosion olfactive excita ses sens. Elle prit la main de Romuald et la glissa sous sa jaquette. Instinctivement, le meunier commença à pétrir l'entrecuisse et le sexe de sa femme. Christine se cabra.

— Un baiser. Vite, un baiser !

Dès que son mari approcha la bouche des lèvres de Christine, elle le renversa sur son corps, en l'invitant à l'étreinte. Elle constata la virilité de son colosse de mari.

— Oui, oui, Romuald, oui ! chuinta-t-elle.

Dès que le meunier fut repu de son premier coït, il se dégagea de Christine, en disant :

— Je ne voudrais pas te broyer les os avec ma corpulence.

Christine éclata de rire, en entendant cette réflexion naïve.

— Je suis bien avec toi, Romulo. Je t'aime.

— Moi aussi, je t'aime, Christine... Pourquoi m'as-tu appelé *gros mulot ?* J'en ai tellement au moulin, qu'ils me font damner.

Le rire sonore de Christine résonna dans la chambre.

— Tu me fais tant rire. Non, oublie ça ! Tu n'as pas à t'en faire.

— Ce n'est pas à cause de... Tu sais ce dont je parle ?

Les rires de Christine redoublèrent.

— Voyons, tu n'as aucun complexe à avoir. Bien au contraire. Essaie de dormir. La journée a été épuisante... *Gros mulot* ! Je n'ai jamais autant ri.

Angélique et Benjamin Caisse écoutaient, l'oreille collée sur la porte de la chambre nuptiale. Les rires répétés avaient laissé Angélique pantoise.

— Ceux qui me diront que Romuald Bonin était un gros nono pourront repasser. J'espère que mon mari me fera rire autant à ma nuit de noces !

Angélique et Benjamin ne s'étaient pas rendu compte que Renée, la mère d'Angélique, les surveillait.

— Que faites-vous là, vous ? Vous savez que c'est péché d'écouter aux portes, qui plus est lors d'une nuit de noces ?

— Christine ne cesse d'éclater de rire.

Renée fut piquée de curiosité. Elle s'approcha.

— C'est bien vrai. Et pourtant, il n'y a pas de quoi rire !

Angélique figea.

— Pourquoi dit-elle ça ? demanda Benjamin.

— Il paraît que mon vrai père avait bu un coup de trop, avec les conséquences fâcheuses qui ont pu s'ensuivre. On m'a dit que ça lui avait pris trois jours pour dessaouler... Il ne semble pas que Christine ait trop à se plaindre de sa nuit de noces, en tout cas.

Chapitre XXXVII
La naissance

À la messe de minuit 1776, les paroissiens de Sainte-Geneviève-de-Berthier furent troublés d'apercevoir la silhouette amaigrie, presque cadavérique, du curé Papin, qui avait eu toute la misère à compléter sa messe basse. Son message habituel d'espoir et de paix sur la terre aux hommes de bonne volonté, pour célébrer la naissance du Christ, lors de l'homélie de la grand-messe, avait fait place au châtiment qui attendait le pécheur impénitent et à la rédemption de celui qui avait reçu les sacrements .

À la sortie de l'église, après l'échange des vœux pour le temps des Fêtes, le sujet de conversation des paroissiens tourna vite autour de l'état de santé du curé Papin. Après la messe du jour de l'An 1777, le curé Basile Papin fut pris d'une attaque cardiaque. Par précaution, le curé Martel, de l'île Dupas, lui administra l'extrême-onction. Il resta paralysé.

Lorsque les paroissiens de Berthier apprirent que l'état de santé de leur pasteur se détériorait jusqu'à un stade critique, lors de la fête de la Chandeleur, le dimanche 2 février, sur le perron de l'église, la consternation de la condition du curé Papin eut immensément plus d'écho que les récentes victoires américaines aux dépens des troupes britanniques au New Jersey et que la récente déclaration d'indépendance du Vermont. Les marguilliers de Berthier tinrent à informer les paroissiens qu'une messe suivie d'une veillée de prières pour celui qui avait été leur curé pendant les derniers dix ans auraient lieu le mardi suivant, le temps que les ecclésiastiques du diocèse viennent prendre part à la vigile et rendre sans doute un dernier hommage à leur confrère.

Le curé de la paroisse du Sault-au-Récollet, Jean-Baptiste-Noël Pouget, chanta l'office saint. Les paroissiens espéraient que le curé Pouget puisse être le remplaçant désigné à la cure de Berthier. Madame Christine Bonin ne voulait pas manquer ces cérémonies pieuses, en dépit de son huitième mois de grossesse et des commentaires désobligeants des commères de la paroisse, même si son mari veillait avec prévenance sur elle.

Après la messe, le curé du Sault-au-Récollet tint à saluer son monde, particulièrement ses anciens paroissiens de Saint-Cuthbert. Lorsqu'il reconnut Christine, celle-ci voulut lui présenter son mari.

— Je vois que la dernière année fut fertile en rebondissements ! dit-il avec humour. Nous nous étions vus la dernière fois lors du fameux rassemblement aux trois fourches, n'est-ce pas ?

— Oui. Auparavant, nous nous étions croisé à Saint-Cuthbert, précisa Christine.

— En effet, avec Charles-Louis de Lanaudière et Godefroy de Tonnancour et les insurgés du fief Chicot. Êtes-vous mariés depuis le printemps ? demanda l'ecclésiastique curieux.

Comme Romuald s'apprêtait à répondre, Christine ne couru aucun risque.

— Nous nous sommes mariés à la mi-juin.

— Et l'événement est prévu pour ?

— La mi-mars, monsieur le curé.

— Bravo ! Le blé pousse toujours avec ferveur, dans les sillons d'un champ bien labouré.

Devant l'étonnement du meunier, le curé Pouget tint à préciser :

— C'est la parabole évangélique du semeur !

Le meunier parut impressionné par le sens pratique de la parabole.

— Monsieur le curé Pouget, il faut que je vous dise que Romuald et moi aimerions beaucoup que vous procédiez au baptême de notre enfant. Cependant, je sais que c'est impossible pour vous.

— Il faut toujours faire confiance à la Providence, Christine. Priez-la d'abord pour la santé de votre curé Papin, et pour que votre enfant vienne au monde en santé. Il y aura bien ici un curé pour le faire entrer dans la Sainte Église.

Les prières de Christine à Sainte-Geneviève portèrent leurs fruits à plusieurs égards. D'abord, l'ecclésiastique fut nommé curé de Berthier par monseigneur Briand et entra dans ses fonctions curiales un mois plus tard. Ensuite, faisant mentir le pronostic médical, l'état de santé du curé démissionnaire Papin s'améliora.

— Un vrai miracle, se disait-on dans la région.

Douze jours plus tard, dans la nuit du 14 au 15 mars, Christine entra en travail. Louis-Daniel Guilbault se rendit aussitôt à la Grande-Côte chercher la sage femme Marie-André Boucher. Marie-Ange avait demandé à Romuald de veiller à ce que le feu soit toujours attisé et l'eau en train de bouillir. Son mari Louis-Daniel devait se tenir prêt à ondoyer le nouveau-né, au cas où.

— Pourquoi n'irais-je pas quérir le curé Pouget ? C'est à deux enjambées d'ici.

— Deux enjambées d'un jeune homme ! La mort qui rôde frappe bien vite.

— Pourquoi ne pas le demander à Romuald ?

— Si jamais le pire survient, je préfère qu'il soit auprès de Christine. Ils semblent tellement s'aimer, ces deux-là.

— C'est vrai que Christine a fait un bon choix de mari. Ils se sont plu si vite.

— Comme tu dis, mon mari ! conclut Marie-Ange, qui ne voulut pas ressasser d'inquiétudes passées.

Christine était allongée dans son lit, un traversin sous ses genoux recroquevillés. La sage-femme l'auscultait. La parturiente savait que Marie-Andrée Boucher l'assisterait durant tout le déroulement de l'accouchement. Christine avait préféré accoucher chez elle, plutôt qu'à la petite clinique de la Grande-Côte. La sage-femme examinait avec dextérité et prudence dans la noirceur.

— Détendez-vous, Christine. Je vous l'ai déjà dit : le toucher est la boussole de la sage-femme.

— J'ai eu peur de crever mes eaux sur les draps de ma tante Renée. C'est son cadeau de noce. De plus, je n'en ai pas d'autres.

— Il faut bien qu'elles crèvent quelque part, ces eaux. Nous les laverons, les draps… Le col se dilate plus vite que prévu. Gardez le silence, s'il vous plaît : j'ai besoin de toute mon attention quand je vous palpe.

— Ne me faites pas peur avec un cas de siège !

— Soyez sans crainte : la sortie du bébé s'annonce normale. Il ne sera pas nécessaire de vous asseoir sur le chaudron à dilatation. Vos contractions vont se rapprocher.

Romuald attendait dans l'atmosphère surchauffée de la pièce principale. Renée Cotnoir et sa fille Angélique aidaient Marie-Ange à préparer le dîner, pendant que Geneviève Faribault, en qualité de future marraine, mettait la table. À fréquence aussi régulière qu'un métronome, Christine criait à en fendre l'âme. Comme Romuald s'inquiétait, Marie-Ange le rassura.

— Dans moins d'une demi-heure, vous bercerez votre enfant.

Si Marie-Ange ne s'inquiétait pas outre mesure, ce n'était pas le cas de Renée. Elle apostropha sa fille, qui échappa un ustensile sur le carrelage.

— Tu es bien distraite, toi. Peux-tu me dire pourquoi tu passes ton temps à regarder par la fenêtre ?

Penaude, Angélique répondit :

— J'ai donné rendez-vous à Benjamin ici.

— Je m'en doutais. Tu sauras bien assez vite qu'un accouchement n'est pas une partie de plaisir.

En disant cela, Christine hurla à en fendre l'âme. Presque aussitôt, les premiers cris du nouveau-né déchirèrent le silence qui alourdissait l'atmosphère de la maison. Le bébé était né, samedi le 15 mars, sur le coup de midi puisque l'angélus venait de carillonner ses premières notes plaintives. Tout le monde se regarda, attendant l'annonce de la sage-femme, qui s'occupait à examiner le nouveau-né, en protégeant la fontanelle, et à l'emmailloter dans un lange. Puis, elle coucha la petite sur le ventre de Christine.

— A-t-elle tous ses petits doigts et ses petits orteils ?

— Tout est là, madame Bonin, à leur place. Je vous le dis, votre petite fille est aussi belle que sa mère et aussi fragile que les pétales d'une fleur.

— Elle se prénommera Violette.

La sage-femme sourit. Elle se dirigea à l'extérieur de la chambre.

— Monsieur Bonin, venez près de votre femme et de votre petite fille ! Elles se portent à merveille, toutes les deux.

— Youppi ! Une petite fille ! s'écrièrent simultanément Geneviève et Angélique.

— Pourtant, le bébé aurait eu une vie beaucoup plus facile si ça avait été un garçon ! râla Renée.

Marie-Ange n'en fit pas de cas, toute dans sa hâte de bercer l'enfant.

Quand Romuald passa près d'elle, la sage-femme fit ses recommandations.

— Votre femme doit se reposer. Elle a perdu du sang. Dans quelques jours, elle sera remise sur pied.

— Combien vous dois-je ?

— Nous en reparlerons. Votre femme d'abord, les comptes ensuite.

Romuald trouva Christine bien pâle.

— Je te présente ta fille Violette. Tiens, prends-la.

— Pas encore, j'ai peur de l'échapper.

— Essaie !

Quand le meunier voulut prendre le poupon, il regimba. Ne sachant pas quoi trop dire, il dit :

— Elle a…

— Déjà mon caractère ? dit Christine en riant.

— Non, non, tes cheveux. Elle est déjà toute rousse.

— Les deux font la paire, Romuald ! Je t'aime. Tu feras un bon papa.

— Et toi, la plus belle maman au monde !

Le son du ricanement répété se transmit jusqu'à la pièce principale. Renée s'adressa alors à Angélique.

— Décidément, ces deux-là s'amuseraient à des funérailles !

Romuald demanda à la sage-femme de présenter le bébé aux femmes de la maison, puis il dit :

— Demain après la grand-messe, je me rends au presbytère demander au curé Pouget de baptiser mon bébé. Ma fille s'appellera Violette.

Ébahissement de la part des tantes de Christine.

— Je serai la marraine, claironna Geneviève.

— Et moi la porteuse. Christine me l'a demandé.

— Qui sera le parrain ? Ça lui prend un parrain à cet angelot-là !

Silence.

— Christine le sait, mais elle dort. Romuald, qui sera le parrain ? Habituellement, il provient de la famille du père.

Le meunier apparut embarrassé du qualificatif de *père*. Louis-Daniel s'en rendit compte.

— Au début, ça nous semble étrange. Plus tard, tu ne pourras plus t'en passer. C'est comme le p'tit blanc.

Comme il faisait le geste d'aller fouiller dans l'armoire, afin d'étriver sa femme, le capitaine de milice émérite se fit bloquer la route.

— Que je te vois prendre un coup à tout bout de champ ! Demain, après le baptême, il sera bien assez tôt pour boire.

— Ça sera Corbin. Christine et moi avons porté notre choix sur Corbin, annonça Romuald.

— Raison de plus pour fêter ça, torrieu ! Et cette fois-ci, tu ne pourras pas m'en empêcher, Marie-Ange !

— Tu pourrais au moins fêter ça avec Corbin !

— Bonne idée ! Je m'en vais le quérir de suite. Ursule comprendra, elle !

Le lendemain, après l'évangile et avant l'homélie, le nouveau curé de Berthier, qui retrouvait un bon nombre de paroissiens de Saint-Cuthbert, nostalgiques des bons services de leur jeune curé, baptisa la petite Violette.

— Renonces-tu à Satan, à ses pompes et à ses œuvres ?

— Oui, répondirent Geneviève Faribault et Corbin Guilbault comme marraine et parrain, au nom de la petite Violette.

— Je te baptise au nom du Père, et du Fils et du Saint-Esprit. Violette, tu fais partie désormais de la grande famille des enfants de Dieu. Et je suis certain que tu respecteras le culte beaucoup mieux que certaines âmes bien pensantes de Berthier, qui se croient tout permis, et qui ont oublié la signification du mot *fidèle* pour désigner les paroissiens, car ils négligent de faire correctement leur religion.

Le bris de la tradition liturgique avait étonné, sinon inquiété quelques dévots. Sitôt après le baptême, déjà apte à haranguer, du haut de la chaire, ses paroissiens récalcitrants qui s'apprêtaient à aller fumer sur le parvis de l'église, le curé s'écria avec sa forte voix :

— Nous sommes le 16 mars. L'église n'est pas chauffée, mais c'est tout de même moins froid qu'à l'extérieur. Restez, sinon je vais nommer ceux que je connais déjà. Quant aux autres, dites-vous que j'apprends vite !

Les hommes se rassirent tout penauds, à la grande satisfaction du curé et de ses fidèles, qui se délectaient de ses coups de gueule.

— Bien chers paroissiens, je profite de l'entrée de Violette Bonin dans la maison de Dieu pour faire mon intronisation dans la paroisse de Sainte-Geneviève-de-Berthier. J'ai apprécié ma cure à Saint-Cuthbert, et il n'y a aucun doute dans mon esprit que je serai très heureux et longtemps avec vous à Berthier. Alors, ça vaut la peine que nous apprenions à mieux nous connaître.

Je me souviens, il y a quelque dix-huit mois, vous avoir adressé la parole, lors du grand rassemblement aux trois fourches, près du pont Jouette. Je me souviens vous avoir défendu contre l'oppresseur, c'est-à-dire contre Satan, qui souhaitait que vous renonciez à vos droits les plus fondamentaux, comme votre religion. Ça m'a coûté l'exil au Sault-au-Récollet. Justice vient de m'être rendue, puisque je suis de retour parmi vous…

En perdant votre droit de pratiquer la sainte religion catholique, il n'y aurait qu'un pas à franchir pour que vous perdiez la langue française et toutes nos coutumes, qui sait…

La Malin rebondira aussi vite qu'il disparaîtra. C'est le Christ qui l'a dit, car il s'est battu contre lui dans le désert en Galilée. Avec son aide toute-puissante, je me battrai toujours pour les idéaux des paroissiens de Sainte-Geneviève de Berthier, au risque d'aller prêcher aux tribus des Illinois…

Aujourd'hui, nous avons baptisé la fillette de monsieur Romuald et de madame Christine Bonin, deux paroissiens exemplaires par leur souci d'être constamment au service de notre communauté. Vous connaissez bien Romuald, sa droiture, son esprit de justice et sa serviabilité au moulin de Pointe-Esther.

Pour ma part, j'ai pu constater le cran et la détermination d'une jeune fille qui a risqué sa vie pour sa paroisse et sa patrie. Nul doute que leur Violette aura hérité des grandes qualités civiques et humaines de ses parents, tout autant que je suis persuadé qu'ils l'éduqueront dans la foi chrétienne. J'aurai l'occasion de dire tout à l'heure à Christine que je suis fier d'avoir officié le baptême de sa petite Violette, le premier de ma nouvelle cure… *Amen* !

Marie-Ange essuyait encore ses larmes quand Renée se pencha vers elle, en chuchotant :

— C'est vrai qu'il parle bien votre nouveau curé. Nous allons peut-être penser à déménager.

— Pourquoi ? Vous viendrez voir la petite chaque dimanche. Vous avez le plus beau prétexte.

— À propos, selon vous, à qui le curé faisait-il référence en parlant d'oppresseur et de Satan qui rôdait ?

Marie-Ange fit signe à Renée qu'elle voulait lui siffler l'information dans le tuyau de l'oreille.

— M'est avis qu'il parlait de James Cuthbert ! De grâce, n'en parle jamais à qui que ce soit. Je crois que ces deux-là ne s'aiment pas.

— Je peux comprendre le curé Pouget. Jacques non plus n'aime pas le pompeux seigneur de Berthier. À propos, si la guerre est finie, pourquoi ne revient-il pas à Berthier ?

— Selon Louis-Daniel et Corbin, paraît-il qu'il serait encore en Angleterre avec Louis Olivier, répondit Marie-Ange.

— Ça aura au moins le mérite pour sa femme d'espacer ses grossesses !

Lorsque le curé Pouget alla féliciter les nouveaux parents, un verre d'eau d'érable à la main, il dit à Christine, qui avait tenu à s'asseoir dans son fauteuil pour la circonstance :

— J'ai su que vous aviez accompli de belles choses depuis un an à Berthier !

— Ma plus réussie, c'est Violette, répondit Christine avec modestie.

— Ah, les joies de la maternité voulues dans le plan de Dieu. Cela passe bien avant la politique.

À ces mots, Violette gazouilla. Le curé sourit.

— Quand vous serez remise sur pied, si votre mari le permet, j'aimerais discuter d'organisation paroissiale avec vous. Ne serait-ce que pour me mettre à la page.

— Que voulez-vous dire, monsieur le curé ?

— Ma paroisse s'agrandira vite avec les terres de concession, et j'ai besoin d'âmes dévouées pour me conseiller en matière d'écoles et d'activités paroissiales autres que religieuses, vous voyez ce que je veux dire ? Des activités qui pourraient rassembler les gens de la paroisse selon les intérêts de leur coin de pays. Ainsi, les gens du rang Saint-Pierre n'ont pas les mêmes préoccupations que les habitants des îles, vous voyez ?

— Très bien. Comme le fait que les gens de Saint-Cuthbert sont beaucoup plus contestataires que ceux de l'île Dupas, par exemple. Pourtant, ils ne sont qu'à quelques lieues de distance.

— Vous m'avez bien compris, Christine. C'est le rôle de leur curé de trouver un dénominateur commun pour les rassembler.

— La religion est un point de ralliement.

— Oui, c'est le fondement, mais il y a autre chose : l'amour de la patrie. Et ce sentiment patriotique, vous l'avez démontré mieux que quiconque.

Christine regardait le curé Pouget avec de grands yeux.

— Laissez-moi vous bénir, avant que vous vous reposiez. La petite Violette a besoin d'un lait maternel riche, si elle veut suivre vos traces. Nous nous verrons bientôt.

Pour bénir Violette et Christine, le curé Pouget chuinta, en latin :

— *In nomine Patris, et Filii, et Spiritus Sancti.*

— *Amen*, répondit Christine en se signant.

Sommaire

Imprimé sur du papier Enviro 100% postconsommation
traité sans chlore, accrédité ÉcoLogo et fait à partir de biogaz.